Su embarazo y parto

mes por mes

QUINTA EDICIÓN

The American College of
Obstetricians and Gynecologists

Médicos de atención a la salud de la mujer

Su embarazo y parto: mes por mes, quinta edición, fue elaborado por un panel de expertos en colaboración con el personal del Colegio Americano de Obstetras y Ginecólogos (ACOG, por sus siglas en inglés):

Integrantes del grupo de trabajo de redacción

Bonnie J. Dattel, MD, *Presidenta*

Ann Brown, CNM

Nancy Chescheir, MD

Mark S. DeFrancesco, MD

Rajiv B. Gala, MD

Paul A. Gluck, MD

Brian Mercer, MD

Susan M. Ramin, MD

Personal de ACOG

Hal Lawrence III, MD, *Vicepresidente, Actividades profesionales*

Thomas Dineen, *Director principal, Publicaciones*

Deirdre Allen, MPS, *Directora de redacción*

Kathleen Scogna, MA, *Administradora de redacción, Educación de pacientes*

También se agradecen las valiosas contribuciones de las siguientes personas:

Glenda Fauntleroy, *Escritora*

Naylor Design, Inc., *Diseño del libro*

Steven Freeman 2010, *Fotografía de la portada*

Dragonfly Media Group, *Ilustraciones*

John Yanson, *Ilustraciones*

Lightbox Visual Communications, Inc., *Ilustraciones*

Se agradece la colaboración de Dr. Ernesto Castelazo y Verónica Valderrama *en la preparatión de la traducción.*

Datos del catálogo de publicaciones de la Biblioteca del Congreso

Su embarazo y parto: mes por mes / Colegio Americano de Obstetras y Ginecólogos. Médicos de atención a la salud de la mujer. — 5ª ed.

p. cm.

Ed. rev. de: Su embarazo y parto. 4ª ed. © 2005.

Incluye un índice.

ISBN 978-1-934984-03-1

I. American College of Obstetricians and Gynecologists. Women's Health Care Physicians. II. Su embarazo y parto.

RG525.A26 2010

618.2—dc22

2009049226

12345/54321

Contenido

Consideraciones especiales   307

Prefacio

Su embarazo y parto: mes por mes fue redactado por los expertos del Colegio Americano de Obstetras y Ginecólogos (American College of Obstetricians and Gynecologists), la autoridad preeminente sobre la salud de la mujer. Durante más de 50 años, este distinguido grupo de más de 52,000 profesionales médicos expertos ha brindado liderazgo y dirección sobre todos los aspectos de la salud de la mujer. Su organización filial, denominada el Congreso Americano de Obstetras y Ginecólogos (American Congress of Obstetricians and Gynecologists), se enfoca en los aspectos económicos y políticos del cuidado de la salud de la mujer. *Su embarazo y parto* deriva de este caudal de conocimientos y experiencia para proveer un recurso sobre el embarazo que es fidedigno y confiable. Presenta la información de manera alentadora, directa y fácil de entender, por lo que *Su embarazo y parto* la anima a informarse sobre su embarazo y la habilita para colaborar con su proveedor de atención médica como participante activa durante uno de los momentos de mayor satisfacción de su vida.

En su quinta edición, ahora el libro ha sido revisado y reorganizado extensamente. Entre las características nuevas de esta edición están las siguientes:

- Capítulos nuevos dedicados a meses específicos que ilustran los puntos clave de desarrollo alcanzado por su bebé durante el mes en particular, los cambios que tienen lugar en su cuerpo, consejos sobre los ejercicios y la nutrición adecuados para ese mes en particular, una descripción de la visita prenatal del mes, así como un planteamiento de los temas y las decisiones que posiblemente desee contemplar en esta etapa de su embarazo.

- La segunda mitad del libro contiene una sección sobre el trabajo de parto, el parto y el período de postparto, desde los primeros días hasta las 6 semanas y posteriormente. Se incluyen un capítulo sobre cómo diseñar la dieta óptima para el embarazo y uno sobre cómo alimentar a su bebé que ofrece información tanto sobre la lactancia como la alimentación con biberón. Otros capítulos independientes tratan de las afecciones médicas más comunes que pueden afectar el embarazo, como la diabetes mellitus, la hipertensión y la obesidad. Hay un capítulo dedicado específicamente a los embarazos múltiples, así como a segundos (o terceros) embarazos.

- ¿La confunden todas las opciones de pruebas prenatales? El capítulo de defectos congénitos (Capítulo 22) responde a todas sus preguntas, explica las pautas más recientes y contiene una tabla útil que compara sus opciones.

- Las complicaciones del embarazo se tratan en detalle en varios artículos que explican los signos y los síntomas de los que debe estar al tanto, así como los diagnósticos y tratamientos para cada afección.

- Se ofrece además información actualizada sobre los temas de mayor interés para las mujeres embarazadas, como el parto vaginal después de un parto por cesárea, el aumento de peso durante el embarazo y cómo lidiar con el trabajo de parto, consejos sobre la lactancia para madres que trabajan, así como las diversas pruebas que se emplean para controlar el bienestar del bebé.

- Se incluyen consejos de expertos sobre muchas de las decisiones importantes que enfrentan los futuros padres, tales como la elección de un proveedor de atención médica para el embarazo (y su bebé), cómo planificar su parto y cuándo anunciarles a sus otros hijos que está embarazada.

- Ilustraciones nuevas—entre ellas una sección a todo color que ilustra el desarrollo del feto y los cambios que ocurren en el cuerpo de la madre—se incorporan en esta edición. Otras ilustraciones muestran, entre otras cosas, las distintas posiciones que se pueden utilizar para amamantar, qué son los genes y lo que ocurre durante cada etapa del trabajo de parto.

- Se incluye un glosario completo que define los términos importantes que se emplean en el libro, los cuales se resaltan en negrilla y cursiva.

- *Su embarazo y parto: mes por mes* también tiene un sitio de Internet al que puede accederse en www.yourpregnancyandchildbirth.com. Este sitio de Internet ofrece información adicional, calculadoras y formularios interactivos, así como enlaces a varios recursos.

Lo que no ha cambiado en esta nueva edición es el compromiso del Colegio de proveer una guía completa y objetiva sobre el embarazo y el parto. Esperamos sinceramente que *Su embarazo y parto** se convierta en un recurso confiable y una presencia reconfortante a la que pueda acudir durante su embarazo.

**Un aviso sobre el género de los pronombres que se emplean en el libro: Los capítulos en* Su embarazo y parto: mes por mes *utilizan el género gramatical masculino para referirse al bebé. El género gramatical masculino incluye tanto a niños como niñas.*

Parte I
El embarazo mes por mes

Las siguientes ilustraciones a todo color muestran el desarrollo del feto y los cambios que ocurren en el cuerpo de la mujer durante los 9 meses de embarazo. Estas ilustraciones también se encuentran en los capítulos correspondientes a cada mes de embarazo. No obstante, verlas todas juntas ofrece una idea de cómo el cuerpo de la mujer se ajusta para dar cabida al bebé en crecimiento.

La madre y el bebé: Semanas 1–8.

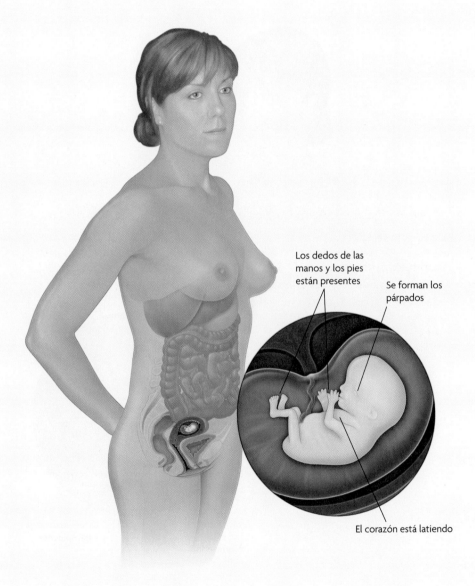

Los dedos de las manos y los pies están presentes

Se forman los párpados

El corazón está latiendo

Las 8 primeras semanas de embarazo constituyen un período durante el cual el bebé crece rápidamente. Al final de las 8 semanas, casi todos los sistemas de los órganos se han comenzado a formar.

La madre y el bebé: Semanas 9–12.

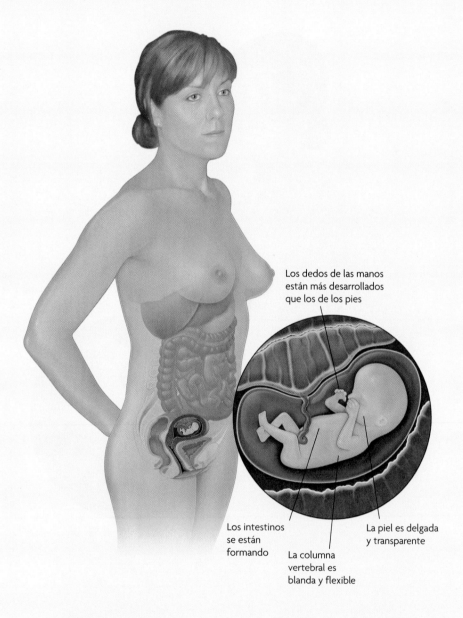

Los dedos de las manos están más desarrollados que los de los pies

Los intestinos se están formando

La columna vertebral es blanda y flexible

La piel es delgada y transparente

En esta etapa, su bebé pesa poco más de 1 onza y mide aproximadamente 3½ pulgadas de largo.

La madre y el bebé: Semanas 13–16.

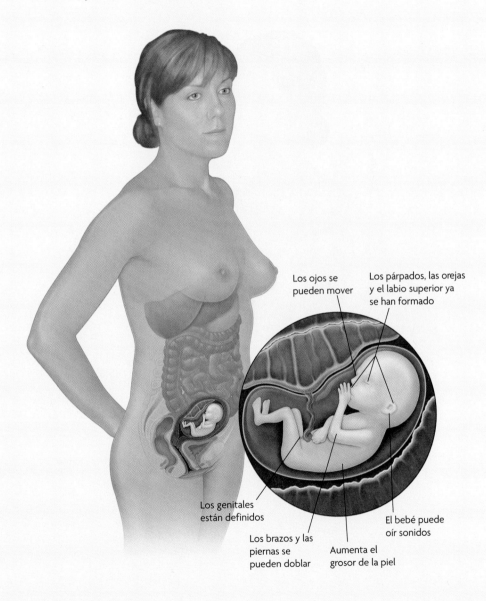

Los ojos se pueden mover

Los párpados, las orejas y el labio superior ya se han formado

Los genitales están definidos

Los brazos y las piernas se pueden doblar

Aumenta el grosor de la piel

El bebé puede oír sonidos

Su bebé pesa aproximadamente 5 onzas y mide entre 6 y 7 pulgadas de largo.

La madre y el bebé: Semanas 17–20.

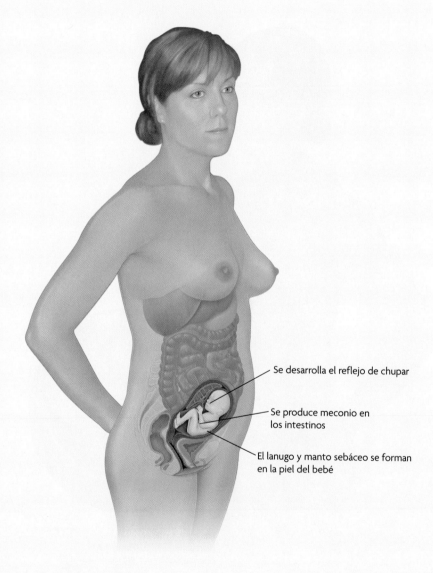

Se desarrolla el reflejo de chupar

Se produce meconio en los intestinos

El lanugo y manto sebáceo se forman en la piel del bebé

El bebé puede pesar ahora hasta 1 libra, y mide aproximadamente 10 pulgadas de largo. Puede que sienta al bebé moverse este mes.

La madre y el bebé: Semanas 21–24.

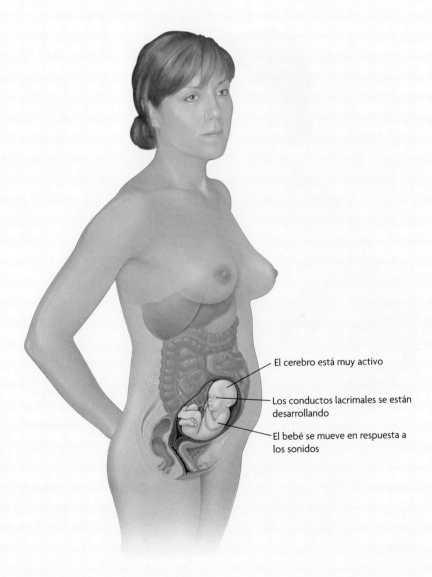

El cerebro está muy activo

Los conductos lacrimales se están desarrollando

El bebé se mueve en respuesta a los sonidos

Este mes, su bebé ya tiene huellas digitales y podría sentirlo cuando tiene hipo.

La madre y el bebé: Semanas 25–28.

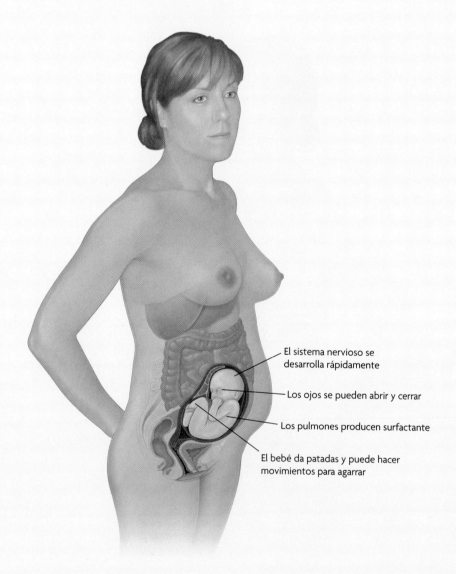

El sistema nervioso se
desarrolla rápidamente

Los ojos se pueden abrir y cerrar

Los pulmones producen surfactante

El bebé da patadas y puede hacer
movimientos para agarrar

Para finales de este mes, su bebé pesará aproximadamente 2½ libras y medirá 14 pulgadas de largo.

La madre y el bebé: Semanas 29–32.

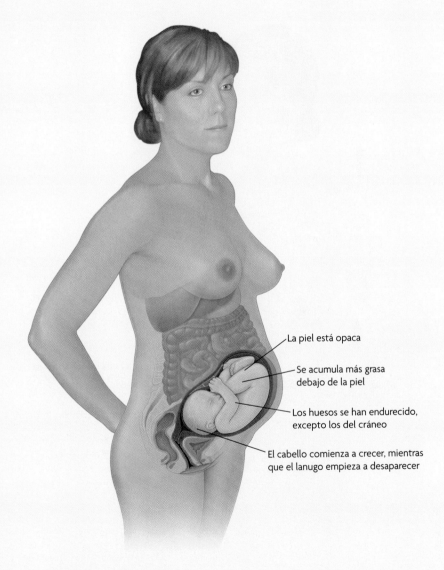

La piel está opaca

Se acumula más grasa debajo de la piel

Los huesos se han endurecido, excepto los del cráneo

El cabello comienza a crecer, mientras que el lanugo empieza a desaparecer

Tras haberse desarrollado casi completamente, el peso del bebé aumentará rápidamente en los últimos 2 meses.

La madre y el bebé: Semanas 33–36.

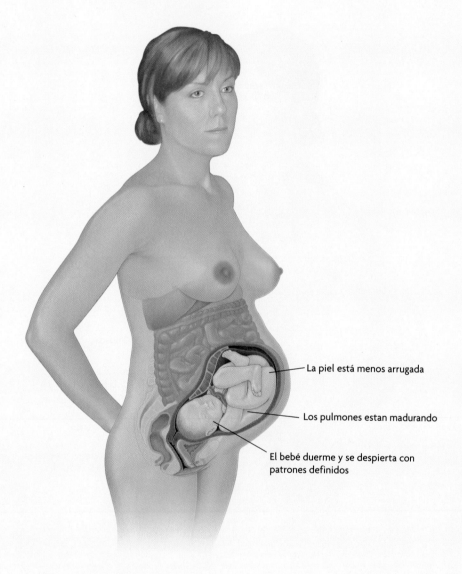

La piel está menos arrugada

Los pulmones estan madurando

El bebé duerme y se despierta con patrones definidos

Este mes, su bebé aumentará probablemente unas 2 libras de peso pero no crecerá mucho más de 20 pulgadas de largo.

La madre y el bebé: término (semanas 37–40).

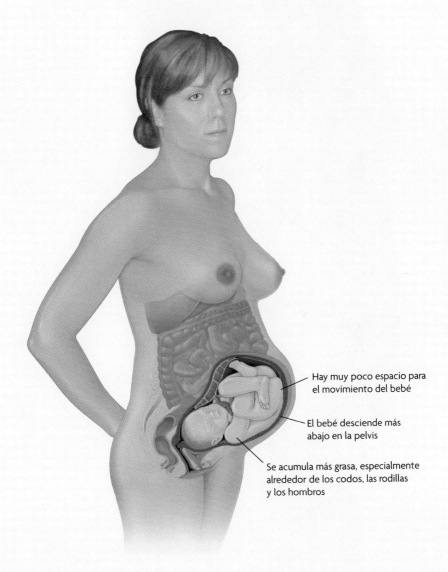

Hay muy poco espacio para el movimiento del bebé

El bebé desciende más abajo en la pelvis

Se acumula más grasa, especialmente alrededor de los codos, las rodillas y los hombros

Su bebé está ahora listo para nacer.

1er y 2º mes

(Semanas 1–8)

SU BEBÉ EN DESARROLLO

Semana 1

La *fertilización*, que es la unión de un *óvulo* con un *espermatozoide*, es el primer paso de una compleja serie de sucesos que da lugar a un embarazo. Cuando se unen el óvulo y el espermatozoide forman una sola *célula* que se llama cigoto. La fertilización ocurre en una *trompa de Falopio* de la mujer. Después de que ocurre la fertilización, el cigoto se divide y forma dos células. Estas células posteriormente se dividen para formar cuatro células, entonces ocho células y así sucesivamente. A la misma vez, la masa de células divididas se desplaza hacia abajo en la trompa de Falopio hasta el *útero*.

Semana 2

Al cabo de aproximadamente 7 días de la fertilización, la bola de células que se dividen rápidamente y que ahora se llama blastocisto, entra en el útero. El *endometrio*, o revestimiento uterino, se ha preparado para un posible embarazo. El blastocisto se aloja muy adentro del revestimiento uterino en un proceso que se denomina implantación.

Semana 3

Cuando el blastocisto se implanta en el revestimiento uterino, la porción que se desarrollará en la placenta comienza a producir una *hormona* que se denomina *gonadotropina coriónica humana (hCG,* por sus siglas en inglés). Esta hormona indica a los *ovarios* que dejen de liberar óvulos y hace

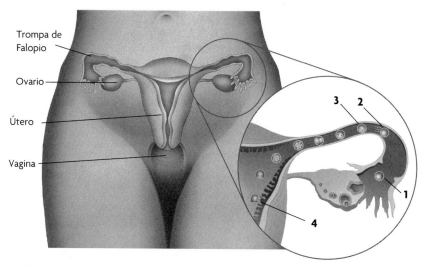

Trompa de
Falopio

Ovario

Útero

Vagina

Fertilización. Cada mes, durante la ovulación, se libera un óvulo (1) que se traslada a una de las trompas de Falopio. Si una mujer tiene relaciones sexuales alrededor de esa fecha, el óvulo podría encontrarse con un espermatozoide en la trompa de Falopio (2), y los dos podrían unirse. Si se unen (3), el óvulo fertilizado comienza a dividirse a medida que se desplaza por la trompa de Falopio hacia adentro del útero (4), donde se adhiere al revestimiento del útero.

que el cuerpo produzca las hormonas **estrógeno** y **progesterona**. El aumento en los niveles de estas hormonas permite que se suspenda el periodo menstrual y que comience el desarrollo de la **placenta**. Cuando la placenta se ha formado completamente, actúa como el sistema de apoyo de vida del bebé que le proporciona oxígeno, nutrientes y hormonas de la madre y elimina los productos de desecho. Provee además, una ruta para el ingreso de sustancias perjudiciales, como drogas y virus, hacia el bebé. A medida que se forma la placenta, le comienzan a crecer proyecciones semejantes a los dedos de las manos. En estas proyecciones, que se denominan **vellosidades coriónicas**, se forman vasos sanguíneos. Las puntas de estos vasos se alojan dentro de la pared uterina y se conectan al suministro de sangre de la madre. En el lado de la placenta más cerca del bebé, se forma el cordón umbilical. El **cordón umbilical** forma un puente de conexión entre el torrente sanguíneo de la madre y el bebé. Esta estructura en forma de conducto está conectada a su bebé en el centro del abdomen. Cuando el bebé nace, se corta este cordón y la porción restante pasa a ser el ombligo del bebé.

Semana 4

El tubo neural, a partir del cual se forma el cerebro, la médula espinal y la columna vertebral, se terminan de desarrollar durante la cuarta semana de embarazo. Comienzan entonces a aparecer bolas de células que se llaman somitas a

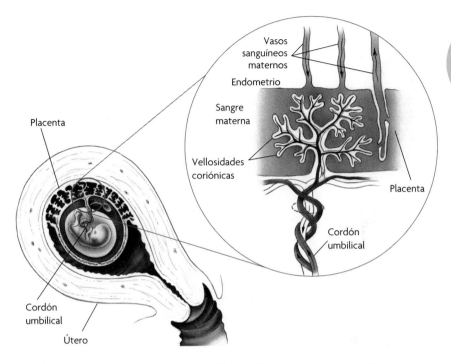

La placenta. La placenta se compone de vellosidades coriónicas. Las vellosidades coriónicas contienen células del feto.

lo largo del tubo neural. Estas células posteriormente formarán los huesos de la columna y los músculos de la espalda. Otros órganos principales, como el corazón y los pulmones, se desarrollan durante este período. Aunque el corazón no se ha formado totalmente, comienza a latir. También están presentes el *saco amniótico,* que contiene al bebé durante el embarazo, y el *líquido amniótico,* que acojina al bebé a medida que se desarrolla.

Semana 5

Durante esta etapa, el bebé parece un tubo enrollado y mide aproximadamente ½ pulgada de largo, que es aproximadamente el tamaño de una semilla de calabaza. Comienzan a aparecer las proyecciones de los brazos y las piernas. El conducto largo que se convertirá en el aparato digestivo del bebé ya se ha formado.

Semana 6

El corazón del bebé comienza a latir más o menos 80 veces por minuto. La nariz, la boca y los oídos se comienzan a formar y se observan dedos entreconectados por membranas que sobresalen de las manos y los pies del bebé. El oído interno se comienza a desarrollar.

Semana 7

Los huesos se están formando pero no comenzarán a endurecerse por varias semanas. Los dedos de las manos y los pies están presentes. Los **genitales** externos del bebé se comienzan a desarrollar. Se forman los párpados, pero permanecen cerrados.

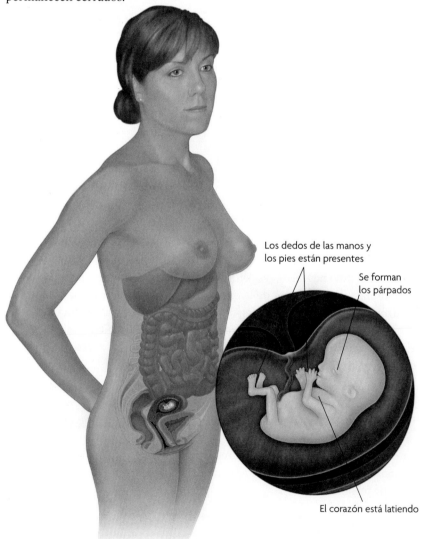

Los dedos de las manos y los pies están presentes

Se forman los párpados

El corazón está latiendo

La madre y el bebé: semanas 1–8. Las 8 primeras semanas de embarazo constituyen un período durante el cual el bebé crece rápidamente. Al final de las 8 semanas, casi todos los sistemas de los órganos se han comenzado a formar.

Semana 8

En la 8ª semana, el bebé ya mide 1 pulgada de largo. Al final del segundo mes, se han comenzado a desarrollar todos los órganos principales y los distintos sistemas del organismo. Las vías respiratorias se extienden desde la garganta a los pulmones en desarrollo. En el cerebro, las neuronas se ramifican y conectan entre sí. Hasta la 8ª semana de desarrollo, el bebé se denomina **embrión**. Esta semana marca el final de la fase embrionaria de desarrollo. Al final de la 8ª semana, al bebé se le llama *feto*.

SU EMBARAZO

◗ Los cambios del cuerpo

Cuando llega el final de la 2ª semana, aunque es posible que no se haya percatado de que está embarazada, podría observar algunas manchas de sangre. Estas manchas, que se denominan sangrado de implantación, pueden ocurrir cuando el óvulo fertilizado se adhiere al revestimiento del útero. Las manchas son muy leves y no ocurren en todas las mujeres. Algunas mujeres podrían confundirlas con el sangrado menstrual. El sangrado de implantación es normal y no quiere decir que hay algún problema.

Se cree que muchas de los signos y los síntomas del embarazo se deben a los cambios hormonales que ocurren. Algunas mujeres no perciben las primeras signos y síntomas, mientras que otras observan cambios sutiles inmediatamente.

Hormonas

Las hormonas son mensajeros químicos que dirigen las funciones del cuerpo. Las siguientes hormonas desempeñan un papel importante en la reproducción, el embarazo y el parto:

* ***Estrógeno y progesterona***—Incialmente producidas por los ovarios, estas hormonas son responsables del aumento del grosor del revestimiento del útero durante cada ciclo menstrual y la eliminación de dicho revestimiento si no se produce un embarazo. Después de la fertilización del óvulo, se produce un aumento marcado en los niveles de estrógeno y progesterona que actúa para prevenir una ovulación posterior.

- *Folitropina (FSH,* por sus siglas en inglés) y *lutropina (LH,* por sus siglas en inglés)—Estas hormonas las produce la glándula pituitaria (hipófisis), un órgano pequeño en la base del cerebro. La FSH causa que un óvulo madure en uno de los ovarios. La LH causa la liberación del óvulo.

- *Hormona liberadora de gonadotropina (GnRH,* por sus siglas en inglés)— Esta hormona, que también se produce en la glándula pituitaria, es la señal que induce la producción FSH y LH.

- *Gonadotropina corónica humana (hCG,* por sus siglas en inglés)—Producida por ciertas células del óvulo fertilizado a medida que se divide, la hCG promueve la producción de estrógeno y progesterona durante el embarazo. Esta es la hormona que se detecta en la prueba de embarazo.

Signos y síntomas de un embarazo

¿Cree que está embarazada? Es posible que no presente síntomas hasta que se salte un periodo menstrual o incluso al cabo de una o dos semanas de no haber tenido dicho periodo. Algunas mujeres perciben síntomas antes que otras.

La falta de un periodo menstrual es el indicio más obvio de un embarazo. Si sus periodos menstruales ocurren regularmente y no se le presenta un periodo a tiempo, es posible que sospeche que está embarazada antes de que perciba algún signo o síntoma. Aquí figuran los seis más comunes:

1. *Senos sensibles e hinchados*—Una de las primeras señales de un embarazo es la sensibilidad y la incomodidad dolorosa en los senos que ocurre debido al aumento en los niveles de las hormonas. Esta incomodidad dolorosa puede sentirse como una versión más intensa de lo que siente en los senos antes del periodo menstrual. El dolor y las molestias deben mejorar después de que transcurran las primeras semanas a medida que el cuerpo se adapta a los cambios hormonales.

2. *Micción frecuente*—Al poco tiempo de quedar embarazada, es posible que se encuentre corriendo al baño todo el tiempo para orinar. Durante el embarazo, aumenta la cantidad de sangre y demás líquidos del cuerpo, por lo que los riñones procesan un mayor flujo de líquido que desemboca en la vejiga. Este síntoma generalmente continúa a medida que evoluciona el embarazo y el bebé en desarrollo ejerce una mayor presión en la vejiga.

3. *Náuseas o vómitos*—La mayoría de las mujeres no presenta malestar estomacal ni vómitos hasta aproximadamente después del primer mes de embarazo. Sin embargo, algunas mujeres comienzan a tener náuseas un poco antes, mientras que otras nunca presentan estos síntomas.

1ER Y 2O mes

4. *Agotamiento*—Este es un síntoma común en las primeras etapas del embarazo. Nadie sabe con certeza lo que causa este síntoma durante esa etapa, pero un factor contribuyente a esa sensación de somnolencia puede ser el aumento acelerado en los niveles de la hormona progesterona. Su nivel de energía deberá aumentar cuando entre en el segundo trimestre. Generalmente este síntoma de agotamiento puede volver a ocurrir en las últimas etapas de embarazo cuando la carga del peso es mayor y algunas de las molestias comunes del embarazo dificultan dormir bien por la noche.

5. *Cambios en el estado de ánimo*—Tal vez observe altibajos en sus emociones que varían de un momento al otro. Es normal sentir estos cambios en el estado de ánimo durante este período.

6. *Hinchazón abdominal*—Los cambios hormonales que ocurren en las primeras etapas del embarazo pueden causar hinchazón abdominal, semejante a lo que sienten algunas mujeres inmediatamente antes del comienzo del periodo menstrual. Esta hinchazón abdominal puede hacer que la ropa le quede más ajustada en la cintura, incluso al principio del embarazo cuando el útero todavía está bastante pequeño.

Pruebas de embarazo

Si no ha tenido su periodo menstrual y están ocurriendo algunos de los síntomas antes mencionados, ese es el momento para hacerse una prueba de embarazo o acudir a su proveedor de atención médica. Hay varias marcas de pruebas de embarazo para hacerlas en el hogar que puede comprar. Todas ellas se hacen fácilmente en la intimidad de su propio hogar.

Para estas pruebas de embarazo, deberá orinar en un una especie de palillo que detecta la presencia de hCG en la *orina*. La gonadotropina coriónica humana se elabora en la placenta y entra por primera vez en la sangre y la orina cuando el óvulo fertilizado se implanta en el útero. En cuanto esta hormona entra en la orina (aproximadamente a los 6-12 días de la fertilización) la prueba de embarazo puede detectarla.

Las pruebas de embarazo que se hacen en la casa son sumamente precisas. Muchas pruebas afirman que tienen un nivel de precisión de aproximadamente un 99% el mismo día que deja de tener el periodo menstrual. Sin embargo, los resultados de algunos estudios han revelado que la mayoría de las marcas de estas pruebas no siempre detectan un embarazo en una etapa tan temprana. Por ello, es buena idea esperar a hacerse esta prueba hasta que el periodo menstrual se haya atrasado por lo menos una semana, que es el momento en que la precisión de dichas pruebas es la mejor. Además, asegúrese de seguir al pie de la letra las indicaciones para hacerse la prueba. De esta manera los resultados pueden ser más precisos. Por ejemplo, la mayoría de las pruebas aconsejan usar la primera orina del día, cuando los niveles de hCG son más elevados.

Si el resultado es positivo, es posible que esté embarazada. Si todavía no lo ha hecho, comuníquese de inmediato con su proveedor de atención médica para hacer una cita. El proveedor de atención médica tal vez quiera hacer una prueba de sangre para confirmar su resultado. Usted y dicho proveedor deberán comenzar a planear su atención prenatal.

Si el resultado es negativo pero aún presenta algunos síntomas de embarazo, es buena idea esperar unos días más y repetir la prueba. Las pruebas de embarazo que se hacen en la casa pueden producir resultados falsos negativos aun si está embarazada. Si quiere estar bien segura, acuda a su proveedor de atención médica para que le haga una prueba de sangre. Esta prueba detecta la presencia de hCG en la sangre y es más sensible que la prueba de orina, por lo tanto, es menos probable que arroje resultados falsos negativos.

Fecha probable del parto

La fecha en que se espera que nazca el bebé se llama la fecha calculada del parto (FCP), o bien, la fecha probable del parto. Aunque sólo aproximadamente 1 de cada 20 mujeres da a luz en la fecha prevista exacta, la fecha calculada del parto es útil por varias razones. Esta fecha se usa como guía para controlar el desarrollo del bebé y el progreso de su embarazo. La fecha probable del parto también influye en las fechas en que se realizan las pruebas prenatales. En algunos casos, los resultados de las pruebas dependen de la etapa del embarazo.

La fecha del parto casi siempre se calcula a partir del primer día de su último periodo menstrual. Algunas mujeres saben exactamente la fecha en que se concibió el bebé, ya sea por los síntomas de la ovulación o porque usan un equipo para pronosticar la ovulación. Sin embargo, la mayoría de las mujeres desconocen esa fecha. Por este motivo, se usa el método de la fecha de la menstruación.

Cómo calcular la fecha probable del parto

1. Piense en la fecha en que comenzó su último periodo menstrual normal.
2. Sume 7 días.
3. Retroceda 3 meses.

Ejemplo: Digamos que el primer día de su último periodo fue el 1º de enero. Sume 7 días para obtener el 8 de enero. Luego cuente hacia atrás 3 meses. La fecha probable de su parto es el 8 de octubre.

Tal vez observe que, conforme a este método, se incluye la fecha de su último periodo menstrual a pesar de que el bebé aún no se había concebido. Se presume que el embarazo ocurrió a las 2 semanas de su periodo menstrual. Por lo tanto, se incluyen 2 semanas adicionales al comienzo del embarazo aunque realmente no estaba embarazada. Muchas mujeres se sorprenden cuando se enteran de que el embarazo dura "oficialmente" 10—en lugar de 9—meses (40 semanas) debido a estas semanas adicionales. Además, esta técnica de estimación de la fecha se basa en un ciclo de 28 días, lo cual no aplica a todas las mujeres. Es importante tener presente que la fecha calculada del embarazo sólo da una idea general de cuándo nacerá el bebé. Casi siempre las mujeres inician el probable parto aproximadamente dentro de un plazo de 2 semanas de la fecha probable del parto, ya sea antes o después.

Las 40 semanas de embarazo se dividen en tres **trimestres**. Cada trimestre dura aproximadamente 12 a 13 semanas (o alrededor de 3 meses):

1ᵉʳ trimestre: 0–13 semanas (meses 1–3)
2º trimestre: 14–27 semanas (meses 4–7)
3ᵉʳ trimestre: 28–40 semanas (meses 7–9)

▶ Molestias y cómo lidiar con ellas

Los signos y síntomas del comienzo de un embarazo pueden ser molestias leves en algunas mujeres, mientras que en otras pueden ser muy intensos. No es posible pronosticar cuáles mujeres presentarán síntomas más intensos. Además, la mujer puede presentar síntomas distintos durante cada uno de sus embarazos. Ya sean leves o intensos, hay maneras de tratar estas molestias sin riesgo y eficazmente.

Náuseas del embarazo

Las náuseas del embarazo no son una sensación que sólo ocurre antes del mediodía. Las náuseas y los vómitos que se conocen como náuseas del embarazo pueden ocurrir en cualquier momento del día—por la mañana, la tarde o la noche—y tal vez durar todo el día.

Aunque nadie sabe con certeza lo que causa las náuseas y los vómitos, es posible que los niveles de hormonas en aumento durante el embarazo desempeñen una función. Entre un 70% y 85% de las mujeres embarazadas sufren náuseas durante el primer trimestre del embarazo. Las náuseas por lo general comienzan como en la sexta semana del embarazo. Tienden además a empeorar durante el siguiente mes más o menos.

Casi la mitad de las mujeres que presentan náuseas y vómitos por lo general sienten alivio completo aproximadamente a las 14 semanas. Para la mayoría del resto de las mujeres, este alivio no comienza hasta más o menos después de otro mes. Este síntoma, sin embargo, puede recurrir, y aparecer y desaparecer durante el transcurso del embarazo. Hasta que las náuseas y los vómitos se alivien por completo, hay varias medidas que puede tomar para tratar estos síntomas.

- *Tome un suplemento*—Se ha determinado que la vitamina B6 ayuda a aliviar las náuseas en algunas mujeres. Su proveedor de atención médica puede recomendarle una combinación de vitamina B6 y un medicamento de venta sin receta que se llama doxilamina. Recuerde hablar primero con su proveedor de atención médica antes de tomar cualquier medicamento, incluso vitaminas.

- *Tenga meriendas (bocadillos) cerca de la cama*—Trate de comer pan tostado o galletas de soda antes de levantarse de la cama para evitar moverse con el estómago vacío.

- *Beba líquidos*—El cuerpo necesita más agua durante estos primeros meses, por lo que debe beber líquidos muchas veces durante el día.

- *Evite los olores que le molestan*—Las comidas o los olores que no solían molestarle pueden ahora provocarle náuseas. Trate como pueda de evitar exponerse a ellos.

- *Coma comidas pequeñas con frecuencia*—Asegúrese de nunca tener el estómago vacío comiendo cinco o seis comidas pequeñas cada día. Pruebe una dieta para problemas intestinales (que incorpore plátanos o guineos, arroz, puré de manzana, pan tostado y té). Esta dieta es baja en grasa y fácil de digerir.

- *Pruebe el jengibre*—La gaseosa de jengibre, preparada con jengibre auténtico, el té de jengibre preparado con jengibre fresco rayado y los caramelos de jengibre, pueden ayudar a aliviar el malestar estomacal.

Hasta un 2% de las mujeres con náuseas del embarazo tienen una forma grave que se denomina **hiperemesis gravídica.** Nadie sabe lo que causa esta afección. Se ha sugerido que las mujeres embarazadas con más de un bebé (gemelos, trillizos o más) son más propensas a tener náuseas y vómitos intensos que las mujeres con un solo bebé.

Si no puede retener alimentos ni líquidos durante más de un día, o comienza a deshidratarse, llame a su proveedor de atención médica. Le podrían dar medicamentos contra las náuseas y los vómitos. Si presenta un caso grave de hiperemesis gravídica, es posible que necesite permanecer hospitalizada durante un tiempo breve y recibir líquidos por vía intravenosa.

No se preocupe si no ha tenido náuseas del embarazo. Aunque por lo menos un 70% de las mujeres embarazadas presentan este síntoma, un 30% de ellas nunca lo tendrá.

Agotamiento

Durante los primeros días del primer trimestre es posible que se sienta totalmente exhausta y agotada. Puede que incluso le resulte difícil levantarse de la cama por la mañana. Esta sensación es normal. El embarazo impone una carga al cuerpo entero, por lo que se sentirá muy cansada. El cuerpo está apoyando a una nueva vida en desarrollo. Los niveles hormonales han aumentado, y el metabolismo se ha acelerado y consume energía (incluso cuando duerme). Las mujeres pueden sentirse aún más agotadas durante los embarazos posteriores que durante el primero por la necesidad de cuidar de los otros hijos, además de las exigencias de su tiempo.

Para aliviar este agotamiento, escuche las señales que le envía el cuerpo. Trate de moderar su actividad y descansar lo que necesite. Pruebe acostándose antes de lo acostumbrado, o duerma una siesta de 15 minutos durante la hora de almuerzo. No olvide que durante estos dos primeros meses, es más importante descansar que terminar de hacer todo lo de la lista de cosas por hacer. Por lo tanto, si fuera necesario, deje algunas cosas sin hacer hasta que recupere la energía, o pida la ayuda de su pareja, de amistades o parientes. Llevar una dieta sana y hacer ejercicio también puede darle más energía.

El agotamiento generalmente se alivia por completo después del primer trimestre. Para la llegada del cuarto mes, habrá recuperado gran parte de su energía. Sin embargo, casi todas las mujeres comienzan a sentirse cansadas otra vez en los últimos meses del embarazo.

Los olores y su apetito

Puede que perciba un sentido del olor más agudo desde que quedó embarazada. La desventaja principal de esta sensación es que puede hacer que le empeoren las náuseas y el malestar estomacal. Puede incluso ser tan malo algunos días que le podría impedir tan siquiera pensar en probar un bocado de comida. Trate de identificar qué olores (como de ciertos alimentos o perfumes) le hacen perder el apetito y evite exponerse a ellos lo más posible. Determine cuáles alimentos puede retener en el estómago y mantenga el refrigerador bien surtido de ellos.

▸ Nutrición

Para algunas mujeres, el embarazo es un suceso planeado. Han hecho ejercicios, se han alimentado bien y han tomado vitaminas por meses antes del embarazo. Para otras, el embarazo es una sorpresa. Muchas mujeres necesitan cambiar sus estilos de vida después de que quedan embarazadas. Aunque es mejor que estos cambios se realicen antes del embarazo, se puede también cambiar el estilo de vida en cuanto se entere de que está embarazada.

El Capítulo 13, "La nutrición durante el embarazo", contiene mucha información sobre cómo planear una dieta sana durante el embarazo. Una de las medidas más importantes que necesita tomar al principio del embarazo (e idealmente, antes del embarazo), es asegurarse de recibir suficiente *ácido fólico,* una vitamina que ayuda a reducir el riesgo de ciertos defectos congénitos.

Enfóquese en el ácido fólico

El ácido fólico es un tipo de vitamina B que también se denomina folato. Antes del embarazo y durante las 12 primeras semanas de este, necesita tomar 400 microgramos de ácido fólico al día para reducir el riesgo de que ocurran *defectos del tubo neural*, como *espina bífida* y *anencefalia.* Los defectos del tubo neural ocurren cuando no cierra por completo el revestimiento de la médula espinal durante el desarrollo prenatal. Si ha tenido un hijo con uno de estos defectos, si toma ciertos medicamentos (como anticonvulsivos), o si padece ciertas enfermedades (como anemia de células falciformes), necesitará tomar 10 veces esta cantidad—4 miligramos al día—mediante un suplemento vitamínico separado. Su proveedor de atención médica tomará esta decisión según su historial médico.

Si bien el ácido fólico se encuentra en muchos alimentos y también se agrega como suplemento a panes, cereales y pastas, es difícil recibir la cantidad recomendada de la dieta solamente. Por este motivo, todas las mujeres en edad de procrear deben tomar todos los días un suplemento vitamínico que contenga ácido fólico. Tomar ácido fólico antes del embarazo garantiza que reciba la cantidad recomendada aun si ocurre un embarazo sin planear, o si no se percata de que está embarazada hasta haber transcurrido varias semanas. Los suplementos vitamínicos prenatales por lo general contienen 600–800 microgramos de ácido fólico, por lo tanto, si toma una vitamina prenatal antes del embarazo, no necesita recibir un suplemento vitamínico adicional.

Suplementos vitamínicos prenatales

Es buena idea comenzar a tomar vitaminas prenatales en cuanto se entere de que está embarazada, idealmente antes del embarazo. Estos suplementos vitamínicos están disponibles sin receta médica y contienen todas las vitaminas y los minerales recomendados diariamente que necesitará durante el embarazo, como vitaminas A, C y D; ácido fólico, y minerales como zinc y cobre. Durante el embarazo, el uso de vitaminas prenatales puede garantizar que reciba todos los nutrientes importantes, especialmente si está combatiendo síntomas de náuseas y le resulta difícil comer todos los alimentos que necesita.

En la primera visita de atención prenatal, dígale a su proveedor de atención médica si está tomando vitaminas prenatales. Puede también llevar el frasco a la cita. Es importante decirle a su proveedor de atención médica si está tomando vitaminas porque el uso excesivo de algunas de ellas puede ser perjudicial.

Si el olor de las vitaminas le produce malestar estomacal o si tiene dificultad para retenerlas en el estómago, puede tomar dos vitaminas masticables para niños. Asegúrese de decirle a su proveedor de atención médica si está tomando vitaminas para niños.

Aumento de peso

Es vital llevar una dieta sana durante el embarazo. Los detalles de cómo alimentarse bien, qué comer y cuánto comer figuran en el Capítulo 13, "La nutrición durante el embarazo". Durante los próximos 8 meses, no sólo le debe prestar atención a su alimentación, sino es importante también vigilar cuánto aumenta de peso. Es normal aumentar algo de peso durante el embarazo. Sin embargo, aumentar de peso excesivamente y demasiado rápido puede causar problemas.

Cuánto deberá aumentar de peso mientras está embarazada depende de su peso antes de quedar embarazada. Para determinarlo, su proveedor de atención médica calculará su índice de masa corporal (IMC) basándose en su estatura y peso (Apéndice A). El IMC es un cálculo que determina si su peso es ideal para su estatura. Según los Centros para el Control y la Prevención de Enfermedades, un IMC entre 18.5 y 24.9 equivale a un peso normal y sano. Sin embargo, un IMC mayor de 25 se considera sobrepeso.

Si su peso es normal antes del embarazo, necesita sólo aproximadamente 300 calorías adicionales al día para recibir todos los nutrientes necesarios y permitir que el cuerpo funcione eficazmente para apoyar el desarrollo y cre-

¿De dónde proviene el peso?

Un recién nacido común pesa aproximadamente 7.5 libras. No obstante, se les recomienda a la mayoría de las madres futuras aumentar de 25 a 35 libras cuando están embarazadas. ¿De dónde provienen las otras libras? A continuación se ofrece un desglose del aumento de peso para una mujer con peso normal que aumenta 30 libras durante el embarazo.

- Bebé: 7.5 libras
- Líquido amniótico: 2 libras
- Placenta: 1.5 libras
- Útero: 2 libras
- Senos: 2 libras
- Líquidos corporales: 4 libras
- Sangre: 4 libras
- Depósitos de grasa, proteína y otros nutrientes de la madre: 7 libras

cimiento del bebé. Aunque parezca mucho, es muy fácil consumir 300 calorías adicionales; por ejemplo, es la cantidad en un plato de cereal con fruta y leche baja en grasa, una rosca de pan *bagel* de trigo integral con queso crema o dos onzas de *chips* de papas. Si tiene sobrepeso para empezar, es posible que necesite menos de 300 calorías adicionales.

Tenga en cuenta que su aumento de peso variará durante el transcurso de los diferentes meses del embarazo. Los 3 primeros meses, el aumento de peso será mínimo. De hecho, algunas mujeres bajan algunas libras por las náuseas del embarazo. El mayor aumento de peso ocurre durante el segundo y tercer trimestres, cuando el crecimiento del bebé es más acelerado. Sin embargo, el ritmo al que aumentará de peso debe permanecer dentro de cierto intervalo (consulte la Tabla 1-1).

No se preocupe de cuánto aumentan de peso otras mujeres. Además, si está embarazada por segunda vez, su peso puede aumentar de una manera distinta. Su proveedor de atención médica examinará cuánto ha aumentado de peso en cada visita de atención prenatal y le dirá si este aumento sigue una trayectoria saludable.

TABLA 1-1 Cantidad de peso que debe aumentar durante el embarazo

Índice de masa corporal antes del embarazo	Aumento total de peso recomendado durante el embarazo	Ritmo recomendado de aumento de peso por semana en el segundo y tercer trimestres*
Peso insuficiente (IMC inferior a 18.5)	28–40 libras	1–1.3 libras
Peso normal (IMC de 18.5-24.9)	25–35 libras	0.8–1 libra
Sobrepeso (IMC de 25-29.9)	15–25 libras	0.5–0.7 libras
Obesidad (IMC superior a 30)	11–20 libras	0.4–0.6 libras

*Supone un aumento de peso en el primer trimestre de entre 1.1 y 4.4 libras
IMC = Índice de masa corporal.
Datos de los Institutos de Medicina (EE.UU.). Weight gain during pregnancy: reexamining the guidelines. Washington, DC: National Academies Press; 2009.

▶ Ejercicio

Usted se siente cansada. Está aumentando de peso. Para muchas mujeres embarazadas, hacer ejercicio es lo último en lo que quieren pensar. Sin embargo, el ejercicio puede aumentar en gran medida su nivel de energía. Mantenerse activa y hacer ejercicio—o incluso sólo caminar—por lo menos 30 minutos casi todos los días puede ser beneficioso para su embarazo de muchas maneras:

- Alivia los dolores de espalda, el estreñimiento, la hinchazón abdominal y otras inflamaciones
- Mejora el ánimo
- Promueve el tono, el fortalecimiento y la resistencia de los músculos
- Permite que duerma mejor

La rutina ideal de ejercicio promueve la capacidad de bombear del corazón, la mantiene flexible y controla el peso sin causar demasiada tensión física para usted ni su bebé. Hacer ejercicio en este período le facilita ponerse en forma otra vez cuando nazca el bebé. Algunas rutinas de ejercicios pueden ayudarle a aliviar las molestias y los dolores relacionados con el embarazo. Por ejemplo, el peso adicional que lleva influye en su postura y puede causarle molestias en la espalda. El ejercicio puede ayudarla a aliviar el dolor de espalda tonificando los músculos para fortalecerlos.

Antes de comenzar un programa de ejercicios, hable con su proveedor de atención médica para asegurarse de que no tenga ningún problema médico que pueda restringir su actividad. Si tiene alguna enfermedad cardíaca, corre riesgo de tener trabajo de parto prematuro o tiene sangrado vaginal, su proveedor de atención médica podría aconsejarle que no se ejercite. Se recomienda que las mujeres con las siguientes afecciones no se ejerciten durante el embarazo:

- Algunos tipos de enfermedades del corazón y los pulmones
- Problemas del cuello uterino
- Embarazo múltiple con el riesgo de inicio prematuro del trabajo de parto
- Sangrado vaginal
- Trabajo de parto prematuro durante el embarazo actual
- *Ruptura prematura de membranas*
- *Preeclampsia* o presión arterial alta a causa del embarazo

A menos que su proveedor de atención médica le diga lo contrario, debe hacer 30 minutos de ejercicio moderado casi todos los días, o bien, todos los días. Estos 30 minutos no tienen que ser a la misma vez sino un total de períodos distintos de ejercicio. Si no ha estado activa, comience con sólo unos minutos cada día y aumente su rutina a 30 minutos o más.

Cambios durante el embarazo que pueden influir en su rutina de ejercicios

Algunos de los cambios que ocurren en el cuerpo durante el embarazo influyen en las actividades que puede hacer sin riesgo. Tenga en cuenta los siguientes factores cuando elija un programa de ejercicio seguro para usted durante el embarazo:

- *Articulaciones*—Algunas de las hormonas del embarazo hacen que se estiren los ligamentos que sostienen las articulaciones. Por consiguiente, están más propensas a lesionarse.

- *Equilibrio*—El peso adicional en la parte delantera del cuerpo hace que le cambie el centro de gravedad. Al hacerlo, se produce más tensión en las articulaciones y los músculos, principalmente los de la parte baja de la espalda y la pelvis. Puede también reducir su estabilidad y exponerla más a sufrir una caída.

- *Frecuencia cardíaca*—El peso adicional también obliga al cuerpo a esforzarse más que antes de quedar embarazada. Esto sucede aun si hace ejercicios a un ritmo más lento. El ejercicio vigoroso promueve el flujo de oxígeno y sangre hacia los músculos y lo aleja de otras partes del cuerpo, como del útero. Si no puede hablar a un nivel normal durante el ejercicio, quiere decir que se está esforzando demasiado.

Cómo empezar un programa de ejercicio durante el embarazo

Si nunca ha hecho ejercicios, el embarazo es un momento estupendo para comenzar a hacerlo. Hable con su proveedor de atención médica sobre sus planes para comenzar a hacer ejercicios. Recuerde además comenzar lentamente. Comience con sólo 5 minutos de ejercicios al día y agregue 5 minutos todas las semanas hasta que llegue a un nivel de actividad de 30 minutos al día.

Muchos deportes se pueden practicar sin riesgo durante el embarazo, incluso para las principiantes.

* Caminar es un buen ejercicio para todos. Las caminatas vigorosas ejercitan todas las partes del cuerpo y no ejercen demasiada presión en las articulaciones y los músculos. Si no estaba activa antes de quedar embarazada, caminar es la forma ideal de comenzar un programa de ejercicios.

* La natación es un deporte magnífico para su cuerpo ya que ejercita muchos músculos distintos. Debido a que el agua le apoya el peso, puede evitar lesiones o torceduras de músculos. El agua también le ayuda a mantenerse refrescada y evita que las piernas se le hinchen.

* El ciclismo es un buen ejercicio aeróbico. Sin embargo, el crecimiento del área abdominal puede afectarle el equilibrio y exponerla más a sufrir caídas. Es buena idea usar bicicletas estacionarias o reclinadas durante las etapas posteriores del embarazo.

Signos de advertencia para dejar de hacer ejercicios

Independientemente de que sea una atleta de muchos años o una principiante, esté al tanto de las siguientes señales de advertencia durante el ejercicio. Si presenta cualquiera de ellas, deje de hacer ejercicio y llame a su proveedor de atención médica.

* Mareos o desmayo
* Mayor dificultad para respirar
* Latidos cardíacos irregulares o rápidos
* Dolor de pecho
* Dificultad para caminar
* Dolor o hinchazón en las pantorrillas
* Dolores de cabeza
* Sangrado vaginal
* Contracciones uterinas que continúan aún en reposo
* Secreciones que supuran o filtran de la vagina
* Reducción del movimiento fetal

- El ejercicio aeróbico es una buena opción para mantenerle fortalecidos el corazón y los pulmones. Hay clases de aeróbicos diseñadas sólo para mujeres embarazadas. Los ejercicios aeróbicos de bajo impacto y acuáticos son también buenos ejercicios. Sin embargo, si tiene ciertas afecciones, como una enfermedad cardíaca, preeclampsia o trabajo de parto prematuro, debe evitar el ejercicio aeróbico. Hable con su proveedor de atención médica si no está segura.

Cómo continuar con un programa de ejercicio durante el embarazo

Muchas mujeres están dedicadas a sus programas de ejercicio y mantienen un alto nivel de actividad durante el embarazo. Hay algunos factores que debe recordar a la hora de continuar con un programa de ejercicio. En primer lugar, evite hacer cualquier ejercicio o deporte que pueda lastimarle el abdomen. Por ejemplo, si juega fútbol (balompié), corre el riesgo de exponerse a recibir un golpe directo en el abdomen a alta velocidad. Los deportes que implican contacto físico también se deben evitar. Además, no comience a practicar un nuevo deporte durante el embarazo. Los siguientes ejercicios son seguros para las mujeres que los han practicado por un tiempo antes del embarazo.

- *Correr*—Si corría habitualmente antes de quedar embarazada, a menudo puede seguir haciéndolo durante el embarazo, aunque quizá tenga que modificar su rutina. Hable con su proveedor de atención médica sobre si puede practicar sin riesgo el deporte de correr.

- *Deportes con raquetas*—En algunos deportes con raquetas, como badminton, tenis y raquetbol, el cambio en su equilibrio puede influir en su capacidad para moverse rápidamente, lo cual puede aumentar su riesgo de sufrir una caída. Por ello, considere evitar algunos deportes con raquetas.

- *Ejercicios de fortalecimiento*—Estos ejercicios fortalecen los músculos y ayudan a evitar algunas de las molestias y dolores que ocurren comúnmente en el embarazo.

La clave es hablar sobre su rutina de ejercicio con su proveedor de atención médica. Obtenga la autorización de su proveedor de atención médica para el tipo de actividad que planee realizar durante su embarazo, así como para la intensidad del mismo.

Ejercicio del mes: ejercicios de Kegel

El crecimiento del útero que ocurrirá en los próximos meses ejercerá una mayor presión en la vejiga. Aun si la vejiga está casi vacía, se sentirá como si estuviera llena. El peso del útero sobre la vejiga puede causar la pérdida de pequeñas cantidades de orina al estornudar o toser. Los *ejercicios de Kegel* pueden ayudarla a regular el funcionamiento de la vejiga. Estos ejercicios fortalecen los músculos que envuelven la entrada de la vagina. Aquí le indicamos cómo hacerlos:

• Contraiga los músculos que usa para detener el flujo de orina.
• Sostenga esta posición por 10 segundos y luego relájese.

Repita este ejercicio 10 a 20 veces seguidas por lo menos tres veces al día. Los ejercicios de Kegel se pueden hacer en cualquier momento, ya sea mientras trabaja, o mientras conduce el automóvil o ve televisión.

▌ Decisiones sanas

Es posible que tenga muchas preguntas y decisiones por tomar durante los 2 primeros meses de embarazo. Las decisiones que enfrenta ahora tratan sobre cambios importantes de su estilo de vida, la selección del profesional que proveerá atención médica durante el embarazo y la decisión de cuándo decirles la noticia a los demás.

Cosas que debe evitar durante el embarazo

Es perfectamente normal sentirse ansiosa acerca de lo que puede y no puede hacer mientras está embarazada. Aunque la lista de lo que no debe hacer parezca larga, casi todo lo que figura en ella es fácil de recordar.

Hábito de fumar
Si fuma, es mejor dejar de hacerlo antes o en cuanto se entere que está embarazada. Fumar cigarrillos mientras está embarazada es peligroso para usted y su bebé y la expone más a presentar las siguientes complicaciones:

• Sangrado vaginal
• Parto *prematuro*
• Bebé con peso bajo al nacer (peso por debajo de 5 libras y media)
• Nacimiento de un bebé muerto
• *Síndrome de muerte súbita del lactante*

¿Por qué es peligroso fumar? El humo del cigarrillo contiene miles de sustancias químicas perjudiciales, como plomo, brea, nicotina y bióxido de carbono. Cuando fuma, estas toxinas se trasladan directamente a su bebé. Las sustancias químicas pueden obstruir el flujo de oxígeno y nutrientes al bebé.

Aunque puede estar tentada a sólo reducir la cantidad de cigarrillos que fuma mientras está embarazada, eso no es suficiente. Cada cigarrillo que fuma expone más su embarazo a ciertos riesgos. Dejar de fumar por completo es lo mejor que puede hacer por usted y su bebé.

Tenga en cuenta que es importante que no sólo usted deje de fumar mientras está embarazada. Su pareja, sus parientes, compañeros de trabajo o amistades que fuman deben dejar de fumar o evitar hacerlo cerca de usted. Esta exposición pasiva al humo puede ser perjudicial para usted y su bebé.

Hay muchas maneras de dejar de fumar. Es buena idea colaborar con su proveedor de atención médica para crear un plan que conlleve aprender sobre recursos para dejar de fumar y establecer una fecha para dejar el hábito. Considere afiliarse a un grupo para dejar de fumar o recibir asesoramiento individual. El asesoramiento individual o en grupo puede ayudar a los fumadores a identificar y enfrentar los problemas que surgen al dejar de fumar. También pueden ayudarle a evitar que vuelva a fumar. La Sociedad Americana del Cáncer afirma que hay un vínculo estrecho entre la frecuencia y la duración del asesoramiento de ayuda (su intensidad) y la eficacia de este tipo de ayuda: cuanto más intenso sea el programa, mayor será la probabilidad de que sea eficaz. Para enterarse de los programas para dejar de fumar en su localidad, obtener información sobre este tema u obtener apoyo, comuníquese con la Sociedad Americana del Cáncer (consulte Recursos informativos).

Los parches, el chicle y los atomizadores de nicotina fueron diseñados para aliviar los síntomas de abstinencia que surgen al dejar de fumar. Se desconocen los efectos de los reemplazos de nicotina en el bebé en desarrollo y el potencial de estos tratamientos de aumentar el riesgo de complicaciones relacionadas con el hábito de fumar. Sin embargo, los cigarrillos y el humo del cigarrillo tienen muchas más sustancias químicas que los productos con nicotina. El uso del medicamento con receta bupropión (Wellbutrin) o la vareniclina (Chantix) es útil para algunos fumadores para dejar el hábito. Sin embargo, la seguridad de estos medicamentos durante el embarazo no se ha estudiado adecuadamente en seres humanos.

Antes de usar algún tipo de reemplazo con nicotina o medicamentos con receta para dejar de fumar, hable con su proveedor de atención médica. Podría ser recomendable probar primero la ayuda que ofrece el asesoramiento para dejar de fumar. Si el asesoramiento no le da resultado, usted y su provee-dor de atención médica pueden decidir si los beneficios de usar estos medi-camentos o productos para dejar de fumar son mayores que el posible riesgo desconocido a su embarazo.

El uso de alcohol

El alcohol puede afectar adversamente la salud de su bebé. Es mejor dejar de beber antes de quedar embarazada. Si bebió algo de alcohol antes de enterarse que estaba embarazada, es muy probable que su bebé no se haya afectado. Lo importante es evitar el uso de alcohol una vez que sepa que está embarazada.

Cuando una mujer embarazada bebe alcohol, la bebida llega rápida-mente al feto. El alcohol es mucho más perjudicial para el feto que para

¿Tiene problemas con la bebida?

¿Usa o abusa del alcohol? A veces es difícil determinarlo. Si no está segura, pregún-tese lo siguiente:

T   ¿Cuántos tragos necesita para sentirse "alegre"? (TOLERANCIA)

M ¿Se ha sentido MOLESTA por las críticas de los demás sobre su consumo de alcohol?

R   ¿Ha sentido que debe REDUCIR su consumo de alcohol?

R   ¿Se ha dado alguna vez un trago al levantarse por la mañana para calmarse los nervios o quitarse el malestar (la resaca) por la borrachera de la noche ante-rior? (REVELACIÓN)

Puntuación:

- 2 puntos si su respuesta a la primera pregunta fue más de dos tragos.
- 1 punto por cada respuesta afirmativa a las demás preguntas.

Si su puntuación total es 2 o más, puede que tenga un problema con la bebida.

Hable con su médico sobre sus hábitos de consumo de alcohol. Él o ella puede ayu-darla a decidir si tiene un problema. El médico le recomendará recibir asesoramiento o tratamiento si fuera necesario. También debe considerar comunicarse con un pro-grama de abuso de sustancias. Estos grupos pueden ayudarle a encontrar a alguien con quien pueda hablar sobre su problema y darle el apoyo que necesita mientras trata de dejar el hábito. Consulte los listados de las páginas amarillas locales.

Adaptado de Sokol RJ, Martier SS, Ager JW. The T-ACE questions: practical prenatal detection of risk drinking. Am J Obstet Gynecol 1989;160:865.

un adulto. Cuanto más alcohol beba una mujer embarazada, mayor será el peligro que corre el bebé. El abuso de alcohol durante el embarazo es la causa principal de discapacidades del desarrollo en los niños. El alcohol aumenta la probabilidad de sufrir un aborto espontáneo o tener un bebé prematuro.

Se desconoce cuánto alcohol es necesario para perjudicar al feto. Lo mejor es no beber nada durante todo el embarazo. Además, no hay ningún tipo de bebida alcohólica segura. Una cerveza, un trago de licor, una bebida mezclada o una copa de vino contienen aproximadamente la misma cantidad de alcohol. Por lo tanto, todos los tipos de alcohol pueden ser perjudiciales.

Puede que sea difícil dejar de beber. Si este es el caso para usted, es posible que necesite ayuda. Hable con franqueza con su proveedor de atención médica sobre sus hábitos de beber.

Uso de drogas ilegales

Usar drogas ilegales, como marihuana, cocaína, Éxtasis, metanfetamina y heroína mientras está embarazada puede exponerla a muchos problemas graves. Estas sustancias pueden provocar un parto prematuro, interferir en el desarrollo del bebé, o bien causar defectos congénitos o problemas del aprendizaje y del desarrollo.

Ha sido difícil para los investigadores vincular un problema particular al uso de una droga específica, ya que las mujeres que usan drogas ilegales a menudo usan alcohol y tabaco, lo cual acarrea de por sí riesgos para la mujer y su bebé. Además, las usuarias de drogas ilegales pueden manifestar otras conductas poco sanas, como mala nutrición. Se ha demostrado que estas conductas pueden afectar adversamente al embarazo.

Lo importante es que debe evitar el uso de todo tipo de drogas ilegales mientras se encuentre embarazada. Si tiene una adicción a cualquiera de estas drogas, busque ayuda de inmediato de un programa de tratamiento para el abuso de drogas en su localidad. Es difícil abandonar el hábito del uso de drogas, por lo tanto, no trate de hacerlo sola. Dígale a su proveedor de atención médica que necesita ayuda. La organización Narcóticos Anónimos es un buen recurso (consulte Recursos informativos).

Medicamentos y suplementos herbarios

Los medicamentos pasan por la placenta y entran en el torrente sanguíneo del bebé. En algunos casos, un medicamento podría causar defectos congénitos, adicción u otros problemas en el bebé. Eso no quiere decir que debe deshacerse del contenido de su botiquín cuando quede embarazada, sino que necesita ser cautelosa.

Algunos medicamentos pueden usarse sin riesgo durante el embarazo. Además, los riesgos de algunos medicamentos pueden ser menores que los efectos de no usarlos. Por ejemplo, ciertas enfermedades son más perjudiciales al feto que los medicamentos que se usan para tratarlas. No suspenda el uso de un medicamento recetado. Pregúntele primero al médico.

Dígales a las personas que le receten medicamentos que está embarazada. Entre estos están los médicos a quienes consulte por problemas que no estén asociados con el embarazo, el dentista o un proveedor de salud mental. Asegúrese de que su proveedor de atención médica esté al tanto de los problemas médicos que pueda tener. Dígale todos los medicamentos que usa y si tiene alergias a algún medicamento. Si un medicamento que está usando implica algún riesgo, el proveedor de atención médica podría recomendarle otro más seguro mientras está embarazada.

Los medicamentos recetados también pueden ser perjudiciales si se abusan de ellos. Cuando una mujer abusa de medicamentos con receta, se arriesga a sufrir una sobredosis y a desarrollar adicción.

Los medicamentos de venta sin receta, como las hierbas medicinales y los suplementos vitamínicos, pueden también causar problemas durante el embarazo. Los medicamentos para aliviar el dolor, como la aspirina y el ibuprofeno, pueden también causar daños al feto. Consulte con su proveedor de atención médica antes de usar cualquier tipo de medicamento de venta sin receta. Entre estos figuran los medicamentos para aliviar el dolor, laxantes, remedios para resfriados y alergias, y tratamientos para la piel. Sin embargo, usted no tiene que sufrir molestias como dolores de cabeza o resfriados sin obtener alivio. El médico puede aconsejarle sobre los medicamentos que una mujer embarazada puede usar sin riesgo.

La selección de un proveedor de atención médica para su embarazo

Si todavía no ha seleccionado un proveedor de atención médica, encontrar este proveedor para su embarazo es probablemente una de las decisiones más importantes que hará inicialmente. Hable con su médico regular para obtener recomendaciones, o pregunte a las mujeres que conoce sus opiniones acerca de los proveedores de atención médica que las atendieron cuando dieron a luz a sus bebés.

Puede también encontrar un proveedor de atención durante el embarazo en la lista de proveedores de su seguro médico. Todos los planes médicos ofrecen un servicio de "búsqueda de médicos" en sus sitios de Internet, o puede llamar al plan directamente. El sitio de Internet del Colegio Americano de Obstetras y Ginecólogos también dispone de una función de "Búsqueda de médicos" (consulte Recursos informativos).

Tipos de proveedores

Hay cuatro tipos de profesionales que brindan atención médica durante el embarazo y el parto: los **obstetras–ginecólogos**, los subespecialistas en medicina materno–fetal (obstetras de embarazos de alto riesgo), los médicos de cabecera, las enfermeras parteras certificadas y las comadronas certificadas.

1. *Obstetras–ginecólogos*—Los obstetras–ginecólogos se especializan en la atención médica de la mujer. Después de concluir los estudios en un colegio de medicina, estos médicos cursan 4 años de capacitación especializada en obstetricia y ginecología. Para recibir la certificación, el obstetra-ginecólogo debe aprobar ciertos exámenes escritos y orales para demostrar que ha recibido los conocimientos y las destrezas necesarias para brindar atención médica y quirúrgica a la mujer. El médico obstetra-ginecólogo certificado puede entonces convertirse en Miembro del Colegio Americano de Obstetras y Ginecólogos. Este grupo ayuda a que los médicos se mantengan actualizados en los últimos avances médicos.

2. *Subespecialistas en medicina materno–fetal*—Estos médicos, que también se llaman perinatólogos, han recibido 4 años de capacitación en obstetricia y ginecología y posteriormente recibieron capacitación en obstetricia de alto riesgo durante 2 ó 3 años. Los subespecialistas en medicina materno–fetal deben aprobar exámenes escritos y orales para recibir la certificación. Las mujeres con embarazos de alto riesgo podrían ser referidas a un subespecialista en medicina materno–fetal.

3. *Médicos de cabecera*—Los médicos de cabecera brindan atención general en la mayoría de los estados médicos, entre otros, los embarazos. Después de cursar estudios en un colegio de medicina, los médicos de cabecera cursan 3 años de capacitación avanzada en medicina familiar (que incluye obstetricia) y obtienen la certificación con la aprobación de un examen. Están capacitados para atender embarazos y partos normales.

4. *Enfermeras parteras certificadas y comadronas certificadas*—Las enfermeras parteras certificadas y las comadronas certificadas han recibido capacitación especial para atender a las mujeres con embarazos de bajo riesgo y a sus bebés, desde los primeros meses del embarazo, hasta el trabajo de parto, el parto y por varias semanas después del nacimiento. Las enfermeras parteras certificadas son enfermeras diplomadas que han cursado estudios en un programa acreditado de enfermería y poseen un título de postgrado en partería. Para obtener la certificación, deben aprobar un examen escrito nacional que administra la Junta Americana de Certificación de Partería (American Midwifery Certifica-

tion Board) y mantener una licencia activa en enfermería. Las comadronas certificadas han obtenido sus títulos en un programa de educación en partería acreditado por la División de Acreditación del Colegio de Enfermeras Parteras. Deben satisfacer los mismos requisitos, aprobar el mismo examen nacional de certificación de la Junta Americana de Certificación de Partería y se rigen por las mismas normas profesionales que se rigen las enfermeras parteras. Ambos tipos de parteras generalmente trabajan con un médico calificado que proporciona ayuda de apoyo.

Tipos de consultorios

Otro factor que debe considerar es si el proveedor trabaja por su cuenta, en un grupo o en un consultorio conjunto. Cuando el proveedor trabaja por su cuenta, dicho proveedor trabaja solo pero es posible que cuente con la ayuda de otros médicos para atender los partos. En un consultorio conjunto, dos o más proveedores de atención médica comparten los deberes para responder constantemente a las necesidades de atención médica de sus pacientes. Un consultorio conjunto reúne a un equipo de profesionales de atención médica—como enfermeras, enfermeras parteras certificadas o comadronas certificadas, médicos laboristas, enfermeras especializadas, auxiliares médicos y educadoras de parto—con distintos conocimientos y destrezas. Las contribuciones de cada miembro son de vital importancia para la atención de la paciente.

Preguntas que debe hacer

Una vez que encuentre un proveedor de atención médica que le parezca prometedor, es buena idea hacerle algunas preguntas que son importantes para usted y su pareja. Considere crear una lista de las inquietudes que tenga y llevarla consigo a su primera visita de atención prenatal. Use esta lista para que le sirva de guía a la hora de hacer algunas de las preguntas que debe hacer:

- ¿Cómo opera su consultorio? ¿Trabaja usted por su cuenta o hay un grupo de médicos o proveedores?
- Si se trata de un grupo, ¿con qué frecuencia me atenderé con el mismo proveedor de atención médica cuando venga a mis visitas prenatales?
- Si trabaja por su cuenta, ¿quién es la persona encargada cuando usted no está disponible?
- ¿A qué hospital iré para dar a luz?
- ¿Tiene un número después de horas laborables que pueda usar en caso de emergencia o si tengo alguna pregunta?
- ¿Quién se encarga de las llamadas después de horas laborables?
- ¿Quién me atenderá durante el nacimiento de mi bebé?

- ¿Cuál es su opinión sobre la anestesia durante el trabajo de parto, la episiotomía, las posiciones de parto alternativas, el parto por cesárea y el parto instrumentado?
- ¿Quién puede estar conmigo durante el parto?

Cuándo dar la noticia

El momento para decirles a sus parientes y amistades que está embarazada es una decisión personal. Muchas mujeres optan por esperar hasta después de las 12 primeras semanas. Otras deciden decirlo en cuanto reciben un resultado positivo en la prueba de embarazo. Aunque la decisión de cuándo revelar la noticia es muy personal, debe tener en cuenta lo siguiente:

- El riesgo de aborto espontáneo es mayor durante los 3 primeros meses de embarazo. Quizá quiera esperar hasta el segundo trimestre para decirles que está embarazada a sus amistades, compañeros de trabajo y miembros de la familia extendida.
- Aunque es ilegal discriminar en contra de una mujer embarazada, es posible que sea mejor esperar para dar la noticia en el trabajo. Decírselo a los compañeros de trabajo demasiado pronto puede causarles ansiedad sobre quién hará su trabajo mientras se encuentre ausente por maternidad.
- Las mujeres que han tenido problemas en embarazos previos, especialmente en las primeras etapas del embarazo, pueden sentirse más seguras de esperar hasta el segundo trimestre para decírselo a los demás. Aunque las inquietudes de sus amistades y parientes sobre usted pueden ser genuinas, también pueden empeorar su propia ansiedad sobre el embarazo.
- El momento mejor para decírselo a sus hijos depende de sus edades. Dígaselo a sus hijos de edad escolar antes de decírselo a alguien fuera de la familia. Si no lo hace, podrían resentir ser los últimos en saberlo. Con los niños pequeños, es buena idea esperar hasta que pregunten sobre los cambios en su cuerpo. La idea de un bebé que crece dentro de usted puede ser muy difícil de entender para un niño antes de poder ver el vientre expandido.

◗ Otras consideraciones

Muchas mujeres embarazadas tienen trabajos fuera del hogar. A menudo estas trabajan casi hasta el día del parto y regresan a sus trabajos al cabo de unas semanas o meses del nacimiento del bebé. Las mujeres pueden a menudo seguir haciendo sus trabajos habituales mientras están embarazadas. Sin embargo, algunos empleos no son seguros para una mujer embarazada. Además, el agotamiento, las náuseas y las demás molestias pueden dificultar las tareas del trabajo.

Un ambiente de trabajo seguro

Algunos empleos pueden exponer a la mujer a labores pesadas. Los trabajos que impliquen levantar muchos objetos pesados, treparse, cargar o estar de pie, pueden no ser seguros durante el embarazo. El motivo de ello es que los mareos, las náuseas y el agotamiento que comúnmente aparecen durante las primeras semanas de embarazo pueden exponerla a sufrir una lesión. Posteriormente, el cambio en la forma del cuerpo puede desequilibrarla y provocarle caídas. Es posible que tenga que trabajar menos horas, no hacer ciertas tareas, trasladarse a otro puesto o dejar de trabajar hasta que nazca el bebé.

Algunas sustancias en el trabajo son peligrosas durante el embarazo. Aunque la exposición a sustancias dañinas en el trabajo ocurre raras veces, tiene sentido pensar sobre las cosas con las que entra en contacto durante el transcurso del día laborable. También podría entrar en contacto con estos agentes mediante un pasatiempo. Los agentes peligrosos durante el embarazo se tratan más a fondo en el Capítulo 22, "Defectos congénitos".

Si cree que su trabajo la predispone a entrar en contracto con algo perjudicial, determínelo con certeza hablando con el personal de oficina, la clínica de empleados o su sindicato. Dígale a su proveedor de atención médica en cuanto crea que usted y su bebé corren algún peligro. Puede obtener información en los sitios de Internet de la Administración de Seguridad y Salud Ocupacional y del Instituto Nacional de Seguridad y Salud Ocupacional (consulte Recursos informativos). También consulte, "Sus derechos en el lugar de trabajo" en el Capítulo 3, "4° mes (Semanas 13–16)" en la página 78.

Consejos para trabajar durante las primeras semanas de embarazo

Trabajar cuando siente las náuseas y el agotamiento de las primeras semanas de embarazo puede ser difícil. Para lidiar con esta situación, pruebe lo siguiente:

- *Aproveche el tiempo flexible*—Si su trabajo ofrece tiempo flexible, aproveche este beneficio. ¿A qué hora del día se siente más enérgica? Considere llegar más tarde si las primeras horas de la mañana son difíciles para usted. Si las tardes son un problema, llegue más temprano para que se pueda ir antes.

- *Lleve meriendas (bocadillos)*—Comer meriendas sanas durante el día puede ayudarle a combatir las náuseas y brindarle energía. Las galletas de soda, las verduras frescas, o bien, las frutas y el queso son buenas opciones.

- *Duerma una siesta breve, si puede*—Si tiene una oficina, cierre la puerta y descanse durante la hora de almuerzo.

- *Manténgase hidratada*—Estar deshidratada le hará sentirse peor. Asegúrese de beber suficientes líquidos durante el día.

▶ Visitas de atención prenatal

En cuanto se entere de que está embarazada, llame a su proveedor de atención médica para programar una cita y recibir atención prenatal de inmediato. Tendrá citas periódicas durante el transcurso de su embarazo. En cada visita, el proveedor de atención médica le examinará el estado de salud y el desarrollo de su bebé.

La primera o segunda visita de atención prenatal probablemente será una de las más largas. Su proveedor de atención médica necesitará hacerle muchas preguntas sobre su salud y realizar varios análisis o pruebas. Es importante responder con franqueza a todas las preguntas y dar todos los detalles que pueda. En el Apéndice B encontrará un formulario de historial médico. Puede llenar este formulario antes de la visita, o puede simplemente leerlo para que sepa las preguntas que le harán. Puede ser útil llevar a una persona que le brinde apoyo a sus visitas de atención prenatal. Durante estas primeras visitas, el proveedor de atención médica puede hacer lo siguiente:

- Preguntarle sobre su historial médico, por ejemplo, sus embarazos, cirugías o problemas médicos previos.
- Preguntarle sobre los medicamentos con o sin receta que usa (llévelos, si es posible).
- Preguntarle sobre el historial médico de su familia y el del padre del bebé.
- Hacer un examen físico completo además de análisis de sangre y orina.
- Hacer un **examen pélvico** y una **prueba de Papanicolaou.**
- Medirle la presión arterial, estatura y peso.
- Calcular la fecha probable de nacimiento del bebé.

Algunos problemas médicos tienden a ocurrir en ciertas familias o grupos raciales o étnicos. Cuanto más específicos sean usted y su pareja sobre si alguien en sus familias ha tenido enfermedades como anemia de células falciformes, retraso mental o fibrosis quística, mejor será. Si tiene un pariente o ha tenido un hijo con una de estas enfermedades, el riesgo de tener un bebé con la misma enfermedad es mayor. El proveedor de atención médica podría recomendar hacerle otros exámenes o pruebas para examinar sus antecedentes genéticos.

▶ Situaciones especiales

Aunque es normal que las mujeres embarazadas se preocupen de las complicaciones, la mayoría de ellas tienen embarazos completamente sanos y dan a luz a bebés saludables. Sin embargo, es mejor estar atenta a los signos y los síntomas que puedan indicar la presencia de un problema. Casi siempre, cuanto más pronto acuda a su médico, mejor será la probabilidad de tratar eficazmente las complicaciones.

Aborto espontáneo

La pérdida del embarazo en las primeras 20 semanas de embarazo se denomina **aborto espontáneo**. Aproximadamente un 15% de los embarazos terminan de esta manera, y la mayoría ocurre en las 13 primeras semanas. Algunos abortos espontáneos ocurren antes de que la mujer se dé cuenta que no ha tenido un periodo menstrual o incluso antes de que sepa que está embarazada.

El indicio más común de aborto espontáneo es el sangrado. Manténgase atenta los demás signos de advertencia y llame a su médico si estas ocurren:

- Manchas de sangre o sangrado sin dolor
- Sangrado intenso o constante con dolor abdominal o cólicos
- Expulsión de un chorro de líquido de la vagina sin dolor ni sangrado
- Expulsión de tejido fetal

Casi todas las mujeres que han tenido un aborto espontáneo logran tener posteriormente embarazos sanos. Su proveedor de atención médica hablará con usted sobre cuándo pueden usted y su pareja tratar de concebir otra vez. El tema del aborto espontáneo se trata más a fondo en el Capítulo 21 "Problemas en las primeras etapas de embarazo: aborto espontáneo, embarazo ectópico y embarazo molar".

Embarazo ectópico

Un **embarazo ectópico** ocurre cuando el óvulo fertilizado se implanta fuera del útero. El óvulo generalmente se implanta en una de las trompas de Falopio, aunque también se puede implantar en otros lugares, como en el cuello uterino o el abdomen. Cuando el embarazo ectópico ocurre en una trompa de Falopio, pueden ocurrir problemas graves de salud. La trompa de Falopio se puede desgarrar (romper) y provocar una hemorragia interna potencialmente mortal. Aproximadamente el 2% de todos los embarazos son ectópicos.

Un embarazo ectópico puede parecer normal, con algunos de los mismos síntomas, como falta del periodo menstrual y náuseas. Si presenta algún tipo de sangrado vaginal, tiene dolor en la pelvis o se siente mareada o aturdida (debido a una hemorragia interna)—especialmente si aún no ha tenido una *ecografía* o *ultrasonido* para confirmar que su embarazo ocurrió en el útero—llame a su proveedor de atención médica. El tema de embarazo ectópico se trata más a fondo en el Capítulo 21.

RESPUESTAS A SUS PREGUNTAS

Tomo café por la mañana y refrescos con cafeína en el almuerzo. ¿Cuánta cafeína puedo consumir sin riesgo al día?

A muchas mujeres se les ha pedido limitar el consumo de cafeína durante el embarazo debido a una posible asociación con una mayor tendencia de aborto espontáneo, parto prematuro y bajo peso al nacer. Sin embargo, los estudios recientes sobre el consumo de cafeína y el riesgo de aborto espontáneo son contradictorios. Algunos estudios indican que el riesgo de aborto espontáneo de las mujeres que consumen 200 miligramos de cafeína (equivalente a una taza de 12 onzas de café) o más al día es el doble, en comparación con el de las mujeres que no consumen cafeína. Sin embargo, otro estudio no encontró ninguna relación entre el consumo de cafeína y el riesgo de aborto espontáneo, independientemente de la cantidad consumida. Tampoco hay una prueba definitiva de que la cafeína aumente el riesgo de tener un bebé con bajo peso al nacer. Debido a estos resultados contradictorios en los estudios, no es posible dar una recomendación sobre la cantidad de cafeína que se puede consumir sin riesgo durante el embarazo. En cuanto a la relación entre el consumo moderado de cafeína y el parto prematuro, los resultados de casi todas las investigaciones revelan que el consumo de cafeína no parece influir en esta complicación.

No obstante, es buena idea limitar el consumo de cafeína por otros motivos. El exceso de cafeína puede interferir en el sueño que es tan necesario, y contribuir a las náuseas y los mareos. El efecto diurético de la cafeína puede aumentar la producción de orina y causar deshidratación. Si decide reducir el consumo de cafeína, no piense sólo en el café. Recuerde que la cafeína también se encuentra en el té, el chocolate, las bebidas energéticas y los refrescos.

Llamé a mi médico en cuanto me enteré de que la prueba de embarazo que hice en mi casa fue positiva. El doctor mencionó hacer una ecografía en las primeras semanas del embarazo. ¿Qué puedo esperar ver en esta fecha tan temprana?

Algunos proveedores de atención médica hacen una ecografía (ultrasonido), que es un examen que usa ondas sonoras para mostrar las estructuras del interior del cuerpo, a fin de confirmar el embarazo. Este examen se puede hacer por vía transvaginal mediante el uso de un transductor (el instrumento que transmite las ondas sonoras) que se coloca en la vagina. Si tiene menos de 5 semanas de embarazo, es posible que el embrión no sea visible. Si tiene más de 5 semanas de embarazo, no espere ver mucho más que una estructura pequeña y circular que representa el saco amniótico donde el bebé está creciendo. No podrá ver los brazos ni las piernas, ni tampoco ninguna otra estructura específica hasta más adelante en el embarazo.

¿Se pueden usar sin riesgo los lavados vaginales durante el embarazo?

No. Lo mejor es no usar lavados vaginales en ningún momento, ya sea que esté embarazada o no. Las mujeres no necesitan usar lavados vaginales para eliminar la sangre, el semen ni las secreciones vaginales. Muchos médicos dicen que es mejor dejar que la vagina se limpie naturalmente. Los lavados vaginales pueden incluso incrementar el riesgo de contraer infecciones vaginales. Tenga en cuenta que aun las vaginas sanas y limpias producen un olor leve. Lavarse regularmente con agua tibia y jabón cuando se bañe puede mantener el exterior de la vagina limpio y sano.

Capítulo 2

3er mes

(Semanas 9–12)

SU BEBÉ EN DESARROLLO

Semana 9

Su bebé mide ahora unas 2 pulgadas de largo, el tamaño aproximado de una fresa. Aparecen las proyecciones de los futuros dientes, y los intestinos se comienzan a formar.

Semana 10

Los dedos de las manos y los pies siguen creciendo y se comienzan a formar uñas blandas. Aunque se han formado todos los órganos, no se han desarrollado del todo.

Semana 11

Su bebé mide ahora más o menos 3 pulgadas de largo, aproximadamente el tamaño de una lima. Los huesos se comienzan a endurecer y los músculos comienzan a desarrollarse. La columna vertebral es blanda y flexible. Aunque la piel todavía es delgada y transparente, su grosor aumentará en unos días.

Semana 12

En esta etapa, su bebé pesa poco más de 1 onza y mide aproximadamente 3½ pulgadas de largo. Las manos están más desarrolladas que los pies y los brazos son más largos que las piernas. Su bebé se mueve por su cuenta ahora aunque todavía es demasiado pequeño para que pueda sentir sus movimientos.

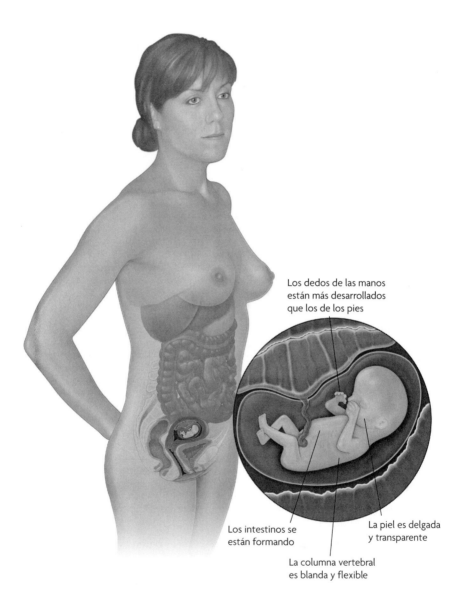

Los dedos de las manos
están más desarrollados
que los de los pies

Los intestinos se
están formando

La piel es delgada
y transparente

La columna vertebral
es blanda y flexible

La madre y el bebé: Semanas 9–12. En esta etapa, su bebé pesa poco más de 1 onza y mide aproximadamente 3½ pulgadas de largo.

SU EMBARAZO

▶ Los cambios del cuerpo

Aunque las demás personas no se puedan percatar de que está embarazada, usted notará que la cintura se le ha agrandado un poco. Cuando no está embarazada, el *útero* es del tamaño de una pera pequeña. Para la 10ª semana, es del tamaño de una toronja.

▶ Molestias y cómo lidiar con ellas

A medida que comienza el tercer mes de embarazo, quizá note que las náuseas del embarazo ocurren con menos frecuencia. A la misma vez, notará cambios en los senos, la piel y la digestión. Todos estos cambios son normales durante el embarazo.

Náuseas

La mayoría de las mujeres comienza a sentir alivio de las náuseas este mes. Mientras espera que los síntomas se resuelvan por completo, recuerde tener a la mano algunos remedios que le ayuden a aliviar el malestar estomacal y beber la mayor cantidad de líquidos que pueda durante el día.

Agotamiento y problemas para dormir

Es probable que todavía se sienta agotada durante el día debido a los cambios que ocurren en su cuerpo. Sin embargo, lamentablemente, con el paso de estos primeros meses, también se dificulta la capacidad para dormir bien por la noche. A medida que le crece el abdomen, puede que le sea difícil encontrar una posición cómoda. Para ayudarle a recibir el descanso que necesita, tal vez le resulten útiles las siguientes sugerencias:

- Trate de dormir de costado con una almohada debajo del abdomen y otra entre las piernas.

- Báñese con agua tibia en una regadera (ducha) o tina (bañera) para ayudarle a relajarse.

- El ejercicio puede promover su habilidad para dormir bien. Trate de hacer un ejercicio relajante, como yoga, antes de acostarse para iniciar un sueño apacible.

- Asegúrese de que su habitación sea un lugar placentero y relajante. La cama debe ser cómoda y la habitación no debe ser demasiado calurosa, fría ni alumbrada.

Acné

Si ahora que está embarazada observa más granos en la piel de los que solía tener, pruebe lavándose la cara varias veces al día con un jabón suave. Si los granos en la cara le hacen sentirse incómoda, hable con su proveedor de atención médica. Tal vez pueda recetarle un tratamiento. Sin embargo, no use productos para el acné que contengan isotretinoína ni tetraciclina. Estos productos no son seguros durante el embarazo ya que pueden causar defectos congénitos.

Cambios en los senos

En las primeras semanas de embarazo, los senos comienzan a prepararse para alimentar al bebé. Para esta fecha, los senos han aumentado un tamaño de copa completo. Pueden también estar muy adoloridos. Son muchos los cambios que ocurren:

- La grasa se empieza a acumular en los senos, lo que hace que su sostén se sienta demasiado ajustado.

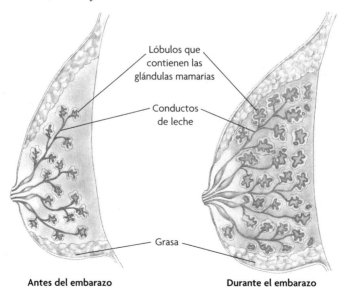

Lóbulos que contienen las glándulas mamarias

Conductos de leche

Grasa

Antes del embarazo　　　　**Durante el embarazo**

Cambios en los senos durante el embarazo. Durante el embarazo, aumenta el grosor de la capa adiposa (de grasa) de los senos y la cantidad de glándulas mamarias. Debido a estos cambios, los senos se agrandan.

- Aumenta la cantidad de glándulas mamarias a medida que el cuerpo se prepara para producir leche.

- Se oscurecen los pezones y las aréolas (la piel rosada o de tonos morenos alrededor de los pezones).

- Los pezones comienzan a proyectarse más hacia afuera, y las aréolas aumentarán de tamaño.

Los senos seguirán aumentando de tamaño y peso durante estos 3 primeros meses de embarazo. Si le causan alguna incomodidad, este es el momento para empezar a usar un buen sostén (brassiere) de maternidad. Estos sostenes tienen tirantes anchos, la copa ofrece más cobertura y tienen más ganchos para ajustar las bandas a medida que crecen los senos. También puede comprar un sostén especial para dormir que le apoye por la noche. Si hace ejercicio regularmente, considere usar un sostén atlético que ofrezca el apoyo necesario.

Para finales del tercer trimestre, es posible que comience a salir un líquido amarillo y denso que se llama *calostro*. El calostro contiene proteínas y anticuerpos que nutren al recién nacido hasta que los senos comienzan a producir leche al cabo de unos días del parto. No se preocupe, sin embargo, si sus senos no producen este líquido ya que no siempre ocurre en todas las mujeres.

Estreñimiento

Los niveles incrementados de **hormonas** hacen que el **sistema digestivo** actúe más lentamente. Este funcionamiento reducido de los intestinos puede causar estreñimiento. Para ayudarle a aliviar el estreñimiento, beba muchos líquidos y aumente el consumo de fibra que se encuentra en las frutas, las verduras y los granos integrales. No obstante, un efecto secundario del aumento en el consumo de fibra es la producción de gas. Para combatir este problema, pruebe comiendo las comidas más lentamente, y evite todo lo que le haga tragar aire, como masticar chicle y las bebidas gaseosas. Poco a poco el cuerpo se adaptará a los cambios en la dieta. Hable sobre este tema con su proveedor de atención médica si estas medidas no alivian el estreñimiento.

◗ Nutrición

Este mes, tal vez haya comenzado a aumentar algunas libras. Su proveedor de atención médica llevará un control de su peso todos los meses. A medida que planea sus comidas, asegúrese de que reciba suficiente hierro, un mineral importante cuya cantidad debe aumentar para casi todas las mujeres durante el embarazo.

Aumento de peso

Quizá observe que la ropa le queda un poco más ajustada en el área de la cintura. Para finales de la 12ª semana, la mayoría de las mujeres aumenta comúnmente entre 1½ a 4½ libras, aunque otras bajan de peso.

Enfóquese en el hierro

El hierro se usa para producir la sangre adicional que usted y su bebé necesitan durante el embarazo. Las mujeres embarazadas necesitan 27 miligramos de hierro al día, que es la cantidad que contienen la mayoría de los suplementos vitamínicos. Los suplementos vitamínicos con niveles elevados de hierro pueden causar problemas digestivos, como estreñimiento. Algunos alimentos que son buenas fuentes de hierro son la carne de res y de cerdo magra, las frutas y los frijoles (habichuelas) secos, las sardinas y las verduras de hojas verde oscuro.

Azúcar y sustitutos del azúcar (edulcorantes artificiales)

Limite su consumo diario de azúcares simples. Las azúcares simples se encuentran en el azúcar común, la miel, el almíbar, los jugos de fruta, los refrescos y muchos alimentos procesados. Aunque pueden aumentar la energía rápidamente, tienen más calorías que otros nutrientes y la energía que producen se usa muy rápido. También contribuyen a un aumento excesivo de peso.

Si normalmente usa algunos de los siguientes edulcorantes artificiales, que son de 200 a 600 veces más dulces que el azúcar, estos son seguros y se pueden usar durante el embarazo siempre y cuando los use en moderación:

• Sacarina (Sweet'n Low)
• Aspartame (Equal y NutraSweet)
• Sucralosa (Splenda)
• Acesulfamo-K (Sunett)

Otro edulcorante, que se llama estevia, se obtiene de una hierba que se cultiva en Sud y Centroamérica. Este producto se vende en Estados Unidos con los nombres Truvia y SweetLeaf. La Administración de Alimentos y Medicamentos de Estados Unidos (FDA) recientemente aprobó el uso de estevia como aditivo para alimentos y edulcorante.

▶ Ejercicio

Si no ha estado haciendo ejercicios regularmente, pruebe algunas alternativas sencillas—como usar las escaleras en vez del ascensor—para incorporar más ejercicio en su vida. Si ha estado haciendo ejercicios, el ejercicio de este mes puede ayudarla a tonificar músculos estratégicos en las caderas y el abdomen.

Ejercicio del mes: ejercicios abdominales diagonales

Este ejercicio fortalece la espalda, las caderas y el abdomen. Sólo trate de hacer este ejercicio si está lista para hacer ejercicios regularmente:

Ejercicios abdominales diagonales.
Este ejercicio fortalece la espalda, las caderas y el abdomen. Si no ha estado haciendo ejercicios con regularidad, no haga este en particular.

1. Siéntese en el piso con las rodillas flexionadas y los pies apoyados sobre el suelo. Sujétese las manos y colóquelas frente a usted con los brazos extendidos.

2. Gire la parte superior del torso hacia la izquierda hasta que las manos toquen el piso. Haga el mismo movimiento hacia la derecha. Repita el ejercicio cinco veces.

Manténgase en movimiento

Preferiblemente, las mujeres embarazadas, al igual que las demás personas, deben hacer por lo menos 30 minutos de ejercicios que aumenten la frecuencia cardíaca, y algunos ejercicios de fortalecimiento casi todos los días de la semana. Sin embargo, puede ser difícil comenzar esta rutina si no ha hecho ejercicios regularmente. Hay maneras sencillas de añadir más movimiento a su vida diaria. Trate de ir a un centro comercial local y caminar hasta el punto más lejos de donde se encuentre y después regresar. O bien, cuando se encuentre en la tienda de comestibles, camine varias veces alrededor del perímetro de la tienda, donde se encuentran los alimentos más sanos y menos procesados. Use las escaleras en vez del ascensor. Lo importante es moverse un poco más cada día mientras está embarazada para que el beneficio sea mayor.

▷ Decisiones sanas

Si tuvo un **parto por cesárea** previamente, debe pensar cómo tendrá a su bebé esta vez y hablar sobre sus opciones con su proveedor de atención médica. Otra decisión importante que debe considerar es si se debe hacer un examen de detección de defectos congénitos.

Parto vaginal después de un parto por cesárea

Si ha tenido un bebé por cesárea anteriormente, es importante hablar con su médico sobre sus planes para el parto en las primeras visitas de atención prenatal. El intento de tener un parto vaginal después de una cesárea se denomina parto vaginal después de cesárea (PVDC). En términos generales, un 60–80% de las mujeres que intentan tener un parto vaginal después de cesárea lo logran exitosamente. El éxito de este parto depende de una variedad de factores:

- *El motivo del parto por cesárea anterior*—Si la razón del parto por cesárea fue debido al cese de las contracciones, la probabilidad de que pueda tener un parto vaginal es menor.

- *Si ha tenido un parto vaginal anteriormente*—Las mujeres que han tenido un parto vaginal tienen una mayor probabilidad de tener otro parto vaginal después de una cesárea que las que nunca han tenido un parto vaginal.

- *Otros factores*—Algunos factores que reducen la probabilidad de tener un parto vaginal después de una cesárea son la edad mayor de la madre, un índice de masa corporal más alto (consulte la p. 490), peso pronosticado de nacimiento más alto y una **edad gestacional** de más de 40 semanas.

El parto vaginal después de una cesárea brinda muchos beneficios a la mujer. Las mujeres que dan a luz de esta manera evitan someterse a una cirugía mayor y a todos los riesgos que conlleva dicha cirugía. La recuperación es más corta después de un parto vaginal en comparación con un parto por cesárea. Si desea tener más hijos, el parto vaginal después de una cesárea puede ayudarle a evitar algunas de las posibles complicaciones futuras de tener varios partos por cesárea, como infección, lesión a los intestinos y a la vejiga o histerectomía.

Sin embargo, hay algunos peligros de tener un parto vaginal después de una cesárea que podrían excluirlo como opción para algunas mujeres. Con el parto vaginal después de una cesárea hay un riesgo mínimo, pero importante,

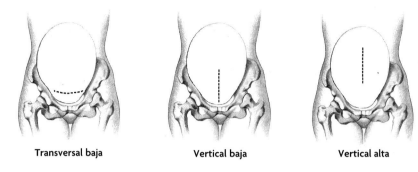

Transversal baja   Vertical baja   Vertical alta

Tipos de incisiones uterinas para un parto por cesárea. El tipo de incisión en la piel no tiene que ser el mismo que se hace en el útero.

de ruptura del útero. A veces, aun si elige tener un parto vaginal después de una cesárea, su proveedor tiene que practicarle una cesárea durante el parto, lo cual puede ocurrir si surge o empeora algún problema durante el nacimiento. El índice mayor de complicaciones ocurre en las mujeres que intentan pero no pueden tener un parto vaginal o que terminan teniendo un parto por cesárea.

El tipo de incisión que tuvo en el útero—no sólo la que se hizo en la piel—para el parto por cesárea previo es un factor importante a la hora de decidir si debe tratar de tener un parto vaginal después de una cesárea. Esta información debe estar en sus expedientes médicos. La incisión transversal baja (horizontal) tiene una menor probabilidad de desgarrarse que una incisión vertical en la parte superior del útero (incisión vertical alta o "clásica"). Las mujeres con incisiones verticales altas no deben tener un parto vaginal después de una cesárea porque corren un riesgo mayor de que ocurra una ruptura uterina durante el parto. Si se hace una incisión vertical en la parte inferior del útero, todavía se puede considerar el parto vaginal después de una cesárea.

Los siguientes factores adicionales también se tienen en cuenta al tomar la decisión de tener un parto vaginal después de una cesárea:

• *Partos previos*—El parto vaginal después de una cesárea tiene una mayor probabilidad de lograrse si la mujer ha tenido por lo menos un parto vaginal además de una cesárea previa. El parto vaginal después de una cesárea se puede considerar en las mujeres que han tenido dos partos por cesárea previos.

• *Partos futuros*—Haber tenido varios partos por cesárea está asociado con otros riesgos potenciales. Si sabe que quiere tener más hijos, debe tener esto en cuenta cuando tome su decisión.

- *Presencia de un problema médico o una complicación del embarazo*—Los problemas con la placenta, con el bebé o padecer ciertas afecciones médicas durante el embarazo pueden influir en la decisión de tener un parto vaginal después de una cesárea.

- *Necesidad de provocar el parto*—Puede tratar de tener un parto vaginal después de una cesárea aún si ya ha pasado la fecha prevista del parto. Sin embargo, la capacidad para lograr dicho parto vaginal disminuye si es necesario inducir el parto (usar medicamentos u otros medios para ayudar a que comience el trabajo de parto). No se deben usar ciertos medicamentos para provocar el parto (misoprostol y prostaglandinas seguido por oxitocina) sino que se deben considerar otros medios de inducción.

- *Tipo de hospital*—El parto vaginal después de una cesárea no se practica en algunos hospitales. El hospital o la institución donde el bebé vaya a nacer debe estar equipado para practicar una cesárea de emergencia si fuera necesario.

- *Su proveedor de atención médica*—Algunos obstetras no practican partos vaginales después de una cesárea. Es posible que tenga que acudir a uno que lo haga.

La decisión de si debe tratar de tener un parto vaginal u otra cesárea puede ser compleja. Dígale a su proveedor de atención médica si está interesada en tratar de tener un parto vaginal después de una cesárea durante este embarazo. Juntos podrán estudiar los riesgos y los beneficios que aplican en su situación particular.

Asesoramiento genético y prueba de portadores

En las primeras semanas de embarazo (y a veces antes del embarazo), su proveedor de atención médica podría ofrecer hacerle una prueba de portadores si su historial médico familiar indica un riesgo mayor de tener un hijo con un defecto congénito hereditario. Estas enfermedades hereditarias se llaman trastornos genéticos y se transmiten de un padre al bebé a través de los **genes**. Los genes se encuentran en unas estructuras que se llaman **cromosomas** en las **células**.

Si corre un riesgo mayor de tener un bebé con una enfermedad genética, puede beneficiarse de recibir asesoramiento genético y de una prueba de portadores para que usted y su pareja evalúen el riesgo de tener un bebé con el trastorno. El riesgo de tener un hijo con un trastorno genético es mayor si usted (o el padre del bebé) tiene un historial familiar de esa enfermedad. Su riesgo es también mayor si tuvo un hijo previamente con ciertos trastornos. Sin embargo, un bebé puede nacer con un defecto congénito aunque los padres no posean esos factores de riesgo.

Los consejeros especialistas en genética están capacitados especialmente en materias de genética. Este consejero le pedirá a usted y al padre del niño un historial familiar detallado. Si un miembro de la familia tiene un problema, el consejero podría pedir los expedientes médicos de esa persona. También le puede recomendar someterse a exámenes físicos u otras pruebas. Una vez que reúna toda la información, el consejero tratará de determinar el riesgo del bebé de tener un problema. También explicará y presentará las opciones de que dispone.

La prueba de portadores es una manera de determinar si una persona es portadora de un trastorno específico. El *portador* es una persona que no muestra señal alguna de un trastorno pero puede transmitir el gen a sus hijos. Las pruebas de portadores se realizan para detectar muchos, aunque no todos, los trastornos genéticos, entre ellos, fibrosis quística, anemia de células falciformes y otros trastornos de la sangre, la enfermedad de Tay–Sachs y la enfermedad de Canavan.

Depende de usted decidir si desea tener una prueba de portadores, pero hay algunas pautas que puede tener en cuenta. Por ejemplo, la prueba de portadores de fibrosis quística está disponible para todas las mujeres embarazadas y se debe ofrecer cuando la etnicidad de ambas parejas sea caucásica, europea o judía asquenazí. Otras pruebas de portadores se recomiendan a las personas con ciertos antecedentes étnicos o con una marcada tendencia familiar de una enfermedad genética.

Si el resultado de la prueba revela que usted es portadora, el paso siguiente sería hacerle la prueba al padre del bebé. Si el resultado de la prueba revela que ambos padres son portadores, el consejero genético puede ofrecerle más información sobre los riesgos de tener un bebé con el trastorno. Puede haber otros exámenes o pruebas disponibles que confirmen si el bebé tiene el trastorno o es un portador. Una vez que sepa su categoría de portadora, no necesita volver a someterse a los exámenes en embarazos futuros.

▶ Otras consideraciones

Este mes, es posible que observe cambios que le produzcan cierta inquietud. Tal vez tenga alzas y bajas en el estado de ánimo de un momento a otro. Estos cambios repentinos en el estado de ánimo pueden ser desconcertantes si no los estaba esperando. También observará cambios en la piel, como una pigmentación oscura en la cara o el abdomen. Otra preocupación común es lo que debe hacer si se enferma con la gripe, un resfriado o una enfermedad que produce diarrea. Hay medidas que puede tomar para que se reponga sin riesgo de estas enfermedades durante el embarazo.

Cambios emocionales

Si bien su cuerpo está atravesando por cambios drásticos en estos momentos, también lo hacen sus emociones. No se culpe si se siente triste o cambia de estado de ánimo. Las emociones que siente—buenas o malas—son normales. Pídales apoyo a sus seres queridos y sea paciente. Si sus emociones están afectando a su trabajo o sus relaciones personales y esto le preocupa, acuda a su proveedor de atención médica.

Las enfermedades

Las mujeres embarazadas pueden contraer resfriados o la gripe igual que cualquier otra persona. He aquí algunos consejos si acaso se enferma:

- *Resfriados*—Contraer un resfriado puede hacerle sentirse miserable independientemente de cuándo ocurra, pero contraer esta enfermedad durante el embarazo puede hacerle sentirse peor todavía. Pregúntele a su proveedor de atención médica sobre los medicamentos de venta sin receta que puede usar sin riesgo mientras está embarazada. Además, descanse mucho y beba una cantidad abundante de líquidos.

- *Gripe*—Los síntomas de la gripe son más intensos que los de un resfriado. El embarazo puede exponerla más a sufrir complicaciones por la gripe, como contraer pulmonía. Dado el mayor riesgo de complicaciones de la gripe para mujeres embarazadas, algunas de las cuales pueden ser potencialmente mortales, su proveedor de atención médica puede recetarle un medicamento antivírico si los beneficios de ese tratamiento son mayores que los riesgos en su situación específica. Para que el medicamento antivírico sea eficaz, es vital tomarlo dentro de un plazo de 48 horas del comienzo de los síntomas. Si cree que ha contraído la gripe, llame de inmediato a su proveedor de atención médica. No espere a que los síntomas empeoren.

Síntomas comunes de la gripe

- Fiebre mayor de 101°
- Molestias y dolores musculares
- Agotamiento y debilidad extrema
- Dolores de cabeza
- Tos seca
- Dolor de garganta
- Falta de apetito

Todas las mujeres embarazadas deben recibir la vacuna contra la gripe. La protección que confiere la vacuna por lo general comienza al cabo de 1 ó 2 semanas de haber recibido la inyección. Esta protección dura 6 meses o más tiempo. La vacuna contra la gripe se considera segura durante cualquier etapa del embarazo. Sin embargo, la vacuna administrada por rociador nasal no está aprobada para usarse en mujeres embarazadas.

• *Diarrea*—Si tiene un episodio de diarrea, beba mucho líquido para evitar deshidratarse. Llame a su médico también para notificarle sus síntomas y determinar si hay algún medicamento contra la diarrea que pueda tomar.

Cambios en la piel

Durante el embarazo su organismo produce más melanina, el pigmento que da color a la piel. Estos cambios son temporales y no causan daño alguno. Este aumento de pigmentación es el motivo por el cual los pezones se oscurecen, por ejemplo. También causa **cloasma**. Esta "máscara del embarazo" produce manchas con tonos morenos alrededor de los ojos, y en la nariz y las mejillas de algunas mujeres. El sol puede empeorar el cloasma, por consiguiente, protéjase usando bloqueador solar, un sombrero y limite su exposición al sol directo. Estas manchas se desvanecen cuando nace el bebé y se normalizan los niveles hormonales. En muchas mujeres, la pigmentación adicional que se produce en el embarazo causa que se le oscurezca la línea de color pálido que desciende del ombligo al vello púbico. Esta línea, que se llama la **línea negra**, siempre ha estado presente, pero su color antes de que quedara embarazada era el mismo de la piel que la rodea. Esta también se desvanece después del parto.

Posteriormente en el embarazo pueden aparecer estrías en la piel. Estas se forman en la piel del área del abdomen y los senos y son de color marrón (café) rojizo, moradas u oscuras, dependiendo del color de su piel. Estas marcas también pueden aparecer en las nalgas, los muslos y las caderas de algunas mujeres. Las estrías en la piel se producen por cambios en el tejido de apoyo elástico que se encuentra debajo de la piel. No hay ningún remedio comprobado para evitar que aparezcan o desaparezcan. No obstante, mantener bien humectado el área del abdomen a medida que crece puede aliviarle el picor. Una vez que haya nacido el bebé, algunas de estas estrías perderán el color gradualmente.

❱ Visitas de atención prenatal

La atención prenatal consiste en pruebas, exámenes físicos y exámenes por imágenes (como la *ecografía*) que se hacen para llevar un control de su salud y bienestar y los de su bebé. Se hacen exámenes de detección para determinar si usted o su bebé corren el riesgo de presentar ciertos problemas. Estos exámenes se administran a las personas cuyo riesgo de presentar un trastorno se desconoce. Los resultados de los exámenes de detección generalmente se notifican en términos de una probabilidad mayor o menor de riesgo. Otros exámenes, que se denominan pruebas de diagnóstico, se hacen para detectar problemas que pueden ocurrir durante el embarazo. Estas pruebas se realizan a las personas cuyo riesgo mayor de presentar un problema ya se conoce, como las personas de ciertos grupos étnicos o las que tienen un historial médico o familiar de ciertos trastornos o problemas. Las pruebas de diagnóstico también se ofrecen si el resultado del examen de detección indica que su riesgo es mayor.

Algunas de las pruebas o exámenes que se hacen durante el embarazo pueden ser exigidos por las leyes estatales. Casi siempre, las pruebas reglamentadas por el estado son aquellas que detectan **enfermedades de transmisión sexual (STD)**, como **sífilis** y el **virus de inmunodeficiencia humana (VIH)**.

No hay una prueba perfecta. Los resultados pueden estar equivocados. Un resultado falso positivo indica que el trastorno está presente cuando una persona en realidad no tiene el trastorno. Un resultado falso negativo indica que el trastorno está ausente cuando una persona en efecto tiene el trastorno. Además, un trastorno puede estar presente para el cual no existe una prueba de diagnóstico. Si tiene alguna inquietud o pregunta sobre un examen o una prueba, hable con su proveedor de atención médica.

Ecografía (ultrasonido)

Una ecografía es un examen que crea una imagen de su bebé a partir de ondas sonoras. Estas ondas sonoras las produce un instrumento denominado **transductor**. Cuando el transductor se desplaza por el abdomen, se le denomina exploración por **ecografía transabdominal**, mientras que cuando se coloca en la vagina se le denomina exploración por **ecografía transvaginal**. El método seleccionado depende de lo que sea necesario ver y la edad gestacional.

En el primer trimestre se realiza una ecografía por las siguientes razones:

- Confirmar el embarazo ubicando el saco amniótico donde se desarrolla el bebé. (Puede obtener más información sobre el saco amniótico en el Capítulo 1, "1er y 2° mes [Semanas 1–8]", p. 43.)

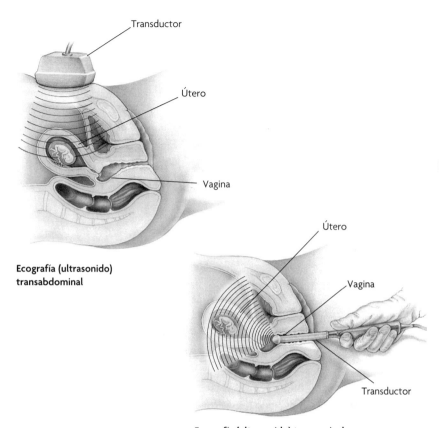

Transductor

Útero

Vagina

**Ecografía (ultrasonido)
transabdominal**

Útero

Vagina

Transductor

Ecografía (ultrasonido) transvaginal

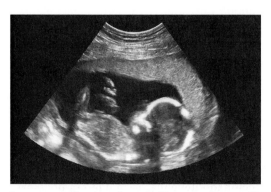

Imagen ecográfica de un feto a las 17 semanas de gestación

Examen de ecografía. Durante una ecografía (ultrasonido) se usa un transductor para producir ondas sonoras. El feto refleja las ondas sonoras. Las ondas sonoras reflejadas se proyectan en una imagen que usted y su médico pueden ver en una pantalla.

- Calcular la edad gestacional.
- Determinar si el corazón del bebé está latiendo.
- Determinar si hay más de un bebé.
- Detectar defectos congénitos.
- Examinar el útero y los ovarios.

Exámenes de detección de defectos congénitos

Hay exámenes de detección disponibles para ciertos tipos de defectos congénitos comunes. Algunos de los defectos congénitos que se pueden detectar con estas pruebas de detección son, entre otros, los *defectos del tubo neural*, defectos de la pared abdominal, defectos cardíacos, el *síndrome de Down* y la *trisomía 18*.

Hay ciertos exámenes de detección que se les ofrecen a todas las mujeres embarazadas para determinar el riesgo que corren de tener un bebé con un defecto congénito o trastorno genético. Si un examen de detección revela que existe un riesgo mayor de tener un bebé afectado, se pueden ofrecer pruebas de diagnóstico para diagnosticar el problema. El *muestreo de vellosidades coriónicas* y la *amniocentesis* son dos tipos de pruebas de diagnóstico. Anteriormente, a las mujeres con un riesgo mayor de tener un bebé con un defecto congénito—por ejemplo, las mujeres mayores de 35 años—se les ofrecían pruebas de diagnóstico primero en lugar de exámenes de detección. Actualmente, las pruebas de detección constituyen la primera opción que se ofrece a todas las mujeres embarazadas antes de las 20 semanas de embarazo. Es importante, sin embargo, entender los riesgos que conllevan estas pruebas de diagnóstico, entre los que cuenta un riesgo mayor de perder el embarazo, antes de elegir esta opción. Las pruebas de diagnóstico se tratan más a fondo en el Capítulo 22, "Defectos congénitos".

Se pueden realizar exámenes de detección en el primer o segundo trimestre. El examen que se realiza en el primer trimestre se administra entre las 11 y 14 semanas de embarazo para detectar el riesgo de presentar síndrome de Down y trisomía 18. Estos exámenes consisten en un análisis de sangre y una ecografía (ultrasonido).

El examen de detección del primer trimestre puede realizarse como un solo examen combinado o como parte de un proceso de varios pasos. El examen de detección que se realiza en el segundo trimestre consiste en un análisis de sangre que se administra entre la 15 y 20 semana de embarazo. Los resultados de los exámenes de detección del primer y segundo trimestre pueden usarse juntos para mejorar la capacidad para detectar el síndrome de Down. Estos exámenes se tratan más a fondo en el Capítulo 22.

Los tipos de exámenes de detección que se ofrecerán dependen de los que estén disponibles en su localidad, cuántas semanas de embarazo tenga (no puede tener un examen de detección en el primer trimestre si está en el segundo trimestre), y la evaluación de su proveedor de atención médica mediante la cual determinará el examen que mejor corresponda a sus necesidades. Antes de que tenga un examen de detección, debe estar al tanto de la posibilidad de resultados falso positivos y resultados falso negativos. Su proveedor de atención médica debe tener información sobre el índice de resultados equivocados para cada examen que se ofrezca. También debe entender las ventajas, desventajas y limitaciones de cada examen para que pueda tomar una decisión bien fundamentada.

Examen pélvico y prueba de Papanicolaou

Su médico le hará un **examen pélvico** y una **prueba de Papanicolaou**. El examen pélvico se hace para evaluar el tamaño de la pelvis y el útero. Durante el examen pélvico, se le hará una prueba para determinar algunas de las causas de infecciones pélvicas, como **gonorrea** o **clamidia**. La prueba de Papanicolaou se hace para detectar cambios en el cuello uterino que puedan causar cáncer, según la fecha de la última prueba de Papanicolaou que haya tenido.

Pruebas de laboratorio

Las siguientes pruebas y análisis se hacen en las primeras semanas de embarazo y no necesariamente en la misma visita de atención prenatal:

- *Prueba de evaluación del grupo sanguíneo y* **anticuerpos**—Su grupo sanguíneo puede ser A, B, AB u O. También puede ser Rh positiva o Rh negativa. Si los glóbulos rojos carecen de una proteína que se llama **antígeno** de Rh, se dice que la sangre es Rh negativa. Si los glóbulos rojos tienen el antígeno de Rh, se dice que la sangre es Rh positiva. Algunos problemas pueden surgir cuando la sangre del bebé tiene el antígeno de Rh y la suya no, un estado que se denomina incompatibilidad de Rh. El organismo de la madre puede producir anticuerpos que atacan la sangre del bebé, lo que puede causarle **anemia** al bebé. Esta enfermedad requiere cuidados especiales durante el embarazo y también se trata brevemente en el Capítulo 6, "7º mes (Semanas 25–28)".

- *Hematocrito y hemoglobina*—Estas pruebas detectan la presencia de anemia. Si los niveles de hematocrito y hemoglobina son bajos, se le recomendará aumentar su consumo de hierro.

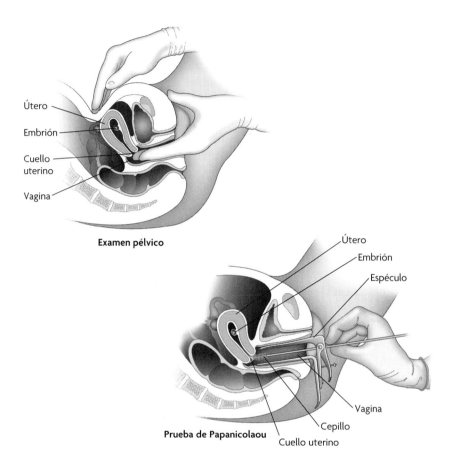

Útero
Embrión
Cuello uterino
Vagina

Examen pélvico

Útero
Embrión
Espéculo
Vagina
Prueba de Papanicolaou
Cepillo
Cuello uterino

Examen pélvico y prueba de Papanicolaou. Durante un examen pélvico, su proveedor de atención médica le examina los órganos internos introduciendo uno o dos dedos en la vagina mientras presiona el abdomen con la otra mano. Durante el examen de Papanicolaou, se introduce un espéculo en la vagina. Se toma entonces una muestra de células del cuello uterino con un pequeño cepillo o espátula. Estas células se envían a un laboratorio donde se analizan para detectar señales de alguna enfermedad cervical.

- *Rubéola*—Se le analizará la sangre para detectar la presencia de inmunidad a la rubéola (sarampión alemán). Si ha tenido este virus antes o se ha vacunado contra él, no corre peligro de presentar una infección por rubéola.

- *Glucosa*—El nivel de **glucosa** en la sangre se medirá para detectar **diabetes mellitus**. Para esta prueba, deberá tomar una mezcla especial con azúcar. Al cabo de una hora, se le tomará una muestra de sangre del brazo y se enviará a un laboratorio. Si tiene factores de riesgo para la diabetes mellitus, esta prueba se hace en las primeras semanas de embarazo.

- *Enfermedades de transmisión sexual*—Le harán pruebas para detectar ciertas enfermedades de transmisión sexual, como sífilis, clamidia, VIH y el **virus de hepatitis B**.

- *Orina*—Se le hará un análisis de orina para determinar si tiene bacterias en la orina. Si el resultado es positivo, necesitará tratamiento.

- *Prueba de evaluación de riesgos*—Algunas pruebas de evaluación se administran a las mujeres embarazadas que tienen problemas médicos, como hipertensión, trastornos de los pulmones, **lupus** y **obesidad**, para asegurarse de que estos problemas no expongan al bebé a algún peligro.

▶ Situaciones especiales

Es importante estar atenta a lo que pueda causar daño a su embarazo, como las enfermedades de transmisión sexual y la violencia en el hogar. Al reconocer estos riesgos desde un principio podrá recibir tratamiento o la ayuda que necesita más pronto y evitar que usted y su bebé por nacer sufran algún daño.

Enfermedades de transmisión sexual

Las enfermedades de transmisión sexual son infecciones que se transmiten de una persona a otra a través de las actividades sexuales. Algunas enfermedades de transmisión sexual pueden ser perjudiciales durante el embarazo. Por ejemplo, si tiene una enfermedad de transmisión sexual, aumenta su riesgo de tener un parto prematuro. Se harán pruebas para detectar enfermedades de transmisión sexual en las primeras semanas del embarazo. Algunas pruebas se repiten posteriormente, según sus factores de riesgo. Sea honesta con su proveedor de atención médica con respecto a sus riesgos. Si tiene una enfermedad de transmisión sexual, necesitará tratamiento. Su pareja también deberá recibir tratamiento y ninguno podrá tener relaciones sexuales hasta que termine el tratamiento. Hay muchos tipos distintos de enfermedades de transmisión sexual y el tratamiento es distinto para cada una. Consulte el Capítulo 26, "Infecciones".

Violencia en el hogar

Una realidad lamentable es que la relación entre usted y su pareja podría no siempre ser saludable y solidaria. En una relación donde abunda el maltrato, una de las parejas somete a la otra a actos de maltrato emocional o físico. El maltrato emocional puede tomar la forma de insultos, críticas y celos excesivos. En el maltrato físico, su pareja pudiera empujarla, darle bofeteadas o patearla. Sin embargo, no importa que se trate de maltrato emocional o físico, ambos se consideran violencia en el hogar.

La violencia en el hogar (que también se llama violencia de pareja íntima) es un problema común y trágico en Estados Unidos. En Estados Unidos, este tipo de violencia es la causa principal de lesiones en las mujeres entre los 15 y 44 años y se calcula que es responsable de un 20–25% de las visitas a las salas de emergencia de los hospitales por parte de las mujeres.

La violencia en el hogar puede ocurrirle a una mujer de cualquier raza, edad, orientación sexual o religión. Se puede producir en las parejas casadas, las que viven juntas, las que son del mismo sexo o durante el noviazgo. Ocurre además a la gente con todo tipo de antecedente socioeconómico y educativo. El maltrato no tiene que ocurrir todos los días ni todas las semanas para que se le considere violencia en el hogar.

El embarazo a menudo no interrumpe el maltrato. De hecho, una de cada seis mujeres maltratadas se expone al primer acto de maltrato durante su embarazo. Más de 320,000 mujeres al año son víctimas de maltrato por parte de sus parejas mientras están embarazadas. El maltrato es riesgoso tanto para la madre como para su bebé. La persona que maltrata tiende a golpear los senos y el vientre de la mujer embarazada. El peligro de esta violencia incluye, entre otros, aborto espontáneo, sangrado vaginal, bajo peso al nacer y lesiones fetales.

No es fácil admitir ni darse cuenta de que la persona a quien ama, o una vez amó, o quien es el padre de su hijo, pueda ser una persona que maltrata. Si se encuentra en una relación violenta, es vital que tome medidas para protegerse y proteger al bebé. Las personas que maltratan a menudo culpan a los demás por sus propias acciones. No importa lo que diga su pareja, usted no tiene la culpa. No es usted quien provoca sus acciones. La culpa de las acciones violentas la tiene la misma persona que maltrata.

El primer paso para romper con el patrón de violencia es decírselo a alguien. Dígaselo a alguien a quien le tenga confianza, ya sea una amistad allegada a usted, un pariente, su proveedor de atención médica, un enfermero, un consejero, o un miembro del clero. Hablar sobre el problema puede darle un alivio inmenso. La persona en quien confíe puede ponerla en contacto con líneas telefónicas que ofrecen ayuda durante crisis, programas de violencia en el hogar, servicios de asistencia legal y refugios de mujeres maltratadas.

Prepararse para abandonar una relación abusiva puede ser una experiencia difícil, pero estar al tanto de estos consejos puede ser útil:

- Conserve las pruebas del maltrato físico como fotos, por ejemplo, y escriba las fechas de los sucesos.

- Averigüe a dónde puede ir para recibir ayuda.

- Si se ha lastimado, vaya a la sala de emergencia y notifique lo sucedido.

- Comuníquese con un refugio local de mujeres maltratadas y entérese de las leyes y los demás recursos que tiene disponibles antes de que tenga que usarlos durante una crisis.

- Trate de apartar dinero o pídales a sus amistades o parientes que le guarden el dinero.

Una vez que decida irse, prepárese para escapar rápidamente y sin riesgo.

- Puede solicitar la presencia de la policía o una escolta policial mientras se va.

- Haga planes sobre cómo se escapará y a dónde irá.

- Esconda un juego adicional de llaves del auto.

- Empaque ropa para usted y sus hijos, y guárdela en la casa de alguna amistad o un vecino confiable. No olvide los juguetes de los niños.

- Lleve números de teléfono importantes de amistades, parientes, médicos y escuelas, así como otros artículos importantes, tales como:
  —Su licencia de conducir
  —Medicamentos que se usan regularmente
  —Tarjetas de crédito o una lista de tarjetas de crédito que sean suyas solamente o de ambos
  —Talonarios de pagos
  —Chequeras e información sobre cuentas bancarias y otros activos
  —Actas de nacimiento para usted y sus hijos

Es difícil romper con el ciclo de la violencia. Sin embargo, si no hace nada al respecto, es probable que el maltrato ocurra con más frecuencia y se vuelva más intenso. Abandonar a su pareja o pedir que arresten a la persona que la maltrata durante el embarazo requiere mucha valentía. No obstante, usted tiene el deber de dar a su bebé un hogar seguro, lleno de cariño, y usted misma se merece poner fin a la violencia.

Para obtener más información o recibir ayuda, consulte la sección en la guía telefónica bajo servicios y líneas telefónicas de ayuda en casos de violencia en el hogar. También puede llamar a la Línea Nacional de Ayuda para la Violencia en el Hogar (National Domestic Violence Hotline) las 24 horas del día (consulte Recursos informativos).

RESPUESTAS A SUS PREGUNTAS

¿Son seguros las saunas y los "jacuzzis"?

Algunos estudios han revelado que el uso de saunas y "jacuzzis" puede aumentar la temperatura central del cuerpo de una mujer y producir defectos congénitos en un bebé en desarrollo. El Colegio Americano de Obstetras y Ginecólogos recomienda que las mujeres embarazadas no permanezcan dentro de una sauna por más de 15 minutos y de un "jacuzzi" por más de 10 minutos. También recomiendan que las mujeres embarazadas no sumerjan la cabeza, los brazos y los hombros en el "jacuzzi" para reducir las áreas expuestas al calor.

¿Debo deshacerme de mi gato?

No. Es posible que haya oído que las heces de los gatos son una fuente principal de la infección *toxoplasmosis*, pero no es necesario salir de su mascota. La infección está sólo presente en los gatos que salen al exterior y cazan sus presas. Si su gato nunca sale, sólo come comida de gatos y no caza ningún tipo de presa adentro (por ejemplo, ratones y otros roedores), su riesgo de contraer toxoplasmosis es sumamente bajo. Esta infección puede ser muy perjudicial para las mujeres embarazadas. Si tiene un gato que sale de la casa o se come sus presas, pídale a otra persona que limpie la caja de arena. (Tenga en cuenta que las cajas de arena limpias no son peligrosas; son las heces y la arena que entre en contacto con dichas heces lo que debe evitar). La caja de arena se debe cambiar todos los días. Si lo hace usted misma, use guantes desechables y lávese bien las manos cuando termine. Tenga en cuenta que la toxoplasmosis también se puede contraer al trabajar con tierra o comer carnes crudas o no bien cocidas. Es vital que use guantes cuando trabaje en el jardín y evite las carnes crudas o casi crudas.

¿Es seguro usar el microondas?

Tal vez haya oído rumores sobre la radiación que emiten los hornos de microondas. Sin embargo, estos niveles de emisiones están sumamente reglamentados por la FDA y se encuentran muy por debajo del riesgo a la salud pública. Es muy seguro seguir usando su horno de microondas a menos que la puerta, los goznes o los sellos se hayan averiado. Si sospecha algún problema, no use el horno hasta que lo haya reparado o compre uno nuevo.

Capítulo 3

4º mes

(Semanas 13–16)

SU BEBÉ EN DESARROLLO

Semana 13

Su bebé está comenzando a crecer a un ritmo más acelerado. Los órganos, completamente formados, seguirán creciendo aún más este trimestre. Por ejemplo, el **bazo** ya funciona y produce glóbulos rojos. Las **hormonas** sexuales del bebé (**testosterona** y **estrógeno**) también se están produciendo. En una **ecografía** (**ultrasonido**), puede ver a su bebé haciendo movimientos semejantes a la respiración y tragando líquido amniótico.

Semana 14

Los ojos se comienzan a mover y los brazos y las piernas ahora se pueden doblar. Pronto las manos se abrirán y cerrarán para formar puños y ciertos movimientos, como ponerse las manos en la boca, ocurren con mayor frecuencia. Los órganos del gusto y el olfato se están desarrollando. Además, comienza a aumentar el grosor de la piel del bebé y los folículos del cabello y el vello aparecen inmediatamente debajo de la superficie de la piel.

Semana 15

La actividad del bebé comienza a aumentar en el **saco amniótico**, por lo que se mueve y da vueltas de un lado a otro. El corazón bombea unas 100 pintas de sangre cada día y los **riñones** ahora producen **orina**.

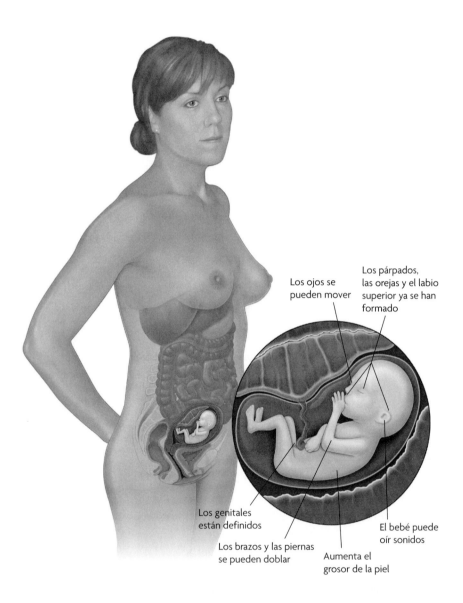

Los ojos se pueden mover

Los párpados, las orejas y el labio superior ya se han formado

Los genitales están definidos

Los brazos y las piernas se pueden doblar

Aumenta el grosor de la piel

El bebé puede oír sonidos

La madre y el bebé: semanas 13–16. Su bebé pesa ahora aproximadamente 5 onzas y mide entre 6 y 7 pulgadas de largo.

Semana 16

Su bebé pesa ahora aproximadamente 5 onzas y mide entre 6 y 7 pulgadas de largo. Se observan ciertas facciones de la cara, como los párpados, las orejas y el labio superior. Ahora puede oír sonidos. El sistema digestivo está funcionando, incluso el estómago. Además, los genitales del bebé se han definido y puede verlos en un examen por ecografía.

SU EMBARAZO

▶ Los cambios del cuerpo

¡Bienvenida al segundo trimestre! Casi todas las mujeres se sienten mucho mejor durante los próximos dos meses, tanto es así que el segundo trimestre se denomina el "período de luna de miel" del embarazo. Las náuseas del embarazo probablemente ya se han mejorado y su nivel de energía normalizado. Es posible que ahora se comience a ver embarazada. El segundo trimestre también marca el momento en que puede sentirse un poco menos preocupada ya que el riesgo de que ocurra un aborto espontáneo ahora es menor. Además, a partir de este mes, el *útero* le ha crecido lo suficiente, por lo que ya no se encuentra completamente en la pelvis.

▶ Molestias y cómo lidiar con ellas

Algunas molestias de este mes son la aparición de arañas vasculares y cambios en las encías, los dientes y la boca. Incluso puede tener sueños raros. También puede percibir dolores y molestias en el abdomen, que pueden ser preocupantes. Es útil reconocer cuáles dolores son normales y cuáles no lo son. Además, debe saber cuándo debe llamar a su proveedor de atención médica.

Dolor en la parte inferior del abdomen

A medida que el útero se agranda, los ligamentos redondos (bandas de tejido que sostienen el útero en ambos lados) se extienden y estiran. Este estiramiento puede percibirse como un dolor sordo o agudo en un lado del vientre. El dolor es más evidente cuando tose o estornuda. Permanecer sin moverse o sin cambiar de postura durante un período breve puede aliviar el dolor.

Si el dolor abdominal no se le quita o empeora, llame a su proveedor de atención médica. Puede ser la señal de algún problema.

Cambios en la boca y los dientes

Las hormonas del embarazo pueden causar hinchazón y sangrado de las encías, pero por ello no debe dejar de cepillarse los dientes ni usar hilo dental. Cambiar a un cepillo de dientes de cerdas blandas puede ayudarle a reducir la irritación.

Además, no cancele su visita dental regular debido a que está embarazada. Tener un examen dental durante las primeras semanas de embarazo le ayudará a garantizar que la boca se mantenga saludable. Las mujeres embarazadas corren un riesgo mayor de tener caries dentales y enfermedades de las encías. Aunque puede tener procedimientos dentales durante el embarazo, asegúrese de decirle al dentista que está embarazada.

Sueños raros

Es normal tener sueños extraños—especialmente en el último trimestre—que pueden ser intensos y atemorizantes. Los expertos creen que estos tipos de sueños ofrecen a su subconsciente una manera de hacerle frente a los miedos y las dudas que pueda tener sobre el embarazo y de convertirse en madre.

Producción excesiva de saliva

Algunas mujeres perciben una producción excesiva de saliva durante el embarazo, especialmente cuando tienen náuseas. Esta situación es más común entre las mujeres que sufren de náuseas intensas durante el embarazo.

Aunque se desconoce la causa exacta de la producción excesiva de saliva, los cambios hormonales pueden provocarla. Además, las náuseas pueden hacer que algunas mujeres traguen menos, lo que causa una acumulación de saliva en la boca. Si este síntoma es un problema para usted, dígaselo a su proveedor de atención médica.

Arañas vasculares

Puede que tenga venas rojas diminutas que aparecen debajo de la piel del rostro o las piernas. La formación de arañas vasculares es uno de los cambios normales que ocurren en la circulación y generalmente desaparecen después de dar a luz.

Nutrición

Este mes puede traer consigo deseos intensos e inesperados de consumir ciertos alimentos que pueden dificultar sus esfuerzos de llevar una dieta sana. Una medida que puede tomar para alimentarse mejor es aprender sobre los alimentos con índices glucémicos altos y bajos.

Enfoque en los alimentos glucémicos altos y bajos

Mientras aprende a llevar una dieta más sana, es buena idea familiarizarse con los alimentos con índices glucémicos altos y bajos. Los alimentos con un índice glucémico bajo forman parte de un plan de alimentación generalmente más sano.

El índice glucémico es una clasificación que indica la medida en que un alimento con carbohidratos aumenta el nivel de *glucosa* (azúcar) en la sangre. Un alimento con un índice glucémico alto aumenta más rápido los niveles de glucosa en la sangre que un alimento con un índice glucémico intermedio o bajo. Los alimentos con un índice glucémico alto dan una inyección rápida de energía, mientras que los alimentos con un índice glucémico bajo lo hacen más lentamente o incluso consumen energía. Si consume alimentos con un índice glucémico bajo tendrá menos hambre y podrá mantener un nivel más alto de energía por un período más extenso.

Los alimentos con un índice glucémico alto tienden a ser blancos: panes blancos, papas, arroz blanco y palomitas de maíz; sin embargo, no todos los alimentos con un índice glucémico alto son blancos, por ejemplo los pretzels se encuentran en esa categoría. Los siguientes alimentos tienen un índice glucémico bajo:

- Pan 100% de trigo, integral o de centeno
- Avena (en copos o cortada a máquina), cáscara de avena y muesli
- Pasta 100% de trigo, arroz integral y cebada
- Camote o batata dulce, maíz, habas blancas o verdes, chícharos o guisantes, y legumbres y lentejas
- Manzanas, naranjas y melocotones o duraznos
- Verduras sin almidón y zanahorias

Aumento de peso

Llevar una dieta sana y tener un aumento de peso saludable durante el embarazo son importantes para su bienestar y el del bebé en crecimiento.

Las distintas etapas del embarazo pueden presentar algunos desafíos en lo que respecta a alimentarse bien. En el primer trimestre, las náuseas pueden influir en sus hábitos alimenticios. Puede ser que tenga muchos deseos de comer ciertos alimentos o que no desee comer nada en absoluto. Sin embargo, por lo general, en el segundo trimestre aumenta el apetito. Algunas mujeres vuelven a perder el apetito en el tercer trimestre porque a veces reaparecen las náuseas del embarazo. Durante todo el transcurso de los 9 meses, sin embargo, es importante seguir alimentándose bien para asegurarse de que usted y su bebé reciban todos los nutrientes que necesitan. Este es un esfuerzo difícil que requiere mantenerlo todo en equilibrio. Consulte el Capítulo 13, "La nutrición durante el embarazo", para obtener información más a fondo sobre cómo llevar una dieta sana durante su embarazo.

Deseos de comer ciertos alimentos

Las mujeres embarazadas a menudo se antojan de ciertos alimentos. A veces, está bien satisfacer esos deseos. Sin embargo, los antojos pueden causar problemas si come sólo ciertos tipos de alimentos por períodos prolongados. También puede que no sean muy saludables si satisface sólo sus antojos por un tipo de alimento e ignora el resto de su dieta.

Algunas mujeres pueden sentir deseos intensos de consumir objetos no comestibles, como almidón para la ropa, arcilla o tiza. Este estado médico se llama *pica*. Si siente estos deseos, no ceda a ellos. Comer productos que no son comestibles puede ser perjudicial e impedir que obtenga los nutrientes que necesita. Llame a su proveedor de atención médica si cree que padece de pica.

▶ Ejercicio

Es posible que se sienta mucho más enérgica este mes, por lo tanto, este es un buen momento para intensificar su rutina de ejercicios. Caminar es una manera excelente de hacer ejercicio que no requiere la afiliación en un gimnasio ni equipo especializado y es algo que ha hecho toda la vida. El ejercicio de este mes tonifica los músculos de la espalda, los cuales recibirán bastante uso en los próximos meses a medida que le crece el útero.

Ejercicio del mes: torsión del tronco

Este ejercicio estira la espalda, la columna vertebral y la parte superior del torso.

1. Siéntese en el piso con las piernas cruzadas.
2. Sostenga con la mano izquierda el pie izquierdo mientras se apoya sobre el piso con la mano derecha.
3. Gire lentamente la parte superior del torso hacia la derecha.
4. Cambie de manos y repita hacia la izquierda. Repita el ejercicio a ambos lados 5 a 10 veces.

Caminar

Con el nuevo impulso de energía, es posible que se sienta más motivada a ejercitarse. Si está empezando un programa de ejercicios, tal vez se pregunte cuáles formas de ejercicio puede hacer fácilmente una principiante sin necesidad de equipo especial.

Caminar es una forma excelente de ejercicio y una de las más fáciles. Lo único que necesita es un buen par de zapatos y ropa cómoda. Use zapatos para caminar o tenis que le queden bien y le ofrezcan apoyo, flexibilidad y acojinamiento adecuados. Si no está acostumbrada a hacer ejercicio, comience lenta y suavemente. Trate de caminar por sólo 10 minutos al principio. Si le resulta fácil, agregue 5 minutos. Siga añadiendo 5 minutos hasta que pueda caminar vigorosamente por 30 minutos todos los días.

Si necesita motivación, pídale a un amigo o una amiga que la acompañe a caminar. Si tiene otros hijos pequeños, pruebe sacándolos a caminar en el cochecito de bebé. Haga que esta caminata sea una actividad para toda la familia.

Torsión del tronco. Este ejercicio es muy bueno para estirar la espalda, la columna vertebral y la parte superior del torso.

▶ Decisiones sanas

Algunas mujeres con padecimientos médicos pueden necesitar ausentarse del trabajo antes de que nazca el bebé. Si trabaja fuera del hogar, este es un buen momento para empezar a pensar sobre cuánto tiempo usted o su pareja necesitan ausentarse del trabajo después del nacimiento del bebé. También debe pensar acerca de dónde le gustaría que naciera su bebé.

Discapacidades laborales asociadas con el embarazo

Tener una discapacidad laboral significa que ciertos problemas de salud le impiden hacer las tareas normales del trabajo. La mayoría de los embarazos no producen una discapacidad. Sin embargo, para algunas mujeres con ciertos problemas médicos, el embarazo se puede convertir en una discapacidad. Una discapacidad laboral puede ser parcial o total. Esa decisión la tomará su proveedor de atención médica. Hay dos tipos de discapacidades laborales asociadas con el embarazo:

1. *Discapacidad que se produce a causa del embarazo propiamente*—algunos síntomas del embarazo pueden producir una discapacidad a corto plazo o parcial, como las náuseas y los vómitos intensos. Dar a luz también causa una discapacidad a corto plazo.

2. *Discapacidad a causa de complicaciones del embarazo*—algunos ejemplos de estas complicaciones son **preeclampsia, ruptura prematura de membranas** y parto **prematuro**.

Si su proveedor de atención médica decide que usted tiene una discapacidad relacionada con el embarazo, se deberán llenar los formularios correspondientes. Si su empleador desea que usted deje de trabajar pero el proveedor de atención médica dice que puede continuar, solicite una carta de dicho proveedor para entregar al empleador.

La Ley Federal Contra la Discriminación por Embarazo (Pregnancy Discrimination Act) exige que los empleadores que tengan por lo menos 15 trabajadores deben tratar a las trabajadoras discapacitadas por embarazo o parto igual que a los trabajadores discapacitados por enfermedades o accidentes. Si está parcialmente discapacitada por el embarazo y su compañía ofrece tareas livianas a otros trabajadores con discapacidades parciales, tiene que hacer lo mismo con usted. Sin embargo, dado que muchos empleadores no ofrecen a sus trabajadores beneficios por discapacidad, estos no tienen que pagar durante ausencias autorizadas. Si no tiene cobertura mediante un plan de discapacidad en el trabajo, es posible que pueda recibir beneficios estatales por desempleo o discapacidad. Para obtener los detalles, comuníquese con la oficina local de desempleo.

Ausencia autorizada por maternidad

Las normas sobre las ausencias autorizadas por maternidad y discapacidad varían de una compañía a otra y entre los estados. Sólo aproximadamente 4 de 10 mujeres trabajadoras en Estados Unidos reciben sueldo durante ausencias autorizadas después de dar a luz. Otras deben usar las ausencias autorizadas por enfermedad y sus vacaciones o toman tiempo libre sin sueldo.

La Ley de Ausencia por Motivos Familiares y Médicos (Family and Medical Leave Act) protege su derecho de ausentarse, con ciertas restricciones, por problemas asociados con el embarazo o después de dar a luz. Esta ley federal dice que puede ausentarse con autorización por un máximo de 12 meses sin sueldo durante cualquier período de 12 meses y más tarde regresar nuevamente a su trabajo.

Para poder acogerse a la protección de ausencia autorizada por motivos familiares, deberá reunir los siguientes requisitos:

- Trabajar para una compañía que tenga por lo menos 50 empleados que trabajan para el mismo empleador dentro de un área de 75 millas (en alguna sucursal, por ejemplo)
- Haber trabajado allí durante al menos 12 meses
- Haber trabajado por lo menos 1,250 horas durante los últimos 12 meses

Puede que necesite usar sus vacaciones o ausencia autorizada personal o por enfermedad para algunos o todos los días que se ausente. Si su empleador ofrece beneficios de atención médica, esta cobertura tiene que permanecer al mismo nivel durante el período de ausencia autorizada. Cuando se reincorpore al trabajo, deberá recibir el mismo empleo o uno igual, y los mismos beneficios que tenía antes de ausentarse. Si usa algunas de las 12 semanas debido a un embarazo difícil, ese período podría contarse como parte del derecho de ausencia autorizada por motivos familiares de 12 semanas.

Ausencia autorizada por paternidad

La ausencia autorizada por paternidad es el tiempo que se ausenta un padre después del nacimiento de su hijo. Este tipo de ausencia rara vez se ofrece con sueldo, pero muchos padres usan sus vacaciones o días por enfermedad cuando nacen sus hijos. Además, muchos futuros padres toman días de ausencia sin sueldo como parte de la Ley de Ausencia por Motivos Familiares y Médicos, la cual aplica a los hombres también.

Sus derechos en el lugar de trabajo

Tres leyes federales principales protegen la salud, seguridad y los derechos de empleo de las mujeres trabajadoras embarazadas. Si se le negaran sus derechos, comuníquese con las agencias señaladas.

1. *Ley Contra la Discriminación por Embarazo*—La Ley Contra la Discriminación por Embarazo exige que los empleadores traten el embarazo de la misma forma que otros estados de salud. Esto quiere decir que deberán ofrecer la misma ausencia autorizada por discapacidad y el mismo sueldo que ofrecen a trabajadores discapacitados por enfermedades o lesiones. Esta ley federal también establece que es ilegal contratar, despedir o rehusarse ascender a una mujer por estar embarazada. Si cree que ha sido víctima de discriminación por su embarazo, comuníquese con la Comisión para la Igualdad de Oportunidades en el Empleo (Equal Employment Opportunity Commission) (consulte Recursos informativos). El sitio de Internet de la comisión también ofrece los detalles de cómo presentar una reclamación.

2. Ley de *Administración de Seguridad y Salud Ocupacional*—La Administración de Seguridad y Salud Ocupacional (OSHA) exige que los empleadores ofrezcan un lugar de trabajo sin peligros comprobados que provoquen o que potencialmente puedan provocar la muerte o un daño físico grave. También les exige a los empleadores dar a los trabajadores datos sobre agentes perjudiciales. Si cree que su empleador pueda estar quebrantando estas reglas, llame a la OSHA, o vaya al sitio de Internet de la OSHA y oprima "Contact Us" (Comuníquese con nosotros) (consulte Recursos informativos).

   El Instituto Nacional de Seguridad y Salud Ocupacional (NIOSH) inspecciona peligros en el lugar de trabajo, determina cómo controlarlos y sugiere medidas para limitar dichos peligros. Si usted, su sindicato o médico lo solicita, este grupo inspeccionará su lugar de trabajo para determinar si existe algún peligro. Llame al NIOSH o visite su sitio de Internet para hacer preguntas sobre la seguridad ocupacional y acerca de la salud (consulte Recursos informativos).

   Ciertas leyes estatales y de las ciudades también les otorgan a los trabajadores y sindicatos el derecho de pedir los nombres de las sustancias químicas y otros agentes que se usan en el lugar de trabajo. Si tiene alguna pregunta o inquietud, pídale a su empleador o llame usted misma a los números de la OSHA o el NIOSH.

3. *Ley de Ausencia Autorizada por Motivos Familiares y Médicos*—La Ley de Ausencia Autorizada por Motivos Familiares y Médicos exige a los empleadores con 50 o más empleados conceder 12 semanas de ausencia autorizada sin sueldo durante cualquier período de 12 meses por los siguientes motivos:

   • El nacimiento, la adopción o la colocación de un niño para darle un hogar de crianza
   • Cuidar de un cónyuge, niño o padre con una afección médica grave
   • Cuando un trabajador no pueda realizar sus deberes debido a que padece de una afección médica grave, como una discapacidad asociada con el embarazo o discapacidad asociada con el parto.

Para obtener más información sobre la ausencia autorizada por motivos familiares y médicos, comuníquese con el Departamento del Trabajo de Estados Unidos (consulte Recursos informativos). Algunos estados cuentan con leyes mejores de ausencia que la Ley de Ausencia Autorizada por Motivos Familiares y Médicos. Comuníquese con el Departamento del Trabajo de su estado para obtener los detalles.

Lugares para dar a luz

El entorno donde dé a luz puede surtir un gran efecto en su experiencia. Muchos hospitales ofrecen una variedad de entornos; en otros, las opciones pueden estar limitadas. También hay centros de parto independientes ubicados fuera de un hospital. Se considera que el lugar más seguro para dar a luz es un hospital, un centro de parto dentro de un hospital que cumpla con las normas estipuladas conjuntamente por la Academia Americana de Pediatría y el Colegio Americano de Obstetras y Ginecólogos, o un centro de parto independiente acreditado que cumpla con las normas de la Asociación de Acreditación para la Atención Médica Ambulatoria (Accreditation Association for Ambulatory Health Care), la Comisión Conjunta (Joint Commission) o la Asociación Americana de Centros de Parto (American Association of Birth Centers).

Las siguientes opciones pueden estar disponibles en el hospital según el lugar donde resida:

- *Trabajo de parto y parto*—El trabajo de parto ocurre en una sala y el parto en otra. La trasladarán a una sala de recuperación y después a una habitación del hospital para el resto de su estancia.

- *Trabajo de parto, parto, recuperación*—El trabajo de parto, el parto y la recuperación ocurren en la misma sala, y entonces la trasladan a una habitación del hospital para el resto de su estancia.

- *Trabajo de parto, parto, recuperación, período después del parto*—Permanece en la misma habitación durante toda la estancia en el hospital.

Su decisión dependerá de qué ofrezca su localidad, dónde atienda los partos su proveedor de atención médica y la cobertura que ofrezca su seguro médico. Su proveedor de atención médica le informará sobre las opciones que hay disponibles. Puede visitar los hospitales en su localidad para determinar cuál centro más le agrada.

¿Qué tal dar a luz en la casa? Aunque algunas mujeres eligen esta opción, debe saber que aun en los embarazos más saludables pueden surgir complicaciones con muy poca o sin ninguna advertencia durante el trabajo de parto y el parto. Si ocurren problemas, el entorno de un hospital ofrece el personal experto y el equipo que le brindan a usted y a su bebé la mejor atención posible rápidamente. Por este motivo, el Colegio Americano de Obstetras y Ginecólogos considera que un hospital, un centro de parto basado en un hospital o un centro de parto independiente y acreditado es el lugar más seguro para usted y su bebé durante el trabajo de parto, el parto y al cabo de uno o dos días del mismo.

◗ Otras consideraciones

Muchos padres tienen una gran variedad de preguntas que tratan sobre cómo la llegada del bebé afectará a la situación económica. Este mes es un buen momento para pensar sobre asuntos financieros, y también acerca del seguro médico. Si en estos momentos no dispone de seguro médico, hay opciones disponibles (consulte "Seguro médico" en la página 81).

Asuntos financieros

No es un secreto que un nuevo bebé puede alterar drásticamente la situación económica de su familia. Si se queda en casa en una ausencia autorizada extendida por maternidad, usted y su familia deberán adaptarse a tener un ingreso más bajo, y tendrán más gastos relacionados con la atención del bebé:

- *Gastos del cuidado de hijos*—El cuidado de los hijos puede ser muy costoso. Es útil hacer algunas indagaciones y comparar los costos de los distintos tipos de cuidado, como centros de cuidado de niños (guarderías), proveedores en el hogar y niñeras.

- *Impuestos sobre los ingresos*—Puede declarar a su bebé como nuevo dependiente en el formulario de impuestos sobre los ingresos, por ello es

◗ ¿Cuánto cuesta criar a un hijo?

Muchos futuros padres se preguntan cuánto cuesta criar a un hijo. El Departamento de Agricultura de Estados Unidos ofrece una útil calculadora en línea que le permite estimar los costos anuales. La calculadora se basa en un informe que se denomina *Expenditures on Children by Families (Gastos en los hijos por parte de las familias)*, que es un estudio integral sobre familias de todo el país. El estudio toma en cuenta cuántos hijos ya tiene, sus edades, su estado civil, dónde reside y su ingreso anual.

Una vez que ingrese esa información y oprima "calculate" (calcular), recibirá un informe con un desglose de sus gastos divididos en varias categorías: alojamiento, comida, transporte, ropa, atención médica, cuidado de los hijos y educación, además de otros gastos. También puede ingresar sumas específicas en cada categoría, si lo desea.

Tenga en cuenta que la calculadora aplica sólo a niños menores de 18 años y no incorpora, por ejemplo, los costos de una educación universitaria. Si le interesa probar esta calculadora, vaya a www.cnpp.usda.gov/calculatorintro.htm.

buena idea solicitar un número de seguro social para el niño al poco tiempo de nacer. El gobierno federal ofrece un crédito tributario para menores por cada hijo menor de 17 años si cumple ciertos criterios. También puede recibir un crédito tributario por el dinero que gaste para el cuidado del niño. Si tiene alguna pregunta, hable con un preparador de impuestos o visite el sitio de Internet del Servicio de Impuestos Internos (consulte Recursos informativos).

- *Madre (o padre) que se queda en casa*—¿Cuentan usted y su pareja con los medios para que uno de ustedes deje de trabajar y se quede en la casa cuidando al bebé todo el tiempo? Si bien hay otros factores que se deben tener en cuenta al tomar la decisión de quedarse en casa, las finanzas constituyen uno de los más importantes. Examine en detalle el ingreso y los gastos de su familia y analícelos ante el promedio del costo del cuidado de un niño en su localidad. Tome también en cuenta el dinero que se ahorrará al quedarse en casa, como menos gastos de ropa para el trabajo, almuerzos para llevar, costos de transporte o lavandería en seco.

Seguro médico

Si dispone de seguro, verifique si el plan médico ofrece cobertura para la atención completa del embarazo o sólo los exámenes y procedimientos médicos más rutinarios. Esta información puede ser importante si surge algún problema durante el embarazo o parto, o si el bebé tiene alguna afección médica. Consulte la información de su plan para determinar la porción del costo que pagará dicho plan por lo siguiente:

- Atención obstétrica
- Exámenes prenatales
- Cargos hospitalarios
- Atención del bebé sano
- Anticonceptivos posteriores al parto

Asegúrese también de que el proveedor de atención médica y el hospital donde desea dar a luz participen en el plan médico. En muchos casos, acudir a un proveedor de atención médica u hospital "fuera de la red", es decir, que no participa en el plan médico, significa que usted tendrá que pagar algunos o todos los gastos.

La Ley de Transferencia y Responsabilidad de los Seguros de Salud (Health Insurance Portability and Accountability Act) protege a la mayoría de las mujeres que cambian de seguro médico durante el embarazo o se inscriben en un plan después de quedar embarazadas. Si cambia de empleo y de planes de seguro médico durante el embarazo, no le podrán negar la cobertura de seguro para la atención relacionada con el embarazo. Este es el caso independientemente de la cantidad de tiempo que haya pertenecido a un plan médico antes de cambiar. Tampoco podrán negarle cobertura al recién nacido siempre y cuando lo inscriba en su seguro médico dentro de un plazo de 30 días del parto.

Sin embargo, si su empleo no ofrece cobertura médica o está desempleada, puede como quiera obtener seguro médico durante su embarazo y después del nacimiento del niño de la manera siguiente:

- *Medicaid*—Medicaid es un programa administrado por los estados pero financiado por el gobierno federal. Medicaid ofrece asistencia médica a las familias y personas individuales de bajos recursos. Consulte con el departamento local de salud para determinar si califica para esos beneficios y obtener más información.

- *Programa Estatal de Seguro Médico Infantil*—El Programa Estatal de Seguro Médico Infantil ofrece cobertura médica a menores, hasta los 19 años, cuyas familias no puedan pagar un seguro médico o a quienes no se les ofrezca dicho seguro. Las familias que no califiquen para recibir Medicaid debido a ingresos más altos pueden calificar para el Programa Estatal de Seguro Médico Infantil. En la mayoría de los estados, las familias con ingresos de hasta aproximadamente $36,200 (para una familia de cuatro), son elegibles. Ya sea sin costo o por un costo muy bajo, este seguro paga las visitas al consultorio médico, vacunas, hospitalizaciones y visitas a la sala de emergencia.

- *Adquisición de seguro propio*—Las personas individuales y las familias pueden comprar su propia cobertura médica que se adapte a sus necesidades y presupuesto de planes médicos principales. Visite www.ehealthinsurance.com, donde puede comparar beneficios y precios de planes en la región del país donde resida.

- *Planes con descuento*—Los programas médicos con descuento, como Maternity Advantage, pueden ahorrarles a las mujeres embarazadas hasta un 60% en visitas al consultorio médico, análisis de laboratorio, exámenes por ecografía, hospitalizaciones y mucho más. Maternity Advantage no es un seguro médico pero trabaja con una Red Nacional de Proveedores Preferidos de Maternidad. Por un cargo bajo mensual, Maternity Advantage puede proporcionarle un plan integral de maternidad. Estos servicios los puede recibir incluso después de enterarse de que está embarazada.

▶ Visitas de atención prenatal

Su visita de atención prenatal en el cuarto mes será mucho más breve que la primera visita. No obstante, deberá hacerse algunos exámenes, pruebas y procedimientos para examinar su salud y la de su bebé.

Pruebas

El proveedor de atención médica le examinará rutinariamente su peso y presión arterial, y puede hacerle un análisis de orina para detectar la presencia de glucosa y proteína. Se pueden hacer otras pruebas de detección para defectos congénitos. Por ejemplo, si se le hará una prueba de detección para defectos congénitos en el segundo trimestre, dicha prueba se hará este mes.

Exámenes

El proveedor de atención médica también examinará cómo se desarrolla el bebé. Usted podrá también oír el latido del corazón de su bebé. Su proveedor de atención médica puede hacer un examen por ecografía (ultrasonido) para examinar el desarrollo del bebé.

▶ Situaciones especiales

Dado que las infecciones de las vías urinarias y de la vagina son más comunes durante el embarazo, es importante que reconozca las señales y los síntomas de cada una. Si no se tratan estas infecciones, pueden producir complicaciones en el embarazo. Cuanto más pronto reciba tratamiento, mejor será. Otra situación especial para la mujer embarazada es el estrés. Estar consciente de su nivel de estrés y tomar medidas para mitigarlo es esencial para su salud y bienestar.

Infecciones de las vías urinarias

Las infecciones de las vías urinarias son infecciones de la **vejiga**, los riñones o la **uretra**, y son comunes durante el embarazo. Si no se recibe tratamiento, estas infecciones pueden empeorar y causar una infección más grave en los riñones o trabajo de parto prematuro. Es posible diagnosticar estas infecciones mediante un sencillo análisis de orina. Es importante, no obstante, estar atenta a las señales y los síntomas de una infección de las vías urinarias y llamar al proveedor de atención médica si presenta uno de ellos:

- Dolor al orinar
- Necesidad apremiante de orinar
- Sangre en la orina
- Fiebre (calentura)
- Dolor de espalda

Si le diagnostican una infección de las vías urinarias, le recetarán **antibióticos** para el tratamiento. Estos medicamentos pueden usarse sin riesgo durante el embarazo.

Secreciones vaginales

Las secreciones vaginales a menudo aumentan durante el embarazo. Las secreciones pegajosas, transparentes o blancas son normales y no deben preocuparle. La producción mayor de secreciones se debe a los cambios normales relacionados con el embarazo que ocurren en la **vagina** y el **cuello uterino**.

Sin embargo, cuando una secreción ha cambiado de su color normal, huele mal o viene acompañada de dolor, sensación dolorosa o picazón (comezón) en el área vaginal, puede ser un indicio de una infección vaginal:

- La **vaginosis bacteriana** es una infección que se produce debido a un desequilibrio en las bacterias que viven en la vagina. Esta es la causa más común de secreción vaginal y produce un olor a pescado. Aunque no se trata de una enfermedad de transmisión sexual, esta infección puede ser lo suficientemente grave como para aumentar el riesgo de algunas mujeres de presentar complicaciones, como parto prematuro o ruptura prematura de membranas.

- Las infecciones por hongos generalmente producen ciertos síntomas, como secreciones vaginales densas, blancas y espesas; picor alrededor de la vagina y micción (producción de orina) dolorosa.

Es importante informarle a su proveedor de atención médica si presenta cualquiera de estos síntomas mientras está embarazada. No intente tratar estas infecciones por su cuenta con medicamentos de venta sin receta y nunca use lavados vaginales mientras esté embarazada. Su proveedor de atención médica tratará la vaginosis bacteriana con antibióticos. Las infecciones por hongo se tratan durante el embarazo con el medicamento oral fluconazol (Diflucan) o con una crema o supositorio vaginal que contiene una crema antifúngica.

Estrés asociado con el embarazo

Es perfectamente normal sentirse preocupada sobre su embarazo y de si lo está haciendo todo bien para el bebé, ya sea con respecto a lo que come, bebe y a lo que siente. Los cambios que ocurren en su vida y las ideas sobre cómo cambiará su vida cuando nazca el bebé pueden ser estresantes. Sin embargo, es importante asegurarse de que ese tipo de estrés normal no se intensifique, hasta el punto de sentirse ansiosa o angustiada todos los días.

Si cree que no puede hacerle frente al estrés que siente, hable con su familia, sus amistades y especialmente con su proveedor de atención médica. Necesitará recibir ayuda para tratar sus sentimientos. Una buena manera para comenzar a hacerlo es darse cuenta de que usted no puede hacerlo todo y que necesita pedir ayuda algunas veces, ya sea de su pareja, familia o sus amistades. Aquí le damos otros consejos para ayudarle a mitigar el estrés:

- Pase por alto los quehaceres domésticos de vez en cuando y use ese tiempo para hacer algo relajante.

- Aproveche los días por enfermedad o de vacaciones siempre que sea posible. Pasar un día, o incluso una tarde, descansando en casa le ayudará a sobrellevar una semana difícil.

- Haga ejercicios regularmente. El yoga es especialmente beneficioso para reducir el estrés.

- Acuéstese temprano. Su organismo está trabajando a tiempo extra para nutrir a su bebé en desarrollo, y usted necesita todo el sueño que pueda tener.

RESPUESTAS A SUS PREGUNTAS

¿Qué sucede si necesito una cirugía mientras estoy embarazada?

Si le conviene tener una cirugía o no, depende del tipo de procedimiento que sea necesario realizar y los tipos de medicamentos que se necesiten. Hable con su proveedor de atención médica sobre su situación particular. La decisión se basa en si los riesgos de tener la cirugía exceden los beneficios de esperar hasta después de dar a luz al bebé.

¿Puedo tener las radiografías dentales programadas durante mi embarazo?

Sí. La cantidad de radiación de una radiografía dental es sumamente baja. La radiografía dental no conlleva riesgos siempre y cuando se realice teniendo en cuenta la seguridad de su bebé. Asegúrese de decirle a su dentista que está embarazada. El área del abdomen, la pelvis y el cuello (donde se encuentra la glándula tiroidea) estará cubierta por un delantal de plomo para protegerlos a usted y al bebé.

Tengo alergias terribles. ¿Puedo tomar un medicamento con receta? ¿Qué tal los remedios de venta sin receta?

Muchas personas con alergias dependen de medicamentos que se llaman antihistamínicos para obtener alivio. Algunos de estos se venden sin receta mientras que otros están disponibles solamente con receta médica. Dos antihistamínicos que se han estudiado extensamente y determinado que se pueden usar sin riesgo durante el embarazo son la clorfeniramina y la tripelenamina. Sin embargo, estos dos medicamentos pueden causar somnolencia y podrían no ser tan eficaces como algunos de los antihistamínicos más recientes. Dos antihistamínicos más nuevos—loratadina y cetirizina—se pueden considerar para las mujeres embarazadas que no puedan tomar clorfeniramina ni tripelenamina. De ser posible, estos dos medicamentos más nuevos no se deben tomar durante el primer trimestre de embarazo.

Los descongestionantes orales ayudan a aliviar la congestión nasal y pueden ser útiles para tratar alergias. Uno de los descongestionantes más comunes, la pseudoefedrina, ha estado vinculado durante el embarazo a un riesgo ligeramente mayor de defectos congénitos de la pared abdominal. Por este motivo, se recomienda que las mujeres eviten tomar este descongestionante durante los 3 primeros meses de embarazo. Dado que se han realizado muy pocos estudios sobre la seguridad de otros dos descongestionantes, la fenilefrina y la fenilpropanolamina, es difícil determinar si pueden ser perjudiciales al feto.

Otros medicamentos antialérgicos disponibles por receta médica son los rociadores nasales con corticoesteroides, como el propionato de fluticasona (Flonase) y el dipropionato de la beclometasona (Beconase). Sólo uno de ellos se ha probado en seres humanos (Beconase) y se demostró que no causa defectos congénitos. Los demás, sin embargo, no se han probado en seres humanos. La mayoría de los expertos concuerda que es probable que estos medicamentos se puedan usar sin riesgo durante el embarazo, especialmente si los beneficios son mayores que los posibles riesgos que conllevan. Sin embargo, lo más importante que debe recordar sobre los medicamentos para las alergias (y todas las demás medicinas) es que debe consultar primero con su proveedor de atención médica antes de tomar un medicamento de venta sin receta.

Capítulo 4
5° mes
(Semanas 17–20)

SU BEBÉ EN DESARROLLO

Semana 17

El bebé mide unas 9 pulgadas de largo y pesa aproximadamente 8 onzas, pero en las próximas semanas, el peso del bebé aumentará al doble. Las glándulas en la piel comienzan a producir un material graso que se denomina **manto sebáceo.** Este material actúa como una barrera impermeable que protege la piel del bebé. La piel estará completamente cubierta por este material cuando nazca el bebé.

Semana 18

El bebé duerme y se despierta regularmente y ahora los ruidos y sus movimientos lo pueden despertar. Un vello suave y aterciopelado, que se denomina **lanugo**, se comienza a formar y cubrirá todo el cuerpo del bebé. Este vello mantiene caliente al bebé dentro del útero. En las niñas, se han formado los **ovarios** que contienen óvulos y en los varones, los **testículos** han comenzado a descender.

Semana 19

Las patadas y las vueltas del niño ahora son más intensas. Si ya ha sentido al bebé moverse, los movimientos serán más notorios ahora. Se comienza a desarrollar el reflejo de chupar. Si la mano del bebé se desplaza a la boca, podría chuparse el dedo pulgar.

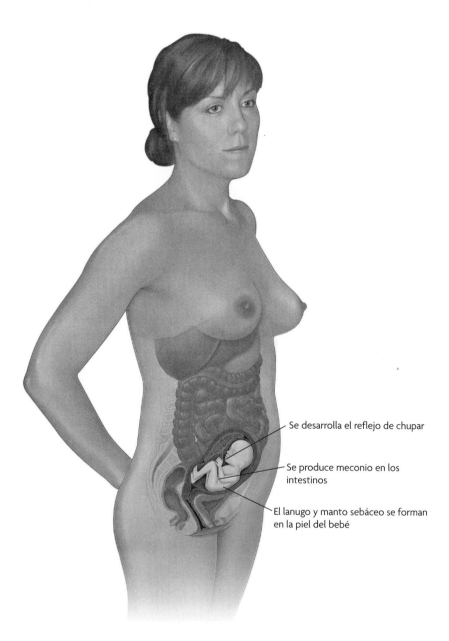

Se desarrolla el reflejo de chupar

Se produce meconio en los intestinos

El lanugo y manto sebáceo se forman en la piel del bebé

La madre y el bebé: semanas 17–20. El bebé puede pesar ahora hasta 1 libra, y mide aproximadamente 10 pulgadas de largo. Puede que sienta al bebé moverse este mes.

Semana 20

Su bebé puede pesar ahora hasta 1 libra y mide aproximadamente 10 pulgadas de largo. Puede ahora tragar más a menudo. También produce **meconio**, un desecho verde oscuro y pegajoso que es producto de la digestión. Esta sustancia se acumulará en los intestinos del bebé y la verá en el primer pañal con heces (algunos bebés desechan meconio en el útero o durante el parto). Las uñas de las manos se extienden hasta la punta de los dedos y pueden crecer tanto que es necesario recortarlas cuando el niño nazca.

SU EMBARAZO

◗ Los cambios del cuerpo

Pronto podrá percibir por primera vez el movimiento del bebé. Esto se denomina **primeros movimientos fetales**. Algunas mujeres, especialmente las que han tenido otro hijo, comienzan a sentir los primeros movimientos fetales en tan sólo 16 semanas. Si este es su primer bebé, sin embargo, es posible que no perciba los movimientos hasta aproximadamente la semana 18 y a veces incluso más tarde.

Otro aspecto que notará es que ahora los pies se le han agrandado. El tamaño de los pies puede seguir aumentando hasta finales del embarazo. Este crecimiento se debe en parte al aumento de peso que ha adquirido y la hinchazón que proviene de los líquidos adicionales que retiene su organismo mientras está embarazada, que se denomina **edema**. Otro motivo de este crecimiento es que una **hormona** que se llama relaxina, que actúa para relajar las articulaciones alrededor de la pelvis y permitir que el bebé pase por el canal de parto y también para relajar los ligamentos de los pies, hace que se ensanchen los huesos de los pies.

Para aliviar esta hinchazón, coloque los pies en agua fría y sobre una almohada para elevarlos todo el tiempo que pueda. También puede comprarse zapatos de talla más grande.

◗ Molestias y cómo lidiar con ellas

Si no lo esperaba y tiene congestión nasal, este síntoma podría resultarle algo extraño durante el embarazo. Sin embargo, hay en efecto una explicación razonable para esta sensación de congestión. Es posible que también se sienta mareada a veces y que se le olviden las cosas más sencillas. Otro síntoma incómodo—uno con el que tendrá que lidiar durante el resto del embarazo—es dolor en la parte baja de la espalda.

Congestión y sangrado nasal

Durante el embarazo, aumentan los niveles de hormonas y el cuerpo produce más sangre. Ambos cambios causan que las membranas de las mucosas nasales dentro de la nariz se hinchen, sequen y sangren con facilidad. Por lo tanto, es posible que tenga congestión o goteo nasal. También puede tener sangrados nasales de vez en cuando. A continuación le damos algunos remedios:

- Use gotas o un enjuague nasal de solución salina para aliviar la congestión. (Nunca use otros tipos de gotas nasales, rociadores nasales ni descongestionantes sin la autorización del médico).

- Beba una cantidad abundante de líquidos.

- Use un humidificador para humedecer el aire en su hogar.

- Aplíquese una pequeña cantidad de jalea de petróleo alrededor de los bordes de la nariz para mantener humedecida la piel de los orificios nasales.

Dolor en la parte baja de la espalda

El dolor de espalda es uno de los problemas más comunes entre las mujeres embarazadas, especialmente durante los últimos meses. Puede probablemente culpar al útero en crecimiento y los cambios hormonales por los dolores de espalda que siente. A medida que crece el útero, cambia el centro de gravedad y se estiran y debilitan los músculos abdominales. Este efecto hace que le cambie la postura y le ejerza una mayor presión sobre la espalda. El peso adicional que carga implica más trabajo para los músculos y mayor tensión para las articulaciones, por ello, el dolor de espalda puede ser peor al final del día. A continuación señalamos algunos consejos para ayudar a aliviar el dolor de espalda:

- Use calzado de tacón bajo (pero no sin tacón) que apoye bien el arco del pie, como zapatos para caminar o atléticos. Los tacones altos hacen que el cuerpo se incline hacia adelante y ponen tensión sobre los músculos inferiores de la espalda.

- Haga ejercicios para estirar y fortalecer los músculos de la espalda.

- No doble la cintura para recoger algo. Si debe levantar algo, póngase en cuclillas, doble las rodillas y mantenga recta la espalda.

- Descanse los pies. Si tiene que estar de pie por mucho tiempo, apoye un pie en un banquillo o una caja para aliviar la tensión sobre la espalda.

- Siéntese en sillas con un buen espaldar que ofrezca apoyo o coloque una almohada pequeña detrás de la parte inferior de la espalda.

- Compre una faja de sostén abdominal (a la venta en las tiendas y catálogos de maternidad). Esta prenda de vestir parece una faja pero ayuda a quitar peso del vientre y de los músculos de la espalda. Además, algunos pantalones de maternidad vienen con bandas elásticas anchas que se colocan debajo de la curva del vientre para apoyar su peso.

- Use una almohadilla caliente a la temperatura más baja posible, una bolsa de agua tibia o compresas frías para aliviar el dolor. Asegúrese de envolverlas en una toalla para evitar quemaduras.

Mareos

En las primeras semanas del segundo trimestre, es normal sentirse mareada o aturdida a veces. Esto se debe a que están ocurriendo muchos cambios en la circulación del cuerpo, y por ejemplo, el flujo de sangre que llega a la cabeza y la parte superior del cuerpo se ha reducido. Para evitar sentirse mareada, muévase lentamente cuando se ponga de pie o cambie de postura. Es útil además beber muchos líquidos. Evite también estar de pie por períodos extensos o sentirse demasiado acalorada. Si se siente mareada, acuéstese de costado.

Despiste

Tal vez le resulte más difícil concentrarse en el trabajo durante estos días u olvide cosas ordinarias que nunca antes había olvidado, como citas o tareas. No se alarme porque el despiste es un síntoma común durante el embarazo. Mientras tanto, si le resulta útil, trate de hacer una lista de lo que tiene que hacer en el trabajo o la casa para complementar la memoria.

▶ Nutrición

Tal vez haya oído que el pescado es una buena fuente de ácidos grasos omega-3, aunque quizás haya oído también que no se recomienda consumir ciertos tipos de pescado durante el embarazo. El enfoque en la nutrición de este mes tiene el objetivo de aclarar la información más reciente sobre el pescado. A medida que aumenta su apetito en el segundo trimestre, tal vez se pregunte acerca de cuáles meriendas o bocadillos sanos puede consumir, por ejemplo, cuáles meriendas o bocadillos contienen por sí mismos la mayor cantidad de nutrición y cuáles debe evitar.

Enfoque en los ácidos grasos omega-3

Aunque debe limitar el consumo de alimentos con mucha grasa en la dieta, los ácidos grasos omega-3 son grasas "beneficiosas" que debe incorporar como parte de una dieta sana. Los estudios han revelado que los ácidos grasos omega-3, especialmente el ácido docosahexaenoico y el ácido eicosapentaenoico, pueden ayudar a reducir el riesgo de presentar enfermedades cardíacas y reducir levemente la presión arterial. Los resultados de algunos estudios indican que producen además otros beneficios, como estimular el sistema inmunitario y aliviar los síntomas de depresión.

Una buena fuente de ácidos grasos omega-3 es el pescado con un alto contenido de grasa, como el salmón, atún, la trucha de lago y las sardinas. Las mujeres embarazadas pueden comer una variedad de pescados con un alto contenido de grasa por lo menos dos veces a la semana. Aproximadamente 1 ½ onzas de pescado contienen 1 gramo de ácidos grasos omega-3.

Aun si no lo gusta el pescado, puede como quiera recibir lo que necesita de otros alimentos. La linaza (ya sea en semillas enteras o en aceite) es una buena fuente, así como el aceite de canola, el brécol, el melón cantalupo, los frijoles colorados, la espinaca, la coliflor y las nueces. Un puñado de nueces, por ejemplo, tiene aproximadamente 2½ gramos de ácidos grasos omega-3. Aunque puede tomar suplementos, debe consultar primero con su proveedor de atención médica antes de tomar cualquier tipo de suplemento de venta sin receta. Esto se debe a que dosis elevadas pueden ser perjudiciales.

Precauciones con respecto al pescado

El pescado y los mariscos son una parte importante de una dieta sana y balanceada. Ambos son buenas fuentes de proteína, ácidos grasos omega-3 y otros nutrientes. Sin embargo, no se debe consumir ninguna cantidad de ciertos tipos de pescados durante el embarazo porque estos contienen niveles elevados de un tipo de mercurio que puede ser perjudicial para el bebé. Estos son los tipos de pescado que debe evitar comer mientras esté embarazada (o lactando):

- Tiburón

- Pez espada
- Caballa gigante
- Lofolátilo (blanquillo)

Algunos tipos de pescados comunes con un contenido bajo de mercurio son los camarones, el atún claro enlatado (no el atún blanco cuyo contenido de mercurio es más alto), el salmón, el pez carbonero y el bagre (catfish). Puede consumir sin riesgo hasta 12 onzas (aproximadamente dos comidas) de estos pescados a la semana mientras esté embarazada. Si quiere incorporar el atún blanco en las dos comidas de pescado en una semana, limite el consumo de este pescado a un máximo de 6 onzas para esa semana. Consulte los informes locales para enterarse de las advertencias sobre el contenido de mercurio u otros contaminantes en el pescado que se pesca localmente. Si no hay información disponible, limite su consumo a un máximo de 6 onzas, y no coma ningún otro tipo de pescado esa semana. Si sigue estas pautas, recibirá todos los beneficios a la salud que proporciona el pescado mientras reduce su exposición y la exposición del bebé al mercurio. Si desea obtener más información sobre los informes de advertencia sobre pescados, vaya a www.fda. gov. Para obtener información sobre los informes locales en su área, vaya a www.epa.gov/fishadvisories/advisories.

Meriendas o bocadillos sanos

Generalmente, en el segundo trimestre, aumenta el apetito y puede desear comer más meriendas o bocadillos durante el día. Consumir meriendas o bocadillos es una buena manera de recibir las calorías adicionales que necesita durante el embarazo, siempre y cuando elija alimentos con un bajo contenido de grasa que sean beneficiosos:

- Galletas de soda, pretzels y pan crujiente de tipo escandinavo 100% de trigo
- Frutas y verduras
- Nueces y semillas
- Queso y yogur bajos en grasa
- Batidas de fruta (por ejemplo, mezcle en una licuadora yogur congelado, un plátano (guineo), un poco de jugo de fruta y un puñado de bayas)

Aumento de peso

Es más importante durante el segundo y tercer trimestre que ocurra un aumento constante de peso, especialmente si comienza con un peso sano o si su peso es insuficiente. En general, debe aumentar aproximadamente un tercio del peso total del embarazo para la semana número 20 de embarazo. Si está aumentando de peso demasiado rápido, debe ajustar la cantidad de comida que consume y hacer más ejercicio.

❱ Ejercicio

Si el ejercicio tradicional, como caminar o nadar, no le agrada mucho, puede hacer ejercicios alternativos, como el yoga o ejercicios de Pilates. Independientemente del tipo de ejercicio que elija, es de suma importancia que esté al tanto de algunos consejos de seguridad. El ejercicio de este mes es un ejercicio seguro que estira y fortalece los músculos de la espalda.

Ejercicio del mes: inclinación hacia adelante

Este ejercicio estira y fortalece la espalda.

1. Siéntese cómodamente en una silla. Relaje los brazos.

2. Inclínese hacia adelante lentamente con los brazos extendidos de manera que cuelguen hacia el frente. Deje de inclinarse si siente alguna molestia en el abdomen.

3. Sostenga esta posición durante 5 segundos y después regrese lentamente a la posición sentada original sin encorvar la espalda. Repita el ejercicio cinco veces.

Ejercicios alternativos

El ejercicio es beneficioso tanto para usted como para su bebé. Caminar y nadar son ejercicios generalmente seguros, ¿pero qué debe hacer si ninguno de los dos le agrada mucho? Aquí le damos otras opciones para que se mantenga en movimiento, fortalezca más los músculos y alivie el estrés:

Inclinación hacia adelante.
Este ejercicio le ayudará a estirar y fortalecer los músculos de la espalda.

• *Yoga*—Los ejercicios de yoga o de postura pueden estirar y fortalecer los músculos así como ayudar a desarrollar buenas técnicas de respiración. Esta práctica muy antigua la mantiene flexible, tonifica los músculos y mejora el equilibrio y la circulación, con poco o sin ningún impacto en las articulaciones.

El yoga también es beneficioso porque le ayuda a aprender a respirar profundamente y relajarse, que puede serle útil durante el trabajo de parto y parto. El yoga es un ejercicio seguro para las mujeres embarazadas, con la excepción de Bikram y otras formas de yoga que se practican en lugares cálidos. Además, no se recomiendan algunas posturas para las mujeres embarazadas, como aquellas en que debe acostarse boca arriba (después del primer trimestre) y las que exigen mucho estiramiento abdominal. Dígale al instructor de yoga que está embarazada. Considere afiliarse a una clase de yoga especialmente diseñada para el embarazo.

- *Pilates*—Debido al enfoque destinado a promover la respiración saludable y mejorar la flexibilidad, el programa de ejercicios de Pilates es una buena forma de mejorar la postura y fortalecer los músculos. Al igual que el yoga, algunos movimientos de Pilates no se deben hacer durante el embarazo. Asegúrese de que su instructor sepa que está embarazada, o participe en una clase especial para mujeres embarazadas.

- *Tai Chi*—El tai chi implica realizar una serie de posturas o movimientos de manera lenta y fluida. Cada postura fluye en la siguiente sin pausar. Cualquier persona puede practicar el tai chi, y se ha determinado que reduce el estrés, aumenta la flexibilidad y la energía, y mejora la fortaleza muscular y el equilibrio.

Ejercicios seguros

Aunque es importante hacer ejercicios regularmente, es igual de importante asegurarse de que no sufra una lesión. Para comenzar, asegúrese de tener todo el equipo que necesita para hacer ejercicios sin riesgo. Use calzado bien acojinado que apoye adecuadamente los pies. Use un sostén (brassiere) especial de deportes bien entallado que le ofrezca suficiente apoyo. Aquí le damos otros consejos para que se mantenga segura cuando haga ejercicios:

- Tome mucho líquido. Lleve una botella de agua para beber antes, durante y después del ejercicio. Si comienza a sentirse acalorada o sedienta, tome un descanso y beba más agua o bebidas especiales de deportes.

- Comience el ejercicio con actividades de estiramiento y calentamiento durante por lo menos 5 minutos para evitar torcer los músculos. Caminar o correr despacio en bicicleta estacionaria son buenas actividades de calentamiento.

- Los ejercicios se deben hacer sobre pisos de madera o superficies con alfombra. De esta manera los pies estarán bien apoyados.

- No haga movimientos bruscos, que impliquen subir y bajar distintas partes del cuerpo repetidas veces ni de mucho impacto. Saltar, hacer movimientos repentinos o cambiar rápidamente de dirección puede producir tensión en las articulaciones y provocar dolor.

- Póngase de pie lentamente después de haber estado acostada o sentada en el piso. Así evitará sentirse mareada o desmayarse. Una vez que se encuentre de pie, camine brevemente en el mismo lugar.

- No haga ejercicios de cuclillas hasta llegar al piso, sentadillas que inclinen completamente hacia adelante el cuerpo, subir y bajar ambas piernas a la misma vez ni actividades que impliquen tocarse los dedos de los pies con las piernas rectas. Después del primer trimestre, también debe evitar ejercicios que requieran acostarse boca arriba ya que esto puede impedir el flujo de sangre al bebé.

- Después de hacer ejercicios vigorosos, haga actividades de enfriamiento durante 5 a 10 minutos. Reduzca su ritmo poco a poco y termine el ejercicio con estiramientos suaves. Sin embargo, procure no estirarse excesivamente. Los ejercicios de estiramiento intenso pueden lesionar el tejido que conecta a las articulaciones.

▎ Decisiones sanas

¿Desea saber el sexo del bebé? Puede determinarlo durante el examen de ecografía (ultrasonido) de este mes. También puede decidir si desea hacerse algunos tipos de exámenes de detección de trastornos genéticos.

Determinación del sexo del bebé

Si desea saber si el bebé es un niño o una niña, generalmente el sexo se puede determinar mediante un examen de *ecografía (ultrasonido)* que a menudo se realiza aproximadamente entre la semana 16 y la 20. En algunos casos, es importante que el profesional médico sepa el sexo de su bebé, por ejemplo, si se sospecha que el bebé corre peligro de presentar algunas enfermedades congénitas. A veces no es posible determinar el sexo porque la posición del bebé no es la adecuada.

El Colegio Americano de Obstetras y Ginecólogos recomienda que se hagan exámenes de ecografía solamente por motivos médicos. Aunque la ecografía generalmente se considera segura, no es posible descartar todos los posibles riesgos que conlleva. Por lo tanto, no se recomienda tener un examen de ecografía para sólo determinar el sexo del bebé.

La decisión de hacerse exámenes de detección de trastornos genéticos

Los exámenes de detección genéticos se pueden recomendar o solicitar durante este período del embarazo. Casi siempre los resultados de las pruebas revelan que el bebé es normal. Si dichas pruebas muestran que el bebé podría tener un defecto congénito, obtenga toda la información necesaria y hable sobre cómo se siente con su pareja, médico y con las demás personas con quienes pueda compartir sus pensamientos.

No hay tal cosa como una decisión "correcta" en estos casos. La decisión está basada en los valores específicos de cada persona. La opción que es adecuada para una mujer puede que no lo sea para otra. Recibir asesoramiento por parte de un experto en genética u otro especialista, consejero, trabajador social, miembro del clero o grupo de apoyo puede ser útil para tratar estos asuntos.

Si se entera que el bebé tiene un trastorno, es posible que tenga que tomar decisiones difíciles en un período breve. Algunas mujeres deciden terminar con el embarazo. Otras eligen continuar aun si el bebé tendrá un problema. Los meses antes del parto se pueden usar para prepararse y planificar el futuro, por ejemplo, para aprender más sobre el problema y hablar con otras personas que han experimentado la misma situación.

▌ Otras consideraciones

El segundo trimestre es un buen momento para viajar. Si está planeando un viaje, es buena idea saber cómo debe cuidarse mientras se encuentre fuera de casa. Prestar atención a la forma en que se siente es la mejor guía para realizar sus actividades, ya sea que esté de viajes o se encuentre en casa. El segundo trimestre es además el momento en que las mujeres comienzan a tener dificultad para encontrar una buena posición para dormir.

Cómo y cuándo viajar durante el embarazo

En la mayoría de los casos se puede viajar durante el embarazo. Si está programando un viaje, es buena idea hablar con su médico sobre las medidas de seguridad que debe tomar durante el mismo. La mayoría de las mujeres puede viajar sin riesgo hasta cerca de la fecha prevista del parto. Sin embargo, a las mujeres que han tenido complicaciones en el embarazo no se les recomienda viajar.

El mejor momento para viajar es a mediados del embarazo (entre las semanas 14 y 28 de embarazo). Después de la semana 28, a menudo es más difícil

Viajes internacionales

Si está programando un viaje fuera del país, su proveedor de atención médica puede ayudarle a decidir si puede viajar al exterior sin riesgo y recomendarle ciertas medidas que puede tomar antes del viaje.

Mientras esté embarazada, no debe viajar a áreas donde haya peligro de contraer malaria (paludismo), como a África, Centroamérica, Sudamérica y Asia. La malaria es un riesgo importante durante el embarazo. Si no puede evitar viajar a esas áreas, pídale a su proveedor de atención médica una receta para un medicamento antipalúdico (contra la malaria), como cloroquina o mefloquina. Las mujeres embarazadas no deben usar los medicamentos antipalúdicos atovacuona, proguanil, doxiciclina ni primaquina.

Cuando programe un viaje, llame a la Línea de Ayuda Internacional de Viajeros (International Travelers Hotline) de los Centros para el Control y la Prevención de Enfermedades (consulte Recursos informativos). Este servicio ofrece consejos sobre seguridad y datos actualizados sobre vacunas para muchos países. El sitio de Internet de los Centros para el Control y la Prevención de Enfermedades también dispone de datos sobre la salud cuando se viaja alrededor del mundo e información especial para viajar durante el embarazo.

Aun si está en perfecto estado de salud antes de partir para el viaje, nunca se sabe cuándo puede surgir una emergencia. Asegúrese de tener una copia de su expediente médico para llevarla consigo.

Además, antes de salir de casa, localice el hospital o clínica médica más cercanos en el lugar que vaya a visitar. La Asociación Internacional de Asistencia Médica para Viajeros (International Association for Medical Assistance to Travelers), tiene un directorio de médicos a escala mundial que ofrecen atención médica de calidad a los viajeros. Llame a esta agencia para obtener un directorio gratuito de médicos o visite su sitio de Internet (consulte Recursos informativos). Debe afiliarse a dicha agencia para ver el directorio de médicos, pero la afiliación es gratuita.

Si necesita acudir a un médico que no habla español, es buena idea tener un diccionario del idioma extranjero. Al llegar, inscríbase en la embajada o el consulado de su país. Así será más fácil salir del país si tiene una emergencia.

desplazarse o sentarse por tiempos prolongados. A mediados del embarazo, su energía ha regresado, ya no tiene náuseas y todavía tiene movilidad.

Al seleccionar el modo de viajar, considere cuánto tiempo tomará llegar al destino deseado. La forma más rápida a menudo es la mejor. No importa si viaja por tren, avión, automóvil, autobús o barco, tome medidas para garantizar su comodidad y seguridad. A continuación ofrecemos algunos consejos para viajar de manera sana:

• Hágase una revisión prenatal antes de partir.

Trombosis venosa profunda durante los viajes

La **trombosis venosa profunda (TVP)** es una afección donde se forma un coágulo de sangre en las venas de las piernas u otras partes del cuerpo. Puede causar un estado peligroso que se denomina embolia pulmonar, donde un coágulo de sangre viaja a los pulmones. Los estudios de investigación han revelado que todo tipo de viaje que dure 4 o más horas—ya sea en automóvil, tren autobús o avión—hace que aumente al doble el riesgo de presentar trombosis venosa profunda. Esto indica que el medio de transporte no aumenta la probabilidad de presentar este problema, sino el tiempo en que una persona permanece sentada sin moverse. Estar embarazada es otro factor de riesgo para presentar trombosis venosa profunda.

Si está programando un viaje largo, tome las siguientes medidas para reducir el riesgo de desarrollar este problema:

- Beba muchos líquidos.

- Use ropa holgada.

- Camine y estírese a intervalos regulares (por ejemplo, cuando viaje en automóvil, pare con frecuencia para que pueda salir y estirar las piernas).

Puede también usar medias especiales que compriman las piernas más abajo de la rodilla para prevenir la formación de coágulos de sangre. Sin embargo, hable con su proveedor de atención médica antes de usar estas medias ya que algunas personas no deben usarlas (por ejemplo, las personas con diabetes o problemas de circulación).

- Si estará lejos de casa, lleve una copia de su expediente médico.

- Sepa cómo localizar a un proveedor de atención médica si acaso necesita uno. Si necesita atenderse con un médico mientras viaja en Estados Unidos, visite el sitio de Internet de la Asociación Médica Americana (consulte Recursos informativos) y busque bajo "Doctor Finder" (Buscador de médicos). El sitio de Internet del Colegio Americano de Obstetras y Ginecólogos (www.acog.org) puede ayudarle a encontrar un obstetra; oprima "Find an Ob-Gyn" (Encontrar un obstetra–ginecólogo). (Para viajes internacionales, consulte el cuadro de la página 100).

- Mantenga flexibles sus planes de viaje. Los problemas con el embarazo pueden surgir en cualquier momento e impedirle viajar. Compre un seguro de viajes para cubrir los boletos y depósitos que no sean reembolsables.

- Lleve calzado cómodo, medias elásticas de apoyo y ropa que sea fácil de quitar y poner. Lleve puestas varias capas de ropa liviana.

- Dedique tiempo a comer regularmente para que le aumente la energía. Asegúrese de consumir abundantes fibras para aliviar el estreñimiento, un problema común durante los viajes.

- Tome más líquidos. Lleve jugos o una botella de agua. La cabina en los aviones es muy seca. Tome agua en lugar de refrescos.

Viajes en automóvil

Durante un viaje en automóvil, asegúrese de que el transcurso del viaje sea breve cada día. Pasar varias horas en la carretera es agotador incluso cuando no está embarazada. Trate de limitar las horas que conduzca a no más de 5 ó 6 horas cada día. Pare cuando transcurran unas horas para estirarse, beber líquidos y orinar. Asegúrese de llevar puesto el cinturón de seguridad siempre que viaje en un vehículo de motor, aun si el automóvil está equipado con bolsas de aire (consulte el cuadro "Abróchese el cinturón durante el embara-

Abróchese el cinturón durante el embarazo

Para estar mejor protegida en un vehículo, use un cinturón de falda y hombro cada vez que viaje. El cinturón de seguridad no afectará adversamente a su bebé. Usted y su bebé tienen una probabilidad mucho mayor de sobrevivir un accidente automovilístico si están abrocha-dos. Siga estas reglas cuando use un cinturón de seguridad:

- Lleve puesta siempre la correa de la falda y el hombro.

- Abroche la hebilla de la correa de la falda de manera que quede en el área de los huesos de la cadera y debajo del vientre.

- Nunca debe colocarse la correa de la falda atravesada en el vientre.

- Coloque la correa del hombro de manera que quede atravesada en el centro del pecho (entre los senos), nunca debajo del brazo.

- Asegúrese de que las correas queden bien ajustadas.

La parte superior de la correa debe quedar atravesada en el hombro sin frotarle el cuello. Nunca deslice la parte superior de la correa para alejarla del hombro. Los cinturones de seguridad que quedan muy sueltos o demasiado altos en el vientre pueden fracturarle las costillas o lesionarle el vientre si tiene un accidente.

zo"). Si tiene un accidente—por menor que sea—notifíqueselo al proveedor de atención médica que atiende su embarazo. Le podrían hacer ciertos exámenes o pruebas para comprobar el estado de salud del bebé.

Viajes en avión

Para las mujeres embarazadas sanas, los viajes por avión son casi siempre seguros durante el embarazo. La mayoría de las líneas aéreas permiten que las mujeres embarazadas viajen hasta la semana 36 de embarazo, pero consulte con su línea aérea para estar al tanto de todas las reglas. (Si programa un viaje internacional, sin embargo, la fecha límite para viajar en un vuelo internacional es a menudo antes que la de vuelos nacionales).

Si tiene un problema médico que pueda empeorar debido a un viaje por avión o que pueda requerir atención médica de emergencia, debe evitar los viajes en avión mientras esté embarazada. Tenga en cuenta que la mayoría de las emergencias durante el embarazo generalmente ocurren en el primer y tercer trimestre.

Si le preocupa la presión del aire y la radiación cósmica de las altitudes elevadas, estas condiciones generalmente no causan problemas a las personas que viajan ocasionalmente. La reducción en la presión del aire durante un vuelo puede reducir ligeramente la cantidad de oxígeno en la sangre, pero el cuerpo se adapta a ello naturalmente. Aunque la exposición a la radiación aumenta a altitudes elevadas, el grado de exposición de una persona que viaja ocasionalmente generalmente no es para preocuparse.

No obstante, los niveles de radiación pueden ser peligrosos para las mujeres embarazadas cuyos empleos les exigen volar a menudo (por ejemplo, mujeres pilotos, azafatas o agentes armadas a bordo). La exposición a la radiación cósmica de los viajeros frecuentes puede superar el límite establecido por el gobierno federal. La mayoría de las aerolíneas de hecho limitan los viajes por avión de las azafatas después de las 20 semanas de embarazo. Algunas prohíben que las mujeres pilotos vuelen una vez que se haya confirmado el embarazo. Si viaja con mucha frecuencia, asegúrese de hablar con su proveedor de atención médica para determinar cuánto tiempo puede volar sin riesgo durante su embarazo.

Cuando tenga que viajar en avión, puede tomar las siguientes medidas para que su viaje sea lo más cómodo posible:

- Si puede, reserve un asiento de pasillo de manera que sea fácil ponerse de pie y estirar las piernas durante un vuelo largo.

- Evite consumir alimentos que producen gases y gaseosas antes del vuelo. El gas se expande a altitudes elevadas y puede causar molestias.

- Lleve puesto en todo momento el cinturón de seguridad ya que puede ocurrir turbulencia inesperadamente durante el vuelo.

- Mueva a menudo los pies, los dedos de los pies y las piernas. Si puede, párese y camine un poco varias veces durante el vuelo.

Viajes en barco

Viajar en un crucero puede ser divertido, aunque hay ciertas reglas lógicas que aplican mientras está embarazada. Antes de reservar el viaje, asegúrese de que el barco cuente con un médico o enfermera a bordo. Además, verifique que las paradas programadas sean en lugares con instalaciones médicas modernas en caso de emergencia.

Si nunca ha viajado en un crucero, debe evitar programar su primer viaje en crucero mientras está embarazada. Muchos viajeros de cruceros presentan síntomas de mareo desagradables que surgen con el movimiento del barco. Los mareos ocurren cuando se envían señales conflictivas sobre la posición del cuerpo, los ojos y el oído interno (que regula la sensación de equilibrio) al cerebro. El mareo produce náuseas y vértigo, y a veces debilidad, dolor de cabeza y vómitos.

Si no padece de mareos, es probable que el viaje por mar durante el embarazo no le cause malestar estomacal. Para ir a la segura, pregúntele a su proveedor de atención médica si hay medicamentos que puede tomar sin riesgo para aliviar los mareos. Aunque a algunas personas les resultan útiles los brazaletes contra el mareo, hay muy pocos estudios científicos que apoyan su eficacia. Estos brazaletes usan la acupresión para evitar el malestar estomacal. Para muchas personas, los mareos desaparecen por su cuenta al cabo de unos días a medida que el organismo se adapta al movimiento del barco.

Otro motivo de preocupación para los pasajeros de cruceros son las infecciones que produce el norovirus, que pueden causar náuseas y vómitos por 1 ó 2 días. Esta infección es muy contagiosa y se puede propagar rápidamente por todo el barco. Las personas se infectan al consumir alimentos y bebidas o al tocar superficies contaminadas con el virus.

Aunque no hay ninguna vacuna ni medicamento que evite esta infección, puede protegerse si se lava las manos a menudo y lava las frutas y las verduras antes de consumirlas. Si está embarazada y contrae esta infección (o cualquier otra enfermedad que produzca diarrea y vómitos), acuda a un proveedor de atención médica. La deshidratación puede causar ciertos problemas en el embarazo. Es posible que necesite recibir líquidos intravenosos (suero).

Posiciones para dormir

Puede que le resulte difícil encontrar una posición cómoda para dormir. Dado que el vientre le ha crecido, dormir boca abajo le resultará incómodo. Tampoco es bueno dormir boca arriba ya que con esta postura el peso del útero recae sobre la columna vertebral y los músculos de la espalda. En el segundo y tercer trimestre, acostarse boca arriba puede comprimir un vaso sanguíneo principal y hacerle sentirse mareada.

La mejor postura para usted es dormir de un costado. Doble una o ambas rodillas. También puede serle útil colocarse una almohada entre las rodillas y otra debajo del abdomen, o usar una almohada de cuerpo entero.

No se preocupe si se despierta y se encuentra acostada boca arriba. Esto no es perjudicial para el bebé. Además, confíe en su cuerpo. Algunas mujeres embarazadas encuentran que sus cuerpos encuentran automáticamente la mejor posición para dormir.

◗ Visitas de atención prenatal

El programa de visitas prenatales durante el segundo trimestre depende de su salud y de las necesidades especiales que pueda tener durante su embarazo. Las madres futuras saludables sin ningún factor de riesgo conocido a menudo necesitan menos visitas que las mujeres con problemas médicos u obstétricos.

Siempre y cuando usted y su bebé estén bien, desde la primera visita de atención prenatal hasta la semana 28 de embarazo, probablemente tendrá un examen médico cada 4 a 6 semanas. Durante las visitas del segundo trimestre, le podrían realizar los siguientes procedimientos:

- *Examen por ecografía (ultrasonido)*—Este estudio ecográfico se hace después de aproximadamente 18 semanas de gestación y ofrece información sobre la anatomía básica de su bebé. Además, es posible que su proveedor de atención médica pueda determinar el sexo del bebé si este se encuentra en una buena posición para ver los genitales. Se verificará la cantidad de líquido amniótico y se evaluará la actividad cardíaca del bebé. A pesar de todos los beneficios, un examen normal por ecografía no elimina la posibilidad de que exista alguna anomalía fetal.

- *Altura del fondo uterino*—A medida que crece el bebé, la parte superior del útero (el fondo) crece y se sale de la cavidad pélvica. A las 12 semanas de embarazo más o menos, se puede palpar más arriba del hueso púbico. A las 20 semanas, llega al ombligo. A partir de esta visita de at-

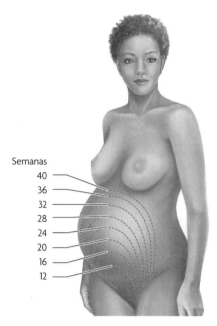

Semanas
40
36
32
28
24
20
16
12

Cambios en el tamaño del útero. El tamaño del útero puede ayudar a determinar la duración de su embarazo.

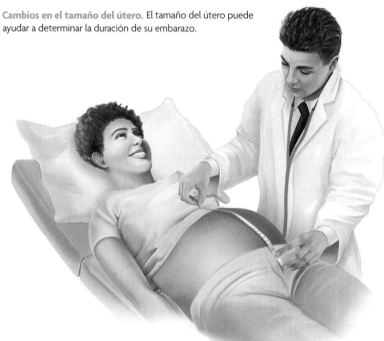

Medida de la altura del fondo uterino. A partir del quinto mes de embarazo, aproximadamente, su proveedor de atención médica le medirá la altura del útero para controlar el desarrollo del bebé durante cada visita de atención prenatal.

ención prenatal, su proveedor de atención médica comenzará a medir la altura del fondo uterino, que es la distancia entre el hueso púbico y la parte superior del útero. Esta medida le permite al proveedor evaluar el tamaño y el ritmo del desarrollo de su bebé. Como regla general, la altura del fondo uterino (en centímetros) debe ser más o menos equivalente al número de semanas de embarazo. Por ejemplo, a las 20 semanas, la altura del fondo uterino debe ser aproximadamente 18–22 centímetros.

- *Amniocentesis*—Si decide tener una **amniocentesis** pero no se hizo este examen el mes pasado, lo podrá tener este mes (consulte el Capítulo 22, "Defectos congénitos").

▶ Situaciones especiales

El asma es una enfermedad respiratoria común que puede agravarse en algunas personas. Si tiene asma leve o moderada, los riesgos al bebé son mínimos. El asma grave, no obstante, aumenta el riesgo de complicaciones tanto para usted como para su bebé. Si tiene asma, debe aprender todo lo que pueda sobre su enfermedad y seguir al pie de la letra el plan de tratamiento de su proveedor de atención médica.

Aunque las enfermedades transmitidas por insectos no son tan comunes como el asma, en algunas áreas del país, está aumentando la cantidad de casos de estas enfermedades. Entérese de cuáles pueden ocurrir en su localidad y tome medidas de precaución.

Asma

Si padece de asma pero está bien controlada, debe poder tener un embarazo sano y un bebé saludable. Es cuando una mujer cuya enfermedad de asma no está controlada cuando pueden surgir problemas, como una menor cantidad de oxígeno al bebé.

Algunas mujeres que padecen de asma hallan que sus síntomas empeoran durante el embarazo, por lo tanto, es importante acudir a su médico regularmente. Dígale al obstetra en su primera visita prenatal que tiene asma para que se pueda controlar el estado del bebé. Aunque a muchas mujeres embarazadas les produce intranquilidad usar medicamentos durante el embarazo, si padece de asma, es vital que siga usando sus medicamentos una vez que el médico los haya aprobado. Los inhaladores para el asma se pueden seguir usando sin riesgo durante el embarazo.

También es importante acudir a su alergista o inmunólogo para enterarse de las mejores maneras para controlar el asma mientras esté embarazada y cuáles otros medicamentos, si los hubiera, necesita usar.

Enfermedades transmitidas por los insectos

Tal vez resida en un área donde abundan las enfermedades transmitidas por los insectos, como la enfermedad de Lyme y el virus del Nilo occidental. Si es así, debe estar al tanto de los signos y los síntomas de estas enfermedades. También debe tomar medidas para evitar infectarse.

Enfermedad de Lyme

La enfermedad de Lyme la produce la picadura de una garrapata de venado infectada, que a menudo es difícil de ver a simple vista. El primer indicio de esta enfermedad es una llaga que parece un blanco de tiro. La llaga puede que desaparezca, pero la infección se queda. La enfermedad de Lyme también puede causar síntomas semejantes a la gripe, como articulaciones hinchadas o adoloridas y dolores musculares. Al cabo de varias semanas, algunas personas presentan sarpullido, meningitis (una infección del revestimiento del cerebro y la médula espinal), parálisis de los músculos faciales o problemas cardíacos. Los antibióticos a menudo curan la infección.

Es prudente evitar las áreas de bosques densos si está embarazada. Si hay áreas donde puede haber garrapatas, use camisas de manga larga y pantalones largos metidos dentro de los calcetines (las medias). Si encuentra una garrapata en su cuerpo que ha permanecido allí por más de 24 horas, llame a su médico.

Virus del Nilo occidental

El primer caso de infección del virus del Nilo occidental en un ser humano ocurrió en Estados Unidos en 1999. Desde entonces, han ocurrido casos por todo el país. Aunque es poco común, la infección por el virus del Nilo occidental con mayor frecuencia la causa la picadura de un mosquito infectado. La gente infectada con el virus del Nilo occidental puede que no presente síntoma alguno. En algunos casos, la infección puede causar la fiebre del Nilo occidental o una enfermedad grave del Nilo occidental. La fiebre del Nilo occidental puede causar síntomas semejantes a la gripe, como fiebre, dolor en el cuerpo y de cabeza. No hay un tratamiento determinado para la infección por el virus del Nilo occidental. Se desconoce aún si la infección con este virus durante el embarazo puede afectar al bebé.

Para protegerse contra las picaduras de mosquitos, use pantalones largos, camisas de manga larga y aplíquese repelente de mosquitos que contenga DEET cuando se encuentre afuera. Además, reduzca el tiempo que pasa afuera durante las horas del amanecer y atardecer cuando los mosquitos están más activos.

RESPUESTAS A SUS PREGUNTAS

¿Puedo comer sushi?

Es buena idea consumir solo sushi cocido o sushi vegetal durante el embarazo. Si bien muchos de los pescados se pueden consumir bien cocidos, debe evitar todo tipo de pescado crudo o chamuscado mientras esté embarazada. Esto se debe a que es más probable que el pescado crudo, incluidos el sushi y el sashimi, contenga parásitos o bacterias que el pescado cocido.

¿Puedo tener un masaje?

Claro. El masaje es una buena manera de ayudarle a relajar los músculos, mejorar la circulación y recibir la atención personal que bien se merece. La mejor postura para el masaje mientras está embarazada es acostarse de costado, en lugar de boca abajo. Sin embargo, algunas camas para masajes tienen un orificio para el abdomen que le permite a la mujer embarazada acostarse cómodamente boca abajo. Asegúrese de decirle a su terapeuta masajista que está embarazada si aún no muestra señales evidentes de embarazo. Muchos spas dedicados a la salud ofrecen masajes prenatales especiales por parte de terapeutas capacitados para tratar a mujeres embarazadas.

¿Qué vacunas puedo recibir sin riesgo durante el embarazo?

Durante las primeras visitas de atención prenatal, su proveedor de atención médica evaluará su historial médico y determinará si necesita recibir alguna vacuna mientras está embarazada. Ya que algunas vacunas no se deben administrar durante el embarazo, a menos que haya contraído una infección peligrosa, su médico podría decidir esperar hasta que nazca el bebé. Las vacunas que son riesgosas durante el embarazo son las vacunas contra el sarampión, paperas y rubéola; virus del papiloma humano; varicela y tuberculosis. Algunas vacunas, no obstante, se pueden administrar sin riesgo a las mujeres embarazadas, como la vacuna contra la gripe (aunque el rociador nasal no se recomienda para las mujeres embarazadas).

Capítulo 5

6º mes
(Semanas 21–24)

SU BEBÉ EN DESARROLLO

Semana 21

Los dedos de las manos y los pies del bebé ya se han formado completamente, incluso las huellas digitales de todos los dedos. Tal vez note algunos movimientos como pequeñas sacudidas. Es el bebé cuando tiene hipo.

Semana 22

Aunque los párpados todavía están cerrados, los ojos del bebé se mueven debajo de ellos. Los conductos lacrimales también se están desarrollando. Tal vez perciba ahora momentos en que el bebé responde a sonidos. Los sonidos altos pueden hacer que el bebé responda con movimientos sobresaltados y que contraiga los brazos y las piernas.

Semana 23

El bebé puede responder con movimientos ante sonidos familiares, como el tono de su voz. En esta etapa, el 80% del sueño del bebé transcurre en la fase de movimiento ocular rápido. Durante esta fase del sueño, los ojos se mueven y el cerebro está muy activo.

Semana 24

El bebé ha aumentado más de peso en esta última semana del sexto mes. Ahora pesa entre 1 libra y una libra y media y mide unas 12 pulgadas de largo. También el tono muscular es mucho mejor que en las primeras semanas. Los pulmones ya se han formado completamente aunque no están listos para funcionar fuera del útero.

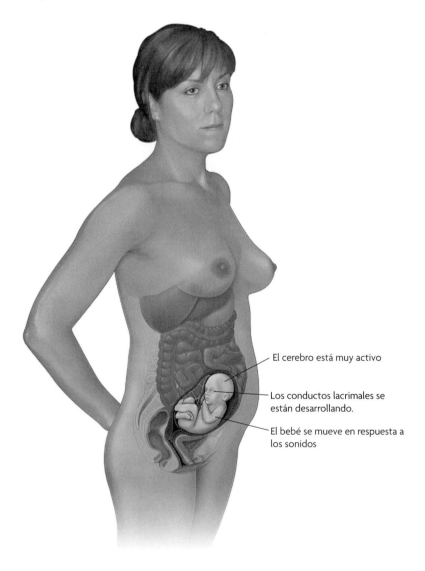

El cerebro está muy activo

Los conductos lacrimales se están desarrollando.

El bebé se mueve en respuesta a los sonidos

La madre y el bebé: semanas 21–24. Este mes, su bebé ya tiene huellas digitales y podría sentirlo cuando tiene hipo.

SU EMBARAZO

▶ Los cambios del cuerpo

La semana 21 marca el comienzo de la segunda mitad del embarazo. Comenzará a sentir las patadas del bebé y movimientos más fuertes mucho más ahora que antes.

▶ Molestias y cómo lidiar con ellas

Tal vez ya haya tenido reflujo gástrico—que también se denomina acidez—en las primeras semanas de embarazo. Para esta fecha, el útero es más grande y ejerce presión hacia arriba contra el estómago; por ello, puede tener acidez más a menudo. Otras molestias que ocurren son sofocos o calores (debido a las hormonas del embarazo) y ciertos dolores o malestares dolorosos (debido al aumento de peso del útero).

Acidez

La acidez es una sensación de ardor o dolor en la garganta y el pecho, y ocurre comúnmente durante el embarazo. Tener acidez no quiere decir que el corazón tenga algún problema. Las **hormonas** del embarazo, que relajan la válvula entre el estómago y el esófago (el conducto que va de la boca al estómago), son una de las causas principales de la acidez. Cuando la válvula entre el esófago y el estómago no se cierra, los ácidos estomacales se pasan al esófago. El **útero** cada vez más grande complica el problema ya que le ejerce presión contra el estómago.

Si padece de acidez, pruebe estos remedios:

- Coma seis comidas pequeñas al día, en lugar de tres grandes (un patrón de alimentación de "apacentamiento").

- Coma despacio y mastique bien los alimentos.

- No beba demasiado líquido con las comidas. En lugar de ello, beba líquidos entre las comidas.

- No coma ni beba nada unas horas antes de acostarse por la noche. Tampoco debe acostarse inmediatamente después de comer.

- Suba la cabecera de la cama. Colóquese varias almohadas debajo de los hombros o coloque un par de libros o bloques de madera debajo de las patas de la cabecera de la cama.

- Evite los alimentos que empeoran el reflujo gástrico, como las frutas cítricas, el chocolate y los alimentos muy condimentados o fritos.

Puede usar sin riesgo antiácidos de venta sin receta durante el embarazo, pero sólo los que no contienen aluminio ni salicilatos, como la aspirina (evite el Alka Seltzer y el Pepto Bismol). Los antiácidos que contienen magnesio o calcio son adecuados, como Tums, Rolaids o Mylanta. Lea detenidamente las etiquetas, y si tiene alguna duda, comuníquese con su proveedor de atención médica.

Si ha probado estos remedios y el reflujo gástrico continúa o empeora, acuda a su proveedor de atención médica.

Sofocos (calores)

Si se siente acalorada y sudada aunque los demás digan que están bien, puede echarle la culpa a las hormonas del embarazo y a un *metabolismo* más acelerado. Usted está quemando más calorías y generando más calor. Trate de mantenerse fresca de la forma que lo haría en uno de los días más calurosos de verano: use ropa holgada, beba mucha agua y manténgase cerca de un abanico o aire acondicionado para recibir una ráfaga de aire frío.

Dolores generalizados

Es normal que el peso adicional del vientre cada vez más grande le produzca dolores generalizados cuando se mueve o desplaza durante el día o incluso cuando trata de descansar. Aunque no pueda tomar los medicamentos que normalmente tomaría para aliviar el dolor, puede encontrar algo de alivio de los medicamentos de venta sin receta con acetaminofeno, como Tylenol, que se pueden usar sin riesgo durante el embarazo. No tome aspirina ni medicamentos antiinflamatorios sin esteroides, como ibuprofeno, Motrin, Nuprin o Advil.

Considere también métodos alternativos para aliviar el dolor. Si tiene los músculos adoloridos, pruebe dándose un baño de agua tibia o un masaje. Las almohadillas calientes, cuando se usan a la temperatura más baja posible, o las envolturas térmicas, pueden ser útiles. Para dolores leves de cabeza, acuéstese y colóquese una compresa fría en la cabeza. (Nota: si tiene dolores intensos de cabeza que no se alivian, llame a su proveedor de atención médica).

⟩ Nutrición

La vitamina B y la colina son importantes para el desarrollo del bebé. Aunque la vitamina B se encuentra en la mayoría de los suplementos vitamínicos prenatales, la colina no. Es buena idea identificar los alimentos con un alto contenido de colina para que pueda incorporarlos en la dieta. Este mes, aprenderá también sobre la sal y el glutamato monosódico, así como sobre los distintos tipos de intoxicación por alimentos (y cómo evitar enfermedades transmitidas en los alimentos).

Enfoque en las vitaminas B y la colina

Las vitaminas B, como la B_1, B_2 y B_6, son nutrientes importantes que necesita el bebé en desarrollo. Estas vitaminas suministran energía para el desarrollo del bebé, promueven la salud de la vista y ayudan a formar la **placenta** y otros tejidos en su cuerpo. Los suplementos prenatales proporcionan la cantidad adecuada de vitaminas B que necesita cada día, pero es buena idea también consumir alimentos con un alto contenido de estos nutrientes. Ciertos alimentos, como el hígado, el cerdo, la leche, las aves, los plátanos (guineos), los cereales de trigo integral y los frijoles (habichuelas) contienen mucha vitamina B.

La colina es otro nutriente esencial durante el embarazo. Es importante para el desarrollo del cerebro del bebé y puede ayudar a prevenir algunos defectos congénitos comunes. Los médicos recomiendan que las mujeres embarazadas reciban 450 miligramos de colina al día. Aunque el organismo produce cierta cantidad de colina por su cuenta, no elabora lo suficiente como para satisfacer todas sus necesidades durante el embarazo. Es importante recibir colina de la dieta ya que este nutriente no se encuentra en la mayoría de los suplementos vitamínicos prenatales ni en las multivitaminas que toman las mujeres embarazadas. Asegúrese de que su dieta contenga una cantidad abundante de alimentos con un alto contenido de colina, como pollo, carne de res, leche y maní (cacahuates).

Sal y glutamato monosódico

Tal vez se pregunte si puede seguir consumiendo alimentos salados mientras esté embarazada. La respuesta es sí, pero hágalo en moderación. El aporte diario recomendado de sodio es 2,400 miligramos, que equivale a 1 cucharadita de sal común. Los alimentos con un contenido sumamente alto de sodio son los alimentos procesados, las sopas y los caldos enlatados, y otros productos procesados. Si padece de presión arterial alta, podría tener que limitar su consumo de sodio a menos de 2,400 miligramos.

Otro condimento que se usa mucho en los alimentos es el glutamato monosódico (MSG, por sus siglas en inglés). Este condimento se usa mucho para resaltar el sabor de muchos alimentos, especialmente de las comidas asiáticas. Sin embargo, la Administración de Alimentos y Medicamentos de Estados Unidos (FDA, por sus siglas en inglés) exige que todos los alimentos que contengan MSG deben indicarlo en sus etiquetas ya que algunas personas pueden presentar una reacción alérgica al condimento, estén o no embarazadas. Sin embargo, la FDA no ha comprobado que el MSG es perjudicial para un bebé en desarrollo.

Cómo evitar la intoxicación por los alimentos

Las mujeres embarazadas pueden intoxicarse por los alimentos igual que cualquier otra persona. Sin embargo, este tipo de intoxicación en una mujer embarazada puede producir consecuencias graves al bebé. Es importante reconocer los signos y los síntomas de las formas más comunes de intoxicación por alimentos para que pueda recibir tratamiento lo antes posible:

- *Salmonelosis*—La bacteria *Salmonella* es una causa común de intoxicación por alimentos. Esta bacteria a menudo se encuentra en las aves, el pescado, los huevos, y la leche cruda. La salmonelosis (infección con la bacteria *Salmonella*) produce vómitos, diarrea, fiebre y cólicos estomacales que pueden durar un par de días. Usted podría deshidratarse más rápido que una persona que no está embarazada. La deshidratación altera adversamente el equilibrio químico del organismo y se ha asociado a partos prematuros y abortos espontáneos. Además, un tipo de *Salmonella*, la *Salmonella typhi*, se puede transmitir al bebé si usted se infecta durante el embarazo. Si presenta algún signo o síntoma de salmonelosis, acuda a su proveedor de atención médica lo antes posible. Le podrían tener que administrar líquidos intravenosos (suero) para evitar deshidratarse. En algunos casos, es necesario recurrir al tratamiento con medicamentos.

- *Listeriosis*—La listeriosis es una infección grave que la produce una bacteria, *Listeria*, la cual se encuentra en la leche sin pasteurizar; los quesos blandos confeccionados con leche sin pasteurizar, como el queso *feta* y *brie*; los *hot dogs*; los fiambres y los mariscos ahumados. La listeriosis puede producir fiebre y síntomas semejantes a la gripe, como escalofríos y dolores musculares. Aun si la infección no le produce una enfermedad grave, puede causar efectos muy adversos en el bebé en desarrollo. Si no se le da tratamiento inmediatamente, la listeriosis puede provocar un aborto espontáneos y el nacimiento de un niño muerto. Las mujeres embarazadas con listeriosis deben recibir tratamiento con **antibióticos**.

- *Campilobacteriosis*—Esta infección la produce una bacteria que se denomina *Campylobacter*. La mayoría de las personas que la contraen presentan diarrea, cólicos estomacales, dolor abdominal y fiebre al cabo de 2 a 5 días de haber estado expuestas a la bacteria. La enfermedad generalmente dura más o menos 1 semana. La mayoría de los casos de infección ocurren por comer carne de ave cruda o no bien cocida, o por contaminación de otros alimentos por la carne de ave cruda. Los animales también se pueden infectar y algunas personas han contraído campilobacteriosis al entrar en contacto con las heces de un perro o gato enfermos.

- *Escherichia coli*—*E. coli* abarca un grupo extenso y diverso de bacterias. Casi todas las cepas de *E. coli* son inofensivas, mientras que otras pueden enfermarle. Algunos tipos de *E. coli* pueden causar diarrea, mientras que otros causan infecciones de las vías urinarias, enfermedades respiratorias y pulmonía, así como otras enfermedades. Casi siempre, la gente se expone a *E. coli* al comer o beber alimentos contaminados, leche sin pasteurizar (sin procesar) y agua sin desinfectar.

Para evitar contraer este tipo de intoxicación por alimentos, adopte estos consejos:

- Lávese las manos y limpie las superficies de la cocina con agua caliente y jabón después de preparar una comida.

- Evite todo tipo de marisco crudo y los que no estén bien cocidos.

- Evite los huevos crudos, que se usan en la mayonesa y la ensalada César hecha en casa (si usted no las ha preparado, pregunte si el aderezo se preparó con huevos crudos). Evite también comer huevos que no estén bien cocidos.

- Lave bien las frutas y las verduras crudas antes de comérselas.

- Para no contraer listeriosis, no coma embutidos fríos, carnes en conserva ni pescado ahumado o escabechado a menos que se cuezan hasta que estén sumamente calientes.

Aumento de peso

Tal vez haya aumentado entre 10 y 15 libras para esta fecha. Si su médico cree que está aumentando de peso demasiado rápido, debe ajustar la cantidad de comida que consume y hacer más ejercicio. Si aumenta demasiado de peso durante el embarazo, a menudo es muy difícil adelgazar después del embarazo y el peso adicional puede tener consecuencias negativas en su salud en el futuro.

▶ Ejercicio

Para aliviar el dolor de espalda y de la pelvis, trate de hacer el ejercicio de este mes de flexión hacia atrás. Además, si está pensando en variar su rutina de ejercicio, debe saber cuáles deportes se deben evitar durante el embarazo.

Ejercicio del mes: flexión hacia atrás

Este ejercicio estira y fortalece los músculos de la espalda, la pelvis y las caderas.

Flexión hacia atrás. Este ejercicio estira y fortalece los músculos de la espalda, la pelvis y las caderas.

1. Arrodíllese y apoye las manos en el piso (posición de cuatro patas), con las rodillas separadas de 8 a 10 pulgadas y los brazos extendidos y rectos (las manos deben quedar debajo de los hombros).

2. Con las piernas y las manos apoyadas en el piso, deslícese hacia atrás y siéntese sobre los talones lentamente con la cabeza entre las rodillas y los brazos extendidos.

3. Sostenga esta posición durante 5 segundos y regrese lentamente a la posición original de cuatro patas. Repita el ejercicio cinco veces.

Deportes que debe evitar

Aunque hay muchos deportes que puede seguir practicando mientras esté embarazada, como caminar y nadar, hay ciertas actividades que debe evitar ya que son demasiado riesgosas para usted y el bebé:

- *Esquí alpino*—Este deporte la predispone a sufrir lesiones graves y caídas fuertes. Además, ejercitarse a alturas que sobrepasen los 6,000 pies conlleva varios riesgos. Si hace alguna actividad física a alturas elevadas, debe estar al tanto de los síntomas del mal de altura (dolor de cabeza punzante, náuseas, vómitos, mareos, debilidad y dificultad para dormir). Prepárese para descender a menor altura y obtener ayuda médica si presenta alguno de estos síntomas.

- *Patinar con patines "en línea", gimnasia y equitación*—Su equilibrio está afectado y corre el riesgo de chocar y caerse.

- *Esquiar sobre agua, hacer surf o clavado*—Chocar contra el agua fuertemente puede ser perjudicial. Caer a velocidades elevadas como éstas puede ser dañino para usted o su bebé.

- *Deportes que impliquen contacto físico*—Evite practicar deportes en equipo que lleven un ritmo acelerado, como hockey sobre hielo, fútbol, baloncesto y voleibol. Los choques y las caídas pueden causar daño tanto a usted como a su bebé.

- *Buceo*—El aumento de presión del agua predispone al bebé a sufrir una enfermedad por descompresión.

Evite practicar algunos deportes si nunca los ha practicado anteriormente. En los deportes con raquetas, como badminton, tenis y raquetbol, los cambios que han ocurrido en el cuerpo pueden afectar su equilibrio y aumentar el riesgo de sufrir una caída. No obstante, si tiene mucha experiencia practicando estos deportes, estará más apta para compensar por estos cambios. Si no está segura sobre su capacidad para mantener el equilibrio, debe evitar estos deportes.

Pérdida del equilibrio

A medida que sigue ejercitándose en el segundo y tercer trimestre, debe estar consciente de que el crecimiento del área abdominal cambia el equilibrio de su peso cuando se desplaza y mueve. El peso que adquiere en la parte delantera del cuerpo hace que le cambie el centro de gravedad. Al hacerlo, se produce más tensión en las articulaciones y los músculos, principalmente los de la parte baja de la espalda y la pelvis. Puede también reducir su estabilidad y exponerla más a sufrir una caída. Si se cae, comuníquese con su proveedor de atención médica si observa sangrado o tiene contracciones.

❱ Decisiones sanas

Ya que le faltan 3 meses, este es un buen momento para pensar sobre el trabajo de parto y el parto así como el cuidado de su bebé cuando nazca. Son muchas las decisiones que debe tomar; por ejemplo, cómo alimentará a su bebé, si se le hará una circuncisión al bebé (si es varón), y otras decisiones importantes. Tal vez haya oído hablar sobre el parto por cesárea a petición y se pregunte si es adecuado para usted.

6° mes

Trabajo de parto y parto: cosas en las que debe comenzar a pensar

Es recomendable estudiar las opciones para el parto y resolver todo lo que sea posible mucho antes de dar a luz. También debe tomar decisiones sobre el nacimiento del bebé y el cuidado del niño cuando nazca. Algunas de las opciones que debe considerar con antelación son las siguientes:

- ¿Qué tipo de preparación desea para el parto y qué clases se ofrecen cerca de usted?
- ¿Desea recibir alivio para el dolor durante el trabajo de parto o intentará tener un parto natural?
- Si tiene un varón, ¿quiere que le hagan una circuncisión?
- ¿Amamantará al bebé? ¿Hay clases sobre la *lactacíon* en su localidad que pueda tomar?

Otro asunto en el que debe pensar es quién quiere a su lado durante el trabajo de parto y el parto. Es buena idea elegir la mejor persona que pueda ayudarle a mantenerse relajada y tranquila. La pareja durante el parto puede ser un cónyuge, compañero/a, pariente o alguna amistad allegada. Una tendencia cada vez mayor es usar una doula, que es una persona sin preparación médica que ha recibido una capacitación especial para dar apoyo durante el trabajo de parto y el parto (el tema de las doulas se trata más a fondo en el Capítulo 6, "7º mes [Semanas 25–28]", p. 137).

Si es posible, su pareja debe asistir con usted a las visitas de atención prenatal y a las pruebas prenatales. Su pareja también necesita asistir a las clases de parto con usted ya que esta persona tiene que aprender casi todo lo que aprende usted. Además, le ayudará con los ejercicios de respiración o relajación. Cuando esté en trabajo de parto, su pareja la asistirá con las contracciones y le ayudará a realizar lo que aprendió en la clase.

Parto por cesárea a petición

Algunas mujeres piden someterse a un *parto por cesárea* aun cuando no hay un motivo médico para ello. Este tipo de parto se conoce como parto por cesárea a petición o parto por cesárea electivo. Se calcula que un 2.5% de todos los partos en Estados Unidos son cesáreas a petición. Algunas mujeres piden tener una cesárea porque se sienten ansiosas con el trabajo de parto y el parto. A otras mujeres les preocupa desarrollar *incontinencia* después de un parto vaginal.

Ya sea que esté o no programado, el parto por cesárea es una cirugía mayor. Si está considerando este tipo de parto, su proveedor de atención médica le dirá si es adecuado en su caso. Aunque hay algunos beneficios del parto por cesárea electivo, como un menor riesgo de hemorragia para la madre (comparado con las cesáreas no electivas, pero no con los partos vaginales), también conlleva algunos riesgos, como hospitalización más prolongada, riesgo mayor de problemas respiratorios para el bebé y mayores complicaciones en embarazos futuros.

Cuando decida si le hará una cesárea a petición, su proveedor de atención médica tomará en cuenta sus factores de riesgo específicos, como su edad, índice de masa corporal, tamaño del bebé y planes de tener hijos futuros. El parto por cesárea a petición no se recomienda a las mujeres que desean tener varios hijos ya que los riesgos de que surjan ciertos problemas, como la posibilidad de tener una **histerectomía** (extracción del útero) y problemas placentarios, aumentan con cada cesárea. Su proveedor de atención médica no deberá realizar un parto por cesárea a petición antes de la semana 39 de embarazo, a menos que exista algún motivo médico válido y salvo si los resultados de los exámenes revelan que los pulmones del bebé han madurado. Si el bebé necesita nacer entre las semanas 34 y 37 (que se denomina parto prematuro tardío), y si no se trata de una situación de emergencia, puede reunirse con los especialistas obstétricos y pediátricos para dialogar sobre sus opciones y las posibles consecuencias adversas a la salud que pueden afectar a los bebés prematuros tardíos.

Si está considerando la posibilidad de tener una cesárea a petición porque teme el dolor del parto, hable con su proveedor de atención médica sobre las opciones disponibles para aliviar el dolor y aprenda todo lo que pueda sobre el proceso del parto. Asegúrese de contar con un buen apoyo emocional durante el parto. Saber lo que puede esperar, incluidas las opciones de anestesia de que dispone, puede aliviar su ansiedad sobre el parto vaginal.

No se ha demostrado que el parto por cesárea prevenga la incontinencia urinaria. Un análisis del índice de incontinencia urinaria a los 2 y 5 años después del parto no reveló ninguna diferencia relacionada con el tipo de parto.

▶ Otras consideraciones

Una inquietud común de muchas madres futuras es si el bebé sobrevivirá si tuvieran que dar a luz prematuramente. La respuesta a esta pregunta es compleja y depende de muchos factores.

A medida que se desarrolla su bebé, podría cambiar la imagen que tiene de su cuerpo. Cómo se siente sobre las relaciones sexuales puede cambiar también. Además, si ya tiene hijos, tal vez se pregunte cuál sería la mejor manera de que ellos se involucren en su embarazo.

Parto muy prematuro

Un bebé se considera **prematuro** cuando nace antes de las 37 semanas de embarazo. Cuando los bebés nacen antes de las 32 semanas de embarazo, se consideran muy prematuros. Los bebés muy prematuros corren peligro de tener muchos problemas tanto a corto como a largo plazo:

- **Síndrome de dificultad respiratoria**
- Hemorragia en el cerebro
- Parálisis cerebral y otros problemas neurológicos
- Problemas de la vista
- Retrasos del desarrollo, como discapacidades del aprendizaje

Los bebés que nacen antes de la semana 23 de embarazo no tienen buenas probabilidades de sobrevivir. Para la semana 26, la probabilidad de supervivencia de su bebé es mayor—75%—aunque es posible que deba enfrentar problemas médicos crónicos. Las probabilidades de que un bebé que nace con tanta antelación sobreviva dependerá de varios factores, como el tipo de hospital donde nazca el bebé, el sexo y peso del bebé, si la madre ha recibido medicamentos para promover el desarrollo del bebé y la presencia de más de un niño.

Se pueden tomar algunas medidas si corre riesgo de tener trabajo de parto prematuro o presenta síntomas de trabajo de parto prematuro. Es importante estar al tanto de los síntomas de trabajo de parto prematuro; estos síntomas figuran en el Capítulo 6, "7º mes (Semanas 25–28)".

Imagen del cuerpo

Algunas mujeres se sienten muy a gusto con el aspecto de su cuerpo durante el embarazo. Otras no. Es normal tener sentimientos contradictorios sobre el cuerpo embarazado. Algunos días, le encantará el aspecto de su cuerpo cada vez más grande. Otros días, sin embargo, se sentirá gorda y se preguntará si su cuerpo regresará al estado de antes.

Llevar una dieta sana y hacer ejercicio son medidas que le ayudarán a sentirse mejor sobre el aspecto de su cuerpo. Si está en buen estado físico y no aumenta más del peso sugerido durante el embarazo, se le hará más fácil adelgazar después del embarazo.

Coito

Si su embarazo es normal, usted y su pareja pueden seguir teniendo relaciones sexuales hasta que comience el trabajo de parto. No se preocupe; el coito no le hará daño a su bebé. El **saco amniótico** y los músculos fuertes del útero mantendrán protegido al bebé.

Es normal tener cólicos después del coito, y también manchas de sangre. El **orgasmo** puede causar cólicos, y el semen contiene sustancias químicas denominadas **prostaglandinas**, que estimulan las contracciones uterinas. Si presenta cólicos persistentes e intensos, o si el sangrado es profuso (como el sangrado menstrual), llame a su proveedor de atención médica.

A medida que crece el vientre, necesitará encontrar la postura que le resulte más cómoda. Dígale a su pareja si algo le produce incomodidad, aun si es algo que acostumbraba a hacer todo el tiempo. Considere probar estas posiciones:

* *Posición de un costado*—Usted y su pareja pueden estar de frente uno al otro o la penetración de su pareja podría hacerse desde atrás.
* *Posición con la mujer arriba*—Con esta posición no se ejerce presión sobre el vientre.
* *Posición con el hombre detrás*—Apóyese con las rodillas y los codos para que su pareja pueda penetrarle por atrás.

Usted debe decidir si desea tener o no relaciones sexuales. Algunas mujeres las tienen, otras no. Algunas mujeres sienten cambios en la libido durante el embarazo. Durante el primer trimestre de embarazo, es posible que las náuseas y el cansancio no le permitan tener relaciones sexuales. Sin embargo, la libido podría regresar durante el segundo trimestre cuando se alivian las náuseas del embarazo y se siente enérgica otra vez. Es normal también que se reduzca su deseo sexual otra vez durante el tercer trimestre, especialmente en el penúltimo o último mes. Hable con su pareja para expresarle cómo se siente.

Si tiene alguna complicación con su embarazo o un historial de trabajo de parto prematuro, se le aconsejará limitar la actividad sexual o estar al tanto de la posibilidad de que ocurran contracciones después del coito. Si no puede tener relaciones sexuales, hay otras maneras de realizar actos íntimos, como los abrazos, los besos, las caricias sexuales, el sexo oral y la masturbación mutua. En algunos casos (raros) se le podría aconsejar evitar los orgasmos. Es importante que le pregunte a su proveedor de atención médica cuáles actividades sexuales puede o no puede hacer específicamente.

Cómo involucrar a los demás hijos en su embarazo

Si ya tiene hijos, puede que tengan muchos sentimientos variados sobre su embarazo y el nuevo bebé que pronto se incorporará a la familia. Los niños pequeños pueden tener muchas preguntas sobre dónde vienen los bebés, o es posible que no deseen decir nada sobre el bebé. Algunos niños se sienten entusiasmados de ser el hermano o hermana mayor. Otros resienten perder su papel central al nuevo bebé. Un adolescente ocupado con sus propios pasatiempos y amigos puede mostrar poco interés en su embarazo y el nuevo bebé.

¿Cuándo es el mejor momento de anunciar su embarazo y hablar sobre los cambios que pronto ocurrirán? Realmente esto depende de su hijo. Dígaselo a sus hijos de edad escolar antes de decírselo a alguien fuera de la familia. Si no lo hace, podrían resentir ser los últimos en saberlo. Con los niños pequeños, es buena idea esperar hasta que pregunten sobre los cambios en su cuerpo. La idea de un bebé que crece dentro de usted puede ser muy difícil de entender para un niño antes de poder ver el vientre expandido.

◗ Visitas de atención prenatal

Las visitas de atención prenatal de este mes estarán centradas en examinar el desarrollo del bebé y garantizar que usted no esté teniendo complicaciones. Le medirán el peso y la presión arterial. El médico además le medirá la altura del fondo uterino. Esta medida debe ser ahora más o menos entre 21 a 24 centímetros.

Asegúrese de decirle al médico si presenta algún síntoma que le produce molestias. No dude tampoco en hacerle preguntas sobre temas de inquietud para usted.

◗ Situaciones especiales

Si el comienzo del trabajo de parto ocurre antes de que finalice la semana 37, puede producirse un parto prematuro. Es importante reconocer los signos y los síntomas de trabajo de parto prematuro. En los casos en que sea posible diagnosticarlo en sus primeras etapas, su médico tratará de posponer el parto a fin de darle al bebé más tiempo para desarrollarse y madurar. Incluso unos pocos días adicionales en el útero pueden ser importantes para garantizar la salud del bebé.

¿Se ha preguntado alguna vez sobre las instalaciones ubicadas en los centros comerciales que ofrecen imágenes de ecografía de recuerdo? Piénselo mucho antes de usar una de ellas. Además, si le preocupan los latidos acelerados del corazón, puede sentirse tranquila de que este efecto es normal durante el embarazo (aunque debe comunicarse con su proveedor de atención médica en ciertas situaciones).

Trabajo de parto prematuro

Llame a su proveedor de atención médica de inmediato si observa cualquiera de los siguientes indicios de trabajo de parto prematuro:

- Cambio en las secreciones vaginales (se vuelve aguada, tiene mucosidad o está teñida de sangre)
- Aumento en la cantidad de secreción vaginal
- Presión pélvica o en la parte inferior del abdomen
- Dolor constante y sordo ubicado en la parte inferior de la espalda
- Cólicos abdominales leves, con o sin diarrea
- Contracciones regulares o frecuentes, u opresión uterina, que a menudo no producen dolor (cuatro veces cada 20 minutos u ocho veces por hora durante más de una hora)
- Ruptura de membranas (romper fuente, ya sea que el líquido salga a chorros o poco a poco)

El diagnóstico y tratamiento del trabajo de parto prematuro se trata más a fondo en el Capítulo 23, "Trabajo de parto prematuro, parto prematuro y ruptura prematura de membranas".

Latido cardíaco rápido o acelerado

Tal vez note que durante el embarazo el corazón le late más rápido. Esta sensación es normal y ocurre debido a que el corazón está bombeando más sangre con mayor rapidez de lo normal. Tal vez se sorprenda al saber que a medida que progresa el embarazo, el corazón bombea hasta un 30–50% más sangre que cuando no está embarazada. Este aumento en la frecuencia cardíaca y el volumen de sangre permiten que le llegue eficazmente al bebé un suministro de oxígeno y nutrientes a través de la placenta. Otro motivo para el aumento en el ritmo de los latidos del corazón puede ser la cafeína. Las mujeres embarazadas son más sensibles a sus efectos. Si observa que la frecuencia cardíaca permanece elevada o tiene dificultad para respirar, comuníquese de inmediato con su proveedor de atención médica.

Fotos de ecografía de recuerdo

Algunos centros ofrecen **ecografías** (**ultrasonidos**) para crear fotos o videos de recuerdo. Sin embargo, el Colegio Americano de Obstetras y Ginecólogos y otros expertos recomiendan que, aunque no hay pruebas confiables de daño físico a los *fetos* humanos, el uso casual de ecografías sin un motivo médico válido, especialmente durante el embarazo, se debe evitar. El uso de

6° mes

ecografía con el único objetivo de obtener una foto de recuerdo o determinar el sexo del bebé sin la orden de un médico puede incluso infringir las leyes o los reglamentos estatales o locales. La ecografía es una tecnología médica que sólo se debe usar por razones médicas.

A muchos padres les gusta mucho la ecografía tridimensional que usa equipo especial para proyectar una imagen del bebé que es casi tan detallada como una fotografía. Sin embargo, en estos momentos, no hay pruebas que indiquen que la ecografía tridimensional es mejor para diagnosticar problemas que la ecografía convencional. Hasta que se haya establecido una ventaja clara, la ecografía tridimensional permanece opcional, y no se exige, en esta fecha.

RESPUESTAS A SUS PREGUNTAS

¿Cómo puede encontrar un proveedor de atención médica para su bebé?

Los pediatras son médicos que se especializan en el cuidado de los niños. Los médicos de cabecera también dan atención médica durante la niñez. El mejor momento para elegir al médico de su bebé es antes de que este nazca. Si tiene hijos que acuden a un médico con el cual se siente a gusto, pregunte si él o ella atiende a pacientes nuevos. Es posible que necesite elegir un médico nuevo para el bebé. Pregunte también si dicho médico atendería a sus hijos mayores. Si todavía no ha elegido un médico, pídales recomendaciones a su proveedor de atención médica prenatal o a sus amistades.

Si dispone de seguro médico, busque un médico que forme parte de su plan de seguro. Puede elegir a un pediatra o médico de cabecera para atender a su bebé. Elija a un médico que esté certificado por el colegio de médicos.

Es buena idea visitar el consultorio para familiarizarse con el mismo mientras esté embarazada. Así tendrá una idea de la forma en que opera el consultorio y cómo es el personal que trabaja en él. También puede hacerle al médico las preguntas que tenga sobre el bebé.

A continuación le indicamos algunos asuntos que puede tratar con el médico:

- *Visitas al consultorio*—¿Cuándo está abierto el consultorio? ¿Atiende los fines de semana o durante la noche? ¿Cuánto tiempo dura una consulta regular? ¿Hay una sala de espera separada para niños enfermos?

- *Personal*—¿Atenderá siempre el médico a su bebé? ¿Qué otros proveedores de atención podrían estar programados para atenderlo?

- *Llamadas telefónicas*—¿Quién responderá a las preguntas por teléfono durante horas laborables? ¿Cobra el médico por las llamadas telefónicas? ¿Cómo se tramitan las llamadas y las emergencias después de horas laborables?

He estado expuesta a la varicela. ¿Qué debo hacer ahora?

Si ha estado con alguien que tiene varicela, nunca ha contraído la enfermedad y no recibió la vacuna contra la varicela antes de quedar embarazada, dígaselo a su proveedor de atención médica de inmediato. A veces es posible tomar medidas para evitar problemas y reducir el riesgo que correría el bebé.

Mi amiga dice que tuvo dolor de espalda durante el trabajo de parto. ¿Qué significa eso?

Dolor de espalda durante el trabajo de parto se refiere a un dolor de espalda intenso que muchas mujeres sienten durante las contracciones cuando están dando a luz. Algunas mujeres incluso sienten este dolor entre las contracciones. Este dolor se debe a la presión que ejerce la cabeza del bebé sobre la parte baja de la espalda. Durante sus clases prenatales, usted y su pareja de parto pueden aprender maneras para lidiar con el dolor de espalda durante el trabajo de parto, como masajes o cambios de postura.

Capítulo 6

7° mes

(Semanas 25–28)

SU BEBÉ EN DESARROLLO

Semana 25

Su bebé está entrando en un período de rápido crecimiento y desarrollo, especialmente de su sistema nervioso. La cantidad de grasa también está aumentando en el bebé, por lo que su piel se ve más suave y menos arrugada.

Semana 26

La piel del bebé ha adquirido color debido a que el cuerpo ahora produce melanina. Los pulmones comienzan a producir **surfactante**, una sustancia que ayuda a inflar los espacios aéreos de los pulmones. El nivel más elevado de producción de surfactante ocurre durante el tercer trimestre.

Semana 27

El bebé da patadas y se estira y puede hacer movimientos para agarrar. Se puede observar al bebé sonriéndose en esta etapa, especialmente durante la fase de movimiento ocular rápido del sueño. Al oír el sonido de voces familiares, la frecuencia cardíaca del corazón puede disminuir, por lo que es posible que el bebé se calme con estos sonidos.

Semana 28

Los ojos se abren y cierran y pueden percibir cambios en la luz. Su bebé pesa ahora aproximadamente 2½ libras y mide 14 pulgadas de largo más o menos.

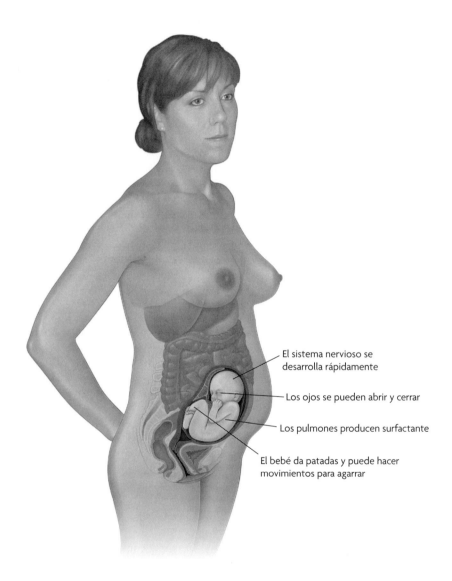

El sistema nervioso se
desarrolla rápidamente

Los ojos se pueden abrir y cerrar

Los pulmones producen surfactante

El bebé da patadas y puede hacer
movimientos para agarrar

La madre y el bebé: semanas 25–28. Para finales de este mes, su bebé
pesará aproximadamente 2½ libras y medirá 14 pulgadas de largo.

SU EMBARAZO

▶ Los cambios del cuerpo

¡Bienvenida al tercer—y último—trimestre! El fin está a la vuelta de la esquina. Esta etapa puede ser de gran actividad para muchos bebés, por lo que es posible que pueda sentirlo dar patadas y voltearse más a menudo.

▶ Molestias y cómo lidiar con ellas

El tercer trimestre es un período de rápido desarrollo fetal y probablemente comenzará a notar—y a sentir—el peso adicional de su bebé. El aumento del tamaño y peso del *útero* puede provocar dolor en la parte baja de la espalda y otros dolores mientras su cuerpo se adapta. Podría tener problemas de estreñimiento. También puede tener "contracciones de práctica" que se llaman *contracciones de Braxton Hicks*.

Dolor en la parte baja de la espalda

Muchas mujeres embarazadas tienen dolor en la parte baja de la espalda, especialmente durante las últimas etapas del embarazo. Hay varias causas que pueden ser responsables del dolor en la parte baja de la espalda. Una de las más comunes es la relajación durante el embarazo de los ligamentos de las articulaciones sacroilíacas, las articulaciones fuertes de la pelvis que sostienen el peso corporal. Para facilitar el traslado del bebé por la pelvis, una hormona que se llama relaxina relaja los ligamentos sacroilíacos, y a su vez promueve el desplazamiento y la flexibilidad de la articulación. Aunque esta relajación es normal, puede ocurrir dolor, especialmente durante ciertas actividades como al levantarse de una silla, subir escaleras o salir de un automóvil. Si tiene estos síntomas, acuda a su proveedor de atención médica. Él o ella puede recomendarle ejercicios que fortalecen los músculos alrededor de la articulación. Generalmente, el problema desaparece por su cuenta cuando nace el bebé. Sin embargo, cuantos más embarazos tenga una mujer, mayor será su riesgo de tener problemas con la articulación sacroilíaca.

Otra causa del dolor en la parte baja de la espalda es una afección que se llama ciática que se produce debido a la presión que ejerce el útero en crecimiento en el nervio ciático mayor. La ciática causa un dolor irradiante en la

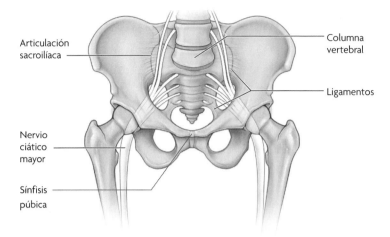

Articulación
sacroilíaca

Columna
vertebral

Ligamentos

Nervio
ciático
mayor

Sínfisis
púbica

Causas de dolor durante el embarazo. Los cambios relacionados con el embarazo en la articulación sacroilíaca, el nervio ciático mayor y la sínfisis púbica pueden causar dolor durante el embarazo.

parte baja de la espalda y la cadera, que se desplaza por la parte trasera de las piernas. Esta afección a menudo se resuelve por sí misma cuando nace el bebé. Sin embargo, si con este dolor siente los pies entumecidos, debilidad en las piernas, o dolor intenso o sensibilidad en las pantorrillas, dígaselo a su proveedor de atención médica.

Dolor en el hueso pélvico

Las dos mitades de la pelvis están conectadas en la parte anterior por una articulación denominada sínfisis púbica, que normalmente es rígida y apenas se mueve. La hormona que relaja las articulaciones sacroilíacas también puede surtir un efecto en la sínfisis púbica, haciéndola más flexible durante e inmediatamente después del embarazo. A veces, el mayor aumento de la articulación puede causar dolor en el área pélvica. Para aliviar este dolor, trate de evitar estar de pie por un tiempo prolongado y no levantar objetos pesados. Los ejercicios para los músculos abdominales y pélvicos también pueden ser útiles.

Estreñimiento

Si no tuvo problemas de estreñimiento anteriormente en el embarazo, es más probable que los tenga ahora en las etapas posteriores. El estreñimiento ocurre cuando las evacuaciones son irregulares y las heces son firmes o duras y difíciles de eliminar. Puede ocurrir por muchos motivos. Los niveles elevados de **progesterona** pueden reducir el ritmo de la digestión. El estreñimiento puede empeorar con los suplementos con hierro. Para finales del embarazo, el peso del útero presiona el **recto**, por lo que empeora el problema.

Aunque no hay una cura milagrosa para el estreñimiento, los siguientes consejos pueden ser útiles:

- Beba mucho líquido, especialmente agua y jugo de ciruelas u otros jugos de frutas.

- Consuma alimentos con abundante fibra, como frutas, verduras, frijoles (habichuelas), pan de trigo integral y cereal de salvado.

- Camine o haga otro ejercicio seguro todos los días para promover el funcionamiento del **sistema digestivo**.

- Pregúntele al proveedor de atención médica sobre tomar un agente que aumente la masa intestinal. Estos productos absorben el agua y agregan humedad a las heces, lo que facilita eliminarlas. Si usa estos agentes, necesita tomar mucho líquido. Además, recuerde que no debe usar ningún tipo de laxante sin obtener el permiso de su proveedor de atención médica.

También puede encontrar que es más fácil digerir comidas pequeñas que se consumen más a menudo que las comidas grandes y menos frecuentes. Experimente con varias alternativas para encontrar la más adecuada para usted.

Contracciones de Braxton Hicks

Ya en el segundo trimestre, algunas mujeres comienzan a tener contracciones de Braxton Hicks. A veces, estas contracciones son muy leves, apenas se sienten o se percibe una leve opresión en el abdomen. Otras veces, pueden ser dolorosas. Estas contracciones ayudan a preparar el cuerpo para el parto, pero no hacen mucho por abrir el cuello uterino. Las contracciones de Braxton-Hicks a menudo ocurren en la tarde o la noche, después de alguna actividad física o del **coito**. Ya que tienden a ocurrir cuando está cansada o deshidratada, asegúrese de beber mucho líquido para mantenerse hidratada. Las contracciones de Braxton Hicks ocurren con mayor frecuencia y se intensifican a medida que se acerca la fecha prevista del parto.

❱ Nutrición

Si el estreñimiento es un problema para usted, trate de aumentar su consumo de agua y fibra. Si le preocupa o simplemente siente curiosidad sobre si el peso que ha aumentado es el adecuado, consulte la gráfica de la página 135 que ilustra el promedio de aumento de peso según la semana de embarazo, así como consejos para lidiar con los comentarios bien intencionados sobre su peso.

Enfoque en el agua y la fibra

Consumir una cantidad suficiente de agua y fibra en la dieta es vital para evitar o aliviar el estreñimiento. Sin embargo, el agua y la fibra son útiles de otras maneras. Aunque casi nadie piensa en el agua como un nutriente, es realmente uno importante sin el cual no podemos vivir. El agua desempeña las siguientes funciones:

- Permite que los nutrientes y los productos de desecho circulen a través y fuera del cuerpo
- Ayuda a la digestión
- Ayuda a formar el *líquido amniótico* alrededor del bebé

Mientras esté embarazada, es importante beber agua durante el día, no sólo cuando tenga sed. Un buen objetivo es tratar de tomar de seis a ocho vasos de 8 onzas de agua al día.

La fibra, que también se conoce como fibra dietética, se encuentra principalmente en las frutas, las verduras, los granos integrales, los frijoles (habichuelas) y las nueces y semillas. Además del beneficio bien conocido de ayudar con el estreñimiento, la fibra también puede reducir el riesgo de padecer de *diabetes mellitus* y enfermedades cardíacas. Debe consumir aproximadamente 25 gramos de fibra en la dieta cada día. Algunas fuentes adecuadas de fibra son las frambuesas, manzanas, los plátanos (guineos), la pasta de trigo integral, los guisantes secos y las lentejas.

Unas palabras de advertencia: si la dieta que antes llevaba no incorporaba un alto contenido de fibra y de repente agrega muchos alimentos con fibra, es posible que tenga gases y distención abdominal a medida que el organismo se adapta al mayor consumo de fibra. Es preferible agregar alimentos con mucha fibra gradualmente. Si no ha estado recibiendo sus 25 gramos de fibra al día, aumente la cantidad de gramos que consume poco a poco cada día. Recuerde beber mucha agua mientras aumenta su consumo de fibra.

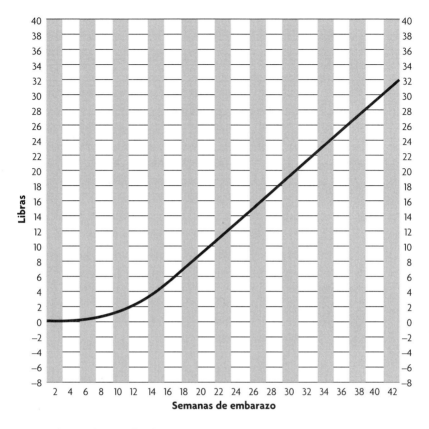

Aumento de peso durante el embarazo. Esta gráfica ilustra cuánto debe aumentar de peso una mujer con un peso normal durante el embarazo. Derechos de autor 2009, March of Dimes.

Aumento de peso

No es poco común que la gente comente sobre la cantidad de peso que ha aumentado (o no ha aumentado). Estos comentarios pueden hacerle sentir que no está aumentando el peso de la forma debida, y tal vez se sienta preocupada o angustiada. Para lidiar con los comentarios, entienda primero que su embarazo y peso le concierne sólo a usted. Una respuesta pertinente, como "Gracias por su interés en mí" o "No me siento bien hablando sobre mi peso con usted", le dará a entender a la persona que sus comentarios no son bienvenidos. Si le preocupa su peso, hable con su proveedor de atención médica. En esta etapa del embarazo, si ha estado aumentando de peso demasiado rápido o demasiado lento, es probable que su proveedor de atención médica ya haya abordado ese tema con usted. Si no es así, presente usted misma el tema.

La gráfica en la página anterior ilustra el promedio de aumento de peso que debe ocurrir durante el embarazo.

▶ Ejercicio

Los ejercicios de este mes se centran en ayudarle a aliviar algunos de los dolores y molestias que pueda estar sintiendo este mes.

Ejercicio del mes: movimientos del arco de la espalda (estirón de gato)

Este ejercicio estira y fortalece los músculos de la espalda, la cadera y el abdomen:

1. Arrodíllese y apoye las manos y las rodillas en el piso de manera que el peso del cuerpo quede distribuido uniformemente y la espalda esté recta.

2. Mézase hacia adelante y hacia atrás y cuente hasta 5 mientras sostiene cada posición.

3. Regrese a la posición original y flexione la espalda hacia arriba lo más posible. Repita el ejercicio 5 a 10 veces.

Movimientos del arco de la espalda (estirón de gato). Este ejercicio estira y fortalece los músculos de la espalda, la cadera y el abdomen.

Natación

La natación es un buen ejercicio porque usa tanto los brazos como las piernas. Aunque es una actividad de bajo impacto, la natación ofrece buenos beneficios cardiovasculares y le permite sentirse sin peso en el agua, a pesar del peso adicional que lleva. Otro beneficio de la natación es que la mantiene fresca. Además, conlleva un riesgo mínimo de lesión. Muchas mujeres embarazadas usan la natación como una manera de ejercitarse hasta el último mes.

▶ Decisiones sanas

A medida que se acerca la fecha probable del parto, necesitará tomar decisiones sobre muchos asuntos diferentes. Este mes, tal vez le convenga decidir sobre cómo quiere que sea la experiencia del parto y también si desea usar una doula. Otro asunto en el que debe pensar este mes es si deseará guardar en un banco la sangre del cordón umbilical del bebé. Si decide que desea hacerlo, tenga en mente que necesita decírselo a su proveedor de atención médica por lo menos con 8 semanas de antelación de la fecha prevista del parto.

Doulas

A medida que usted y su pareja de parto hablan sobre la función que él o ella tendrá durante el trabajo de parto, puede considerar contratar un ayudante profesional de parto o doula. La función principal de estas ayudantes de parto es asistirla durante el parto y el período de postparto. También les brindan apoyo emocional a usted y a su pareja. Las doulas no han recibido capacitación médica, sin embargo, no reemplazan a los médicos ni las enfermeras que cuidan de usted en el hospital.

Si está interesada en contratar una doula, pregúntele a su proveedor de atención médica o la instructora de la clase de parto si pueden recomendarle algunas para seleccionar. Pregúnteles también a sus amistades y parientes. Puede además consultar la asociación de doulas, DONA International, que cuenta con un servicio de búsqueda en línea (consulte Recursos informativos). La mayoría de los planes de seguro médico no ofrecen cobertura para los gastos de una doula. Las doulas cobran cuotas distintas por sus servicios, por lo tanto, asegúrese de preguntar cuánto cobran.

Plan para el parto

Algunas clases de educación para el parto le ayudarán a trazar un plan para el mismo, un bosquejo escrito de lo que le gustaría que ocurriera durante el trabajo de parto y el parto. El plan para el parto puede incluir el lugar donde desea dar a luz, las personas que quiere a su lado y si planea recibir medicamentos para el dolor. El plan para el parto es útil para ayudarles a su proveedor de atención médica y a las enfermeras de parto a entender sus deseos para el trabajo de parto y el parto.

Tenga en mente, sin embargo, que tener un plan para el parto no garantiza que el trabajo de parto y el parto seguirán dicho plan. Es posible que sea ne-

Plan para el parto

Nombre: _____

Nombre del proveedor de atención médica: _____

Nombre del proveedor de atención médica de su bebé: _____

Tipo de educación para el parto: _____

Trabajo de parto *(elija todas las que desee)*

❏ Quiero poder estar en movimiento durante el trabajo de parto.
❏ Quiero poder beber líquidos durante el trabajo de parto.

Prefiero:

❏ Un catéter intravenoso (suero) para líquidos y medicamentos
❏ Una llave de paso de heparina o solución salina (este dispositivo provee acceso a una vena pero no está conectado a una bolsa de líquidos)
❏ Me da igual

Quiero que las siguientes personas estén presentes conmigo durante el trabajo de parto:

_____

Autorizo_____ no autorizo_____ a que estén presentes personas en capacitación (estudiantes de medicina, residentes, etc.) durante el trabajo de parto y parto.

Quisiera probar las siguientes opciones si están disponibles (elija todas las que desee):

❏ Una pelota de parto
❏ Un banquillo de parto
❏ Una silla de parto
❏ Una barra de sujeción para cuclillas
❏ Una ducha (regadera) o bañera (tina) tibia durante el trabajo de parto (no durante el parto)

Opciones para la anestesia *(elija una)*:

❏ No quiero que me ofrezcan anestesia durante el trabajo de parto a menos que lo solicite específicamente.
❏ Quiero recibir anestesia y que me informen de las opciones que dispongo.
❏ No sé si quiero recibir anestesia pero deseo que me informen de las opciones que dispongo.

Parto

Quiero que las siguientes personas estén presentes conmigo durante el parto:

_____

❏ Salvo si es necesario para garantizar la seguridad del bebé, prefiero no tener una episiotomía.
❏ He hecho gestiones para conservar la sangre del cordón umbilical.

Plan para el parto. Haga una copia de este plan y marque sus preferencias. Recuerde que es buena idea hablar sobre su plan para el parto con su proveedor de atención médica mucho antes de la fecha prevista del parto.

Para un parto vaginal, quiero lo siguiente (elija todas las que desee):

❏ Usar un espejo para ver el nacimiento del bebé
❏ Que mi ayudante de parto me apoye durante la fase de pujar
❏ Que la habitación esté lo más callada posible
❏ Que una de las personas presentes para darme apoyo corte el cordón umbilical
❏ Reducir la intensidad de las luces
❏ Que una persona presente para darme apoyo tome un video o fotos del nacimiento. (Nota: algunos hospitales cuentan con políticas que prohíben grabar en video o tomar fotos; además, si se le permite, el fotógrafo deberá permanecer en un lugar donde no interfiera en la atención médica).
❏ Que coloquen a mi bebé directamente sobre mi abdomen en cuanto nazca
❏ Comenzar a lactar a mi bebé lo antes posible después de su nacimiento

En caso de una cesárea, quiero que la siguiente persona esté presente conmigo:

_____

❏ Quiero ver a mi bebé antes de que le pongan las gotas para los ojos.
❏ Quiero que una de las personas presentes para darme apoyo sostenga al bebé después del parto si no puedo hacerlo.
❏ Quiero que una de las personas presentes para darme apoyo acompañe a mi bebé a la sala de recién nacidos.

Plan para el cuidado del bebé

Alimentación del bebé

Quiero lo siguiente (marque una):
❏ Amamantar exclusivamente
❏ Alimentar con biberón
❏ Combinar amamantar y alimentar con biberón

Acepto que se le ofrezca a mi bebé (marque todas las que desee):
❏ Un chupete
❏ Agua con azúcar
❏ Fórmula infantil
❏ Ninguna de las anteriores

Sala de recién nacidos y quedarse con el bebé en la habitación

Quiero que mi bebé esté (marque una):
❏ En mi habitación en todo momento
❏ En mi habitación excepto cuando esté dormida
❏ En la sala de recién nacidos pero que me lo traigan para alimentarlo
❏ No sé todavía; lo decidiré después del nacimiento

Circuncisión

❏ Si mi bebé es varón, quiero que le hagan una circuncisión en el hospital o centro de parto.

7° mes

cesario hacer cambios si ocurren sucesos inesperados o según cómo evolucione el trabajo de parto. Recuerde que usted y su proveedor de atención médica tienen un cometido común: el parto más seguro posible para usted y su bebé. El plan para el parto es un buen punto inicial, pero debe estar preparada para alteraciones según lo dicten las circunstancias.

Es buena idea hablar sobre su plan para el parto con su proveedor de atención médica mucho antes de la fecha prevista del parto. Su proveedor de atención médica puede decirle cómo su plan se adapta a su modo de obrar y sus normas, así como a los recursos y políticas del hospital. No todos los hospitales o centros de parto pueden cumplir con todas las solicitudes. No obstante, tener un plan puede esclarecer sus deseos, y hablar sobre sus expectativas de antemano puede ayudar a reducir las sorpresas y desilusiones más tarde.

Cuando escriba el plan para el parto, piense sobre cómo quiere que proceda el trabajo de parto y el parto. ¿Qué cosas desea durante el trabajo de parto y parto? ¿Qué haría que mejore su experiencia? ¿Qué la haría sentirse más cómoda? En las páginas 138–139, encontrará el ejemplo de un formulario que puede usar para crear su propio plan para el parto. Se ha provisto una sección separada para la atención de su bebé que usted puede darles a los miembros del personal que atenderán al bebé. Aquí le damos otros consejos:

- Manténgalo breve.
- Lleve dos o tres copias al hospital o centro de parto.
- No se sorprenda si cambian sus propios deseos mientras está en trabajo de parto. Permítase cambiar su plan.

No debe pensar que necesita tener un plan para el parto antes tener a su bebé. Esto no es un requisito. Si no le agrada la idea de crear un plan, no hay problema.

Bancos de sangre del cordón umbilical

La sangre del cordón umbilical es la sangre del bebé que permanece en el **cordón umbilical** y en la **placenta** después del parto. Esta sangre contiene **células** que se denominan células madre hematopoyéticas (que producen sangre). Las células madre se pueden usar para tratar algunos tipos de enfermedades, como trastornos de la sangre, del **sistema inmunitario** y del **metabolismo**. También se usan para compensar los efectos que surten los tratamientos del cáncer en el sistema inmunitario. Se están estudiando otros usos. Actualmente es posible obtener una cantidad determinada de sangre del cordón umbilical después del parto y guardarla en caso de que sea necesaria para el bebé o un familiar en el futuro. Antes de que tome la decisión sobre conservar sangre del cordón umbilical del bebé, es importante que esté bien informada.

En la actualidad, es posible tratar sólo unas pocas enfermedades con las células madre de la sangre del cordón umbilical. La probabilidad de que necesite las células madre de la sangre del cordón umbilical para tratar a su hijo o un pariente es muy baja: aproximadamente 1 en 2,700. Sin embargo, se están estudiando nuevos usos para las células madre. Los estudios de investigación también pueden descubrir nuevas maneras de tratar una enfermedad que no impliquen el uso de células madre.

También hay limitaciones sobre cómo se pueden usar las células madre de su bebé. Si un bebé nace con una enfermedad genética, no es posible usar las células madre del cordón umbilical para tratamientos ya que estas contienen los mismos *genes* que producen el trastorno. Las células madre de un niño no se pueden usar para tratar la leucemia, o cáncer en la sangre, de ese niño. Sin embargo, las células madre de un niño sano se pueden usar de la misma manera que cualquier otro órgano donado para tratar la leucemia de otro niño. Es importante verificar cuidadosamente la compatibilidad entre el beneficiario y el donante para asegurarse de que las células madres funcionen.

La sangre del cordón umbilical se conserva en dos tipos de bancos: públicos o privados. Los bancos públicos de sangre del cordón umbilical funcionan como bancos de sangre. La sangre del cordón umbilical se obtiene para que otra persona que la necesite pueda usarla en el futuro. Las células madre de la sangre del cordón umbilical donada las puede usar cualquier persona que sea "compatible" con estas. Los bancos públicos no cobran cargos por conservar sangre del cordón umbilical. Es necesario evaluar a los donantes antes del parto. Esta evaluación conlleva obtener los detalles del historial médico de la madre, el padre y sus respectivas familias. Algunos de los siguientes factores descartan la donación a bancos públicos:

- Viajes a ciertos países
- Exposición a algunas vacunas
- Uso de drogas ilegales
- Comportamiento sexual muy arriesgado
- Historial de cáncer en cualquier lado de la familia
- La madre o el padre fue adoptado

Muchas personas no pasan la evaluación que exige el banco público. Una cantidad limitada de hospitales participa en la opción de conservación pública de sangre del cordón umbilical. Para obtener más información sobre los bancos públicos, visite el sitio de Internet del Programa Nacional de Donantes de Médula Ósea (National Marrow Donor Program) (consulte Recursos informativos).

La otra opción de conservación es un banco privado, que cobra un cargo anual. Los bancos privados conservan la sangre del cordón umbilical para "donaciones destinadas". La sangre se conserva sólo para tratar a su bebé o a otros parientes.

La decisión de donar sangre del cordón umbilical le corresponde a usted. Hay tres opciones disponibles:

1. Donar sangre del cordón umbilical a un banco público.
2. Conservar la sangre del cordón umbilical en un banco privado.
3. No donar ni conservar la sangre del cordón umbilical.

Si decide donar o conservar la sangre del cordón umbilical, necesitará elegir un banco de sangre de cordón umbilical. A continuación figuran algunas preguntas que debe hacerse al decidir cuál banco elegir:

- ¿Qué le sucederá a la sangre del cordón umbilical si cierra el banco privado?
- ¿Puede pagar el cargo anual de un banco privado?
- ¿Cuáles son sus opciones si los resultados de las pruebas de evaluación revelan que no puede donar a un banco público?

Debe decirle a su proveedor de atención médica con bastante antelación a la fecha prevista del parto (preferiblemente 2 meses) si desea que se obtenga y conserve la sangre del cordón umbilical de su bebé. Si ha elegido un banco privado, necesitará hacer las gestiones para que le envíen el equipo de obtención de sangre a su proveedor de atención médica. Además, generalmente el proveedor de atención médica cobra un cargo por obtener sangre del cordón umbilical. Este cargo casi nunca lo pagan los seguros.

Tenga en mente que aun si ha planeado donar o conservar sangre del cordón umbilical, es posible que no se pueda obtener dicha sangre después del parto. Por ejemplo, si el bebé nace prematuramente, tal vez no haya suficiente sangre del cordón umbilical para este fin. Si usted ha contraído una infección, no se podrá usar la sangre del cordón umbilical.

◗ Otras consideraciones

La depresión y la ansiedad son afecciones graves que pueden afectar a una mujer embarazada. Es importante reconocer los signos y los síntomas y hablar con su proveedor de atención médica si cree que padece una de ellas.

Depresión, ansiedad y estrés

Algunas mujeres pueden tener **depresión** durante el embarazo o después del parto, aún si no tienen un historial de ello. Sin embargo, si ha tenido depresión anteriormente, tendrá una tendencia mayor a presentarla durante el embarazo y después de que nazca el bebé.

Los signos de depresión pueden parecerse a los altibajos normales del embarazo. Es normal sentirse melancólica de vez en cuando. Sin embargo, podría tener depresión si se siente triste casi todo el tiempo o presenta cualquiera de estos síntomas por lo menos durante 2 semanas:

- Estado de humor deprimido la mayor parte del día, casi todos los días
- Falta de interés en el trabajo u otras actividades
- Sentimientos de culpabilidad, desesperanza e inutilidad
- Dormir más de lo habitual o no poder dormir por la noche
- Falta de apetito o pérdida de peso (o comer mucho más de lo habitual y aumentar de peso)
- Agotamiento o falta de energía
- Dificultad para prestar atención y tomar decisiones

Si no se le da tratamiento a la depresión durante el embarazo, esta enfermedad puede causarles problemas a usted y su bebé después del parto. Por ejemplo, una mujer deprimida puede tener dificultad para comer o descansar suficiente. Tiene también una tendencia mayor a usar drogas o alcohol o a fumar. Por estos motivos, es importante decirle a su proveedor de atención médica si presenta algún signo o síntoma de depresión. Su proveedor puede también hacerle preguntas durante sus visitas de atención prenatal para determinar si corre riesgo de presentar esta afección.

El tratamiento de la depresión consiste en medicamentos y terapia psicológica. Es útil también contar con el apoyo de su pareja, sus parientes y amistades. Además de dar apoyo, estas personas pueden ayudarle a determinar si sus síntomas están empeorando, ya que es posible que usted no sea la primera en darse cuenta de ello.

Si le recetan un **antidepresivo**, su proveedor de atención médica y usted pueden determinar cuál medicamento es el mejor en su situación particular. Al igual que con los demás medicamentos, se deben sopesar los beneficios de tomar un antidepresivo durante el embarazo en contra de los riesgos. Se han hecho muchos estudios sobre la seguridad de estos medicamentos durante el embarazo. Es importante que sepa cuáles son los resultados sobre el medicamento en particular que se le ha recetado. Tenga en mente, no obstante, que el no tratar la depresión también surte efectos negativos en el bebé en desarrollo.

Otro problema que puede afectar a las mujeres embarazadas es la ansiedad y el estrés. Los trastornos de la ansiedad son los trastornos psiquiátricos más comunes en Estados Unidos (aproximadamente el 18% de todos los adultos padecen un trastorno de la ansiedad). El embarazo puede provocar un trastorno específico de la ansiedad que se denomina trastorno obsesivo–compulsivo, o puede empeorar un trastorno existente obsesivo–compulsivo. La ansiedad y el estrés han estado asociados con algunos problemas del embarazo y partos más difíciles. Si tiene ansiedad y estrés, dígaselo a su proveedor de atención médica para que pueda recibir la ayuda que necesita. El tratamiento puede consistir en terapia conductual para aprender estrategias para lidiar con estas situaciones, técnicas de relajación y a veces medicamentos.

▶ Visitas de atención prenatal

Durante las visitas de atención prenatal de este mes, su proveedor de atención médica probablemente controlará otra vez el desarrollo del bebé mediante la medida de la altura del fondo uterino. Probablemente medirá entre 25 y 28 centímetros, que es más o menos equivalente a la cantidad de semanas de su embarazo.

Su proveedor de atención médica le medirá el peso y la presión arterial y podría hacerle un análisis de sangre para detectar **anemia**, que es cuando la cantidad de glóbulos rojos en la sangre es muy baja y puede causar agotamiento. Además de detectar la presencia de anemia, es posible que le hagan las siguientes pruebas:

* *Prueba de tolerancia a la glucosa*—Esta prueba mide la reacción de su organismo ante la **glucosa** (azúcar) y generalmente se hace entre la semana 24 y semana 28 para determinar si tiene **diabetes mellitus gestacional**, un tipo de diabetes mellitus que se desarrolla solamente durante el embarazo. La prueba consta de dos pasos: 1) deberá tomar una solución dulce y 2) al cabo de 1 hora, se toma una muestra de sangre para medirle el nivel de azúcar. Si el resultado de la prueba es positivo, le harán otras pruebas para confirmar el diagnóstico. A las mujeres con un alto riesgo de presentar diabetes gestacional se les hace esta prueba en una etapa anterior en el embarazo. Si el resultado de esta prueba anterior es negativo, se repetirá la prueba en las semanas 24 a la 28.

* *Prueba de detección de anticuerpos anti-Rh*—En una de las primeras visitas de atención prenatal, su proveedor de atención médica hizo un análisis de sangre para determinar si es Rh negativa o Rh positiva. Si resultó ser Rh

negativa en ese momento, probablemente le harán un análisis de **anticuerpos** contra el Rh este mes. Estos anticuerpos pueden ser perjudiciales si la sangre del bebé es Rh positiva ya que pueden producir un problema que se denomina incompatibilidad de Rh (consulte el Capítulo 24 "Incompatibilidad de grupo sanguíneo"). Si el resultado de la prueba revela que usted no produce anticuerpos, su proveedor de atención médica le recetará una inyección de **inmunoglobulina Rh** para evitar que se formen anticuerpos durante el embarazo.

❱ Situaciones especiales

Debido a que el trabajo de parto prematuro es una situación grave, cada uno de los capítulos restantes que tratan del embarazo mes a mes aborda sus signos y síntomas. Otras complicaciones que pueden ocurrir durante este período son sangrado vaginal y problemas con el líquido amniótico. Recuerde, sin embargo, que la mayoría de las mujeres no presentan complicaciones durante el embarazo. No obstante, si percibe signos y síntomas raros, es mejor hablar con su proveedor de atención médica de inmediato para que se puedan diagnosticar y tratar posibles complicaciones cuanto antes.

Trabajo de parto prematuro

Un parto **prematuro** puede ocurrir cuando el trabajo de parto comienza antes de la semana 37 de embarazo. Si observa alguna de los signos y síntomas del trabajo de parto prematuro, llame de inmediato a su proveedor de atención médica:

- Cambio en las secreciones vaginales (se vuelven aguadas, tienen mucosidad o están teñidas de sangre)
- Aumento en la cantidad de secreción vaginal
- Presión pélvica o en la parte inferior del abdomen
- Dolor constante y sordo ubicado en la parte inferior de la espalda
- Cólicos abdominales leves que se sienten como dolores menstruales, con o sin diarrea
- Contracciones regulares o frecuentes, u opresión uterina, que a menudo no producen dolor (cuatro veces cada 20 minutos u ocho veces por hora durante más de una hora)
- Ruptura de membranas (romper fuente, ya sea que el líquido salga a chorros o poco a poco)

Tenga en mente, sin embargo, que las contracciones de Braxton Hicks se pueden intensificar a medida que crece el útero. Sin embargo, si ocurren a intervalos regulares —cuatro veces cada 20 minutos u ocho veces por hora durante más de una hora— debe comunicarse con su proveedor de atención médica.

Sangrado vaginal

Son muchas las causas que pueden provocar sangrado vaginal en el tercer trimestre de embarazo. A veces el sangrado puede volverse muy intenso y requerir tratamiento inmediato. Notifíquele a su proveedor de atención médica todo tipo de sangrado para que se puedan tomar las medidas pertinentes.

Este sangrado se puede producir por un problema menor. La mujer podría sangrar si el cuello uterino se inflama, por ejemplo. Sin embargo, algunos sangrados pueden ser muy intensos y poner en peligro a la madre o al bebé. Cuando el sangrado vaginal es intenso, supone un problema con la placenta. Los problemas más comunes son *placenta previa* y desprendimiento placentario. En el caso de placenta previa, la placenta se encuentra en la parte inferior del útero y cubre todo o parte del cuello uterino, obstruyendo así la salida del bebé del útero. Esta afección a menudo causa sangrado vaginal sin dolor. En el desprendimiento placentario, la placenta se comienza a separar de la pared uterina antes de que nazca el bebé. Esta afección a menudo causa dolor intenso y constante en el abdomen; contracciones, que pueden ser leves o intensas, y sangrado profuso. El desprendimiento placentario es sumamente grave y requiere atención de inmediato.

Tanto debido a el desprendimiento placentario como a la placenta previa, el bebé podría tener que nacer antes de tiempo. Si el sangrado es intenso, usted puede necesitar una transfusión de sangre. Puede ser necesario practicar un *parto por cesárea* por cualquiera de estas afecciones. En algunos casos, se deja de sangrar. Si es así, el embarazo puede continuar normalmente aunque se vigilará su situación estrechamente.

Problemas con el líquido amniótico

La cantidad de líquido amniótico en el útero debe aumentar hasta comienzos del tercer trimestre. De ahí en adelante, disminuirá gradualmente hasta que dé a luz. A veces, no obstante, una mujer embarazada puede tener demasiado o muy poco líquido amniótico, por lo que puede sentir molestias y dolor. Además, cantidades anormales de líquido amniótico pueden ser una señal de un posible problema con el bebé o la placenta.

Durante sus visitas regulares de atención prenatal, el médico vigilará el crecimiento del útero. Si sospecha que existe un problema, es posible que necesite otro examen por ecografía para evaluar el tamaño fetal y la cantidad de líquido amniótico.

RESPUESTAS A SUS PREGUNTAS

¿Qué tipo de anticonceptivo debo usar después de tener el bebé? ¿Y si deseo que me liguen las trompas?

Si no está lista para tener otro bebé inmediatamente, hable con su proveedor de atención médica para determinar el método anticonceptivo indicado para usted. Lo que usó antes del embarazo puede que no sea una buena opción ahora. Por ejemplo, las píldoras anticonceptivas que contienen *estrógeno* afectan el suministro de leche si planea lactar. Otros métodos que no contengan estrógeno pueden ser mejores si está lactando.

Si está considerando un procedimiento de *esterilización*, dígale a su proveedor de atención médica sus deseos con anticipación (consulte el Capítulo 12, "El período de postparto"). La ligadura de trompas, en que se cortan las trompas de Falopio, se puede realizar después del parto, casi siempre mientras se encuentra todavía en el hospital. Este procedimiento requiere una incisión abdominal pequeña. La operación se puede hacer fácilmente después del parto ya que es fácil acceder a las *trompas de Falopio* en ese momento. Otro tipo de esterilización, que se denomina esterilización histeroscópica, se puede realizar a los 3 meses del parto. Este método implica introducir un instrumento que se llama histeroscopio dentro del útero a través de la *vagina* y colocar un pequeño dispositivo dentro de cada trompa de Falopio. El dispositivo produce la formación de tejido cicatrizante que bloquea las trompas de Falopio y evita la fertilización de un *óvulo*. Debido a que el tejido cicatrizante tarda 3 meses en bloquear completamente las trompas de Falopio, no quedará esterilizada inmediatamente después de este procedimiento y deberá usar otro método anticonceptivo durante este período. Un procedimiento, que se llama *histerosalpingografía*, generalmente se realiza a los 3 meses para confirmar que las trompas estén bloqueadas.

No debe tener ningún procedimiento de esterilización si tiene alguna duda sobre tener otro hijo. La esterilización supone un método permanente. Si no está segura, considere hablar con su pareja sobre una *vasectomía*, que es igual de eficaz y no implica una cirugía mayor como la ligadura de trompas. Si no está segura, hay muchos métodos anticonceptivos que puede usar para proveer protección contra embarazos a largo plazo y son reversibles. Algunos de estos métodos son el dispositivo intrauterino y los anticonceptivos inyectables. Asegúrese de explorar todas sus opciones para que sepa cuál está disponible y qué método puede satisfacer mejor sus necesidades.

¿Es la lactancia materna el mejor método para alimentar a mi bebé?

Sí. Aunque hay algunas excepciones (por ejemplo, si está infectada con el *virus de inmunodeficiencia humana [VIH]*), lactar es por mucho la mejor manera de alimentar a su bebé. La leche materna contiene todos los nutrientes para alimentar bien a su bebé. Contiene además anticuerpos que ayudan al sistema inmunitario del bebé a combatir enfermedades. El cuerpo del bebé puede usar mejor las proteínas y la grasa de la leche materna que las proteínas y la grasa de la fórmula infantil. Los bebés que se alimentan con leche materna tienden a tener menos gases, menos problemas de alimentación y a menudo, menos estreñimiento que los que se alimentan con fórmula infantil. Además, corren un riesgo menor de presentar el *síndrome de muerte súbita del lactante*. La lactancia materna no sólo es buena para los bebés, sino que también es buena para las madres. Es práctica, más económica que la fórmula infantil y siempre está disponible. Lactar quema calorías, lo que le ayuda a bajar las libras adicionales que aumentó durante el embarazo. También, al lactar se libera la hormona *oxitocina*, que estimula la contracción del útero y ayuda a que se normalice su tamaño más rápidamente. Puede además reducir su riesgo de padecer *osteoporosis*. La Academia Americana de Pediatría y el Colegio Americano de Obstetras y Ginecólogos recomiendan lactar exclusivamente durante por lo menos los 6 primeros meses de vida. Puede seguir lactando hasta que el bebé tenga 1 año o durante todo el tiempo que quieran la madre y el bebé.

¿Qué es una deficiencia de vitamina D? ¿Cómo puedo prevenirla?

La deficiencia de vitamina D ocurre cuando una persona no recibe una cantidad suficiente de la vitamina en su dieta diaria. Se ha sabido por muchos años que la vitamina D es vital para tener huesos sanos. Algunos estudios también indican que la vitamina D desempeña una función en la prevención de ciertos tipos de cáncer y *trastornos autoinmunitarios*. Se recomienda que las mujeres embarazadas reciban 200 unidades internacionales de vitamina D en la dieta diariamente (igual que las mujeres que no están embarazadas). Aunque el organismo puede producir vitamina D con la exposición a la luz solar, muchas personas no reciben suficiente vitamina D a través de la exposición solar solamente. Los alimentos que contienen vitamina D son la leche enriquecida; el pescado alto en grasa, como el salmón y la caballa gigante, y los aceites de hígado de pescado. Si su proveedor de atención médica sospecha que tiene una deficiencia de vitamina D, puede hacerle una prueba para medir su nivel. Le podrían recomendar suplementos con vitamina D si su nivel es muy bajo.

Capítulo 7

8º mes

(Semanas 29–32)

SU BEBÉ EN DESARROLLO

Semana 29

Tras haberse desarrollado casi completamente, el peso del bebé aumentará rápidamente. Durante los últimos dos meses y medio de embarazo, el bebé aumentará la mitad del peso que tendrá al nacer. Su bebé necesitará muchos nutrientes para terminar de desarrollarse.

Semana 30

Esta semana, el vello fino que cubría el cuerpo del bebé (*lanugo*) comenzará a desaparecer. Sin embargo, algunos bebés nunca se deshacen totalmente del lanugo y nacen con él en algunas partes, como en los hombros, la espalda y las orejas. Mientras tanto, el cabello del bebé comienza a crecer y a ponerse más espeso. Algunos bebés nacen con la cabeza llena de cabello, aunque normalmente este se les cae dentro de los 6 primeros meses de vida.

Semana 31

El cerebro del bebé crece y se desarrolla rápidamente. Ciertas partes del cerebro ahora pueden controlar la temperatura corporal también, por lo que deja de depender de la temperatura del *líquido amniótico*. Los huesos se endurecen, pero el cráneo permanece blando y flexible.

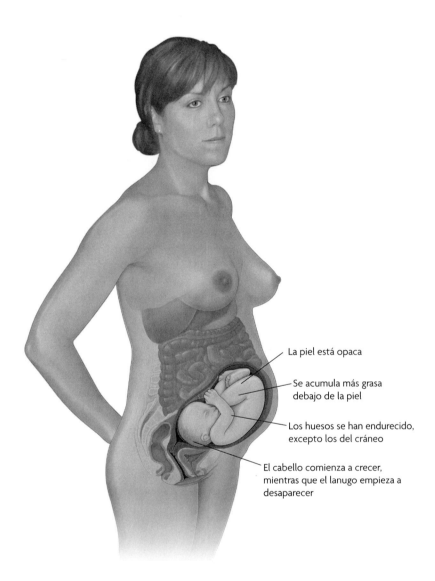

La piel está opaca

Se acumula más grasa debajo de la piel

Los huesos se han endurecido, excepto los del cráneo

El cabello comienza a crecer, mientras que el lanugo empieza a desaparecer

La madre y el bebé: semanas 29–32. Tras haberse desarrollado casi completamente, el peso del bebé aumentará rápidamente en los últimos 2 meses.

Semana 32

Se acumula más grasa debajo la piel, que hace que la piel cambie de casi transparente a opaca. El bebé mide ahora unas 18 pulgadas de largo y pesa aproximadamente 5 libras.

SU EMBARAZO

▶ Los cambios del cuerpo

Ya está llegando a la recta final del embarazo. Quizás se sienta emocionada pero ansiosa también. En estas últimas semanas, su organismo trabaja arduamente para ayudar a fomentar el desarrollo completo del bebé. Por consiguiente, es posible que se canse con más facilidad, igual que cuando estaba en el primer trimestre.

▶ Molestias y cómo lidiar con ellas

Para este mes, el *útero* se ha expandido hasta encontrarse entre los senos y el ombligo. El tamaño del útero puede ahora causarle efectos secundarios desagradables.

Dificultad para respirar

En estas últimas semanas del embarazo, puede comenzar a tener dificultad para respirar de vez en cuando. Esto se debe a que el útero ahora ocupa un espacio mayor en el abdomen, por lo que le ejerce presión sobre el abdomen y el diafragma (un músculo plano y fuerte importante en la respiración) y hacia los pulmones arriba. Aunque sienta que le falta el aliento, su bebé aún recibe suficiente oxígeno. Para ayudarle a respirar mejor, muévase más lentamente y siéntese o póngase de pie con el cuerpo erguido para que los pulmones tengan más espacio para expandirse. Si ocurre un cambio considerable en su capacidad para respirar, o tiene tos o dolor de pecho, llame de inmediato a su proveedor de atención médica.

Hemorroides

Las mujeres embarazadas a menudo tienen hemorroides, várices dolorosas que producen picor (comezón) en el área rectal. Las causas principales de hemorroides son la sangre adicional presente en el área de la pelvis y la presión que ejerce el útero en crecimiento sobre las **venas** de la parte inferior del cuerpo. El estreñimiento puede empeorar las hemorroides debido a que el esfuerzo excesivo durante las evacuaciones intestinales atrapa más sangre en las venas.

Las hemorroides a menudo se mejoran después de que nace el bebé. Hable con su médico sobre usar cremas y supositorios de venta sin receta. Puede también probar estos consejos para obtener alivio (o evitar que se presente el problema en primer lugar):

- Lleve una dieta alta en fibra y beba una cantidad abundante de líquidos.

- Mantenga su peso dentro de los límites sugeridos por el médico. Las hemorroides pueden empeorar si pesa más de lo que debe.

- Estar de pie o sentada por períodos prolongados ejerce presión sobre las venas del área pélvica. Levántese y camine un poco para aliviar el peso que ejerce el útero sobre esas venas.

- Si tiene hemorroides, coloque en el área una compresa helada o almohadillas impregnadas en agua de hamamelis para aliviar el dolor y reducir la hinchazón.

- Sumerja el área en una tina (bañera) varias veces al día.

Várices e hinchazón de las piernas

El peso que ejerce el útero sobre una vena principal, que se llama vena cava, puede reducir el torrente sanguíneo hacia la parte inferior del cuerpo. Por consiguiente, se pueden producir protuberancias de color azul que causan dolor y comezón (picazón) denominadas várices. Estas venas también aparecen cerca de la **vagina**, la **vulva** y el **recto** (consulte "Hemorroides"). Las várices casi nunca causan problemas considerables y son más bien un problema cosmético.

Este tipo de venas tiene una mayor tendencia a ocurrir después del primer embarazo. También tienden a ocurrir más a menudo en algunas familias. Aunque no hay nada que pueda hacer para prevenir la formación de várices, hay maneras de aliviar la hinchazón y el dolor que ocurre, y quizá evitar que empeoren:

- Si debe estar sentada o de pie por períodos prolongados, recuerde moverse de vez en cuando.

- No se siente con las piernas cruzadas.

- Eleve las piernas, ya sea en su escritorio, sofá, silla o banquillo, tan a menudo como pueda.

- Use pantimedias que le apoyen las piernas pero que no le aprieten las caderas ni las rodillas.

- No use medias ni calcetines con bandas elásticas fuertes que le aprieten las piernas.

Calambres en las piernas

Los calambres en la parte inferior de las piernas son otro síntoma común del segundo y tercer trimestre. Durante la última etapa del embarazo, puede sentir calambres agudos y dolorosos en las pantorrillas que hasta pueden despertarla de un sueño profundo. Antes se creía que estos calambres estaban vinculados a una cantidad deficiente de calcio o potasio en la dieta, pero los expertos ya no creen que se deban a esas deficiencias. Nadie sabe con certeza qué causa en realidad los calambres en las piernas. Si padece de ellos, estos consejos pueden ser útiles:

- Estire las piernas antes de acostarse.
- Si tiene un calambre, flexione el pie. Esto casi siempre lo alivia inmediatamente.
- Masajee la pantorrilla con movimientos largos que se extiendan hacia abajo.

Agotamiento

Casi todas las mujeres se sienten más cansadas durante el tercer trimestre que en el segundo trimestre. Es normal sentirse cansada durante este período. Recuerde que su organismo está trabajando arduamente para apoyar el desarrollo de una nueva vida y que el aumento del tamaño de su cuerpo puede dificultarle encontrar una postura cómoda para dormir. Trate de descansar todo lo que pueda, aun si sólo duerme una siesta breve de 15 minutos al día. Siga haciendo ejercicios y alimentándose bien ya que ambos aumentarán su nivel de energía.

Picazón en la piel

Algunas mujeres sienten mucha picazón (comezón) en la piel durante el embarazo, especialmente en la piel que se expande del área del abdomen y los senos. Si presenta mucha picazón en la piel, beba mucha agua para mantener hidratada la piel. Puede que también le resulte útil aplicarse un humectante en la piel por la mañana y por la noche. Agregar almidón de maíz al agua del baño puede también ser beneficioso. No obstante, si la picazón es intensa o tiene sarpullido, dígaselo a su proveedor de atención médica. Algunas enfermedades de la piel que ocurren durante el embarazo se deben tratar.

❱ Nutrición

Es importante seguir llevando una dieta sana durante estas últimas semanas de embarazo. No sólo se sentirá más enérgica al alimentarse bien sino que se asegurará de que su bebé reciba los nutrientes que necesita.

Enfoque en el calcio

El calcio es un mineral que se usa para formar los huesos y dientes del bebé. Debe consumir 1,000 miligramos de calcio cada día (los adolescentes menores de 19 años necesitan 1,300 miligramos al día). Durante el embarazo, si no hay suficiente calcio en la dieta, el calcio que el bebé necesita para su desarrollo se extrae de los huesos de la madre. Los productos lácteos son una fuente excelente de calcio, así como las verduras de hojas verde oscuro; los cereales, panes y jugos enriquecidos; las almendras y las semillas de sésamo. Su proveedor de atención médica también le podría recomendar tomar suplementos con calcio si la dieta no contiene suficiente de ese mineral.

❱ Ejercicio

Aun si se siente más cansada, debe tratar de seguir haciendo su rutina de ejercicios. Manténgase atenta a cómo se siente y deje de hacer ejercicio si le falta el aliento o se siente jadeante. Puede que le resulte útil aprender algunas técnicas de relajación mientras realiza el conteo final durante estas últimas semanas.

Elevación y flexión de las piernas. Este ejercicio fortalece los músculos de la espalda y el abdomen.

Ejercicio del mes: elevación y flexión de las piernas

Este ejercicio fortalece los múscu-los de la espalda y el abdomen:

1. Arrodíllese y apoye las manos so-bre el piso de manera que el peso del cuerpo quede distribuido uni-formemente y los brazos estén extendidos (las manos deben quedar debajo de los hombros).

2. Flexione la rodilla izquierda y encoja la pierna hacia el codo.

3. Estire la pierna hacia atrás. Evite mecer la pierna hacia adelante o hacia atrás o flexionar la espalda hacia atrás. Repita el ejercicio a ambos lados 5 a 10 veces.

Técnicas de relajación

Las técnicas de relajación son una manera excelente de reducir el estrés y la ansiedad durante el embarazo que pueda sentir sobre el parto que pronto ocurrirá. Es importante que trate en toda la medida posible de mantenerse tranquila y no estresada para que pue-da conservar energía en estas próximas semanas. Aprender algunas técnicas básicas de relajación puede mejorarle la salud de muchas maneras:

- Reduce la frecuencia cardíaca
- Reduce la presión arterial
- Reduce la frecuencia respiratoria
- Reduce su necesidad de oxígeno
- Aumenta el flujo sanguíneo hacia los músculos principales
- Reduce la tensión muscular

Oír música o recibir un masaje son dos maneras sencillas de relajarse. Pruebe quemando una vela perfumada con un aroma relajante, como de lavanda, cie-rre los ojos y descanse. Considere buscar una clase cerca de donde reside o comprar o alquilar un DVD que enseñe técnicas relajantes de yoga, tai chi o meditación. No importa la técnica que use, asegúrese de que sirva para cal-marla durante parte del día, o cuando se sienta más estresada.

8° mes

▌ Decisiones sanas

Planear y tomar decisiones parece ser lo único que hacen usted y su pareja en estos días, pero puede sentirse tranquila ya que estos planes reducirán el estrés en su vida. Si tiene un varón, usted y su pareja deberán decidir si desean que se le haga una circuncisión. Tal vez necesite decidir qué servicio de cuidado de niños usará si piensa trabajar fuera del hogar cuando nazca el bebé. Mientras piensa sobre los arreglos de cuidado de niños, es importante que comience a prepararse también para el trabajo de parto y el parto.

Circuncisión para varones

La circuncisión implica cortar el **prepucio**, una capa de piel que cubre la punta del pene. Se usará un anestésico para reducir el dolor. La circuncisión por lo general se hace al poco tiempo de nacer y antes de que la madre y el bebé abandonen el hospital.

Para algunos padres, la circuncisión es un rito religioso. Puede también ser un asunto de tradición familiar o higiene personal. Los estudios han revelado que la circuncisión ofrece algunos beneficios médicos, como un riesgo levemente menor de presentar infecciones de las vías urinarias durante el primer año de vida; un riesgo menor de tener cáncer del pene (aunque este tipo de cáncer es muy raro para empezar); un riesgo levemente menor de contraer una enfermedad de transmisión sexual, como la infección por el **virus de inmunodeficiencia humana (VIH)**, el virus que causa el **síndrome de inmunodeficiencia adquirida (SIDA)** y un riesgo menor de contraer una infección en el prepucio. Sin embargo, estas razones médicas no son suficientes para recomendar la circuncisión a todos los bebés varones y la Academia Americana de Pediatría considera que la decisión la de-

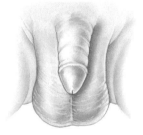 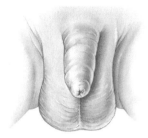

Pene circuncidado   Pene sin circuncidar

Circuncisión. En este procedimiento, se extrae el prepucio del bebé.

ben tomar los padres. Si desea que se le haga una circuncisión a su hijo, dígaselo a su proveedor de atención médica con antelación. Además, consulte con su proveedor de seguro médico ya que el procedimiento podría no tener cobertura.

Cuidado de niños

Si está planeando regresar a trabajar después de tener el bebé, encontrar un buen servicio de cuidado de niños será una prioridad muy importante para usted y su pareja. Dedíquele tiempo a determinar cuáles opciones son las mejores para su familia. Quizás quiera programar algún servicio de cuidado de niños durante estas últimas semanas antes de la llegada del bebé. Pida recomendaciones sobre el cuidado de niños a distintas personas; sus amistades, vecinos y compañeros de trabajo son buenas fuentes de información.

Hay tres opciones básicas en lo que respecta al cuidado de niños: 1) cuidado en su hogar, 2) cuidado en el hogar del cuidador o 3) cuidado en un centro de cuidado de niños. Si desea contratar a alguien para que cuide de su bebé en su propio hogar (como una niñera o chica au pair), comuníquese con las agencias que se dedican a la colocación de personal para el cuidado de niños. Tenga en cuenta que este tipo de atención es muy costoso. Para reducir los costos, algunos padres comparten un cuidador con otra familia. El cuidador en estos acuerdos de "cuidado compartido" recibe un sueldo para cuidar de dos bebés en el hogar de una familia.

Una opción menos costosa es permitir que un pariente o un proveedor autorizado cuide de su bebé en la casa de dicha persona. En la mayoría de los casos, estos cuidadores se encargan de más de un niño.

Los centros de cuidado de niños son también otra opción. Este tipo de entorno puede cuidar de muchos grupos de niños de todas las edades. Algunos aceptan bebés de sólo 6 semanas, y otros no aceptan bebés hasta que dejen de usar pañales, por lo tanto, asegúrese de preguntar estos detalles cuando investigue sus opciones.

Cuando usted y su pareja comiencen a hacer sus investigaciones, prepárese para preguntarles a los posibles proveedores de cuidado de niños algunas preguntas muy detalladas (consulte el cuadro).

Preparativos para el parto

Es mucho lo que puede hacer para que su parto transcurra sin problemas lo más que sea posible. Puede comenzar practicando con su pareja todos los ejercicios que aprendió en las clases de parto, como los de respiración, rela-

Cómo encontrar un servicio de cuidado de niños adecuado

Obtener respuestas a las preguntas siguientes puede ayudarle a encontrar un proveedor de cuidado de niños que sea adecuado para usted y su bebé:

1. **Reúna los datos.** Haga una lista de proveedores de cuidado de niños, hogares de familia para el cuidado de niños y centros de cuidado de niños en su localidad. Entonces, investigue lo siguiente:

   ¿Dónde está ubicado? _____

   ¿Ofrece el proveedor servicio de cuidado de bebés? _____

   ¿Cuáles son las horas en que está disponible? _____

   ¿Está abierto todo el año (trabajan durante los días festivos)? _____

   ¿Cuánto cuesta el servicio? _____

2. **Visite los lugares.** Si está considerando un hogar de familia o centro de cuidado de niños, visítelos en más de una ocasión. Haga una cita la primera vez. Si le agrada lo que ve durante la visita, regrese sin cita previa la próxima vez. (Si las visitas sin cita previa no están permitidas, continúe buscando). Determine lo siguiente:

   ¿Está el lugar limpio, seguro y bien equipado? _____

   ¿Hay suficientes proveedores (un adulto por cada tres o cuatro bebés, cuatro o cinco niños de 2 a 4 años, o seis a nueve niños preescolares)? _____

   ¿Son atentos y cariñosos los cuidadores? _____

   ¿Parecen estar contentos y bien cuidados los niños? _____

   ¿Qué se considera un día normal? _____

   ¿Qué se sirve durante las comidas o meriendas (bocadillos)? _____

3. **Programe una entrevista.** Planifique hablar con el proveedor de un hogar de familia para el cuidado de niños, niñera o director del centro. Lleve a su bebé y observe cómo responde el cuidador a él o ella. Pregunte lo siguiente:

   ¿Qué experiencia y capacitación tienen los proveedores que cuidan de los niños?

   _____

   ¿Han cuidado de bebés anteriormente? _____

   Para una cuidadora individual, ¿por qué dejó su último empleo? _____

   _____

   Para un centro, ¿con qué frecuencia cambia el personal?_____

   ¿Están capacitados los proveedores en primeros auxilios o reanimación cardiopulmonar (CPR)? _____

   ¿Están dispuestos a darle a su niño medicamentos recetados? _____

Cómo encontrar un servicio de cuidado de niños adecuado, *continuación*

¿Qué planes tienen en vigor en caso de que surja una emergencia médica? _____
_____

¿Está autorizado el hogar o centro, o está certificado el cuidador? _____

¿Puede visitar durante el día para lactar? _____

4. **Verifique las credenciales.** Nunca deje a su bebé con una persona hasta que haya verificado sus antecedentes. Pida lo siguiente:
   - El documento que muestre que el hogar o centro está autorizado o registrado, o que el cuidador está certificado. Llame a la agencia encargada de dichas autorizaciones para preguntar si han recibido quejas.
   - Normas escritas que traten de la filosofía, los procedimientos o la disciplina
   - Referencias de otros padres que hayan usado al cuidador, hogar o centro; llame a por lo menos tres padres

5. **Pruebe el lugar.** Una vez que haya elegido a un cuidador, "practique" varias veces usando sus servicios antes de regresar a trabajar. De esta manera si considera que algo no está bien, todavía tendrá tiempo para seguir buscando. También les ayudará a usted y a su bebé a acostumbrarse al entorno antes de que concluya la ausencia por maternidad.

jación, estiramiento o meditación. Puede además obtener las respuestas a las siguientes preguntas mucho antes del día del parto:

- ¿A qué número debo llamar cuando empiece el trabajo de parto?

- ¿Debo dirigirme directamente al hospital o llamar primero al consultorio del médico?

- ¿En qué momento durante el trabajo de parto debo salir para el hospital?

- ¿He llenado todos los documentos necesarios para que comience mi ausencia autorizada por maternidad y para recibir sueldo por discapacidad?

- ¿Necesito inscribirme en el hospital antes de dirigirme al área de partos? Si es así, ¿ya lo hice?

- ¿Cuándo pueden visitarme mi familia y mis amistades después de tener el bebé?

- ¿A quienes de nuestras amistades y familiares necesitamos darles la noticia del nacimiento del bebé?

- ¿Tenemos sus números de teléfono o direcciones de correo electrónico?

- ¿He comprado ya un asiento de seguridad para bebés y sé cómo instalarlo?

- ¿He hecho las gestiones para el cuidado de mis otros hijos y mascotas mientras esté en el hospital?

▌ Otras consideraciones

Las mujeres cuentan actualmente con muchas opciones con respecto a los métodos de preparación para el parto. Hay algo disponible para cada persona. Este mes también es un buen momento para familiarizarse con las opciones de anestesia de que dispone, y hacer un recorrido del hospital puede hacerle sentirse más segura a medida que se acerca la fecha prevista del parto.

Métodos de preparación para el nacimiento

La preparación para el nacimiento es un medio para lidiar con el dolor y reducir las molestias asociadas con el trabajo de parto y el parto. Hay clases de preparación para el nacimiento disponibles para enseñar varias técnicas. Los métodos más comunes de preparación—Lamaze, Bradley y Read—se basan en la teoría de que gran parte del dolor del trabajo de parto se debe al miedo y la tensión. Aunque las técnicas específicas varían, los métodos de nacimiento pretenden aliviar las molestias mediante principios generales de educación, apoyo, relajación, respiración controlada y tacto. He aquí una breve descripción de algunos de estos métodos:

- *Lamaze*—El método de nacimiento de Lamaze se inventó en la década de 1950 por un obstetra francés, el Dr. Fernand Lamaze. Este método se basa en la idea de que la sabiduría interna de la mujer la guiará a través del proceso de parto. La educación del método de nacimiento de Lamaze ayuda a las mujeres a adquirir confianza en sus cuerpos y aprender a tomar decisiones bien fundamentadas sobre el embarazo, el nacimiento, la lactancia materna y la crianza de los hijos. Si desea obtener más información sobre este método, vaya al sitio de Internet de Lamaze International (consulte Recursos informativos).

- *Bradley*—El método de Bradley considera que el nacimiento es un proceso natural y se basa en la creencia de que un embarazo y parto sanos se pueden lograr a través de la educación, la preparación y el apoyo por parte de un ayudante de parto. Este método supone la participación activa de la madre y su ayudante durante el proceso del trabajo de parto y enseña una variedad de técnicas de relajación. Puede encontrar información sobre el método de Bradley en línea (consulte Recursos informativos).

- *Read*—Uno de los primeros métodos en exponer el concepto de nacimiento preparado, el método de Read procura eliminar el miedo y la ansiedad al educar a las madres y los ayudantes de parto sobre el trabajo de parto y el parto. El método de Read se explica en el libro *Childbirth Without Fear (Parto sin miedo)*, escrito por su fundador Dr. Grantly Dick-Read.

- *Parto bajo hipnosis*—Este método enseña técnicas de relajación y autohipnosis. Puede encontrar información sobre este método en línea (consulte Recursos informativos). Las instructoras han recibido una capacitación muy extensa. El objetivo es enseñarles a las mujeres cómo utilizar las sustancias químicas naturales del cuerpo con capacidades analgésicas—las endorfinas—para lograr un nacimiento natural y sin dolor.

Con todas las opciones disponibles, es muy probable que encuentre algo que se adapte a las creencias individuales suyas y de su pareja. Mientras estudia sus opciones, tenga en mente los siguientes consejos:

- Comuníquese con la instructora, si es posible. El enfoque y los conocimientos de la instructora son factores importantes para determinar si la clase es adecuada para usted. Llame o envíele un mensaje de correo electrónico a la instructora con sus preguntas para enterarse de cómo se imparte la instrucción de la clase.

- Entérese del lugar y el horario de clases. ¿Se ofrecen clases cerca de usted? ¿Cuál es el horario de las clases? ¿Durante cuántas semanas se reúne? Es buena idea encontrar una clase que se adapte a su estilo de vida y su horario personal.

- Determine el costo. Investigue cuánto cuesta la clase y qué se incluye en los cargos. Además, averigüe si su póliza de seguro ofrece cobertura de todo o una parte del costo.

- ¿Cuántas personas asisten a la clase? Algunas clases son pequeñas y ofrecen atención individual. Otras son más grandes. Hable con su pareja de parto sobre si una clase pequeña o grande es más adecuada para las necesidades de ambos.

No piense, sin embargo, que debe seleccionar un método de nacimiento específico. Esto no es un requisito. Sus enfermeras y su proveedor de atención médica le darán las instrucciones y la información que necesita mientras se encuentre en el hospital o centro de parto.

8° mes

Recorrido del hospital

La mayoría de los hospitales ofrecen recorridos guiados del lugar donde dará a luz y es buena idea aprovechar esta oportunidad si está disponible. De hecho, si estará tomando una clase de educación para el parto en el hospital donde dará a luz, es posible que haga este recorrido en algún momento durante el curso. Si esa es la primera vez que visita el hospital, hacer ese recorrido por las instalaciones le dará la oportunidad para determinar cuál es la ruta más rápida y dónde estacionar su auto cuando llegue el momento de dar a luz. El recorrido de las instalaciones es un buen momento para hacer preguntas sobre las políticas del hospital acerca de si su pareja puede estar en la habitación durante el trabajo de parto y parto (incluso en el *parto por cesárea*), si su pareja puede pasar la noche en la habitación con usted y el bebé y si su pareja puede tomar fotos o videos del nacimiento.

Alivio del dolor durante el trabajo de parto

Es buena idea empezar a pensar en si desea recibir alivio del dolor durante el trabajo de parto y el parto. Aunque no tiene que tomar esa decisión ahora, es bueno saber cuáles son sus opciones. Aún si decide tomar ahora la decisión, puede cambiar de parecer cuando comience el trabajo de parto.

El trabajo de parto de cada mujer es distinto. La cantidad de dolor que una mujer siente durante el trabajo de parto puede ser distinta a la que siente otra mujer. El dolor depende de muchos factores, como el tamaño y la posición del bebé, la intensidad de las contracciones y cómo usted sobrelleva el dolor.

Algunas mujeres toman cursos sobre técnicas de respiración y relajación para ayudarlas a hacer frente al dolor durante el parto. Otras podrían encontrar útiles estas técnicas junto con medicamentos para el dolor.

Hay dos tipos de medicamentos para el dolor: los **analgésicos** y los **anestésicos**. Los analgésicos alivian el dolor, mientras que los anestésicos bloquean todo tipo de dolor y sensación. Algunas formas de anestesia, como la anestesia general, causan pérdida del conocimiento. Otras formas, como la anestesia regional, bloquean todo tipo de sensación de dolor en ciertas partes del cuerpo mientras está consciente. La anestesia general casi nunca se usa para los partos vaginales.

No todos los hospitales pueden ofrecer todos los tipos de medicamentos para aliviar el dolor. Sin embargo, en la mayoría de los hospitales, el **anestesiólogo** colaborará con su equipo de atención médica para elegir el mejor método para usted. Consulte el Capítulo 10, "Trabajo de parto y parto" para obtener información más a fondo sobre el alivio del dolor durante el trabajo de parto.

Reposo en cama

Su proveedor de atención médica puede recomendarle reposar en cama durante las últimas etapas del embarazo. El reposo en cama a menudo se recomienda si muestra indicios de trabajo de parto *prematuro*, si tiene un embarazo múltiple o presión arterial alta. Sin embargo, no hay pruebas científicas de que el reposo en cama ayuda a alterar el desenlace de un embarazo.

Si se le recomienda reposar en cama, hable con su proveedor de atención médica sobre si necesita permanecer en cama o si puede hacer algún tipo de actividad. Si se aburre, use el tiempo para escribir cartas y hacer listas de cosas por hacer para que su pareja y familia pueden ayudar con las tareas que haya que hacer. Rodéese de libros, revistas, rompecabezas, su reproductor de MP3 y muchos DVDs, o cualquier cosa que le permita hacer placentero el tiempo en la cama.

▶ Visitas de atención prenatal

Durante el tercer trimestre, su proveedor de atención médica le pedirá que vaya más a menudo para examinarla, generalmente cada dos semanas a partir de la semana 32 y cada semana a partir de la semana 36.

Igual que en las visitas anteriores, su proveedor de atención médica le medirá el peso y la presión arterial y le preguntará acerca de los síntomas que pueda tener.

Dicho proveedor también examinará el tamaño y la frecuencia cardíaca de su bebé. Se podría hacer un examen vaginal para determinar si el *cuello uterino* se ha comenzado a preparar para el parto.

▶ Situaciones especiales

Como en los meses anteriores, debe estar consciente de los signos y los síntomas de trabajo de parto prematuro. También debe estar atenta a los signos y los síntomas de *ruptura prematura de membranas*, una situación que puede ocurrir en 1 de cada 10 embarazos.

Trabajo de parto prematuro

El trabajo de parto prematuro es un problema al que debe estar atenta durante este mes de embarazo, aunque los bebés que nacen ahora tienen un mejor desenlace que los que nacen antes. Si observa cualquiera de las señales y síntomas de trabajo de parto prematuro (consulte el Capítulo 6), llame de inmediato a su proveedor de atención médica. Recuerde que las **contracciones de Braxton Hicks** pueden comenzar a intensificarse a medida que se acerca la fecha prevista del parto. Es normal tener estas contracciones durante las últimas etapas del embarazo. Si se vuelven regulares o persistentes, ese es un indicio de que debe comunicarse con su proveedor de atención médica.

Ruptura prematura de membranas

En la mayoría de los casos, al rompimiento de fuente le siguen otros indicios de trabajo de parto. Cuando los médicos mencionan que ha ocurrido el rompimiento de fuente, se refieren a la ruptura del **saco amniótico**. Cuando se desgarran las membranas cuando el embarazo ya ha llegado a término pero antes de que comience el trabajo de parto, se le denomina ruptura prematura de membranas (RPDM). Cuando se desgarran las membranas antes de la semana 37 de embarazo, se denomina ruptura prematura de membranas pretérmino.

Llame a su proveedor de atención médica si observa alguna descarga de líquido de la vagina. El proveedor podría querer verla para evaluar si las membranas se han desgarrado. Otros motivos de descarga de líquido es la pérdida accidental de **orina**, salida de moco cervical, sangrado vaginal o una infección vaginal. La ruptura prematura de membranas se diagnostica basándose en su historial médico, los resultados del examen físico y los resultados de un análisis de laboratorio. Se confirma cuando se detecta líquido amniótico en la vagina. El trabajo de parto a menudo comienza después del desgarramiento de las membranas. Si no es así y el embarazo está a término, se provoca o induce el trabajo de parto. Si el embarazo no está a término, se necesita tomar una decisión sobre si el bebé debe nacer. Puede encontrar más información sobre la ruptura prematura de membranas en el Capítulo 23, "Trabajo de parto prematuro, parto prematuro y ruptura prematura de membranas".

RESPUESTAS A SUS PREGUNTAS

Se me ha salido algo de líquido amniótico. Mi proveedor de atención médica diagnosticó ruptura prematura de membranas, pero parece que ha dejado de ocurrir. ¿Puedo tener relaciones sexuales?

No. No se recomienda tener relaciones sexuales si se le ha diagnosticado con ruptura prematura de membranas. La actividad sexual puede aumentar el riesgo de infección y provocar el trabajo de parto.

¿Hay algun signo o síntoma que me pueda avisar cuándo debo llamar al médico?

Si tiene ocho meses de embarazo, debe estar atenta a los indicios de trabajo de parto prematuro y ruptura prematura de membranas y llamar a su proveedor de atención médica si presenta cualquiera de ellos. Además, llámelo si tiene algún tipo de sangrado vaginal, fiebre, dolor abdominal intenso o dolor de cabeza agudo. Nuevamente, sin embargo, siempre es buena idea ser precavida y mantenerse segura, por lo que si presenta algún síntoma que le preocupe, no dude en llamar a su proveedor de atención médica.

Soy *intolerante a la lactosa*. ¿Cómo puedo recibir todo el calcio que necesito si no puedo consumir productos lácteos?

La intolerancia a la lactosa también se denomina deficiencia de lactosa y quiere decir que no puede digerir completamente el azúcar (la lactosa) de la leche en los productos lácteos. Las mujeres embarazadas con esta afección aún necesitan recibir la cantidad diaria de calcio en la dieta para nutrir los músculos y órganos en desarrollo del bebé. Estos consejos pueden ayudarle a reducir los síntomas de intolerancia a la lactosa sin limitar su consumo de calcio:

- Pruebe distintos tipos de productos lácteos. No todos los productos lácteos contienen la misma cantidad de lactosa. Por ejemplo, los quesos duros como el suizo o cheddar contienen pequeñas cantidades de lactosa y generalmente no producen síntomas.

- Compre productos sin lactosa, como Lactaid. Estos contienen todos los nutrientes de la leche y los productos lácteos regulares.

- Obtenga calcio de otros alimentos. Buenas fuentes son el salmón enlatado; las almendras; los panes y jugos enriquecidos con calcio; las verduras de hoja verde oscuro como la espinaca, la berza, las hojas de col rizada, y la melaza.

Capítulo 8

9° mes

(Semanas 33–36)

SU BEBÉ EN DESARROLLO

Semana 33

El bebé está aumentando de peso más rápidamente—aproximadamente ½ libra a la semana— y se prepara para nacer dentro de unas semanas. Pesa ahora más o menos 5½ libras y mide unas 20 pulgadas de largo. Los bebés en esta etapa no crecerán mucho más de 20 pulgadas, pero aumentan más de peso.

Semana 34

Su bebé está desarrollando patrones de sueño bien definidos. Su piel se le observa menos arrugada debido a la grasa que se ha acumulado debajo de esta.

Semana 35

Los pulmones ahora están más maduros y preparándose para que el bebé respire por su cuenta después de nacer. El sistema circulatorio y el sistema musculoesquelético están completamente formados.

Semana 36

¿Qué tamaño tiene ahora el bebé? Pesa probablemente unas 6 libras y está ocupando todo el espacio del *saco amniótico*. Ya no tiene mucho espacio para dar vueltas hacia adelante y hacia atrás. Seguirá sintiendo sus patadas y movimientos fetales.

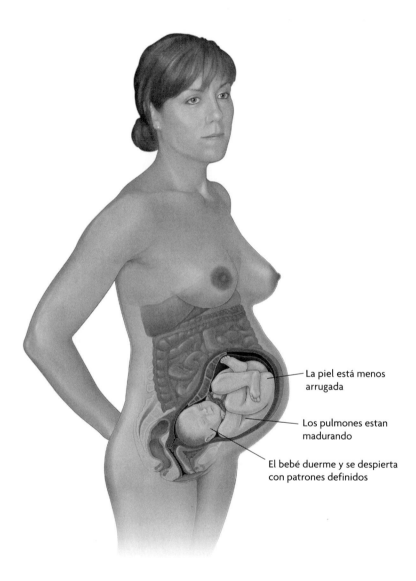

La piel está menos arrugada

Los pulmones estan madurando

El bebé duerme y se despierta con patrones definidos

La madre y el bebé: semanas 33–36. Este mes, su bebé aumentará probablemente unas 2 libras de peso pero no crecerá mucho más de 20 pulgadas de largo.

SU EMBARAZO

▶ Los cambios del cuerpo

Hoy comienza el noveno mes de embarazo. Este es probablemente un período muy ajetreado para usted mientras prepara su vida, hogar y familia para dar la bienvenida al bebé.

▶ Molestias y cómo lidiar con ellas

Este mes, la intensidad de las molestias del embarazo ha llegado a un punto máximo. Recuerde cuidarse y descansar mucho durante estas últimas semanas.

Micción frecuente

En las últimas semanas de embarazo, sentirá una mayor presión en la vejiga a medida que el bebé se desplaza más hacia dentro de la pelvis. Por ello orinará mucho más a menudo durante el día y tal vez tenga que hacerlo varias veces durante la noche.

Algunas mujeres tienen pérdidas accidentales de *orina* durante estas últimas semanas, especialmente cuando se ríen, tosen o estornudan. Esto también se debe a la presión que ejerce el bebé sobre la vejiga. Estos problemas probablemente se corregirán cuando dé a luz.

Preparto (contracciones de Braxton Hicks)

A medida que se aproxima la fecha prevista del parto, las **contracciones de Braxton Hicks** pueden intensificarse. Tal vez incluso las confunda con el trabajo de parto. Es fácil sentirse confundida con estas contracciones de preparto. Si tiene contracciones, lleve un registro de ellas. Anote el intervalo de tiempo desde el comienzo de una contracción y el comienzo de la próxima. Mantenga un registro durante una hora. También anote cómo se sienten las contracciones. El tiempo entre cada contracción le ayudará a determinar si en verdad está de parto. Cuando es trabajo de parto verdadero, las contracciones ocurren a intervalos regulares, son más seguidas y pueden durar entre 30 y 90 segundos. La intensidad de las contracciones también es importante.

Es más probable que sea trabajo de parto verdadero si tiene dificultad para caminar y hablar durante una contracción.

Aún los médicos, comadronas o enfermeras tienen dificultad para distinguir entre el preparto y el trabajo de parto verdadero. Es posible que necesiten observarla por varias horas para determinarlo. También le harán un examen vaginal para determinar si se está abriendo el *cuello uterino*.

Independientemente de lo que indique su reloj con respecto al intervalo entre contracciones, es mejor precaver que tener que remediar. Si cree que está en trabajo de parto, llame a su proveedor de atención médica.

Dificultad para dormir

Es normal que vuelva a tener insomnio durante estas últimas semanas de embarazo. También es normal que le sea casi imposible encontrar una posición cómoda para dormir. Trate de no preocuparse sobre no poder dormir. Prepare su habitación para que sea lo más cómoda posible, use todas las almohadas que necesite para elevar y apoyar el cuerpo y trate de descansar siempre que pueda.

Hinchazón y dolor en las piernas

Las piernas y los pies de la mayoría de las mujeres embarazadas tienden a hincharse algo. Para aliviar la hinchazón, descanse los pies siempre que pueda. Eleve las piernas con una almohada o use un reposapiés durante el día. Usar calzado cómodo que apoye los pies puede aliviar algunas de estas molestias.

Presión pélvica

El bebé pronto se colocará en posición para nacer y tal vez lo sienta situado más adentro en la pelvis. Esta sensación a menudo se llama "descenso del bebé" y puede causar una mayor presión en la pelvis, la vejiga y las caderas. No es mucho lo que puede hacer para aliviar esta presión, aparte de tratar de descansar los pies cuando se sienta más incómoda. También es útil sumergirse en un baño de agua tibia.

Entumecimiento

Si tiene entumecimiento o una sensación de hormigueo en las manos, los dedos de las manos y de los pies, esta reacción es normal y se produce debido

9º mes

a la inflamación de los tejidos del cuerpo mientras presionan los nervios. En algunos casos graves, la mujer puede presentar el síndrome del túnel carpiano. El síndrome del túnel carpiano ocurre debido a la compresión de un nervio dentro del túnel carpiano, una estructura tubular donde se encuentran los huesos y ligamentos de la muñeca. Estos síntomas generalmente se resuelven después de dar a luz, cuando los tejidos regresan a sus tamaños normales. Sin embargo, si presenta estos síntomas, no dude en decírselo a su proveedor de atención médica en la próxima visita de atención prenatal. Generalmente, el uso de tablillas o descansar la mano afectada es el tratamiento para estos síntomas durante el embarazo.

▶ Nutrición

Siga alimentándose bien y asegúrese de beber una cantidad abundante de agua. Su bebé necesita todos los nutrientes que pueda recibir durante estas últimas semanas para madurar totalmente y prepararse para nacer. Usted también necesita la energía que brinda una dieta sana.

Enfoque en la vitamina C

Recibir la cantidad correcta de vitamina C es importante para promover la salud del sistema inmunitario y desarrollar huesos y músculos fuertes. Durante el embarazo, debe recibir por lo menos 85 miligramos de vitamina C todos los días (80 miligramos si es menor de 19 años). Aunque puede obtener la cantidad correcta en su suplemento vitamínico prenatal diario, puede también consumirlo en alimentos con esta vitamina, como frutas cítricas y jugos, fresas, brécol y tomates.

▶ Ejercicio

Siga haciendo ejercicios este mes. Salga a caminar y siga haciendo los ejercicios de fortalecimiento y estiramiento que aprendió anteriormente en su embarazo. No olvide que también puede hacer las posturas de yoga. El yoga puede ayudarle con los ejercicios de respiración cuando comience el trabajo de parto. Puede preguntarle a una instructora de yoga acerca de cuáles posturas son adecuadas en las etapas finales del embarazo.

Ejercicio del mes: flexiones de la parte superior del cuerpo

Este ejercicio fortalece los músculos de la espalda y el torso:

1. Póngase de pie con las piernas separadas, flexione ligeramente las rodillas y colóquese las manos sobre las caderas.

2. Dóblese lentamente hacia adelante, manteniendo recta la parte superior de la espalda, hasta que sienta el estiramiento a lo largo del muslo superior. Repita el ejercicio 10 veces.

Flexiones de la parte superior del cuerpo. Este ejercicio fortalece los músculos de la espalda y el torso.

❱ Decisiones sanas

Hay muchas decisiones importantes que deben tomar usted y su pareja este mes: desde cómo quiere dar a luz a cómo alimentar al bebé.

Posiciones para el parto

Para esta fecha usted y su proveedor de atención médica probablemente han hablado sobre cómo quiere dar a luz: en una cama común o si desea adoptar alguna otra opción de posición que esté disponible en su hospital o centro de parto:

- *Cama de parto*—Una cama que puede ajustarse a diversas posiciones para usted, por ejemplo, le permite ponerse en cuclillas, sentarse en el borde con los pies apoyados o acostarse de lado.

- *Silla de parto*—Una silla que se ha diseñado especialmente para permitirle dar a luz mientras está sentada.

- *Banquillo de parto*—Una estructura que la estabiliza y apoya mientras se encuentra en cuclillas.

- *Pelota de parto*—Una pelota grande de goma donde se puede sentar durante el trabajo de parto para que pueda mecerse hacia adelante y hacia atrás en una superficie blanda.

- *Piscina o bañera/tina de parto*—Durante el trabajo de parto, puede estar dentro de una bañera o tina de parto que es lo suficientemente grande para usted y su pareja de parto, si lo desea. No se recomienda dar a luz en el agua. Muchos hospitales no disponen de una bañera/tina o piscina, por lo tanto, pregunte si está interesada en esta opción.

Hay ventajas y desventajas con cada tipo de posición para el parto. Los banquillos y las sillas de parto le permiten aprovechar la gravedad a medida que el bebé desciende por el canal de parto. Una desventaja es que puede dificultar la ayuda del proveedor de atención médica durante el parto. Dar a luz en una cama le facilita la labor a su proveedor de atención médica, pero estar acostada boca arriba o de lado no siempre permite aprovechar la ayuda de la gravedad. Piense sobre todas sus opciones y haga muchas preguntas. Averigüe cuáles opciones ofrece su hospital o centro de parto. Muchas veces las mujeres no saben cómo desean dar a luz hasta que se van de parto.

Estancia del bebé en el hospital

Su bebé puede permanecer en la sala de recién nacidos del hospital, o puede que disponga de la opción de tener al bebé con usted en todo momento en la habitación. Tener al bebé en su habitación en todo momento es una buena forma de conocer al nuevo bebé. También es la mejor forma de comenzar a lactar. Sin embargo, permitir que el bebé permanezca en la sala de recién nacidos del hospital es también una buena opción, especialmente si se siente agotada o el trabajo de parto fue difícil. Le llevarán al bebé a su habitación de la sala de recién nacidos para las alimentaciones.

Empaque para el hospital

Lo menos que necesita cuando comience el trabajo de parto es tener que echar cosas en una maleta en estado de pánico. Para evitarlo, empaque su maleta varias semanas antes de la fecha prevista del parto. Guárdela en un lugar accesible, como un armario en el pasillo o la cajuela (baúl) del carro.

No es posible empacar todo por anticipado ya que necesitará algunos artículos mientras tanto, como sus anteojos y chinelas (consulte el cuadro). Prepare una lista de estos artículos de última hora que necesiten empacarse antes de salir para el hospital y colóquela en un lugar que le sirva como recordatorio, por ejemplo, la puerta del refrigerador.

No se preocupe si se le olvida algo. Un amigo o familiar puede llevarle lo que necesite. El hospital también cuenta con algunos artículos, aunque le podrían cobrar por ellos.

Artículos que debe empacar

Artículos para el parto:

___ La tarjeta de seguro médico, su identificación y los formularios de inscripción del hospital

___ Loción o aceites para masajes

___ Ungüento para los labios

___ Un camisón o una camisa de dormir vieja (si no desea usar la bata del hospital)

___ Una bata de baño, chinelas y calcetines (medias)

___ Anteojos, si los usa (es posible que no le permitan usar lentes de contacto)

___ Paletas o caramelos duros para mantener humedecida la boca

___ Un reproductor de MP3 o de CD y música relajante

___ Cámara

Artículos para la estancia en el hospital:

___ Dos o tres camisas de dormir (asegúrese de que las camisas se abran al frente si va a lactar)

___ Dos o tres sostenes (brassieres) de lactancia y más o menos una docena de almohadillas de lactancia

___ Toallas sanitarias

___ Varios pares de calcetines y calzones (bragas, panties)

___ Artículos de uso personal, como cepillo de dientes, pasta y desodorante

___ Lentes de contacto, si los usa

___ Una libreta y bolígrafo

___ Monedas para las máquinas vendedoras automáticas

___ Números telefónicos de la gente que desea llamar después del nacimiento

___ Revistas u otros materiales de lectura

Artículos para el alta del hospital:

___ Frazada (manta) pequeña y ropa para llevar al recién nacido a casa

___ Ropa holgada para usar de regreso a casa

___ Asiento de seguridad para bebés

Cómo alimentar a su bebé

Decidir si debe lactar o alimentar con biberón a su nuevo bebé es una decisión personal que cada madre debe tomar por su cuenta. Hay varios datos importantes que necesita saber cuando tome esta decisión. La mayoría de los expertos coinciden que lactar es la mejor manera de alimentar a su bebé. La Academia Americana de Pediatría y el Colegio Americano de Obstetras y Ginecólogos recomiendan lactar exclusivamente durante por lo menos los 6 primeros meses de nacido. Puede seguir lactando hasta que el bebé tenga 1 año (y posteriormente, si es lo que usted y su bebé desean hacer).

La leche materna les brinda a los recién nacidos el alimento perfecto, con muchas ventajas sobre la fórmula infantil. También puede ayudarle a adelgazar más rápido después de dar a luz. La lecha materna es beneficiosa por varias razones:

- Siempre está disponible.

- Es gratis.

- Contiene glóbulos blancos activos que combaten infecciones y anticuerpos que protegen más contra las infecciones en los primeros meses de vida del bebé, cuando estas infecciones pueden ser más peligrosas.

- Contiene la proporción perfecta de nutrientes que necesita su bebé, como proteínas, carbohidratos, grasas y calcio.

- Se digiere fácilmente.

- Contiene ácidos grasos importantes que promueven el desarrollo del cerebro.

- Protege al bebé contra ciertas enfermedades, como asma, infecciones de oídos y **obesidad**, y reduce el riesgo de presentar el **síndrome de muerte súbita del lactante.**

Hay muchas ventajas también para la madre que lacta. Las mujeres que lactan tienden a adelgazar más rápido después de dar a luz. Permite además que el **útero** se contraiga y se normalice su tamaño más rápido, por lo que se reduce el sangrado después del parto. Lactar reduce el riesgo de tener cáncer ovárico y del seno y puede ayudar a reducir el riesgo de padecer de **diabetes mellitus** de tipo 2 y **depresión después del parto.**

La alimentación con biberón es la otra opción para alimentar a su bebé. He aquí lo que debe saber sobre la alimentación con biberón:

- Las fórmulas infantiles han mejorado en lo que respecta a igualar los ingredientes y las proporciones que contiene la leche humana. Sin embargo, algunos bebés necesitan probar varias fórmulas antes de encontrar la indicada.

- Le da a la mamá algo de flexibilidad, porque usar un biberón permite que más de una persona alimente al bebé (aunque esta opción también es posible con la leche materna si se la extrae con una bomba en un biberón).

- Puede ser costosa. Recuerde que necesitará comprar fórmula infantil, chupones (tetinas) y biberones.

- Es una tarea que lleva mucho tiempo. Necesitará tener biberones limpios y esterilizados para que tenga uno listo a la hora de la alimentación.

El Capítulo 14, "Cómo alimentar a su bebé" contiene información más a fondo sobre la alimentación del bebé. Si necesita respuestas a otras preguntas para ayudarle a tomar una decisión entre lactar o alimentar con biberón, hable con su proveedor de atención médica. También puede ir en línea al sitio de Internet de La Leche League International. Esta organización ayuda a las madres en todo el mundo a lactar (consulte Recursos informativos). La Academia Americana de Pediatría también ofrece mucha información sobre la lactancia (consulte Recursos informativos).

▌ Otras consideraciones

Este es el momento para comprar un asiento de seguridad para el automóvil si no lo ha hecho todavía. ¿Está lista la habitación del bebé? ¿Tiene toda la ropa y los suministros que necesitará cuando llegue el bebé a casa? Las últimas semanas son siempre muy ajetreadas para los nuevos padres mientras se aseguran de estar preparados para traer al bebé del hospital.

Preparación del hogar para el bebé

Una visita a cualquier tienda de artículos de bebés o una mirada a los muchos sitios de Internet que venden estos artículos le dará muchas ideas sobre lo que necesitará para preparar su hogar. Hable con otras mamás nuevas también para tener una idea de los productos que usan y les gustan más.

Este también es un momento excelente para que usted y su pareja comiencen a pedir la ayuda de los parientes y las amistades que estén dispuestos a ayudarles cuando llegue el bebé. No tema pedir ayuda. Si alguien se ofrece ayudarla, no sea modesta. Agradecerá otro par de manos una vez que llegue a casa y pase algunas noches sin dormir con el nuevo bebé. Haga una lista de las cosas en que pueden ayudarla, como las siguientes tareas, y pida a sus parientes y amistades que elijan lo que quieren hacer:

- Cocinar algunas comidas y congelarlas para comerlas más tarde.
- Comprar comestibles.
- Ayudar a lavar y secar la ropa.
- Ayudar con los demás hijos.
- Cuidar de las mascotas de la familia.

Recuerde que es posible que necesite ayuda durante por lo menos un par de semanas. Asegúrese de solicitar de antemano ayuda para varias semanas en el futuro y no sólo durante los primeros días de la llegada del bebé a casa.

Cómo comprar un asiento de seguridad

No podrá llevarse el bebé a casa del hospital a menos que tenga un asiento de seguridad instalado en su automóvil. Por ley, deberá usar un asiento de seguridad en todo momento cuando transporte a su bebé en un automóvil.

Todos los bebés deben ir en el asiento posterior con el asiento de seguridad orientado hacia atrás cuando vayan por primera vez a casa del hospital. El asiento debe permanecer orientado hacia atrás hasta que el niño tenga por

| Asiento de seguridad para bebés | Asiento de seguridad convertible |

Tipos de asientos de seguridad. El asiento de seguridad para bebés (*izquierda*) está hecho para bebés que pesen un máximo de 20 a 22 libras. El asiento convertible es para bebés y niños pequeños que pesen hasta 40 libras.

Consejos para comprar e instalar un asiento de seguridad

Algunos asientos de seguridad se adaptan mejor a su auto que otros. El mejor asiento para usted y su bebé es un asiento bien diseñado y fácil de usar. Cuando compre un asiento, tenga en cuenta estos consejos:

- Averigüe si su automóvil tiene un sistema de LATCH. LATCH son siglas en inglés que aluden a las anclas y trabas inferiores que se usan para los asientos de los niños. En lugar de cinturones de seguridad, los automóviles tienen anclas especiales para sujetar el asiento en su sitio. Los autos y camiones más nuevos disponen de este sistema. Si su automóvil o asiento de seguridad no viene equipado con este sistema, necesitará usar los cinturones de seguridad para instalar el asiento de seguridad del niño.

- Trate de abrochar y desabrochar la hebilla mientras se encuentra en la tienda. Trate de cambiar la longitud de las correas.

- Pruebe el asiento en su automóvil para determinar si queda bien.

- Lea las etiquetas para verificar los límites de peso.

- No tome la decisión basándose en el precio. Los asientos que cuestan más no siempre son los mejores.

Cuando instale el asiento, siga estos consejos:

- Si usa el sistema de LATCH, coloque el asiento en uno de los lados del asiento posterior de manera que quede orientado hacia atrás.

- Si usa los cinturones de seguridad, coloque el asiento en el medio del asiento posterior de manera que mire hacia atrás.

- Trabe el asiento sobre la base, si la tiene. La base no se debe mover más de 1 pulgada si la empuja hacia adelante, hacia atrás o de un lado a otro. Si usa los cinturones de seguridad, asegúrese de que la porción del cinturón que queda sobre el regazo esté bien ajustada al armazón del asiento de seguridad.

Si tiene preguntas sobre cómo instalar un asiento de seguridad, comuníquese con el departamento de bomberos u otra agencia local para que verifiquen la colocación del asiento y garantizar que esté debidamente instalado.

lo menos 1 año y su peso sea por lo menos 20 a 22 libras. Los niños no deben ir en el asiento delantero de un automóvil hasta que tengan 12 años debido al riesgo de lesiones asociadas con las bolsas de aire de pasajero cuando se inflan.

Hay dos tipos de asientos de seguridad de automóvil orientados hacia atrás: 1) asientos sólo para bebés y 2) asientos convertibles. El asiento sólo para bebés es para niños que pesan un máximo de 20 a 22 libras. La mayoría de los asientos sólo para bebés están diseñados para desprenderlos de una base; de esa manera puede cargar el asiento por el mango o colocarlo en un cochecito de bebé especial. El asiento sólo para bebés se debe reemplazar cuando el niño pese entre 20 y 22 libras. El otro tipo de asiento, el asiento convertible, no es tan portátil como el asiento que se usa sólo para bebés, pero se puede usar para bebés y niños pequeños hasta que alcancen un peso de 40 libras.

Muchas mamás les dan los artículos usados de sus hijos a las nuevas mamás cuando ya no los necesitan. Tenga cuidado, sin embargo, con asientos de seguridad usados. Si toma prestado o usa un asiento de seguridad usado, asegúrese de que sepa su historial, por ejemplo, si ha estado en un accidente. Inspeccione cuidadosamente el asiento para determinar si le faltan piezas o tiene defectos. Si encuentra algún problema, no use el asiento de seguridad. La etiqueta con el número de modelo del asiento de seguridad debe estar todavía adherida y el asiento debe incluir las instrucciones. Si no puede pagar el costo de un asiento, algunas comunidades y hospitales tienen programas para prestar gratuitamente asientos de seguridad aprobados a padres nuevos.

Cuando tenga el asiento de seguridad, es importante instalarlo correctamente. Aun el mejor asiento de seguridad no protegerá a su bebé si no está instalado como se debe. Algunos cuerpos de bomberos y otras agencias locales verificarán la instalación de su asiento de seguridad. Si su asiento de bebé tiene una base, practique colocar el asiento en la base y sacarlo adecuadamente para asegurarse de saber cómo se hace antes de salir del hospital.

Cómo prepararse para lactar

Muchas madres futuras se preguntan si hay algo que deben hacer a fin de prepararse para lactar. En verdad, es muy poco lo que necesita hacer a fin de prepararse para lactar, salvo comprar un buen sostén de lactancia.

Generalmente no necesita aplicarse loción en los senos. Esto se debe a que los pezones ya están produciendo lo que necesitan para protegerse. Además, no use jabón en los senos ya que puede resecarlos. Cuando se bañe, puede simplemente enjuagarse con agua sin jabón.

Si tiene alguna pregunta sobre la lactancia antes de la llegada del bebé, comuníquese con una especialista en lactancia en su hospital o con el grupo local de La Leche League. Tenga en mente, sin embargo, que las enfermeras del hospital le enseñarán cómo lactar al bebé cuando dé a luz, así que no estará sola tratando de aprender la técnica adecuada. De hecho, si desea lactar, las enfermeras se asegurarán de que esté alimentando bien al bebé antes de que se le permita salir del hospital.

▶ Visitas de atención prenatal

Durante el último mes de embarazo tendrá citas de atención médica todas las semanas hasta el momento que dé a luz. En esas visitas, su proveedor de atención médica le medirá el peso y la presión arterial y le analizará la *orina* como de costumbre. Le medirá otra vez la altura del fondo uterino y le examinarán los latidos cardíacos. Podría tener un examen vaginal para determinar si el cuello uterino se está preparando para el trabajo de parto. Su proveedor de atención médica también calculará el peso del bebé y determinará su posición en el útero. La posición de cabeza hacia abajo se denomina *presentación de vértice*. Si los pies o las nalgas están orientados hacia abajo, esta posición se denomina *presentación de nalgas*. Si su bebé está en posición de nalgas, queda mucho tiempo todavía para que se dé vuelta a la posición de vértice. Si el bebé no se ha dado vuelta para aproximadamente la semana 36, su proveedor de atención médica puede intentar una técnica que se llama versión cefálica externa.

En una de las visitas de atención prenatal durante las semanas 35–37, se le hará una prueba de detección de estreptococos del grupo B (EGB). No se le hará esta prueba si tuvo un bebé previamente con estreptococos del grupo B o si ha presentado esta bacteria en la orina durante este embarazo. Los estreptococos del grupo B son una bacteria común que generalmente no es perjudicial en los adultos, pero los bebés que se infectan pueden a veces enfermarse de gravedad. Si el resultado de su prueba de estreptococos del grupo B es positiva, recibirá *antibióticos* durante el trabajo de parto para no transmitir la infección al bebé. Es importante que sepa el resultado de la prueba de estreptococos del grupo B después que se la hagan. Si se va de parto lejos de casa o si su proveedor de atención médica no está disponible, será útil para los cuidadores que la atienden saber si necesita recibir antibióticos durante el trabajo de parto.

Sus factores de riesgo y las leyes estatales determinarán si deberá tener las siguientes pruebas de detección: Algunas son pruebas repetidas de análisis anteriores:

- Virus de inmunodeficiencia humana (VIH)
- Sífilis
- Infección por clamidia
- Gonorrea

▶ Situaciones especiales

Aún necesita estar consciente de los signos y los síntomas de trabajo de parto *prematuro* (consulte el Capítulo 6, "7° mes [Semanas 25–28]"). Muchas de las señales de advertencia pueden ocurrir incluso en un embarazo normal. Si tiene alguna duda, comuníquese con su proveedor de atención médica.

Preeclampsia

La preeclampsia es una afección médica del embarazo que puede ocurrir después de la semana 20 de embarazo. Se calcula que esta afección ocurre en entre el 5% al 8% de todos los embarazos y que ocurre principalmente en los primeros embarazos. La preeclampsia puede afectar a todos los órganos del cuerpo de la madre, incluidos los riñones, el hígado, el cerebro y los ojos. También afecta a la *placenta*.

Su proveedor de atención médica diagnostica preeclampsia cuando su presión arterial sobrepasa un punto específico y cuando se detecta proteína en la orina. La preeclampsia puede producir los siguientes signos y síntomas:

- Dolor de cabeza
- Problemas de la vista
- Dolor en la parte superior del abdomen
- Aumento repentino de peso (más de 2 libras en una semana)

Si observa cualquiera de estos síntomas, llame a su proveedor de atención médica de inmediato. El Capítulo 18, "Hipertensión", ofrece información más a fondo sobre cómo se diagnostica y trata la preeclampsia.

Versión cefálica externa

La mayoría de los bebés se orientan con la cabeza hacia abajo unas semanas antes del parto. Si las nalgas del bebé, o las nalgas y los pies, están en posición para aparecer primero, esto se denomina presentación de nalgas. A veces, es posible girar al bebé de manera que la cabeza quede orientada hacia abajo por **versión cefálica externa**, que también se denomina versión cefálica. Se puede hacer la versión cefálica después de que hayan transcurrido 36 semanas completas de embarazo. La versión cefálica implica levantar y girar al bebé dentro del útero desde afuera. Este procedimiento conlleva ciertos riesgos de complicaciones (consulte el Capítulo 11 "Parto instrumentado, parto por cesárea y presentación de nalgas", para obtener más información). Si el bebé sigue presentándose de nalgas para la fecha prevista del parto, el **parto por cesárea** podría ser la mejor opción.

RESPUESTAS A SUS PREGUNTAS

Quisiera tener una pedicura porque no me puedo ver, y menos alcanzar, los pies. He oído que se pueden contraer infecciones de las pedicuras. ¿Es cierto?

Aunque es cierto que puede contraer infecciones por hongos en las uñas si los instrumentos que se usan para la pedicura no se han desinfectado, esto ocurre raras veces. Las pedicuras son una manera excelente de mimarse durante el embarazo, por lo tanto, ¡permítase ese placer! Para reducir el riesgo mínimo de una infección por hongos, lleve sus propios instrumentos de pedicura.

¿Cuánto tiempo después de tener el bebé debe transcurrir antes de que comience a lactarlo?

En cuanto nazca el bebé, puede comenzar a amantarlo, si lo desea. Un bebé sano es completamente capaz de lactar en la primera hora después del parto. Mantener al bebé en contacto directo con su piel es la mejor manera de conservar la temperatura corporal del niño. Las enfermeras de parto pueden ayudarle a usted y su bebé a encontrar la posición correcta.

Tengo los pezones invertidos. ¿Puedo aún lactar?

Sí, todavía es posible lactar. Debe primero determinar si en verdad tiene los pezones planos o invertidos ya que hay ciertos grados de inversión y es posible que los pezones no estén completamente planos. La manera de determinarlo es pincharse el pezón. Si no se pone erecto, entonces es plano. Si no sobresale, es en verdad invertido. Sin embargo, muchos bebés pueden ejercer suficiente succión para sacar por su cuenta el pezón. Antes de que nazca el bebé, puede usar caparazones de senos que ofrecen una tracción leve en los pezones. También puede usar estos caparazones por 30 minutos a la vez cuando nazca el bebé. Tenga en mente que una enfermera o especialista en lactación estará disponible en el hospital para ayudarla.

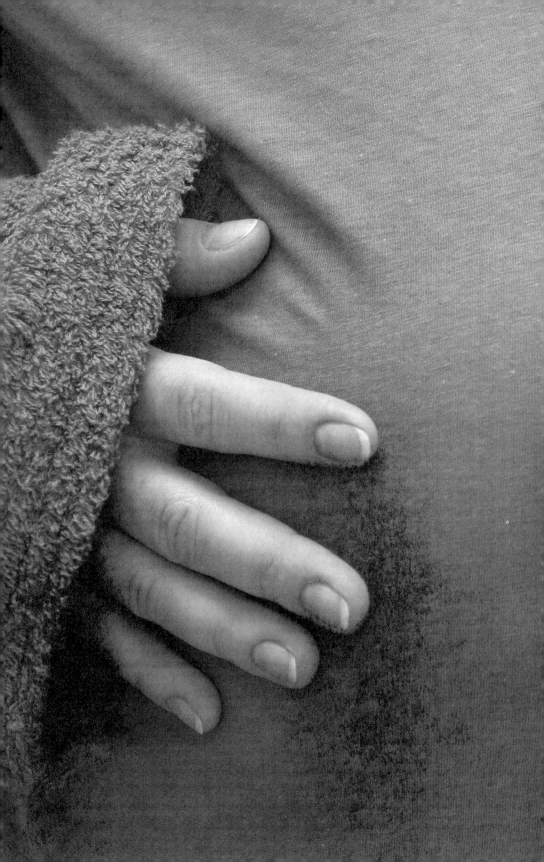

Capítulo 9
Término
(Semanas 37–40)

SU BEBÉ EN DESARROLLO

Semana 37

Casi todo el **lanugo** (vello del cuerpo) que cubrió al bebé y lo mantuvo cálido en el vientre se ha desprendido. Sigue aumentando la grasa en todo el cuerpo—los codos, las rodillas y los hombros—y ahora el cuerpo contiene aproximadamente 16% de grasa.

Semana 38

Su bebé puede nacer en cualquier momento. El ochenta y cinco por ciento de los bebés nacen dentro de un plazo de 2 semanas de la fecha probable del parto.

Semana 39

Al nacer, el cerebro pesa unas 14 onzas. El tamaño y peso del cerebro siguen creciendo a partir de ese momento. Para cuando el bebé tiene 1 año de vida, el cerebro pesa 20 onzas.

Semana 40

El bebé está listo para nacer. Para esta fecha, la cabeza ha descendido a la parte inferior de su pelvis en posición para nacer. A las 40 semanas, el bebé pesa unas 6 a 9 libras y probablemente mida entre 18 pulgadas y 20 pulgadas de largo.

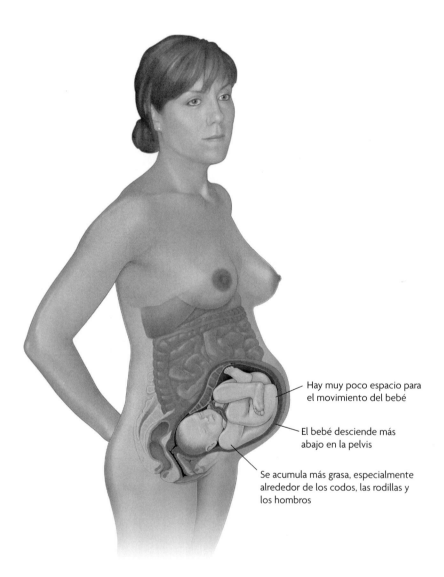

Hay muy poco espacio para el movimiento del bebé

El bebé desciende más abajo en la pelvis

Se acumula más grasa, especialmente alrededor de los codos, las rodillas y los hombros

La madre y el bebé: término (semanas 37–40). Su bebé está ahora listo para nacer.

SU EMBARAZO

▶ Los cambios del cuerpo

¡Ha llegado al final de su embarazo! En estas semanas finales antes de la fecha probable del parto, probablemente esté ansiosa que termine el embarazo. Este mes, el *útero* dejará de expandirse; ha crecido de tan sólo unas 2 onzas antes de quedar embarazada aproximadamente a 2 ½ libras en este momento.

▶ Molestias y cómo lidiar con ellas

Es posible que se sienta ahora muy incómoda. Es difícil caminar y acostarse no es mucho mejor tampoco. Muchas mujeres dicen que no pueden dormir en la noche durante las últimas semanas. Puede ser difícil entrar y salir de un automóvil. Tal vez se sienta aburrida esperando la llegada del bebé, o tal vez se sienta entusiasmada y ansiosa.

Trate de pensar en otra cosa mientras espera. Dedique tiempo de calidad para estar con su pareja, leer un buen libro o ver una película (no podrá hacer esto por un tiempo después de que llegue el bebé). Mantenerse activa puede ayudarle a que los días transcurran más rápido.

Micción frecuente

El útero es más grande que nunca antes y ejerce una presión mucho mayor ahora en la vejiga, por lo que tendrá que ir muchas veces al baño durante el día. No deje de tomar mucha agua durante este tiempo ya que su cuerpo necesita líquidos ahora más que nunca.

Ronquidos

Si su pareja le dice que usted ha estado roncado mucho más de lo habitual, puede culpar los cambios normales que ocurren en la respiración durante el embarazo. Si roncar es realmente un problema, pruebe dormir con tiras nasales a lo ancho del tabique de la nariz o use un humidificador en su habitación.

❱ Nutrición

No es poco común que vuelva a sentir síntomas leves de náuseas en las últimas semanas de embarazo. De hecho, algunas mujeres incluso adelgazan un poco. Las náuseas pueden ser un indicio de que el trabajo de parto está comenzando. Si las náuseas son muy intensas o persisten, llame a su proveedor de atención médica.

En estas últimas semanas, tal vez se sienta mejor comiendo cuatro o cinco comidas pequeñas durante el día, en lugar de tres grandes. Si tiene náuseas leves, trate de consumir alimentos que no sean irritantes, por ejemplo, pruebe la dieta BRATT (plátanos o guineos, arroz, puré de manzana, té y pan tostado) para problemas intestinales. Recuerde, sin embargo, que debe seguir comiendo regularmente durante el día. Usted y su bebé necesitan la energía para hacerle frente al gran esfuerzo del trabajo de parto y parto.

Enfoque en el ácido docosahexaenoico

El ácido docosahexaenoico (ADH) es un ácido graso omega-3 (consulte el Capítulo 4, "5º mes: [Semanas 17–20]") que se encuentra en el salmón y el atún, así como en las semillas de linaza y sus aceites. Aunque todavía se está investigando para entender mejor sus efectos, algunos estudios indican que el ADH desempeña una función en el cerebro, tanto antes como después del nacimiento del bebé. La Administración de Alimentos y Medicamentos de Estados Unidos afirma que el ADH también puede ser beneficioso para ayudar a proteger a los adultos contra las enfermedades cardíacas. Tenga en cuenta que aunque el pescado es una buena fuente de ADH, se recomienda que las mujeres embarazadas eviten ciertos pescados ya que contienen niveles elevados de mercurio (consulte la p. 94). Puede consumir sin riesgo pescado con un bajo contenido de mercurio, como camarones, salmón y mero.

Qué debe comer si cree que está en trabajo de parto

Si cree que está en las etapas iniciales de trabajo de parto, tal vez se pregunte si puede comer y de ser así, qué alimentos. He aquí las pautas más recientes del Colegio Americano de Obstetras y Ginecólogos sobre qué comer y beber durante el trabajo de parto:

- Si tiene programado un **parto por cesárea**, no debe comer alimentos sólidos por 6–8 horas antes de la hora programada de la cirugía. Las normas de su hospital o del proveedor de atención médica determinarán si puede consumir pequeñas cantidades de una dieta líquida absoluta hasta 2 horas antes de la cirugía. Una dieta líquida absoluta consiste en agua, jugos de frutas sin pulpa, gaseosas, té y bebidas especiales de deportes.

- Las mujeres cuyo trabajo de parto se lleva a cabo sin complicaciones pueden beber pequeñas cantidades de estos líquidos durante el trabajo de parto. Sin embargo, ya que no es posible pronosticar si necesitará dar a luz por cesárea, no se le permitirá comer alimentos sólidos durante el trabajo de parto en el hospital.

- A las mujeres con ciertas afecciones en quienes puede aumentar el riesgo de problemas con la **anestesia** como, por ejemplo, **obesidad** o **diabetes mellitus**, se les puede pedir que limiten aún más el consumo de alimentos y líquidos indicados en estas pautas.

Su proveedor de atención médica, o el hospital o centro de parto, pueden tener sus propias normas con respecto a comer y beber durante el trabajo de parto. Necesita saber cuáles son esas normas antes de que comience el trabajo de parto, por lo tanto, asegúrese de preguntar sobre ello durante sus visitas prenatales.

▶ Ejercicio

Puede ser difícil hacer ejercicios este mes. Trate de hacer movimientos de presión contra la espalda, que estiran los músculos de la espalda y no implican mucho movimiento. Este es un buen momento para que usted y su pareja practiquen los ejercicios de respiración que aprendió en la clase de parto. Practique ahora mientras está relajada para que ambos recuerden exactamente lo que deben hacer cuando empiece el trabajo de parto.

Ejercicio del mes: presión contra la espalda

Este ejercicio fortalece la espalda, el torso y la parte superior del cuerpo:

1. Colóquese de pie contra una pared con los pies separados de esta a una distancia de 10 a 12 pulgadas.

2. Presione la parte inferior de la espalda contra la pared.

3. Sostenga esa posición por 10 segundos. Repita el ejercicio 10 veces.

Presión contra la espalda. Este ejercicio fortalece la espalda, el torso y la parte superior del cuerpo.

Ejercicios de respiración

Los diversos métodos de nacimiento enseñan técnicas diferentes de respiración. La mayoría de ellos, sin embargo, se basan en el concepto de que el concentrarse en la respiración puede distraerla del dolor de las contracciones y ayudarle a relajarse. Muchos también enseñan cómo usar un punto focal, es decir, imaginarse un lugar tranquilo y sereno que usted asocia con sentirse tranquila y relajada.

Si no ha asistido a clases de parto, no se preocupe. Una vez que esté en trabajo de parto, las enfermeras le darán muchas instrucciones sobre cómo relajarse y respirar durante las distintas etapas del trabajo de parto.

▌ Decisiones sanas

¿Cuándo debe irse al hospital? ¿Puede haber niños en la sala de partos? Estas son algunas decisiones comunes que puede tener que hacer durante las últimas semanas.

Cuándo debe irse al hospital

Durante las semanas finales, usted y su pareja tendrán, sin duda alguna, momentos ansiosos en que se preguntarán cuándo es el momento indicado para ir al hospital. Esto depende principalmente en si rompe fuente y en la frecuencia e intensidad de las contracciones. Su proveedor de atención médica le dará instrucciones claras a medida que se acerca la fecha probable del parto, así que sígalas al pie de la letra.

Niños en la sala de partos

Algunas familias invitan a sus hijos mayores a estar presentes en la sala de partos para que vean el nacimiento de su hermano o hermana. Sólo usted puede determinar si esta opción es adecuada para su hijo, o para usted. Si desea que el nacimiento del niño sea un suceso familiar, hable primero con su proveedor de atención médica. Averigüe cuál es la norma del hospital sobre la presencia de niños en la sala de partos. Muchos no permiten la presencia de niños pequeños. Si sus otros hijos estarán presentes en la sala o habitación, cada uno necesita tener su propio adulto de apoyo. Aún si su hijo no estará con usted durante el parto, él o ella puede conocer a su nuevo hermano o hermana al poco tiempo del nacimiento del bebé.

Cosas que puede hacer este mes para prepararse

- Coloque una sábana impermeable o cubierta en el colchón de la cama para protegerlo en caso de que rompa fuente durante la noche.

- Lave y organice la ropa del bebé. Algunas personas aconsejan no quitar las etiquetas y sólo lavar la ropa que está segura de que el bebé necesitará. Es buena idea esperar si cree que devolverá alguna de la ropa del bebé a las tiendas. Sin embargo, puede siempre donar la ropa que no use.

- Tenga listo a un grupo de ayudantes. Asegúrese de que todos sepan qué deben hacer y cuándo hacerlo. Considere preparar un horario para determinar cuáles días le falta ayuda y evitar que demasiadas personas ayuden en un solo día. Además, tenga en cuenta que puede necesitar ayudantes aún después de varias semanas del parto, no sólo durante los primeros días.

- Prepare comidas que se puedan congelar y descongelar fácilmente. Es útil tener a la mano sopas, guisos y cazuelas ya que se pueden calentar fácilmente en el microondas cuando sea necesario.

- Escriba en un diario. Considere escribir sus pensamientos y sentimientos a medida que se prepara para el parto. Su niño podría disfrutar de leer su diario posteriormente y tendrá un registro de su forma de sentir durante este momento especial.

Otras consideraciones

A veces es difícil determinar si el trabajo de parto está comenzando o simplemente se trata de una falsa alarma. Puede que haya momentos en que se pregunte, "¿Será este el momento?". Distinguir entre el trabajo de parto verdadero y el preparto es a menudo difícil, incluso para los proveedores de atención médica. Mientras esperan que comience el trabajo de parto, algunas mujeres se preguntan si pueden tener relaciones sexuales. Algunas mujeres pueden sentir una inyección rápida de energía, que comúnmente se denomina "instinto de anidado".

Cómo saber si está en trabajo de parto

Muchas mujeres piensan que están en trabajo de parto cuando todavía no lo están. Las contracciones dolorosas no siempre señalan con certeza el comienzo del trabajo de parto verdadero. Las contracciones que no provocan dolor tampoco siempre significan preparto. Cada mujer siente dolor de forma diferente, y este puede variar de un embarazo al otro. No obstante, hay ciertos cambios que ocurren en el cuerpo que indican que se acerca el trabajo de parto. Tenga en cuenta, sin embargo, que no todas las mujeres presentan estas señales. Una vez que el trabajo de parto comience, los demás procesos ocurrirán más rápidamente. Las membranas se romperán (rompimiento de fuente), sus contracciones serán más seguidas y más frecuentes y el bebé nacerá en unas horas. Cuantos más conocimientos tenga de antemano sobre lo que debe esperar durante el trabajo de parto, mejor preparada estará para el suceso final (consulte el Capítulo 10, "Trabajo de parto y parto").

Coito

Si usted y su pareja lo desean, pueden sin ningún problema tener relaciones sexuales hasta poco antes de dar a luz, a menos que su proveedor de atención médica le indique lo contrario. A algunas mujeres les resulta incómodo el *coito* en las últimas semanas de embarazo. Usted y su pareja pueden brindarse placer mutuamente de maneras que no impliquen tener relaciones sexuales, por ejemplo, mediante el sexo oral y la ***masturbación*** mutua.

Instinto de anidado

Muchas madres futuras tienen deseos intensos de realizar proyectos de trabajo y organizar la casa para el bebé a medida que se aproxima la fecha probable de parto. Estos deseos intensos se denominan "instinto de anidado". Aunque no existen pruebas científicas que justifiquen tal cosa, muchas mujeres afirman que en verdad ocurre.

Si se le presenta ese instinto de anidado, haga lo que necesite hacer para satisfacer sus sentimientos. Sin embargo, recuerde que no debe esforzarse excesivamente ni agotarse. Pida ayuda. Debe conservar su energía para el trabajo de parto y parto así como para cuidar de un nuevo bebé.

⏵ Visitas de atención prenatal

Generalmente acudirá a su proveedor de atención médica una vez a la semana este mes hasta que se vaya de parto. Le medirán el peso, la presión arterial y el tamaño del útero igual que el mes pasado. Se examinará la posición del bebé y le preguntarán sobre los movimientos del bebé. Le podrían examinar el **cuello uterino** para determinar si se ha comenzado a preparar para el trabajo de parto.

▶ Situaciones especiales

Aunque la preeclampsia puede ocurrir en las etapas anteriores del embarazo (en cualquier momento después de las 20 semanas), es más común en las últimas semanas de embarazo. Para algunas mujeres, el desgarramiento de las membranas indica el comienzo del trabajo de parto, así como la presencia de manchas vaginales. No obstante, la presencia de sangrado intenso puede indicar un problema que su proveedor de atención médica necesitará examinar.

Signos de preeclampsia

La preeclampsia puede producir los siguientes signos y síntomas:

- Dolor de cabeza
- Problemas de la vista
- Dolor en la parte superior del abdomen
- Aumento repentino de peso (más de 2 libras en una semana)

Si observa cualquiera de estos síntomas, llame a su proveedor de atención médica de inmediato. El Capítulo 18, "Hipertensión", ofrece información más a fondo sobre cómo se diagnostica y trata la preeclampsia.

Ruptura de membranas

Es posible que sienta la salida gradual o a chorros de líquido al comienzo del trabajo de parto o durante este. Cuando ocurre la ruptura o desgarre de membranas, que también se denomina rompimiento de fuente, quiere decir que se ha roto el saco amniótico lleno de líquido que rodea al bebé. Llame a su proveedor de atención médica si esto ocurre y siga sus indicaciones. Una vez que se desgarren las membranas, su proveedor de atención médica querrá asegurarse de que comience pronto el trabajo de parto si todavía no ha comenzado. Además, si el resultado de la prueba de estreptococos del grupo B fue positiva, necesitará recibir **antibióticos** (consulte el Capítulo 8, "9° mes [Semanas 33–36]").

Cambios en los movimientos del bebé

Es posible que se percate de que los movimientos del bebé son distintos ahora de los que sintió en las semanas anteriores. Es normal que estos movimientos sean distintos ya que hay menos cabida en el útero. La cantidad de movimiento realmente es la misma; sólo se trata de que la sensación que producen los movimientos es distinta.

Su proveedor de atención médica querrá evaluar los movimientos del bebé mediante un control de la frecuencia con que siente 10 movimientos. Para hacer este examen (que se denomina "recuento de patadas"), elija un momento cuando el bebé generalmente está activo. Muchas veces es útil hacerlo después de una comida. Cada bebé tiene su propio nivel de actividad, y la mayoría tiene un ciclo de sueño de 20 a 40 minutos. Llame a su proveedor de atención médica si el bebé tarda más de 2 horas en hacer 10 movimientos.

Sangrado vaginal

Si observa leves manchas de sangre en las semanas 37–40, esto puede ser una señal de que el trabajo de parto está comenzando. Las secreciones vaginales rosadas o teñidas levemente con sangre se denominan "desecho con sangre". Si el sangrado vaginal es intenso—tan intenso como un periodo menstrual normal—puede indicar un problema. En esta situación, comuníquese de inmediato con su proveedor de atención médica.

Algunas mujeres también expulsan el tapón denso de mucosidad que sella el cuello uterino durante el embarazo unas semanas antes o cuando comienza el trabajo de parto. La expulsión del tapón de mucosidad puede ser una señal de que el cuello uterino se está abriendo.

▶ Embarazo postmaduro (semanas 40–42)

Un *embarazo postmaduro* es aquel que dura 42 semanas o más. Las mujeres que tienen bebés por primera vez o que han tenido embarazos postmaduros anteriormente pueden dar a luz más tarde de lo esperado. Un embarazo a menudo puede durar más de lo esperado debido a que se desconoce la fecha exacta en que quedó embarazada. El embarazo postmaduro no es un suceso raro: 7% de los embarazos duran 42 semanas o más.

Si la fecha probable de su parto llegó y pasó, es probable que su proveedor de atención médica quiera hacer algún tipo de evaluación fetal para examinar la salud de su bebé. Si no comienza el trabajo de parto por su cuenta para las semanas 41 ó 42, su proveedor de atención médica le hablará sobre inducir o provocar el parto.

Riesgos

Cuando un embarazo dura más de 40 semanas, pueden aumentar los riesgos a la salud del bebé y de la madre. Después de 42 semanas, la **placenta** no funciona tan bien como lo hizo anteriormente en el embarazo. Además, a medida que crece el bebé, la cantidad de **líquido amniótico** puede empezar a disminuir. Menos líquido puede causar que el **cordón umbilical** se pinche o comprima con el movimiento del bebé o las contracciones del útero. Los embarazos postmaduros aumentan al doble el riesgo que corre la madre de necesitar una cesárea.

A pesar de estos riesgos, casi todas las mujeres que dan a luz después de la fecha probable de parto tienen recién nacidos saludables. Cuando un bebé no nace en la fecha probable de parto, ciertos exámenes pueden ayudar al médico a controlar la salud del bebé. Algunos exámenes, como el recuento de patadas, se pueden hacer en su propio hogar. Otros se hacen en el consultorio médico o en el hospital. Estos se denominan **monitorización electrónica fetal** y consisten en la **evaluación por monitor en reposo**, el **perfil biofísico**, la evaluación de los niveles de líquido amniótico y la **evaluación por monitor con contracciones** (consulte el Capítulo 28, "Evaluaciones para examinar la salud fetal", si desea una descripción a fondo de estos exámenes).

Maduración del cuello uterino

En preparación para el trabajo de parto y parto, el cuello uterino se ablanda y adelgaza (un proceso que se denomina borramiento) y se abre (dilatación). Su proveedor de atención médica le hará un examen vaginal en las últimas semanas de embarazo para determinar si el cuello uterino ha comenzado este proceso. Si ha pasado su fecha probable del parto y el cuello uterino no ha comenzado a revelar estos cambios, su proveedor de atención médica podría recomendar un procedimiento de maduración del cuello uterino para prepararlo para el trabajo de parto.

Hay varias técnicas disponibles de maduración del cuello uterino, como dispositivos diseñados para abrir el cuello uterino o medicamentos que contienen **prostaglandinas**, sustancias químicas que produce el cuerpo para madurar el cuello uterino y causan contracciones uterinas. Hay diferentes tipos de dilatadores que se pueden usar. La **laminaria** es una sustancia natural o artificial que se introduce en el cuello uterino y que se expande cuando absorbe agua. También se puede usar un catéter, o tubo pequeño, para dilatar el cuello uterino, así como dilatadores especiales. Algunos de los medicamentos que se usan son el misoprostol, que se puede dar en forma de píldora por vía oral o se coloca en la *vagina* como gel vaginal y las prostaglandinas, que se introducen en el cuello uterino o la vagina.

La decisión de usar maduración del cuello uterino se basa en varios factores, así como en si los riesgos son mayores que los beneficios. El riesgo de infección es mayor con el uso de dilatadores. Los riesgos del uso de medicamentos para la maduración del cuello uterino son, entre otros, mayor frecuencia e intensidad de contracciones uterinas y cambios en la frecuencia cardíaca fetal. Durante un tiempo breve después de la administración de medicamentos para la maduración del cuello uterino se evalúan la frecuencia cardíaca del bebé y la intensidad de las contracciones uterinas.

Inducción del parto

En los casos en que seguir con el transcurso del parto es más riesgoso que dar a luz el bebé, el proveedor de atención médica puede inducir (provocar) el trabajo de parto. Se puede usar más de un método de inducción del trabajo de parto. Algunos de los métodos de inducción pueden también aligerar el trabajo de parto que no evoluciona de la forma que debe. Hay varios métodos para inducir el trabajo de parto:

• *Despegamiento de membranas*—Su proveedor de atención médica introduce un dedo enguantado por el cuello uterino y pasa el dedo por las delgadas membranas que conectan el saco amniótico con la pared del útero. Puede que sienta dolor intenso y tenga manchas de sangre al hacerle este procedimiento. El despegamiento de membranas causa que el cuerpo libere prostaglandinas.

• *Ruptura del saco amniótico (provocar el rompimiento de fuente)*—Si aún no ha roto fuente, hacerle que se rompa puede causar que empiecen o se intensifiquen las contracciones. Su médico podría hacer un pequeño agujero en el saco amniótico. Este procedimiento se denomina amniotomía. La mayoría de las mujeres comienza a tener el trabajo de parto al cabo de unas horas de romperse el saco amniótico. Si el trabajo de parto no comienza, se puede usar otro método para provocar las contracciones y reducir su riesgo de contraer una infección.

• *Misoprostol*—Este medicamento estimula las contracciones uterinas. Se puede usar para inducir el trabajo de parto cuando el cuello uterino no está listo para que comience. Se puede dar por vía oral o vaginal.

- *Oxitocina*—La **oxitocina** es una hormona natural en su organismo que provoca o intensifica las contracciones. Su médico puede administrarle una forma sintética (artificial) de la oxitocina a través de un catéter intravenoso (suero) en el brazo. Las contracciones generalmente comienzan al cabo de unos 30 minutos de la administración de oxitocina.

Los riesgos de la inducción del trabajo de parto dependen del método elegido y son, entre otros:

- Cambio en la frecuencia cardíaca del feto
- Riesgo incrementado de infección en la mujer y el bebé
- Problemas con el cordón umbilical
- Estimulación excesiva del útero
- Ruptura uterina (poco común)

Para ayudar a evitar estos problemas, se vigila cuidadosamente la frecuencia cardíaca del feto y la intensidad de las contracciones con algunos tipos de inducción. Para evitar la ruptura del útero, no se usa el misoprostol seguido por la oxitocina en mujeres que han tenido partos por cesárea previos o una cicatriz de otra cirugía en el útero.

Cuentos de viejas

Tal vez haya oído los cuentos de otras madres sobre cómo usted misma puede provocarse el trabajo de parto. Muchas mujeres creen que hacer algunas cosas, como dar una caminata larga, tener relaciones sexuales o comer alimentos condimentados, pueden provocar el trabajo de parto. Sin embargo, no hay pruebas de que ninguno de estos métodos funcione.

Un método de naturaleza no médica para la inducción del trabajo de parto que es algo más eficaz es la estimulación de los pezones. Los estudios sobre este método revelan que provoca el trabajo de parto en algunas mujeres, pero sólo cuando el cuello uterino está listo para el trabajo de parto. Sin embargo, no debe tratar de provocarse el trabajo de parto con la estimulación de los pezones sin la supervisión de su proveedor de atención médica.

RESPUESTAS A SUS PREGUNTAS

¿Qué es una *episiotomía* y por qué puedo necesitarla?

La episiotomía es un procedimiento mediante el cual se hace una pequeña incisión para ensanchar la entrada de la vagina cuando está en trabajo de parto. Puede hacerse para facilitar el parto del bebé o evitar que se desgarre la piel en la entrada de la vagina. Anteriormente se solían hacer episiotomías de manera rutinaria, sin embargo, las pautas vigentes del Colegio Americano de Obstetras y Ginecólogos recomiendan limitar su uso. Es útil hablar sobre este tema con su proveedor de atención médica antes del trabajo de parto. Pregúntele la frecuencia con que practica episiotomías y las situaciones en que se deben hacer.

He oído sobre los partos instrumentados. ¿De qué se tratan y cuándo se hacen?

En el parto instrumentado, se da a luz por medio de fórceps o extracción por vacío (una copa de succión especial). El parto instrumentado se hace por varios motivos. El latido del corazón del bebé podría reducirse o mostrarse errático, o la mujer está demasiado cansada para pujar. Consulte el Capítulo 11, "Parto instrumentado, parto por cesárea y presentación de nalgas" para obtener los detalles del parto instrumentado.

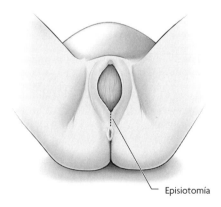

Episiotomía

Episiotomía. La episiotomía es una incisión que se hace entre la entrada de la vagina y la entrada anal para ensanchar el área por donde pasa el bebé. Ya no se considera un procedimiento rutinario aunque puede ser necesaria.

¿Qué determina si mi parto vaginal programado se tendrá que hacer por cesárea?

Aunque usted y su proveedor de atención médica hayan planeado un parto vaginal, a veces es necesario dar a luz por cesárea. Hay muchas circunstancias que pueden hacer necesario tener un parto por cesárea, como presentar ciertas afecciones médicas, un parto que no evoluciona y la **presentación de nalgas** del bebé. Consulte el Capítulo 11 para obtener los detalles del parto por cesárea.

Parte II
Trabajo de parto, parto y el período de postparto

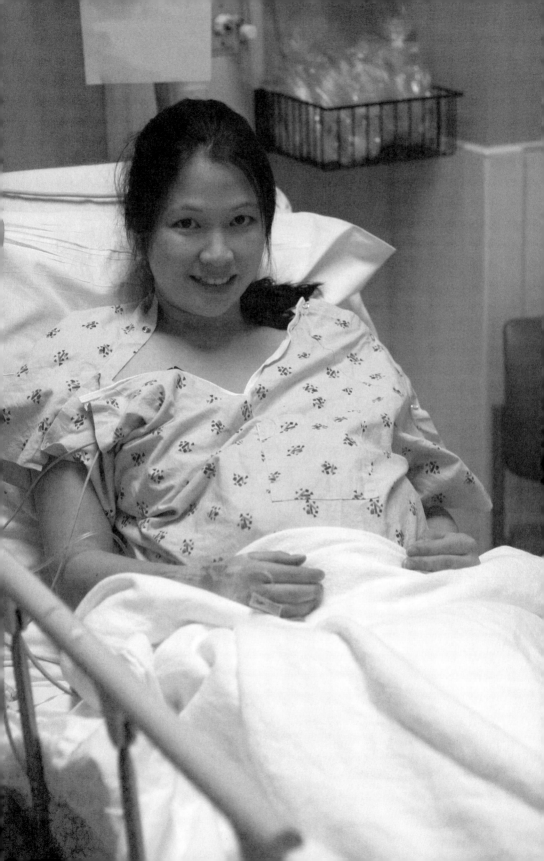

Capítulo 10
Trabajo de parto y parto

El trabajo de parto ocurre cuando una mujer tiene contracciones regulares que producen un cambio en el *cuello uterino*. Aunque para casi todas las mujeres el trabajo de parto verdadero es apreciablemente distinto al preparto, no siempre ocurre así. Es bastante común que una mujer crea que tiene trabajo de parto verdadero cuando no es así. Sin embargo, si tiene contracciones que ocurren antes de las 37 semanas y son regulares y constantes durante un período de 1 ó 2 horas, es importante notificárselo a su proveedor de atención médica prenatal.

Una vez que comience el trabajo de parto, por lo general progresa a un ritmo constante. Para una mujer que tiene un bebé por primera vez, el trabajo de parto casi siempre dura de 12 a 18 horas. Para las mujeres que han dado a luz anteriormente, por lo general dura de 8 a 10 horas. Sin embargo, cada mujer es distinta. Es posible que su trabajo de parto no sea como el de su hermana o amiga. Puede incluso ser diferente para cada hijo. A pesar de estas diferencias, el trabajo de parto y parto generalmente siguen un patrón determinado. Cuanto más sepa sobre lo que debe esperar durante el trabajo de parto, mejor estará preparada una vez que este comience.

Etapas del nacimiento

El trabajo de parto y el parto se dividen en tres etapas definidas: 1ª, 2ª y 3ª etapa. La 1ª etapa consta del trabajo de parto; la 2ª etapa es la "fase de pujar y parto", en la que participa activamente para pujar al bebé hacia afuera y la 3ª etapa consta de la expulsión de la *placenta*.

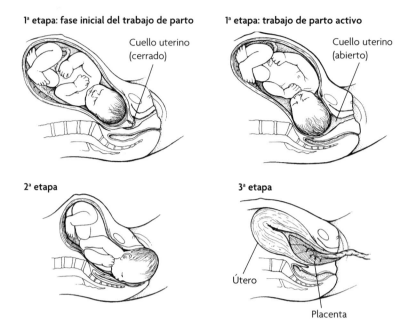

1ª etapa: fase inicial del trabajo de parto

Cuello uterino (cerrado)

1ª etapa: trabajo de parto activo

Cuello uterino (abierto)

2ª etapa

3ª etapa

Útero

Placenta

Las tres etapas del nacimiento. En la 1ª etapa, el cuello uterino se dilata. En la 2ª etapa, el cuello uterino se dilata totalmente y la madre empuja al bebé fuera de la vagina. En la 3ª etapa, la placenta se desprende del útero y se expulsa.

Cuando lea las siguientes secciones, es importante que recuerde que el trabajo de parto de cada mujer es único para ella. Las descripciones del trabajo de parto común que figuran a continuación podrían no describir con exactitud su experiencia final.

Términos comunes

Es posible que oiga al proveedor de atención médica y sus enfermeras usar términos específicos para describir cómo evoluciona su trabajo de parto.

* *Borramiento*—Proceso mediante el cual el cuello uterino se adelgaza. Normalmente, el cuello uterino parece un tubo que conecta la parte superior de la *vagina* con la región inferior del *útero*. Mide más o menos una pulgada de largo. A medida que evoluciona el trabajo de parto, el cuello uterino se comienza a retraer y adelgazar hasta que se sitúa directamente en contra de la pared uterina. El borramiento se calcula en porcentajes, desde 0% al 100% (adelgazamiento total). El proceso de borramiento permite que el cuello uterino se estire para que el bebé pase por la abertura.

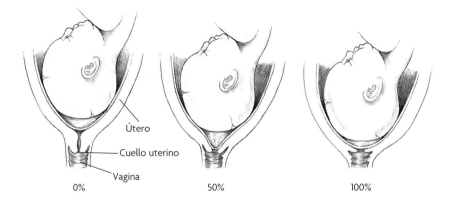

Borramiento. Durante el borramiento, el cuello uterino se retrae y se incorpora a la parte inferior del útero. Se mide en porcentajes, desde 0% (ningún borramiento) a 100% (borramiento total).

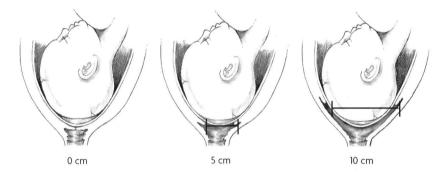

Dilatación. Durante la dilatación, la entrada del cuello uterino se agranda. Se mide en centímetros, generalmente de 0 centímetros (sin dilatación) a 10 centímetros (dilatación total).

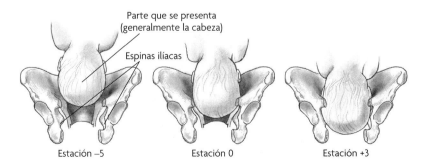

Estación. La estación describe la ubicación de la parte que se presenta del bebé en el canal de parto.

- *Dilatación*—La extensión de la abertura del cuello uterino. Se mide en centímetros, desde 0 centímetros a 10 centímetros (dilatación total).

- *Maduración del cuello uterino*—Proceso mediante el cual el cuello uterino se ablanda, adelgaza y dilata en preparación para el parto.

- *Estación*—La ubicación de la parte que se presenta—generalmente la cabeza del bebé—en el canal de parto. Las espinas ilíacas, las partes óseas de la pelvis que sobresalen en el canal de parto, se usan como punto de referencia. La estación se mide en números que describen la posición de la parte que se presenta relativa a las espinas ilíacas. Una estación negativa (de –1 a –5) quiere decir que la parte que se presenta está situada más arriba de la espinas. Una medida de –5 significa que el bebé se encuentra a 5 centímetros por encima de las espinas. Una estación positiva (de +1 a +5) indica que la parte que se presenta ha descendido por el canal de parto. Una medida de +5 indica que el *feto* está en posición de **coronamiento** y se puede ver mediante un examen pélvico en la misma entrada de la vagina de la mujer.

1ª etapa: fase inicial del trabajo de parto

La 1ª etapa se divide en dos fases distintas: la fase inicial del trabajo de parto y el trabajo de parto activo. El comienzo de la fase inicial del trabajo de parto puede ser difícil de definir pero describe el proceso en que ocurren contracciones regulares antes de que el cuello uterino se dilate a 4 centímetros. Tal vez oiga describir esta etapa como "trabajo de parto latente". Algunas mujeres presentan una dilatación cervical de 1–4 centímetros sin que ocurra trabajo de parto aparente debido al proceso silencioso del preparto que ocurre en las últimas etapas del embarazo. La dilatación de 4 centímetros es más bien un punto de referencia arbitrario que se usa para definir cuando una mujer se encuentra en trabajo de parto en lugar de en la fase de preparto.

Qué sucede durante la fase inicial del trabajo de parto

Durante la fase inicial del trabajo de parto, comenzará a tener contracciones leves que pueden ocurrir cada 5 a 15 minutos y durarán aproximadamente 60 a 90 segundos. Las contracciones gradualmente serán más seguidas y a finales de la fase inicial del trabajo de parto, ocurren antes de que trascurran 5 minutos. Durante las contracciones, es posible que sienta dolor o presión que comienza en la espalda y se traslada hacia la parte inferior del abdomen. Cuando esto sucede, el vientre se aprieta y se siente duro. Entre cada contracción, el útero se relaja y el vientre se ablanda. Estas contracciones realizan una labor esencial. Esto es, promueven la dilatación del cuello uterino y ayudan a empujar al bebé más abajo hacia la pelvis.

La primera etapa del trabajo de parto es casi siempre la más larga. Su duración varía para cada mujer. Para algunas, es de sólo unas horas. En otras, dura más tiempo. Para las madres primerizas, dura un promedio de 6 a 12 horas.

Probablemente estará en su hogar durante casi toda la fase inicial del trabajo de parto, mientras espera que las contracciones sean más seguidas. Su proveedor de atención médica le indicará cuándo debe salir para el hospital. Siga al pie de la letra sus indicaciones. Si no está segura de lo que debe hacer, llame a su proveedor de atención médica.

Qué puede hacer

Durante la fase inicial del trabajo de parto, trate de mantenerse lo más relajada posible. Mantenerse relajada facilitará el adelgazamiento y la dilatación del cuello uterino. Puede alternar movimientos activos con períodos de reposo. He aquí lo que puede hacer durante la fase inicial del trabajo de parto:

- Salga a caminar.
- Duerma una siesta.
- Báñese.
- Toque música relajante.
- Practique las técnicas de relajación y respiración que le enseñaron en la clase de parto.
- Cambie de posición con frecuencia.
- Asegúrese de tener todo lo que necesita para el hospital.

La respiración lenta y relajada puede ser útil durante esta etapa:

- Inhale profundamente por la nariz y exhale por la boca al principio de cada contracción.
- Respire lentamente manteniéndose centrada en el movimiento de entrada y salida del aire.
- Trate de contar durante la contracción.
- Al final de la contracción, inhale profundamente por la nariz y exhale por la boca.

Cómo puede ayudarle su ayudante de parto

Su pareja de parto puede ayudarla mucho durante la 1ª etapa del nacimiento, tanto emocional como físicamente. Este es el momento de ayudarla con las estrategias que ambos aprendieron en la clase de parto sobre cómo relajarse y sobrellevar el dolor. Su pareja de parto también puede:

- Mantenerla distraída jugando cartas u otros juegos.
- Masajearle la espalda y los hombros.
- Contar el tiempo entre cada contracción.
- Colocarle una almohadilla caliente o compresa helada en la parte baja de la espalda.
- Hacer llamadas telefónicas por usted.

1ª etapa: trabajo de parto activo

Cuando comienza el trabajo de parto activo, sus contracciones habrán aumentado y son más seguidas. En términos generales, se considera que el trabajo de parto activo ha comenzado cuando una mujer tiene contracciones regulares y el cuello uterino se ha dilatado a 4 centímetros. Es difícil saber con precisión cuándo esto ocurrirá, por lo tanto, cuando se intensifiquen las contracciones, y sean más seguidas y regulares, es el momento de irse al hospital.

Qué sucede cuando se registra en el hospital

Cada hospital tiene sus propios procedimientos. Después de haber ingresado, los próximos pasos pueden variar. La secuencia siguiente es generalmente lo que ocurre:

- *Formularios de consentimiento*—Estos formularios varían, pero la mayoría de ellos explica quién la atenderá, por qué se practica un procedimiento y los riesgos que acarrea. Lea este formulario y asegúrese de exponer sus preguntas si hay algo que no está claro. Firmar el consentimiento significa que usted comprende su estado médico y acepta la atención descrita. Es posible que necesite firmar consentimientos separados para la **anestesia** y el **parto por cesárea**.

- *Sala de evaluación preliminar*—Antes de que la ingresen en el hospital, el personal determinará si está en trabajo de parto. La llevarán a la sala de evaluación preliminar, o este proceso se puede realizar en el departamento de emergencia del hospital. Si se determina que está en trabajo de parto, la llevarán a una habitación en el hospital. Si no está en trabajo de parto, le dirán que regrese a casa.

- *Asignación de la habitación*—La llevarán a una habitación del hospital. En algunos hospitales permanecerá en la misma habitación durante el trabajo de parto y el parto. Otros hospitales tienen una sala de partos separada.

- *Cambio de ropa*—Le pedirán que se ponga una bata hospitalaria. Pregúntele a la enfermera si puede usar su propia bata, pero tenga en cuenta que se puede manchar o dañar.

- *Signos vitales*—Le tomarán el pulso y le medirán la presión arterial y temperatura.

- *Pruebas de laboratorio*—Es posible que tomen una muestra de **orina** o sangre.

- *Examen físico*—Posteriormente le harán un examen vaginal para determinar la dilatación del cuello uterino.

- *Catéter intravenoso*—Le pondrán un catéter intravenoso (suero) en el brazo o la muñeca para que se puedan administrar medicamentos y líquidos si los necesita.

- *Monitorización fetal*—Se evaluarán la frecuencia cardíaca de su bebé y sus contracciones posiblemente mediante el uso de **monitorización electrónica fetal**.

Una vez que se encuentre en la habitación del hospital, una enfermera de la sala partos vendrá a verla de vez en cuando hasta que nazca el bebé. Estas enfermeras están bien capacitadas para ayudar a las mujeres a sobrellevar las exigencias físicas y emocionales del trabajo de parto. En los hospitales de enseñanza, un médico residente, enfermera estudiante o estudiante de medicina podría también formar parte del equipo de parto.

Su propio proveedor de atención médica podría estar presente desde el comienzo hasta el final, o podría llegar poco antes del parto. Durante esta etapa, se vigilará estrechamente lo siguiente:

- Su ritmo cardíaco y presión arterial
- El intervalo y la duración de cada contracción
- El grado de dilatación del cuello uterino
- El latido cardíaco del bebé, ya sea con un monitor electrónico fetal o un estetoscopio especial

Qué sucede durante el trabajo de parto activo

El trabajo de parto activo por lo general ocurre cuando el cuello uterino se dilata de 4 centímetros a 10 centímetros. Las contracciones se intensifican y ocurren tan frecuentemente como cada 3 minutos y cada una dura alrededor de 45 segundos. El trabajo de parto activo puede durar unas 4 a 8 horas. Durante este período, puede ocurrir lo siguiente:

- Rompimiento de fuente, si todavía no ha ocurrido.

- Dolor en la parte baja de la espalda a medida que la cabeza del bebé ejerce presión sobre la columna vertebral durante las contracciones.
- Calambres en las piernas.
- Necesidad intensa de pujar.
- Náuseas.

Qué puede hacer

Sus contracciones se intensificarán; por lo tanto, manténgase centrada en sus ejercicios de respiración y trate cada contracción individualmente. Deje que su pareja de parto y enfermera la ayuden con los ejercicios de respiración y relajación. Cuando pase una contracción, trate de relajarse y no piense en la próxima. Puede ser útil moverse un poco en la cama para encontrar la posición más cómoda para usted. Ahora hay otras cosas que puede hacer:

- Si desea hacerlo y su proveedor de atención médica lo autoriza, camine por los pasillos.

- Orine a menudo porque cuando la vejiga está vacía el bebé tiene más espacio para descender.

- Pida algún tipo de alivio para el dolor si lo desea (consulte "Alivio del dolor durante el trabajo de parto" más adelante en este capítulo).

- Si siente la necesidad de pujar, dígaselo a su proveedor de atención médica. Sin embargo, no ceda a esta necesidad todavía, trate de jadear o soplar para evitar la sensación urgente de pujar.

Cómo puede ayudarle su ayudante de parto

Usted dependerá de su pareja de parto cada vez más a medida que se intensifican los dolores del trabajo de parto. Permítale que la ayude usando los métodos para controlar el dolor que aprendió en la clase de parto. Su pareja puede también ayudarle de las siguientes maneras:

- Aplicar contratensión a la espalda: presionar firmemente en la parte baja de la espalda o masajear con los nudillos o pelotas de tenis.
- Flexionar los pies para aliviar los calambres en las piernas.
- Actuar como punto de enfoque durante las contracciones.
- Ofrecerle consuelo y apoyo.
- Darle trozos pequeños de hielo o caramelos duros si lo desea.

Formas de estimular el trabajo de parto

A veces, si el trabajo de parto no evoluciona tan rápido como debe, su proveedor de atención médica podría decidir estimular el trabajo de parto desgarrando las membranas (si todavía no ha ocurrido) o dándole un medicamento que se llama Pitocin, una forma sintética de la **oxitocina**, la **hormona** que provoca la contracción del útero.

Este medicamento aumenta la frecuencia y duración de las contracciones (consulte la p. 199). El trabajo de parto se puede estimular si se considera que las contracciones son infrecuentes o demasiado leves para dilatar el cuello uterino y la mujer está en trabajo de parto activo.

Transición a la 2ª etapa

En el final de la fase activa de trabajo de parto, este comúnmente se intensifica. Para muchas, esta es la etapa más difícil y dolorosa. No obstante, si le han administrado anestesia epidural u otro tipo de medicamento para el dolor, el dolor no será tan intenso. Las contracciones son más seguidas y pueden durar entre 60 y 90 segundos. Con cada contracción, tendrá la necesidad urgente de pujar. Sentirá además mucha presión en la parte baja de la espalda y el recto. Esta sensación puede ser parecida a la necesidad de evacuar, pero mucho más fuerte. Dígale a su proveedor de atención médica o enfermera en cuanto sienta la necesidad de pujar. Él o ella le examinará el cuello uterino para determinar cuánto se ha dilatado. Hasta que el cuello uterino se haya dilatado totalmente y su proveedor de atención médica o enfermera se lo autorice, trate de no pujar. Comenzar a pujar antes de que el cuello uterino esté totalmente dilatado puede agotarla e inflamar el cuello uterino, que a su vez evita que ocurra la dilatación debida. Controlar la respiración o dar pequeños soplos de aire puede ayudarle a resistir la sensación de pujar. La fase de transición no dura mucho, quizás entre 15 y 60 minutos. Debe prepararse para comenzar pronto con la 2ª etapa.

2ª etapa: fase de pujar y parto

Esta etapa puede durar entre 20 minutos a 3 horas o más. Es distinta para cada mujer y para cada embarazo. La segunda etapa del trabajo de parto da lugar al nacimiento del niño pero generalmente es la más ardua para la madre. Una vez que el cuello uterino se haya dilatado totalmente, podrá comenzar a pujar para que salga el bebé. Durante la 2ª fase, notará un cambio en la forma en que percibe las contracciones. Pueden ser más lentas, ocurrir cada 2 a 5 minutos, y durar más o menos 60 a 90 segundos.

Qué puede hacer

Si ha estado en una sala convencional de trabajo de parto, la trasladarán a una sala de partos. Si está en una sala de trabajo de parto, parto y recuperación, su proveedor de atención médica y la enfermera la ayudarán a colocarse en una posición adecuada para el parto. Muchas mujeres dan a luz a sus bebés casi sentadas, con el respaldar de la cama elevado y los pies colocados en apoyapiés. También hay otras posiciones para el parto que puede probar (acostada de costado, por ejemplo), siempre y cuando lo apruebe su proveedor de atención médica.

Una vez que el proveedor de atención médica se lo autorice, puje con cada contracción o cuando se lo indiquen. A medida que el bebé desciende por el canal de parto, el personal que la atiende le indicará formas para ayudar al bebé a nacer. Cuando la cabeza del bebé aparece en la abertura de la vagina, sentirá una sensación de ardor o punzada en el área a medida que el **perineo** se estira y sobresale. Esta sensación es normal.

Después de la presentación de la cabeza por el canal de parto, el cuerpo del bebé gira. Primero sale un hombro y luego el otro. Después de haber salido ambos hombros, saldrá rápidamente el resto del cuerpo del bebé. Su proveedor de atención médica o ayudante de parto cortará entonces el **cordón umbilical**. La sangre del cordón umbilical se obtiene rutinariamente para los análisis de sangre del recién nacido, como el grupo sanguíneo.

Cómo puede ayudarle su ayudante de parto

Su pareja de parto puede sostenerle las manos y hablarle con cada contracción. Puede ser de gran ayuda recibir palabras de apoyo. Dígale a su pareja de parto dónde desea que él o ella se encuentre. Si se encuentra al nivel de sus hombros, esta persona puede ofrecerle apoyo emocional y físico a medida que da a luz al bebé. En este lugar, su ayudante podrá ver lo mismo que usted durante el nacimiento del bebé.

3ª etapa: expulsión de la placenta

Cuando haya nacido su bebé, queda una parte más del parto, la expulsión de la placenta. Esta última etapa es la más corta de todas. Lo más probable es que dure de sólo unos minutos a alrededor de 20 minutos.

Durante esta etapa, todavía tendrá contracciones. Serán muy seguidas y menos dolorosas. Estas contracciones ayudan a separar la placenta de la pared del útero. Posteriormente, las contracciones desplazan la placenta hacia abajo por el canal de parto. Una vez que está allí, podrá expulsarla de la vagina pujando una o dos veces. Algunos proveedores de atención médica ayudan a expulsar la placenta introduciendo una mano dentro de la vagina hasta el útero para agarrar la placenta. Si tuvo una **episiotomía** o un desgarre, se cerrará con suturas. Si ha decidido conservar la sangre del cordón umbilical, se obtendrá antes o después de expulsar la placenta.

Estas contracciones también ayudan a que se vuelva a reducir el tamaño del útero. A medida que el útero se encoge, se sellarán los vasos sanguíneos que proporcionaron nutrientes y oxígeno a la placenta y descartaron los productos de desecho. De esta forma se controla la pérdida de sangre.

Alivio del dolor durante el trabajo de parto

El trabajo de parto de cada mujer es distinto. La intensidad del dolor que siente durante el trabajo de parto puede ser muy distinta al dolor que tuvo su madre, hermana o amiga durante el trabajo de parto y puede ser distinto incluso al dolor que sintió con partos previos. El dolor depende de muchos factores, como el tamaño y la posición del bebé y la intensidad de las contracciones.

A pesar del dolor que se espera que ocurra durante el trabajo de parto, a muchas mujeres les preocupa recibir medicamentos para aliviar el dolor porque creen que de alguna manera la experiencia será menos natural. Sin embargo, muchas mujeres encuentran que aliviar el dolor les permite controlar mejor el trabajo de parto y el parto. No tema pedir alivio del dolor si lo necesita.

Hay dos tipos de medicamentos para el dolor: **analgésicos** y **anestésicos**.

1. Los analgésicos alivian el dolor sin la pérdida total de la sensación ni del movimiento muscular. Aunque no siempre alivian completamente el dolor, lo mitigan. Casi siempre, los analgésicos se administran mediante una inyección en un músculo o a través de un catéter intravenoso (suero).

2. Los anestésicos bloquean casi toda la sensación, incluido el dolor y el movimiento muscular. Algunas formas de anestesia, como la anestesia general, le causan pérdida del conocimiento. Otras formas, como la anestesia regional, bloquean casi toda la sensación de dolor en ciertas partes del cuerpo mientras está consciente. Sin embargo, aún puede sentir presión. Le darán anestésicos si tiene un parto por cesárea y es opcional para el trabajo de parto.

Hable con su proveedor de atención médica sobre sus opciones. En algunos casos, el proveedor podría hacer arreglos para que conozca al **anestesiólogo** antes del trabajo de parto y parto. El anestesiólogo le ayudará a elegir el mejor método.

Analgésicos

Al igual que otros tipos de fármacos, los analgésicos pueden producir efectos secundarios. La mayoría son leves, como náuseas, somnolencia o dificultad para concentrarse. A veces se administran otros medicamentos con los analgésicos para aliviar las náuseas. Los analgésicos sistémicos no se administran inmediatamente antes del parto ya que pueden reducir el ritmo de la respiración del bebé durante el parto.

Anestesia local

La **anestesia local** entumece y causa pérdida de la sensación en un área pequeña. Sin embargo, no reduce el dolor de las contracciones. La anestesia local es útil cuando es necesario hacer y reparar una episiotomía o cuando se reparan desgarres vaginales o perineales que ocurrieron durante el parto. La anestesia local se puede administrar en la segunda etapa del nacimiento para adormecer el perineo.

Los anestésicos locales rara vez afectan al bebé. Además, generalmente no producen efectos secundarios cuando dejan de actuar.

Anestesia regional

La **analgesia regional** tiende a ser el método más eficaz para aliviar el dolor durante el trabajo de parto y produce pocos efectos secundarios. La anestesia epidural, los bloqueos cefalorraquídeos (de la médula espinal) y los bloqueos cefalorraquídeos y epidurales combinados, son tipos de analgesia regional que se usan para mitigar el dolor del trabajo de parto. Se les denomina "regional" porque surten efecto en un área específica del organismo.

Bloqueo epidural

El **bloqueo epidural** causa una pérdida reducida de sensación en la parte inferior del cuerpo de la mujer, no obstante ella permanece despierta y alerta. El bloqueo epidural puede administrase al poco tiempo de que comiencen las contracciones, o más tarde a medida que evoluciona el trabajo de parto. El bloqueo epidural con medicamentos adicionales o más fuertes se puede usar para el parto por cesárea o si el parto vaginal requiere la ayuda de fórceps o extracción por vacío.

Cómo funciona. El bloqueo epidural se administra en la parte inferior de la espalda. Durante el procedimiento, le pedirán que se siente o acueste de costado con la espalda encorvada hacia afuera. Después del procedimiento, se le permitirá moverse pero no caminar.

Antes de realizar el bloqueo, se limpia la piel y se administra anestesia local para adormecer un área de la parte inferior de la espalda. Se introduce una aguja en la piel en el espacio epidural de la médula espinal. Después de colocar la aguja epidural, por lo general se introduce un tubo pequeño (catéter) a través de ella y después se extrae la aguja. De esta forma es posible administrar pequeñas dosis de medicamentos a través del tubo para reducir las molestias del trabajo de parto. Los medicamentos se pueden también administrar continuamente sin la necesidad de dar otra inyección. En algunos casos, el catéter podría tocar un nervio. Al hacerlo, puede sentir una sensación breve de hormigueo que desciende por una pierna.

Dado que el medicamento necesita absorberse dentro de varias neuronas, puede que se demore un poco en surtir efecto. El alivio del dolor comenzará a los 10 a 20 minutos de la inyección del medicamento.

Aunque el bloqueo epidural le permite sentir menos molestias, todavía estará consciente de sus contracciones. También puede sentir los exámenes vaginales y algo de presión a medida que desciende la cabeza del bebé. El anestesiólogo ajustará el grado de entumecimiento para su comodidad y para asistir el trabajo de parto y parto. El medicamento podría causar un leve entumecimiento temporal, sensación de pesadez o debilidad en las piernas.

Efectos secundarios y riesgos. Aunque la mayoría de las mujeres no tienen problemas con el bloqueo epidural, hay algunas desventajas de este método para aliviar el dolor:

- El bloqueo epidural puede reducir su presión arterial. Al hacerlo, el ritmo cardíaco del bebé puede disminuir. Para evitarlo, le administrarán líquidos por vía intravenosa antes de inyectar el medicamento. También puede que necesite acostarse de costado para aumentar el flujo sanguíneo.

- Después del parto, puede tener dolor de espalda debido a la inyección por unos días. Sin embargo, el bloqueo epidural no causa dolor de espalda a largo plazo.

- Algunas mujeres (menos de 1 en 100) pueden tener dolores de cabeza después del procedimiento. Para reducir el riesgo de dolores de cabeza, es necesario mantenerse tan inmóvil como sea posible cuando se introduzca la aguja. Si tiene dolor de cabeza, a menudo se alivia en unos pocos días. Si no se alivian los dolores de cabeza o se intensifican, es necesario tratarlos.

- Cuando se administra el bloqueo epidural tarde en el trabajo de parto o se usa mucho anestésico, puede que sea difícil sentir la sensación de pujar al bebé a través del canal de parto. Si no tiene suficiente sensación para pujar al momento en que tenga que hacerlo, el anestesiólogo puede ajustar la dosis.

En muy raras ocasiones ocurren complicaciones graves:

- Las venas ubicadas en el espacio epidural se hinchan durante el embarazo. Existe el riesgo de que el medicamento anestésico se inyecte en una de ellas. Las señales que alertan a que esto ha ocurrido son, entre otras, mareos, latidos cardíacos acelerados, sabor peculiar o entumecimiento alrededor de la boca cuando se administra el bloqueo epidural. Dígale inmediatamente a su proveedor de atención médica si presenta alguno de estos síntomas.

- Si el nivel del anestésico es demasiado elevado, se pueden afectar adversamente los músculos del pecho y dificultar la respiración.

Cuando un anestesiólogo experto o capacitado administra la analgesia o anestesia, la probabilidad de que surjan problemas es muy baja. Si cree que el bloqueo epidural es la mejor opción en su caso, expóngale sus dudas o preguntas a su proveedor de atención médica.

Bloqueo cefalorraquídeo

El *bloqueo cefalorraquídeo* (de la médula espinal)—al igual que el bloqueo epidural—se administra mediante una inyección en la parte inferior de la espalda. Para este procedimiento, debe estar sentada o acostada de costado en la cama mientras se le inyecta una pequeña cantidad de medicamento en el líquido de la médula espinal para adormecerle la parte inferior del cuerpo. Este método alivia el dolor y comienza a surtir efecto rápidamente, pero sólo dura una o dos horas. Generalmente se usa para el parto por cesárea y en muy pocas ocasiones, tarde en el trabajo de parto o para un parto vaginal.

Bloqueo cefalorraquídeo–epidural combinados

La combinación del bloqueo raquídeo y epidural ofrece las ventajas de ambos tipos de alivio del dolor. El cefalorraquídeo ayuda a aliviar el dolor inmediatamente. Los medicamentos administrados por el bloqueo epidural ofrecen alivio del dolor durante el trabajo de parto. A algunas mujeres (pero no todas) se les permite caminar después de administrar esta anestesia. Por este motivo, este método se llama a veces el "bloqueo epidural que permite caminar".

Anestesia general

Los anestésicos generales son medicamentos que causan la pérdida del conocimiento y de la sensibilidad al dolor. La *anestesia general* la pondrá a dormir. A menudo se usa cuando no es posible administrar anestesia regional o en los casos en que la anestesia regional no es la mejor opción por razones médicas o de otra índole. Puede administrarse rápidamente y causa que la persona pierda de inmediato el conocimiento. Por lo tanto, con frecuencia se usa cuando el parto por cesárea es de carácter de urgencia.

Un riesgo importante durante la anestesia general lo produce la presencia de alimentos o líquidos en el estómago de la mujer. El trabajo de parto por lo general causa que los alimentos que no se han digerido permanezcan en el estómago. Durante el período de inconsciencia, estos alimentos pueden trasladarse a la boca y entrar en los pulmones donde pueden ser perjudiciales. Para evitar que esto suceda, no está permitido comer ni beber nada una vez que el trabajo de parto haya comenzado. Se colocará una sonda por la garganta después de que se duerma para ayudarle a respirar. Esta sonda puede causarle dolor de garganta cuando se despierte.

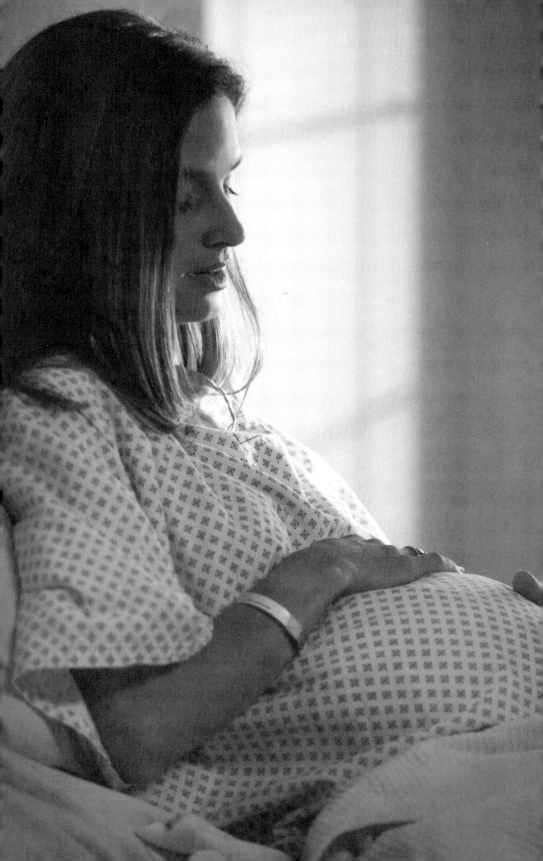

Capítulo 11

Parto instrumentado, parto por cesárea y presentación de nalgas

Una vez que el trabajo de parto comience de lleno, por lo general progresa a un ritmo constante. Nadie puede pronosticar cómo procederá el nacimiento de un bebé. A veces, ocurre bastante rápido sin ningún problema. No obstante, en algunos partos, la mujer puede pujar por horas sin que ocurra mucho progreso. En otros casos, surgen problemas durante el trabajo de parto. Si su médico considera que continuar con el trabajo de parto o un parto vaginal es riesgoso para usted o su bebé, puede decidir que la mejor opción es dar a luz de otra manera, ya sea mediante un parto instrumentado o un *parto por cesárea*.

Parto instrumentado

En algunos casos, el médico puede tener que ayudar a que progrese el parto mediante el uso de *fórceps* o de extracción por vacío. Este tipo de parto se denomina parto instrumentado. El parto instrumentado se hace en aproximadamente un 10% al 15% de los partos vaginales por varias razones:

- El latido del corazón del bebé se reduce o se muestra errático.
- Usted se siente demasiado cansada para pujar.
- La posición del bebé dificulta el parto.

Tipos de partos instrumentados

Hay dos tipos de partos instrumentados; es decir, parto por fórceps y *extracción por vacío*:

- *Parto por fórceps*—Los fórceps se asemejan a un par de cucharas grandes. En el procedimiento, se introducen los fórceps en la **vagina** y se colocan

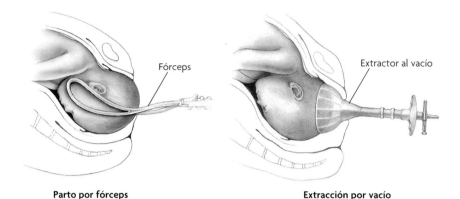

Parto por fórceps   Extracción por vacío

alrededor de los pómulos y la mandíbula del bebé. Los fórceps entonces se usan para guiar cuidadosamente la cabeza del bebé hacia afuera por el canal de parto.

- *Extracción por vacío*—Una copa de succión especial se introduce en la vagina y se presiona sobre la cabeza del bebé. La succión sostiene la copa en su lugar. La copa tiene un mango que permite al médico aplicar tracción leve y bien controlada para ayudar al bebé a atravesar el canal de parto mientras la mujer sigue pujando.

Riesgos

En la mayoría de los casos, el uso de estos instrumentos ayuda a que el parto transcurra sin problemas mayores y se ha determinado que ambos métodos se pueden usar con seguridad. Hay, no obstante, un riesgo de que el parto por fórceps o la extracción por vacío provoquen un moretón en la cabeza del bebé. Los fórceps pueden también desgarrar la vagina o el cuello uterino. En casos poco comunes, pueden ocurrirle lesiones más graves al bebé. Su médico debe informarle estos riesgos antes de practicar un parto instrumentado.

Parto por cesárea

Casi todos los bebés nacen por el canal de parto de la madre. Sin embargo, en muchos embarazos, se extrae al bebé mediante una incisión en el abdomen y **útero** de la madre. Este procedimiento se denomina parto por cesárea. Los partos por cesárea son muy comunes. De hecho, el 31% de los bebés que nacieron en 2006 lo hicieron de esa manera. El índice de cesáreas ha aumentado un 50% desde 1996.

Por qué puede necesitar uno

El parto por cesárea puede ser necesario si ocurren circunstancias durante el trabajo de parto que ameriten practicar una cesárea por ser una opción más segura que un parto vaginal. El parto por cesárea puede programarse por anticipado si existen ciertos problemas o situaciones.

Los siguientes motivos pueden provocar un parto por cesárea:

- *El trabajo de parto no evoluciona*—Una de las razones más comunes por la que los médicos efectúan una cesárea es porque el trabajo de parto se vuelve más lento o cesa. Casi uno de cada tres partos por cesárea se realiza por este motivo. Por ejemplo, puede que tenga contracciones, pero son demasiado débiles o infrecuentes para dilatar el cuello uterino lo suficiente como para que el bebé se pueda desplazar por la vagina. A veces, aun si el cuello uterino se dilata lo suficiente, el bebé es demasiado grande para la pelvis, o la posición del bebé no permite que pase de manera segura y en el tiempo que debe.

- *El trabajo de parto es demasiado estresante para el bebé*—Se altera adversamente el latido del corazón del bebé o la monitorización fetal detecta indicios de otro problema.

- *Problemas con el cordón umbilical*—Si se pincha o comprime el **cordón umbilical**, se puede reducir el suministro de oxígeno al bebé.

Es posible que sea necesario programar un parto por cesárea aún antes de que se vaya de trabajo de parto. Los motivos por los cuales se programa un parto por cesárea son, entre otros, debido a las siguientes situaciones:

- *Parto por cesárea previo*—Un parto por cesárea previo puede indicar que necesitará dar a luz por cesárea esta vez también.

- *Va a tener más de un bebé*—Si va a tener dos o más bebés, podría necesitar un parto por cesárea. Muchas mujeres embarazadas con gemelos pueden tener partos vaginales. Sin embargo, si los bebés nacen mucho antes de lo que deben o no se encuentran en posiciones adecuadas en el útero, se puede precisar una cesárea. La probabilidad de tener un parto por cesárea aumenta con la cantidad de bebés que tenga en el vientre.

- *El bebé es grande o la pelvis es pequeña*—A veces, el bebé es demasiado grande para atravesar sin riesgo la pelvis y vagina de la mujer. Este estado se denomina **desproporción cefalopelviana**.

- *El bebé se presenta de nalgas o se encuentra en una posición que pone en peligro el nacimiento por vía vaginal*—Si está en trabajo de parto y el bebé aparece en **presentación de nalgas** (con las nalgas o los pies más cercanos a la vagina), el médico puede determinar que el parto por cesárea es la manera más segura para dar a luz. Si el bebé esta en posición transversal (acostado de lado en el útero en lugar de orientado con la cabeza hacia abajo), el parto por cesárea es la única opción.

- *Usted lo pide*—Algunas mujeres piden someterse a un parto por cesárea aún cuando no hay un motivo médico para ello. Esto se denomina "parto por cesárea a petición". Es importante hablar por anticipado sobre esta opción con su proveedor de atención médica y explorar los motivos detenidamente antes de optar por el parto por cesárea. Al igual que con toda cirugía mayor, el parto por cesárea conlleva ciertos riesgos. Estos riesgos aumentan con la cantidad de cesáreas que haya tenido. Puede obtener información más a fondo sobre el "Parto por cesárea a petición" en las páginas 120–121.

- *Tiene problemas con la placenta*—**Placenta previa** es una afección en que la placenta se encuentra debajo del bebé y cubre una parte o todo el cuello uterino, obstruyendo así la salida del bebé del útero. Los problemas placentarios también pueden producir sangrado intenso.

- *Tiene una afección médica que pone en peligro el parto por vía vaginal*—Por ejemplo, se hace la cesárea cuando una mujer tiene una infección activa de herpes durante el trabajo de parto.

Qué sucede durante el parto por cesárea

El proceso del parto por cesárea puede variar según el motivo por el cual se haga la cesárea. Sin embargo, en casi todos los casos, los partos por cesárea siguen un procedimiento semejante:

Anestesia

Para bloquear el dolor durante el parto por cesárea, se administrará **bloqueo epidural, bloqueo cefalorraquídeo** o **anestesia general**. El **anestesiólogo** hablará con usted sobre el tipo de medicamento que usted prefiere usar y tendrá en cuenta sus deseos cuando decida el mejor método en su caso. La decisión de si tendrá anestesia general, raquídea (de la médula espinal) o epidural dependerá de su salud y la del bebé, así como del motivo por el cual se efectúa el parto por cesárea.

Si le han colocado un **catéter** epidural y posteriormente necesita dar a luz por cesárea, casi siempre el anestesiólogo puede inyectar una cantidad mayor o un tipo distinto de medicamento por el mismo catéter para aliviar mejor el dolor. Al hacerlo, el anestésico adormecerá el abdomen completo para la cirugía. Aunque no sentirá ningún dolor, podrá sentir presión.

Preparación para la cirugía

Antes de que proceda un parto por cesárea, hay que tomar algunas medidas para prepararla para la cirugía:

- Se vigilará por monitor su presión arterial, frecuencia cardíaca y respiración durante la cirugía. Le colocarán una mascarilla de oxígeno sobre la nariz y boca o una sonda por la nariz para garantizar que usted y su bebé reciban mucho oxígeno durante la cirugía.

- Le limpiarán el abdomen y si fuera necesario, recortarán el vello entre el hueso púbico y el ombligo. Se aplicará entonces un antiséptico al área del abdomen y se colocarán sábanas quirúrgicas estériles alrededor del área de la incisión.

- Le introducirán un catéter en la **vejiga**. Esto se hace para mantener vacía la vejiga y evitar que se lesione durante la cirugía.

Incisión

Una vez que esté limpio el abdomen y usted se haya dormido o se encuentre entumecida por el anestésico, el médico hará la incisión abdominal:

- La incisión se hace a través de la piel y la pared abdominal y se extiende de lado a lado, inmediatamente arriba del vello púbico (transversal), o de arriba abajo (vertical).

- El médico separará suavemente los músculos abdominales y cortará a través del recubrimiento de la cavidad abdominal. Por lo general, los músculos abdominales no se cortan.

- Cuando el médico llegue al útero, hará otro corte en la pared uterina. Esta incisión puede también ser transversal (de lado a lado) o vertical (de arriba abajo). En la mayoría de los casos, se hace una incisión transversal. Este tipo de incisión se hace en la parte inferior y más delgada del útero. Produce menos sangrado y se cicatriza con una cicatriz más fuerte. Puede ser necesario hacer una incisión vertical si ha tenido placenta previa o si el bebé no se encuentra en la posición acostumbrada. Debe preguntarle al médico qué tipo de incisión le hizo en el útero porque el tipo de incisión es un factor a la hora de decidir si puede tener un parto vaginal en el futuro.

Salida del bebé

El médico extrae al bebé por las incisiones. Entonces, se corta el cordón umbilical y se le entrega el bebé a una enfermera.

Secundinas y cierre de las incisiones

Después de sacar al bebé, se extrae la placenta del útero. El médico procede entonces a cerrar las incisiones en el útero y la pared abdominal por medio de suturas que se disuelven por su cuenta posteriormente en el cuerpo. No obstante, la incisión de la piel, se cerrará con suturas o grapas quirúrgicas que el médico extraerá más adelante.

Riesgos

Al igual que con las cirugías mayores, el parto por cesárea conlleva ciertos riesgos. Pueden ocurrir problemas en un grupo pequeño de mujeres. Aunque habitualmente se les da tratamiento, en casos muy raros, pueden surgir complicaciones graves o incluso mortales:

- El útero, los órganos pélvicos circundantes o la incisión en la piel pueden infectarse.

- Puede perder sangre. En algunos casos, puede ser necesario transfundir sangre. En casos muy raros, podría ser necesario hacer una **histerectomía** (extracción quirúrgica del útero) si no es posible controlar el sangrado.

- Puede desarrollar coágulos de sangre en las piernas, los órganos pélvicos o los pulmones.

- Se pueden lesionar los intestinos o la vejiga.

- Puede sufrir una reacción debido a los medicamentos o los tipos de anestesia que se emplean.

Recuperación

Si está despierta durante la cirugía, es probable que pueda sostener al bebé cuando termine la cirugía. La trasladarán a una sala de recuperación o directamente a su habitación en el hospital. Le examinarán periódicamente la presión arterial, el pulso, la frecuencia respiratoria y el abdomen.

Si planea lactar al bebé, asegúrese de decírselo a su médico. Tener una cesárea no significa que será incapaz de darle el pecho a su bebé. Si todo marcha bien con usted y su bebé, puede comenzar a lactar al poco tiempo del parto.

Es posible que necesite permanecer acostada por un tiempo. Las primeras veces que se levante de la cama, deberá disponer de la ayuda de una enfermera u otro adulto.

Al poco tiempo de la cirugía, le extraerán el catéter de la vejiga. Seguirá recibiendo líquidos intravenosos después del parto hasta que pueda comer y beber. La incisión abdominal permanecerá dolorosa durante los primeros días. Es posible que el médico le recete un medicamento para el dolor que deberá tomar una vez que se disipen los efectos de la anestesia. Hay muchas maneras distintas de controlar el dolor. Hable con su médico sobre sus opciones.

La estancia hospitalaria después de un parto por cesárea por lo general es de 2 a 4 días. La cantidad de días que permanecerá en el hospital depende del motivo que propició el parto por cesárea y el tiempo que demore el cuerpo en recuperarse.

De regreso a casa

Cuando le permitan regresar a casa, puede que necesite cuidados especiales y limitar sus actividades. Tómelo con calma. Acaba de tener una cirugía mayor y el abdomen tardará varias semanas en cicatrizarse. Durante las semanas en que se esté recuperando de la cirugía, puede ocurrir lo siguiente:

- Cólicos leves, especialmente si lacta al bebé
- Sangrado o secreciones durante aproximadamente 4 a 6 semanas
- Sangrado con coágulos y cólicos
- Dolor en la incisión

El médico le indicará que no se ponga nada en la vagina y que no tenga relaciones sexuales por unas semanas para evitar infecciones. Permita que transcurra un tiempo antes de realizar actividades vigorosas. Llame a su médico de inmediato si tiene fiebre, sangrado profuso o si empeora el dolor.

Presentación de nalgas

En la 3ª o 4ª semana antes de la fecha probable del parto, casi todos los bebés cambian de posición en el útero de manera que la cabeza queda orientada hacia abajo cerca del canal de parto. Esto se denomina *presentación de vértice*. Si el bebé no cambia de posición, puede presentarse de nalgas. Esta posición ocurre en el 3% a 4% de los bebés que nacen a término. Ocurre con más frecuencia en los bebés prematuros.

Aunque no siempre se sabe el motivo por el cual un bebé se encuentra en posición de nalgas, es más común si ocurre una o más de las siguientes situaciones:

- Ha tenido más de un embarazo.
- Va a tener gemelos.
- El útero tiene una cantidad excesiva o deficiente de *líquido amniótico*.
- La forma del útero no es normal o tiene tumores anormales (*fibromas*, por ejemplo).

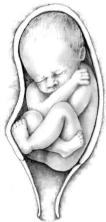

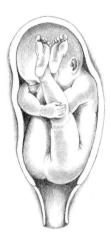

| Presentación de nalgas completa | Presentación de pies | Presentación franca |

Presentaciones de nalgas. En el parto con presentación de nalgas, el trasero o los pies del bebé, o ambos, salen primero durante el parto.

- La placenta recubre toda o una parte de la entrada del útero (placenta previa).

A veces, los bebés con ciertos defectos congénitos también se presentan de nalgas a término, pero casi todos los bebés a término cuya presentación es de nalgas son normales.

Posición del bebé

Para programar el parto de un bebé que se presenta de nalgas, su proveedor de atención médica le hará un examen físico para determinar la posición del bebé. Si se determina que la presentación del bebé es de nalgas—y según su estado y el del bebé—el proveedor de atención médica puede tratar de girar hacia abajo la cabeza del bebé. Este procedimiento se denomina ***versión cefálica externa***.

Para girar al bebé, el proveedor de atención médica coloca sus manos en ciertos puntos de su abdomen y entonces levanta y gira al bebé. En algunos casos, otra persona puede ayudar también a girar al bebé u observarlo con una ***ecografía (ultrasonido)***. Casi nunca se intenta hacer una versión cefálica externa hasta por lo menos la semana 36 del embarazo. Si se hace antes de esa fecha, la presentación del bebé puede volver a cambiar a presentación de nalgas.

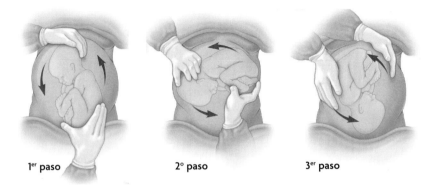

1er paso 2° paso 3er paso

Versión cefálica externa. En este procedimiento, el proveedor de atención médica intenta levantar y girar al bebé de una presentación de nalgas a la presentación de vértice (la cabeza orientada hacia abajo). Reimpreso de Beckmann CRB, Ling FW, Barzansky BM, Herbert WNP, Laube PW, Smith RP. Obstetrics and gynecology. 6ª ed. Baltimore: Lippincott Williams & Wilkins; 2010.

Se usará la monitorización fetal para examinar la frecuencia cardíaca del bebé antes y después de la versión cefálica externa. Si surge algún problema con usted o el bebé, se suspenderá este procedimiento. A veces, se administra un medicamento para relajar el útero, que también facilita girar al bebé. También puede recibir un método de alivio del dolor, como bloqueo epidural.

La versión cefálica externa generalmente se hace cerca de una sala de partos. De esa manera, si surgen problemas, el parto puede ocurrir rápidamente, incluso por cesárea si fuera necesario. Más de la mitad de los intentos de versión cefálica externa dan resultado. No obstante, algunos bebés se vuelven a desplazar a la presentación de nalgas. Si eso sucede, se puede intentar el procedimiento nuevamente. Sin embargo, la versión tiende a ser más difícil a medida que se acerca el momento del parto. Esto se debe a que el bebé es más grande y hay menos espacio para desplazarlo.

Parto

Si la presentación del bebé es de nalgas, su proveedor de atención médica le hablará sobre el tipo de parto que más le convenga a usted y su bebé. Si es posible girar al bebé por versión, el parto vaginal puede ser una opción. Si el bebé se presenta de nalgas y se acerca el momento del parto, la mejor opción puede ser un parto por cesárea.

Capítulo 12
El período de postparto

Tal vez le sea difícil creer que el parto ha pasado y que este bebé es realmente suyo. El período de postparto puede ser una época de alegría y felicidad, pero también de agotamiento y a veces tristeza. Si sabe lo que le está sucediendo a su cuerpo y a sus emociones, podrá enfrentar mejor las alzas y las bajas de los primeros meses en la vida de una madre.

Justo después de que nace el bebé

En los momentos después del parto, es muy probable que pueda sostener y arrullar a su bebé. Las personas que la atienden también estarán ocupadas evaluando la salud de su recién nacido y examinando su estado para asegurarse de que todo ande bien.

Puntaje Apgar de su bebé

La salud de su bebé se evaluará con el examen Apgar al cabo de 1 minuto y nuevamente a los 5 minutos del parto. El *puntaje Apgar* califica cinco parámetros de los recién nacidos: la frecuencia cardíaca, el tono muscular, los reflejos y el color de la piel. A cada uno de estos parámetros se le asigna una puntuación de 0, 1 ó 2. Entonces se suman todas las puntuaciones, con un posible puntaje máximo de 10. El puntaje Apgar de casi todos los bebés es de 7 o más a los 5 minutos del parto. Muy pocos bebés reciben un puntaje perfecto de 10 (consulte la Tabla 12-1).

El puntaje Apgar se usa para verificar el estado del bebé inmediatamente después del parto. También es una buena medida del grado al que el bebé se

Tabla 12-1 El puntaje Apgar

Componente	Puntuación de		
	0	1	2
Ritmo cardíaco	Ausente	Menos de 100 latidos por minuto	Más de 100 latidos por minuto
Respiración	Ausente	Llanto débil o hiperventilación	Llanto fuerte, adecuado
Tono muscular	Lánguido	Flexión leve de los brazos y las piernas	Movimiento activo
Reflejos (reacción ante la succión de las vías respiratorias)	No responde	Hace muecas	Llora o retrae el cuerpo; tose; estornuda
Color*	Amoratado o pálido	Cuerpo rosado; manos y pies amoratados	Rosado por todo el cuerpo

* A los bebés de piel oscura, se les examinan la boca, los labios, las palmas de las manos y las plantas de los pies.

ha ajustado al mundo externo al cabo de pocos minutos del parto. El puntaje Apgar no es una indicación de la salud de su bebé antes del parto, ni tampoco puede pronosticar la salud de su bebé en el futuro.

La primera vez que respira su bebé

Durante el embarazo, su bebé obtuvo oxígeno a través de la **placenta** y el **cordón umbilical**. A poco tiempo de nacer, su recién nacido respirará aire por primera vez. No sólo deberán funcionar los pulmones y llenarse de aire a pocos segundos del parto, sino que todas las estructuras relacionadas, como los músculos alrededor de los pulmones y las vías respiratorias que se derivan de la boca y la nariz, también deben estar listos para comenzar a funcionar.

Después del nacimiento, la presión fuera de los pulmones es más alta que dentro de ellos. Esta presión hace que los pulmones se expandan y se llenen de aire. Por consiguiente, el bebé puede empezar a llorar. Muchos bebés lloran por su cuenta al nacer. Otros no lloran en seguida. En lugar de ello, simplemente comienzan a respirar.

Después del parto, se controlará muy de cerca la respiración de su bebé. Si el bebé no respira bien, se tomarán medidas para ayudarlo. A menudo, simplemente necesitan frotar el cuerpo del bebé para despertarlo un poco. A veces, le podrían administrar al bebé un poco de oxígeno.

Cómo mantener la temperatura del bebé

La temperatura dentro del *útero* es bastante estable. Antes de nacer, su cuerpo mantuvo caliente al bebé. Después de nacer, el bebé entra en un lugar mucho más frío. Además, el recién nacido está mojado con el **líquido amniótico**. El bebé puede perder mucho calor a medida que se le evapora la humedad de la piel. Si le entregan al bebé de inmediato después del parto, la mejor manera de mantenerlo cálido es sostenerlo de manera que tenga contacto directo con su piel. Se usará una toalla o frazada (manta) para secarlo.

Aunque los recién nacidos tienen controles internos para mantener constante la temperatura del cuerpo, estos controles no funcionan tan bien como los de un adulto. Por consiguiente, un recién nacido se puede enfriar o calentar demasiado fácilmente. Es importante vigilar el ambiente del bebé y asegurarse de que tenga puesta la ropa adecuada.

Qué puede hacer para conocer a su bebé

Nunca olvidará el momento en que vió a su nuevo bebé por primera vez. Como madre nueva, es posible que tenga muchas preguntas sobre el aspecto y la forma en que actúa su recién nacido. Saber lo que es normal y qué debe esperar en este momento en la vida de su bebé le ayudará a relajarse y disfrutar mientras lo observa crecer.

Peso del bebé

Una de las primeras preguntas que la gente hace cuando nace un bebé trata sobre el peso del bebé. De hecho, el peso es uno de los primeros parámetros que los médicos y enfermeras del hospital desean saber también. No hay tal cosa como el peso "correcto" para un recién nacido. Hay una fluctuación de peso que se considera normal para casi todos los bebés. La mayoría de los bebés a término pesan entre 5 libras y media y 9 libras y media. El promedio del peso es de 7 libras y media.

El peso a menudo depende de cuánto se aproxime la fecha de nacimiento del bebé a la fecha prevista del parto. Los bebés que nacen prematuramente tienden a pesar menos que los que nacen a término (37–42 semanas después de su último periodo menstrual). Los bebés que nacen más tarde tienden a pesar más. Durante los primeros 3 días del nacimiento, es normal para un bebé perder una pequeña cantidad de peso antes de volver a aumentarlo.

El aspecto de su recién nacido

Si está acostumbrada a ver recién nacidos en televisión, tal vez se sorprenda al saber que casi todos los programas usan bebés de varios meses de edad para representar a un recién nacido. El aspecto real de los bebés recién nacidos es muy distinto durante los primeros días:

- El cuerpo del bebé puede parecer estar encogido porque un nuevo bebé acerca los brazos y las piernas en lo que se conoce como posición fetal. Esta es la forma en que cabía dentro del espacio limitado del útero. Aunque el bebé tiene más espacio ahora, le tomará varias semanas antes de que se estire un poco.

- La cara del bebé puede estar ligeramente hinchada, así como el área alrededor de los ojos, durante unos días.

- La cabeza del bebé puede permanecer larga y puntiaguda por unos días o semanas. ¿Por qué? Los bebés tienen dos partes blandas en la parte superior de la cabeza donde los huesos craneales aún no se han unido. Estas partes blandas permiten que la cabeza tenga suficiente flexibilidad para atravesar el canal de parto.

- Inmediatamente después del parto, los genitales pueden estar inflamados. Esta inflamación por lo general se debe al exceso de líquido que se ha acumulado en el cuerpo del bebé. En las niñas, los **labios vaginales** pueden estar inflamados por la exposición en el útero a los niveles elevados de **hormonas** maternales. Los varones pueden tener una mayor cantidad de líquido alrededor de los testículos que hace que el **escroto** se vea inflamado. Esta inflamación por lo general se resuelve al cabo de unos días.

Cómo actúa su bebé

Las necesidades básicas y respuestas al mundo externo de casi todos los recién nacidos son las mismas. Aun así, cada bebé tiene una personalidad individual desde el principio.

La forma en que se comporta e interactúa un bebé con la gente puede ser muy distinta a la forma en que lo hace otro recién nacido. Algunos bebés son callados y calmados. Este probablemente sea el caso de bebés que parecían estar callados en el útero. Otros bebés están llenos de energía desde el comienzo. Lloran y patean con vigor y exigen atención día y noche.

Una vez que pasa la tensión del parto, la mayoría de los bebés se mantienen muy despiertos durante más o menos la primera hora. Este es un buen momento para lactarlo, hablarle y sostener en sus brazos a su nuevo hijo o hija.

Cuando pase este período de viveza, el bebé tendrá sueño. No se preocupe si su recién nacido parece estar soñoliento o duerme mucho durante las primeras horas o incluso días de vida. Después de todo, usted no es la única persona que necesita recuperarse del parto.

Muchos bebés hacen muy poco inicialmente aparte de dormir. La mayoría de los recién nacidos duermen alrededor de 14 a 18 horas al día, aunque no todas seguidas. Es normal que tenga períodos breves de sueño interrumpidos por períodos cortos de viveza. Nuevamente, sin embargo, depende del bebé. Algunos recién nacidos duermen menos y están inquietos al despertarse. Otros duermen por períodos extensos y están callados y calmados cuando se despiertan.

Qué le sucede después a su bebé

Cuando esté lista para dejar ir a su nuevo bebé, la enfermera pesará y medirá al bebé, lo bañará y le colocará bandas de identificación alrededor del tobillo y la muñeca, y tal vez tome las huellas de las manos y pies del bebé. Durante las próximas horas, el médico y las enfermeras se asegurarán de que la salud del bebé esté bien.

Atención médica

Su bebé recibirá un examen médico completo en el hospital. El médico o enfermera examinará al bebé de pies a cabeza, escuchará su respiración y latidos cardíacos, le tomará el pulso, le palpará el estómago y buscará los reflejos normales de los recién nacidos. Se tomarán otras medidas para ayudar a prevenir problemas de salud:

- *Inyección de vitamina K*—el organismo del recién nacido no puede producir vitamina K por su cuenta durante unos días, por lo tanto, se administra rutinariamente vitamina K por medio de una inyección. La vitamina K es necesaria para la coagulación de la sangre cuando se corta la piel. La inyección de vitamina K también ayuda a protegerlo contra trastornos sanguíneos poco comunes pero graves.

- *Pomada o solución con **antibiótico** en los ojos del bebé*—este tratamiento lo protege contra infecciones de gérmenes que pueden entrar en los ojos después del parto.

- *Vacunas contra el **virus de hepatitis B (VHB)***—los bebés pueden contraer el virus de hepatitis B de las madres durante el parto, por ello, esta vacuna se administra a modo de precaución. El virus de hepatitis B, cuando no se le da tratamiento, puede producir una enfermedad grave y daños al hígado.

Pruebas y análisis

Antes de que salga el bebé del hospital, le harán algunos exámenes y análisis para detectar la presencia de ciertas afecciones:

- *Prueba de audición*—hay dos tipos de pruebas auditivas para los recién nacidos. Ninguna de las dos produce dolor y se hacen en unos 10 minutos. En una de las pruebas, se introduce una diminuta sonda y micrófono en el oído del bebé. La sonda produce chasquidos muy leves. La respuesta del oído a los sonidos se mide a través del micrófono. En la otra prueba, se colocan audífonos suaves sobre los oídos del bebé. Después se adhieren tres sensores especiales a la cabeza del bebé. Los audífonos producen chasquidos muy leves. Los sensores miden las respuestas de las ondas cerebrales ante los sonidos. Si la prueba de evaluación revela que puede haber alguna pérdida auditiva, el médico referirá al bebé a un especialista de la audición para que le realicen pruebas adicionales.

- *Análisis de sangre*—se tomará una pequeña muestra de sangre para detectar ciertas enfermedades, como fenilcetonuria e **hipotiroidismo** (nivel reducido de la hormona de la tiroides). Ambos padecimientos pueden causar retraso mental. Generalmente es posible evitar complicaciones si se detectan y tratan estas enfermedades en sus primeras etapas. También examinarán al bebé para determinar si tiene hipoglucemia (nivel bajo de azúcar), anemia de células falciformes y muchos otros padecimientos metabólicos poco comunes. Las pruebas que reciba el bebé dependerán del estado donde usted resida. Usted y su pediatra también pueden pedir que se hagan otras pruebas, pero es posible que el seguro no las cubra.

Circuncisión

Si usted y su pareja han decidido circuncidar a su bebé varón, su obstetra-ginecólogo u otro proveedor de atención médica hará este procedimiento poco después del parto, antes de que el bebé salga del hospital. El procedimiento se debe practicar con un anestésico local. Las circuncisiones por motivos religiosos se pueden hacer fuera del hospital (consulte el Capítulo 7, "8° mes [Semanas 29–32]", para obtener más información).

Período de postparto: la primera semana

Si tuvo un parto vaginal normal, la darán de alta del hospital al poco tiempo de haber nacido el bebé, una vez que se haya establecido que su estado es estable. La duración de su hospitalización depende de su salud. Sin embargo, su póliza de seguro puede tener limitaciones con respecto a la cobertura para la hospitalización después del parto. La duración de su hospitalización después de un ***parto por cesárea*** depende de por qué se practicó la cesárea y el tiempo que necesite para recuperar sus funciones normales.

Antes de darle de alta, le darán instrucciones que deberá seguir en caso de que surjan problemas o alguna emergencia. Debe programar un examen de seguimiento para usted y su recién nacido. Su proveedor de atención médica querrá examinarla entre las 2 y 6 semanas del parto. Se debe evaluar a su bebé por lo general dentro de un plazo de 1 a 2 semanas, a menos que haya alguna situación que sea necesario abordar más pronto. Lo examinará un médico probablemente una vez al mes los 3 primeros meses.

Usted podría recibir además una vacuna contra tétanos, difteria y tos ferina (Tdap) antes de irse del hospital. El Colegio Americano de Obstetras y Ginecólogos recomienda que las mujeres que nunca han recibido esta vacuna la reciban si han transcurrido 2 años o más desde la última vacuna de refuerzo contra el tétanos y la difteria (TD). La vacuna de refuerzo contra el tétanos y la difteria es la que recibe cada 10 años o cuando sufre alguna lesión. Esta vacuna protege contra estas dos enfermedades. La Tdap agrega la vacuna contra la tos ferina a esta vacuna de refuerzo (la "a" en "Tdap" significa "acelular", un tipo de vacuna contra la tos ferina). La tos ferina puede ser una enfermedad grave y a veces potencialmente mortal en recién nacidos. Los miembros de la familia inmediata casi siempre son la fuente de infección de los bebés. Actualmente se recomienda una vacuna contra tétanos, difteria y tos ferina para las personas que tendrán contacto físico con bebés menores de 12 meses. Los familiares menores de 64 años que tendrán contacto físico con el bebé también deben recibir una vacuna contra tétanos, difteria y tos ferina si no lo han hecho todavía.

Sangrado

Después de que nace el bebé, su cuerpo elimina la sangre y el tejido que revestían el útero. Esta secreción vaginal se denomina **loquios**. Durante los primeros días después del parto, el flujo de loquios es intenso y de color rojo brillante. Puede que observe algunos coágulos pequeños. Use toallas sanitarias durante esos días, no tampones.

Con el paso del tiempo, la intensidad del flujo disminuye en volumen y color. Al cabo de aproximadamente una semana del parto, los loquios a menudo se vuelven rosados o de color moreno. Sin embargo, la descarga color rojo brillante puede producirse nuevamente. Tal vez sienta que le baja un chorro de sangre por la vagina al lactar, cuando el útero se contrae. Al cabo de 2 semanas del parto, los loquios a menudo tienen un color moreno claro o amarillo. Posteriormente, desaparecen poco a poco. La cantidad de tiempo que se producen estas secreciones depende de la mujer. Algunas mujeres tienen secreciones por sólo dos semanas después del nacimiento del bebé. A otras les dura un mes o más tiempo.

Contracciones uterinas

Por unos días después del parto, sentirá que el útero se contrae y se relaja a medida que se encoge a su tamaño normal. Los dolores que se producen a veces se denominan entuertos. Mientras que espera que pasen esos dolores, puede obtener alivio tomando medicamentos para el dolor de venta sin receta.

Dolor perineal

El **perineo** es el área entre el **ano** y la **vagina**. Si tiene suturas en esta área debido a una **episiotomía** o desgarre, posiblemente tendrá hinchada y adolorida dicha área a medida que se cicatriza el perineo. Para ayudarle a sobrellevar el dolor y recuperarse más rápido, pruebe estos consejos:

- Aplíquese compresas frías o heladas impregnadas en agua de hamamelis en el área.
- Haga **ejercicios de Kegel** por uno o más días después del parto.
- Pregúntele al médico sobre usar un rociador o crema anestésica para aliviar el dolor.
- Si le resulta incómodo sentarse, siéntese sobre una almohada.
- Sumerja los glúteos y las caderas en un baño de agua tibia (que se llama baño de asiento).

Micción dolorosa

Durante los primeros días después del parto, es posible que sienta la necesidad de expulsar **orina**, pero no pueda hacerlo. Tal vez sienta dolor y ardor al orinar. Esto se debe a que durante el parto, la cabeza del bebé ejerció mucha presión sobre la **vejiga, uretra** (la abertura por donde sale la orina) y los músculos que regulan el flujo de orina. La hinchazón y el estiramiento que produce esta presión pueden obstruir el flujo de orina.

Para reducir la hinchazón o el dolor, pruebe sumergiendo el área en un baño de asiento. Cuando use el inodoro, rocíese agua tibia sobre los **genitales** con una botella de agua exprimible. Al hacerlo, puede ayudar a estimular el flujo de orina. También puede ser útil abrir la llave de agua mientras se encuentre en el baño. Además, asegúrese de beber muchos líquidos. Este dolor por lo general desaparece a los pocos días del parto.

Muchas madres nuevas tienen otro problema: pérdida accidental de orina, o incontinencia urinaria. Con el tiempo, el tono de los músculos pélvicos regresará a su estado normal y la incontinencia se resolverá en la mayoría de los casos. Puede que se sienta más cómoda usando una toalla sanitaria hasta que

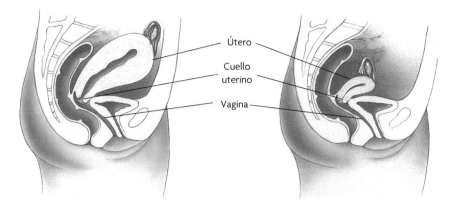

El útero antes y después del parto. Inmediatamente después del parto, el útero mide unas 7 pulgadas de largo y pesa alrededor de 2 libras y media (*izquierda*). A las 6 semanas, ya ha regresado a su tamaño normal (*derecha*). El tamaño normal es de aproximadamente 3 pulgadas de largo con un peso de alrededor de 2 onzas.

el problema se corrija. Los ejercicios de Kegel (consulte la p. 31) también le ayudarán a contener más rápido esos músculos.

Abdomen

Inmediatamente después del parto, su aspecto será todavía el de una mujer embarazada. Durante el embarazo, los músculos abdominales se estiran poco a poco. Estos músculos no se contraerán al minuto de que nazca el bebé.

Permítale a su cuerpo regresar gradualmente a la normalidad. Hacer ejercicios puede ser útil. Pregúntele al médico cuándo puede comenzar a hacer ejercicios sin riesgo. Hacer algunos ejercicios por lo menos tres veces a la semana le ayudará a comenzar.

Hemorroides

Si tuvo várices en la **vulva** o hemorroides durante el embarazo, puede que empeoren después del parto. Estas venas adoloridas e hinchadas también pueden presentarse por primera vez debido al esfuerzo intenso que hizo durante el trabajo de parto. Con el tiempo, las hemorroides y las várices de la vulva se reducirán en tamaño o desaparecerán. Para obtener alivio, pruebe usando rociadores o pomadas medicadas, calor seco (de una lámpara de calor o secador de pelo a temperatura baja), baños de asiento y compresas frías impregnadas en agua de hamamelis. Además, trate de no ejercer mucha presión en el área cuando tenga una evacuación intestinal ya que se podrían empeorar las hemorroides.

Problemas al evacuar

Puede que le sea difícil evacuar por unos días después del parto. Hay muchas razones para ello: músculos abdominales estirados, intestinos lentos a consecuencia de la cirugía o del medicamento para el dolor y tener el estómago vacío por no haber comido durante el trabajo de parto. Tal vez tenga miedo de evacuar por temor a que empeore el dolor de la episiotomía o las hemorroides. Si está estreñida o tiene gases que le producen dolor, pruebe estos consejos para aliviar el problema:

- Dé caminatas cortas tan pronto como pueda.
- Consuma alimentos con abundantes fibras y beba muchos líquidos.
- Pregúntele al médico sobre usar un ablandador fecal.

Es posible que la necesidad de evacuar no se sienta igual que antes. En algunos casos, se puede perder el control de las evacuaciones. La pérdida del control normal de las evacuaciones se denomina incontinencia fecal. Puede producirse por el estiramiento o desgarre de los nervios cerca del recto durante el parto. Es posible que expele gases sin querer o inesperadamente. Si ha perdido el control normal de las evacuaciones intestinales, hable con el médico sobre sus síntomas. Hay muchas formas de ayudarla a volver a controlar las evacuaciones.

Período de postparto: semana 2 a la semana 12

En las semanas posteriores al nacimiento del bebé, su cuerpo cambiará a medida que se adapta a no estar embarazada. También estará cuidando de un recién nacido. Este período puede ser muy estresante. Cuidar de su bienestar físico y mental es vital. Es útil además contar con el apoyo de personas allegadas que le ayuden con la transición a la nueva función que debe desempeñar.

Los cambios del cuerpo

Mientras estuvo embarazada, su cuerpo trabajó día y noche durante 40 semanas para fomentar el desarrollo de su bebé. Ahora que el bebé ha llegado, deberá seguir trabajando a medida que su cuerpo se recupera del embarazo, el trabajo de parto y el parto. Tomará un tiempo antes de que el cuerpo llegue a normalizarse.

Senos hinchados

Los senos se llenan de leche a partir de aproximadamente 2 a 4 días del parto. Cuando esto suceda, es posible que se sientan llenos, duros y sensibles. El mejor alivio para esta hinchazón de los senos es la lactancia. Una vez que usted y su bebé establezcan un programa regular de lactancia, dejará de tener estas molestias. La congestión muy intensa de los senos no debe durar más de 36 horas más o menos.

Las mujeres que no lactan pueden sentir molestias por la congestión que ocurre en los senos. Cuando no se estimulan los senos a producir más leche, las molestias se aliviarán gradualmente, aunque puede llevar unos 7 a 10 días. Mientras tanto, pruebe las siguientes medidas:

- Use un sostén (brassiere) de apoyo o de deportes ajustado a la medida. No oprima los senos ya que puede empeorar el dolor.
- Aplíquese compresas de hielo en los senos para reducir la hinchazón.
- No se extraiga leche. Al hacerlo, se envía una señal a los senos para que produzcan más.
- Tome un medicamento para el dolor, como ibuprofeno, si lo necesita.

Agotamiento

Se va a sentir cansada. Acaba de realizar una tarea muy ardua: dar a luz. El nuevo bebé no les permitiría dormir a usted y su pareja durante muchas noches por un tiempo hasta que tenga un patrón regular de sueño.

Aunque no es posible evitar el agotamiento que sentirá, hay medidas que puede tomar para no sentirse totalmente exhausta y realizar su labor como nueva mamá:

- *Pida ayuda*—es probable que su familia y amistades estén muy dispuestas a ayudar. Permítales hacerlo. Sea específica cuando le pregunten qué pueden hacer. Pídale a alguna amistad que traiga algo para la cena, vaya a la tienda de comestibles, comience a lavar una tanda de ropa o cuide del bebé o de un hijo mayor por un par de horas mientras usted duerme la siesta.

- *Duerma cuando el bebé duerma*—use la hora de la siesta del bebé para descansar, no para hacer quehaceres domésticos.

- *Sugiera juegos tranquilo*—si tiene un hijo mayor, póngalo a jugar con rompecabezas, libros con dibujos u otras actividades tranquilas para que usted y su bebé puedan descansar.

- *Tómelo con calma*—haga sólo lo que haya que hacer y programe para que los viajes sean cortos.

- *Limite las visitas*—si se siente cansada, no dude en pedirles a sus familiares y amigos que se abstengan de visitarla. No se sienta culpable. Ya habrá tiempo suficiente para que la gente conozca a su nuevo bebé una vez que se sienta descansada.

* *Aliméntese bien*—puede que sea difícil encontrar tiempo para comer cuando cuida de un nuevo bebé. Aun así, es vital que lo haga. Los alimentos con abundantes proteínas y hierro combaten el agotamiento.

Sudor

Por algunas semanas después del parto, muchas madres nuevas pueden hallarse empapadas de sudor, Esto ocurre con más frecuencia durante la noche. No se preocupe. Su organismo se está ajustando a los cambios hormonales. Para mantener secas las sábanas y la almohada por la noche, duerma sobre una toalla hasta que pase este síntoma.

Regreso de los periodos menstruales

Si no está lactando, sus periodos pueden comenzar al cabo de unas 6 a 8 semanas del parto. También pueden comenzar antes. Si está lactando no comenzará a tener periodos hasta varios meses después. Algunas madres que lactan no tienen periodos menstruales hasta que el niño se desteta por completo.

Después del parto, los *ovarios* pueden liberar un *óvulo* antes de que tenga su primer periodo. Esto significa que puede quedar embarazada sin tan siquiera saber que estaba fértil nuevamente. Si no desea tener otro bebé inmediatamente, comience a usar un método anticonceptivo, como un condón, tan pronto comience a tener relaciones sexuales.

Una vez que comience la *menstruación*, es posible que no sea igual que antes de quedar embarazada. Por ejemplo, los periodos menstruales pueden ser más cortos o más largos. No obstante, es probable que gradualmente regresen a como eran antes. Algunas mujeres notan que los dolores de menstruación son menos intensos que los que tenían antes de quedar embarazadas.

Signos de peligro en el período de postparto

Es normal sentir molestias después del parto. Sin embargo, algunas molestias pueden indicar que hay algún problema. Llame a su médico si presenta cualquiera de estos síntomas:

* Fiebre de más de 100.4°F
* Náuseas y vómitos
* Dolor o ardor al orinar
* Sangrado más fuerte del que acostumbra a tener durante un periodo menstrual normal o que aumenta en intensidad

- Dolor intenso en la parte inferior del abdomen
- Dolor, hinchazón y sensibilidad en las piernas
- Dolor de pecho y tos o falta de aliento
- Estrías rojas o masas nuevas dolorosas en los senos
- Dolor que no se alivia o empeora a causa de una episiotomía, un desgarre perineal o una incisión abdominal
- Enrojecimiento o secreciones que provienen de la episiotomía, desgarre o incisión
- Secreciones vaginales con mal olor
- Sensación de desesperanza que dura más de 10 días después del parto

Tristeza y depresión después del parto

Sentirse triste después de tener un bebé es en realidad un suceso muy común. De hecho, casi un 70 a 80% de las madres nuevas se sienten así. A estos sentimientos se les conoce como melancolía después del parto o "tristeza de maternidad". No obstante, en aproximadamente un 13% de las mujeres, los sentimientos son más intensos y continúan durante varias semanas. Cuando esto ocurre, pueden ser la señal de un padecimiento más grave denominado *depresión después del parto*.

Melancolía después del parto

Muchas madres nuevas se sorprenden por lo frágiles, aisladas y drenadas que se sienten después de dar a luz a un niño. Sus sentimientos no parecen ir a la par con las expectativas que tenían. Entonces se preguntan, "¿Cómo es posible que me sienta deprimida?" Además, temen que estos sentimientos significan que son malas madres. Estas emociones, no obstante, son muy normales. Muchas mujeres se sienten tristes después de dar a luz. Casi siempre, esta sensación de melancolía es leve y se resuelve por su cuenta al cabo de unas semanas.

Cuando se sienta triste, recuerde que acaba de asumir una tarea enorme. Sentirse triste, ansiosa o incluso enojada no significa que haya fallado como madre. Tampoco quiere decir que tenga una enfermedad mental. Sólo significa que su organismo se está ajustando a los cambios normales que ocurren después del nacimiento de un niño.

Tenga en cuenta también que pronto todo se resolverá. Hasta ese momento, haga lo siguiente para mitigar su tristeza:

- Hable con su pareja o con una amistad sobre cómo se siente.
- Descanse mucho.
- Pídale ayuda a su pareja, amistades y familia.

- Dedique tiempo a sus necesidades. Salga de la casa todos los días, aun si es por un tiempo breve.

Depresión después del parto

La depresión después del parto se caracteriza por sentimientos de desesperación, ansiedad intensa o desesperanza que se interponen en la vida cotidiana. Ocurre con más frecuencia en las mujeres que han tenido uno o más de los siguientes:

- Trastornos del estado de ánimo antes del embarazo
- Depresión después del parto después de un embarazo previo
- Situación tensa reciente, como perder a un ser querido, enfermedad en la familia o al mudarse a una ciudad nueva

Si se siente deprimida, su depresión puede afectar a su bebé. Es importante recibir tratamiento. Hable con su médico de inmediato si presenta cualquiera de las siguientes señales de depresión:

- Se siente intranquila o temperamental
- Se siente triste, descorazonada y abrumada
- Llora mucho
- Siente que le falta energía o motivación
- Come demasiado o muy poco
- Duerme demasiado o muy poco
- Tiene dificultad para concentrarse o tomar decisiones
- Se siente inútil y culpable
- Ha perdido el interés o placer por las actividades que solía disfrutar
- Se aísla de las amistades y familiares
- Tiene dolores de cabeza, dolores generalizados del cuerpo o problemas estomacales que no se alivian

Si usted o su pareja perciben cualquiera de estas señales y síntomas, necesita comunicarse con su proveedor de atención médica. Muchas veces una mujer no se da cuenta que está deprimida y es un familiar quien observa las señales y los síntomas. Su proveedor de atención médica puede determinar si sus síntomas se deben a que está deprimida o por otra causa. Si la diagnostican con depresión, es posible tratar esta enfermedad. El tratamiento puede consistir en hablar con un psicoterapeuta o psicólogo, tomar medicamentos antidepresivos, o ambos. Casi todos los medicamentos antidepresivos se pueden usar con seguridad mientras lacte al bebé.

Cómo volverse a poner en forma

Las exigencias de ser madre puede que la hayan dejado muy cansada para hacer ejercicios. No obstante, el esfuerzo adicional vale la pena. Hacer ejercicios aumenta su nivel de energía y sensación de bienestar. También restablece la fortaleza muscular y la ayuda a ponerse en forma nuevamente.

Casi todas las mujeres pueden comenzar a hacer ejercicios en cuanto deseen hacerlo. Sin embargo, hable con su médico para determinar cuándo puede comenzar. Si tuvo un *parto por cesárea* o dificultades durante el parto, es posible que tarde más antes de sentirse lista para comenzar. Por su seguridad, siga las pautas que siguió para llevar un estilo de vida saludable mientras estuvo embarazada.

Si se mantuvo en forma durante el embarazo, ya se ha abierto el camino. Aun así, no trate de hacer ejercicios vigorosos en seguida. Si no se ejercitó mucho antes, empiece poco a poco. Comience con ejercicios fáciles y gradualmente haga ejercicios más difíciles.

Caminar es una forma muy buena de comenzar a ponerse en forma. Dé una caminata vigorosa tan a menudo como pueda. Todos los días si es posible. De esta forma se estará preparando para realizar ejercicios más intensos cuando se sienta capaz de hacerlos. Caminar es una gran actividad. Es fácil de hacer y lo único que se necesitan son zapatos cómodos. Puede incluso llevarse al bebé en un cochecito o cargador de bebés por lo que no tendrá que contratar a una niñera. Estar al aire fresco y ver a otras personas puede ser beneficioso para ambos.

Nadar es otro ejercicio estupendo para el período de postparto. También hay clases de ejercicios diseñadas sólo para las madres nuevas. Para encontrar una clase, póngase en contacto con los gimnasios y clubes de ejercicio locales, centros comunitarios y hospitales.

Independientemente del ejercicio que practique, cree un programa que se ajuste a sus necesidades. Puede que desee fortalecer el corazón y los pulmones, tonificar los músculos, bajar de peso o hacerlo todo.

Trate también de elegir un programa que pueda seguir haciendo. Tener un buen estado físico a largo plazo es más importante que estar en buena forma inmediatamente después del parto. Su médico puede sugerirle algunos ejercicios que la ayudarán a cumplir con sus metas para lograr un buen estado físico.

Ejercicios durante el postparto

Los siguientes ejercicios se han diseñado para tonificar y fortalecer los músculos abdominales. Comience lentamente y, si tuvo un parto por cesárea, tenga cuidado con la incisión.

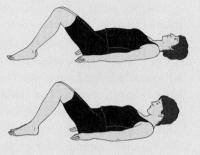

- **Ejercicios de elevación de la cabeza—** cuando pueda hacer 10 ejercicios de elevación de la cabeza, pase a hacer los de elevación de hombros..

  1. Acuéstese boca arriba con las rodillas dobladas, las plantas de los pies sobre el piso y los brazos a ambos lados cerca del cuerpo.
  2. Inhale y relaje el abdomen.
  3. Exhale lentamente a medida que levanta la cabeza del piso.
  4. Inhale a medida que baje nuevamente la cabeza.

- **Ejercicios de elevación de hombros—**cuando pueda hacer 10 ejercicios de elevación de hombros, pase a hacer ejercicios abdominales.

  1. Acuéstese boca arriba con las rodillas dobladas, las plantas de los pies sobre el piso y los brazos a ambos lados cerca del cuerpo.
  2. Inhale y relaje el abdomen.
  3. Exhale lentamente y levante la cabeza y los hombros del piso. Extienda los brazos hacia adelante para que no los use de apoyo. Si al hacerlo le molesta el cuello, coloque ambas manos detrás de la cabeza.
  4. Inhale a medida que baja los hombros hacia el suelo.

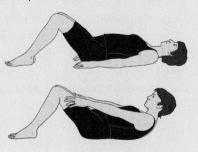

- **Ejercicios abdominales**

  1. Acuéstese boca arriba con las rodillas dobladas, las plantas de los pies sobre el piso y los brazos a ambos lados cerca del cuerpo.
  2. Inhale y relaje el abdomen.
  3. Exhale. Extienda los brazos hacia adelante y lentamente eleve el torso hasta

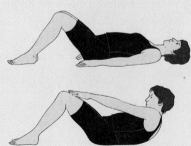

que llegue a una posición intermedia entre las rodillas y el piso (a un ángulo de 45 grados más o menos). Si necesita apoyar más el cuello y la cabeza, coloque ambas manos detrás de la cabeza.

4. Inhale a medida que baja el torso hacia el suelo.

- **Ejercicio de flexión pélvica**—inclinar la pelvis hacia arriba en torno a la columna vertebral ayuda a fortalecer los músculos abdominales.

1. Arrodíllese y apoye las manos en el piso mientras mantiene la espalda recta.

2. Inhale.

3. Exhale y empuje las nalgas hacia adelante y rote el hueso púbico hacia arriba.

4. Sostenga esta posición hasta contar a tres.

5. Inhale y relájese.

6. Repita el ejercicio cinco veces. Agregue una o dos repeticiones todos los días si puede.

- **Ejercicio de extensión de las piernas**—estos ejercicios sencillos tonifican los músculos del abdomen y las piernas. Puede hacerlo sin riesgo después de una cesárea porque no requiere mucho esfuerzo en el área de la incisión. Trate de hacer ejercicios de extensión de las piernas varias veces al día.

1. Acuéstese boca arriba y doble ligeramente las rodillas.

2. Inhale mientras desliza la pierna derecha hasta extenderla.

3. Exhale y vuelva a doblar la rodilla.

4. Mantenga ambos pies en el piso y relajados.

5. Repita con la pierna izquierda.

El regreso a la vida cotidiana

Tener un bebé cambiará la forma en que vive su vida cotidiana. La relación con su pareja se verá afectada. Es posible que las viejas rutinas ya no funcionen. Si sabe esto de antemano y trata de aceptar estos cambios en lugar de combatirlos, se sentirá más relajada a medida que comienza a vivir una nueva vida con su nuevo bebé.

Tenga en cuenta también que el nuevo bebé afectará las vidas de la familia entera. Cada persona en la familia tiene una función que desempeñar y debe tomar parte en el cuidado del bebé. Se crearán tensiones a medida que todos se adaptan a tener un bebé en la familia. Hable sobre esta situación. Exprese sus sentimientos a su pareja, sus padres e hijos. Escuche las preocupaciones que ellos expongan también.

Hable también con otras mamás nuevas. Oír que su familia no es la única que siente los efectos del nacimiento de un bebé puede ayudarle a enfrentar estos momentos estresantes. El apoyo de las demás madres también puede ayudarla a sentirse más cómoda con su nueva función.

Si la tensión de la crianza de un niño parece ser demasiado abrumadora, pida ayuda. Hable con su médico o llame a una línea local de ayuda para personas en crisis. Todos los padres nuevos sienten en algunas ocasiones que no pueden más. Esto es aun más real si no tiene mucho apoyo o su bebé tiende a ser inquieto.

Independientemente de lo que provoque estos sentimientos, nunca se desquite con su niño las emociones que siente. Es muy fácil lastimar a un bebé, aún si no es su intención hacerlo. Agitar a un bebé por sólo unos segundos, por ejemplo, puede ser tan perjudicial como para causarle lesiones cerebrales permanentes o incluso la muerte.

Si teme que va a perder el control y causarle daño al bebé, entrégueselo a su pareja o a otro ser querido y aléjese. Si está sola, coloque al bebé en un lugar seguro, como la cuna. Retírese entonces a otra habitación (si puede, a una donde no pueda oír los llantos del bebé) hasta que pueda calmarse.

Una vez que haya pasado el episodio, pregúntese qué puede hacer para evitar que vuelva a suceder. Dígale a su pareja que necesita más ayuda, por ejemplo. Pídales ayuda a sus amistades y parientes cuando haya estado encargada del bebé por mucho tiempo sin descanso. Investigue los servicios comunitarios que tiene disponibles, como asesoramiento o ayuda financiera.

Nutrición

Es común adelgazar hasta 20 libras durante el mes posterior al parto. Puede que sea tentador continuar con esta pérdida de peso con dietas muy rígidas para tratar de que el cuerpo quepa nuevamente en la ropa de antes. Ponerse a dieta puede privar al cuerpo de nutrientes vitales y retrasar su cicatrización después del parto. Si está lactando, las dietas estrictas privarán al bebé de las calorías y los nutrientes que necesita.

En lugar de ponerse a dieta, tenga paciencia. Siga con los buenos hábitos de alimentación que adoptó durante el embarazo. Si lo hace, en unos meses estará cerca de su peso habitual. Combinar una dieta saludable con ejercicios ayudará con este proceso.

Cambios en el estilo de vida

Los hábitos de estilo de vida sano que adoptó mientras estaba embarazada no se deben suspender cuando nazca el bebé. Si fumaba pero dejó de hacerlo durante el embarazo, no vuelva a adoptar el hábito. Si necesita ayuda para dejar de fumar, acuda a su proveedor de atención médica. La exposición pasiva al humo se ha asociado con un riesgo mayor en los recién nacidos de presentar el *síndrome de muerte súbita del lactante*. Los bebés que se exponen al humo del cigarrillo también tienen una mayor probabilidad de desarrollar problemas pulmonares, como asma, alergias e infecciones de oídos, que los bebés que no se exponen a este humo. Si está lactando, debe estar consciente de que la nicotina y las demás sustancias químicas en los cigarrillos se pueden transferir al bebé (aunque no hay pruebas definitivas que indiquen que estas sustancias sean perjudiciales al bebé). No fumar es una de las mejores medidas que pueda tomar por su bien y el bien de su bebé.

Consulta durante el postparto

Haga una cita con su proveedor de atención médica al cabo de 4 a 6 semanas del nacimiento de su bebé. (Si dió a luz por cesárea, el médico tal vez quiera verla aproximadamente 2 semanas después de la cirugía para examinar la incisión). El objetivo de esta consulta es garantizar que su cuerpo se haya recuperado del embarazo y el parto y asegurarse de que no tenga ningún problema.

Durante esta consulta, el proveedor de atención médica le examinará el peso, la presión arterial, los senos y abdomen. Puede también hacerle un examen pélvico para verificar si algún desgarre o la episiotomía se han cicatrizado y que la vagina, el **cuello uterino** y el útero hayan regresado a sus estados normales. Si tuvo diabetes mellitus gestacional, le pueden hacer una prueba de **glucosa** en esta visita (consulte el Capítulo 19, "Diabetes mellitus").

Use esta oportunidad para exponer las preguntas o dudas que pueda tener sobre el proceso de cicatrización, la lactancia, el control de la natalidad, la pérdida de peso, las relaciones sexuales o sus emociones. Para ayudarle a recordar todo lo que desea exponer, anote sus preguntas y llévelas a esta consulta.

Relaciones sexuales después del parto

Su proveedor de atención médica le dirá cuándo usted y su pareja pueden empezar a tener relaciones sexuales otra vez después de que nazca el bebé. Aunque no hay un límite de tiempo fijo, es posible que tenga que esperar por lo menos 4 a 6 semanas para asegurarse de haber sanado completamente. Sin embargo, es perfectamente normal si aún después de estas semanas usted no tiene mucho interés en las relaciones sexuales. Hay muchos motivos que causan esta falta de interés:

- *Agotamiento*—una vez que logra poner a dormir al bebé, lo único que desean hacer su pareja y usted es dormir también.

- *Estrés*—atender a las exigencias del bebé puede dejarla con poco deseo sexual.

- *Miedo al dolor*—los senos pueden estar sensibles y el perineo adolorido. Si está lactando, la reducción en los niveles de **estrógeno** puede causar resequedad en la vagina. Por consiguiente, las relaciones sexuales pueden ser incómodas.

- *Falta de libido*—los niveles hormonales disminuyen después del parto. Por consiguiente, su deseo sexual también se reduce.

- *Falta de oportunidad*—las relaciones sexuales requieren energía, tiempo y enfoque. Los padres nuevos tienen suministros bajos de todos ellos.

Durante las semanas en que no sienta deseos por el coito, trate de tener momentos íntimos con su pareja de otras maneras, como con abrazos y besos. Cuando se sienta cómoda y lista nuevamente para tener relaciones sexuales, es buena idea recordar lo siguiente:

- Dedique tiempo a solas con su pareja y hablen sólo acerca de cada uno, no del bebé ni de los problemas del hogar.

- Busque el momento adecuado para tener relaciones sexuales cuando no se sienta apresurada. Espere a que el bebé esté bien dormido o cuando lo pueda dejar con alguna amistad o familiar por un par de horas.

- Use una crema o jalea lubricante soluble en agua para tratar la resequedad vaginal.

- Pruebe distintas posiciones para no ejercer presión sobre el área adolorida y controlar la penetración.

- Si las relaciones sexuales todavía le resultan incómodas, hay muchas otras maneras de dar y recibir placer, como mediante la **masturbación** mutua o el sexo oral.

- Si está preocupada sobre sus problemas sexuales, sea honesta y hable sobre ellos con su pareja.

Anticonceptivos

Si usted y su pareja están listos para comenzar a tener relaciones sexuales nuevamente, es importante usar un anticonceptivo. Los métodos anticonceptivos pueden permitir que su cuerpo se cicatrice antes de tener otro bebé y ayudar a planificar su familia. Aún si desea que sus hijos estén cerca en edad, es mejor esperar por lo menos 12 meses antes de quedar embarazada otra vez. Se cree que los bebés que se conciben en menos de 6 meses (o más de 5 años) después de dar a luz, corren un mayor riesgo de nacer **prematuramente**, tener bajo peso al nacer y ser menores en tamaño. Los bebés que nacen al poco tiempo de que hayan nacido sus hermanos pueden presentar estos problemas ya que el cuerpo de la madre no ha tenido tiempo de reponer los depósitos nutritivos. La tensión durante el postparto también es otro factor. No se sabe con seguridad por qué esperar más tiempo entre un embarazo y otro surte un efecto en la salud fetal. Por supuesto, cada familia tiene necesidades y deseos distintos con respecto al tiempo que debe transcurrir entre el nacimiento de los niños. Hable sobre este tema con su pareja y su proveedor de atención médica.

Si no está lactando, puede estar fértil a unas semanas de dar a luz. Si está lactando, puede ser difícil determinar cuándo volverá a estar fértil. Tenga en cuenta también que si usó medicamentos para estimular la fertilidad con el fin de concebir a su bebé, no quiere decir que no podrá quedar embarazada sin usarlos.

Más eficaz

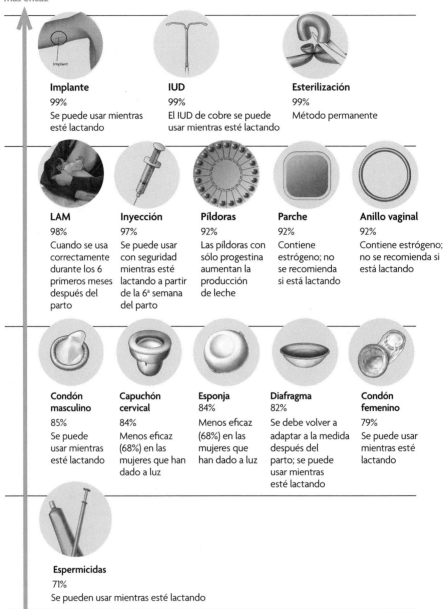

Implante
99%
Se puede usar mientras esté lactando

IUD
99%
El IUD de cobre se puede usar mientras esté lactando

Esterilización
99%
Método permanente

LAM
98%
Cuando se usa correctamente durante los 6 primeros meses después del parto

Inyección
97%
Se puede usar con seguridad mientras esté lactando a partir de la 6ª semana del parto

Píldoras
92%
Las píldoras con sólo progestina aumentan la producción de leche

Parche
92%
Contiene estrógeno; no se recomienda si está lactando

Anillo vaginal
92%
Contiene estrógeno; no se recomienda si está lactando

Condón masculino
85%
Se puede usar mientras esté lactando

Capuchón cervical
84%
Menos eficaz (68%) en las mujeres que han dado a luz

Esponja
84%
Menos eficaz (68%) en las mujeres que han dado a luz

Diafragma
82%
Se debe volver a adaptar a la medida después del parto; se puede usar mientras esté lactando

Condón femenino
79%
Se puede usar mientras esté lactando

Espermicidas
71%
Se pueden usar mientras esté lactando

Menos eficaz

Eficacia de los métodos anticonceptivos. Este diagrama ilustra los métodos anticonceptivos ordenados desde los menos eficaces hasta los más eficaces. Es importante seleccionar un método que sea eficaz y a la vez se adapte a su estilo de vida. El método anticonceptivo que usó antes de tener el bebé podría no ser adecuado después de haber dado a luz.

Para estar segura, elija un método anticonceptivo antes de tener relaciones sexuales por primera vez. Hoy en día, hay una amplia variedad de métodos anticonceptivos para las mujeres y los hombres. Cada uno tiene ventajas y desventajas. Antes de elegir un método, hable sobre ello con su proveedor de atención médica.

Hay ciertos tipos de anticonceptivos que pueden interponerse en su capacidad para lactar. Si está lactando, elija un método que sea compatible. Además, si quiere tener más hijos, asegúrese de que el método que elija sea fácilmente reversible.

Métodos hormonales

Los métodos hormonales actúan impidiendo que ocurra la **ovulación**. Aún tendrá el periodo menstrual todos los meses con algunos tipos de anticonceptivos hormonales.

Píldoras anticonceptivas

Los anticonceptivos orales son los métodos más comunes de control de la natalidad por medios hormonales. Cuando se toma de la forma indicada, la píldora es también uno de los métodos anticonceptivos más eficaces. Menos de 1 de cada 100 mujeres queda embarazada cada año mientras toma la píldora todos los días de la forma indicada. Las píldoras anticonceptivas mixtas contienen estrógeno y **progestina**. Si está lactando, el estrógeno puede reducirle el suministro de leche. Por este motivo, no debe usar píldoras anticonceptivas mixtas mientras esté lactando.

Otra opción para las madres que lactan es la llamada "minipíldora". Esta píldora sólo contiene progestina. Es una mejor opción si está lactando ya que carece de estrógeno y por lo tanto no se ve afectado su suministro de leche. Las mujeres que no pueden tomar estrógeno por otros motivos pueden usar las minipíldoras. La dosis de progestina también es menor que la que se encuentra en las píldoras anticonceptivas de dosis reducidas. A diferencia de las demás píldoras anticonceptivas, cada paquete de minipíldoras consiste en 28 píldoras de hormona activa que debe tomar todos los días a la misma hora.

Píldoras anticonceptivas

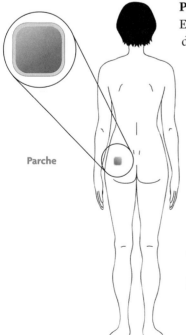

Inyección

Implante

Parche

Inyecciones de anticonceptivos

Las inyecciones de anticonceptivos las administra su médico en el brazo o los glúteos cada 3 meses. Siempre y cuando esté al día con las inyecciones, no necesita hacer nada más para evitar quedar embarazada. Las inyecciones de sólo progestina se pueden usar mientras esté lactando.

Implante

El implante anticonceptivo consiste en una varilla única, más o menos del tamaño de un fósforo, que se introduce debajo de la piel en el área superior del brazo. La varilla libera progestina. Debido a que no contiene estrógeno, el implante se puede usar mientras esté lactando. Es además sumamente eficaz, no necesita que recuerde nada, y actúa durante 3 años. Su desventaja principal es que puede causar sangrado irregular, que generalmente se resuelve al cabo de 6 a 9 meses, o bien, la falta total de periodos menstruales.

Parche anticonceptivo

El parche anticonceptivo es un parche cuadrado pequeño que se adhiere a la piel, por lo general en la parte inferior del abdomen, los glúteos o la parte superior del cuerpo. Los parches liberan estrógeno y progestina a través de la piel. Debido a que contienen estrógeno, no se recomiendan si está lactando. Una vez cada 3 semanas consecutivas se colocará un parche nuevo en la piel, seguido de una semana sin parche. Tendrá el periodo menstrual durante la semana sin parche.

Anillo vaginal

Este anillo flexible de plástico se coloca en la parte superior de la vagina y libera estrógeno y progestina. Debido a que contiene estrógeno, no es una buena opción para

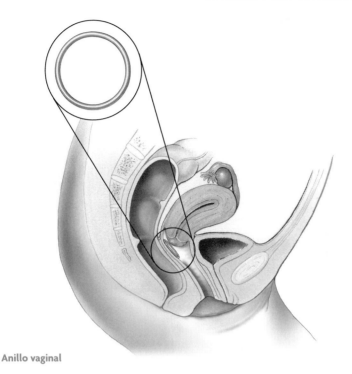

Anillo vaginal

las madres que lactan. Usted misma se introduce un anillo nuevo cada mes el cual deberá permanecer dentro del cuerpo por 3 semanas. Durante la semana que no lo usa, tendrá su periodo menstrual.

Dispositivos intrauterinos

El **dispositivo intrauterino (IUD,** por sus siglas en inglés) es un dispositivo pequeño de plástico, en forma de T, que se introduce y permanece dentro del útero. Este método evita que ocurra un embarazo bloqueando la unión de un espermatozoide con un óvulo o evitando que un óvulo fertilizado se implante en el útero.

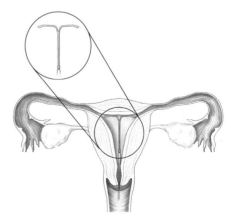

Dispositivo intrauterino

Hay dos marcas disponibles de dispositivos intrauterinos en Estados Unidos: el IUD hormonal (Mirena) y el IUD de cobre (ParaGard). El tipo hormonal libera una pequeña cantidad de progesterona en el útero y su eficacia es de 5 años. El de cobre libera una pequeña cantidad de cobre y su eficacia es de 12 años. Ambos tipos son muy eficaces. También se pueden extraer si desea quedar embarazada o usar otro tipo de anticonceptivo.

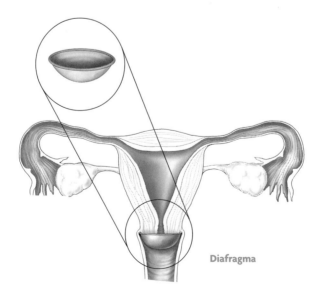

Espermicida

Métodos de barrera

Los métodos de barrera no permiten que los espermatozoides lleguen a los óvulos. Si elige usar un método de barrera, asegúrese de hacerlo cada vez que tenga relaciones sexuales.

Espermicidas

Los *espermicidas* son sustancias químicas que destruyen los espermatozoides antes de que fertilicen el óvulo. Se suministran de varias maneras, como cremas, geles, espumas y supositorios vaginales. Los espermicidas se colocan en la vagina, cerca del cuello uterino, antes de tener relaciones sexuales.

Diafragma

El diafragma es una cúpula redonda de látex pequeña que se ajusta dentro de la vagina y cubre el cuello uterino. Se puede introducir de 1 a 2 horas antes de tener relaciones sexuales y se usa con un espermicida. Si usó un diafragma anteriormente, deberán ajustarle la medida después de dar a luz.

Diafragma

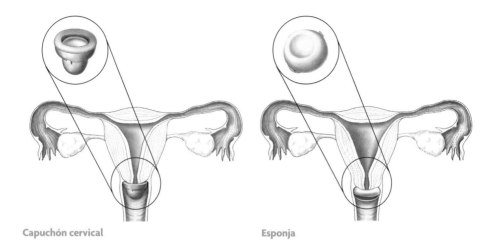

Capuchón cervical   Esponja

Capuchón cervical

El capuchón cervical es más pequeño que un diafragma y queda más ajustado sobre el cuello uterino. Se mantiene en su sitio mediante succión. Se usa con un espermicida. Al igual que el diafragma, un médico debe ajustarlo a la medida y recetar el capuchón cervical. También al igual que el diafragma, se deberá volver a adaptar el capuchón después de tener el bebé. Puede además ser menos eficaz en las mujeres que han dado a luz (68% de eficacia) que en las que no lo han hecho (84% de eficacia).

Esponja

La esponja es un dispositivo en forma de rosca hecho de un material esponjoso blando cubierto con espermicida. Se introduce en la vagina y cubre el cuello uterino. La esponja es práctica porque se vende sin receta médica. Sin embargo, es menos eficaz en las mujeres que han dado a luz. La eficacia de este método es igual que la del capuchón cervical.

Condón masculino

El condón masculino es una capa protectora de goma delgada que se coloca sobre el pene del hombre e impide que la eyaculación entre en la vagina. Los condones de látex son la manera más eficaz de protegerse contra las **enfermedades de transmisión sexual**, como de la infección del **virus de inmunodeficiencia humana (VIH)** y del **síndrome de inmunodeficiencia adquirida (SIDA)**.

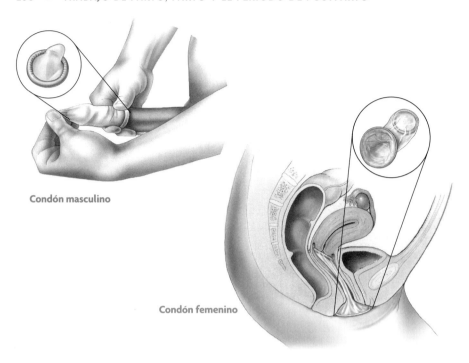

Condón masculino

Condón femenino

Condón femenino

El condón femenino es un saco delgado de plástico que cubre la vagina. Se mantiene en su lugar mediante un anillo interno que permanece cerrado en el cuello uterino y un anillo externo que permanece abierto en la entrada de la vagina.

Método de amenorrea lactacional

El Método de Amenorrea Lactacional (LAM, por sus siglas en inglés) es un método anticonceptivo temporal que se basa en la infertilidad natural que ocurre cuando una mujer lacta. Cuando un bebé mama regularmente del seno, este mecanismo bloquea la liberación de las hormonas que estimulan la ovulación y la menstruación. Si una mujer no ovula, no puede quedar embarazada. La amenorrea lactacional es sumamente eficaz si se usa correctamente.

Para que funcione este método, la mujer debe seguir ciertas pautas durante la lactación. El método de amenorrea lactacional es más eficaz cuando una mujer lacta totalmente, es decir, el bebé no recibe ningún otro líquido o alimento, ni siquiera agua, además de la leche materna. Aunque puede dar otros líquidos o fórmula infantil ocasionalmente, el hacerlo puede provocar que la mujer ovule. Además, el período entre cada alimentación no debe ser mayor de 4 horas durante el día ni 6 horas por la noche.

Una consideración importante sobre este método es saber cuándo debe comenzar a usar otro tipo de anticonceptivo para evitar un embarazo. Para determinarlo, la mujer se puede hacer tres preguntas:

- ¿He vuelto a tener periodos menstruales?
- ¿Estoy complementando la alimentación regularmente con fórmula infantil u otros alimentos o líquidos, o estoy permitiendo que transcurran períodos prolongados sin lactar, ya sea durante el día o la noche?
- ¿Tiene mi bebé más de 6 meses?

Si respondió afirmativamente a cualquiera de estas preguntas, aumenta su riesgo de quedar embarazada y debe usar otro método anticonceptivo. Sin embargo, puede aún seguir lactando a su bebé si elije un método anticonceptivo compatible con la lactancia materna.

Anticonceptivos de emergencia

Si usted y su pareja tienen relaciones sexuales sin protección o si fracasa su método anticonceptivo durante el acto sexual, puede usar un anticonceptivo de emergencia para evitar que ocurra un embarazo.

Uno de los tipos de anticonceptivos de emergencia disponible en Estados Unidos se denomina Plan B. Este tipo de anticonceptivo puede evitar que ocurra un embarazo si se toma dentro de un plazo 120 horas (5 días) de haber tenido relaciones sexuales. El Plan B contiene progestina y consiste en dos píldoras que se toman con 12 horas de diferencia; o bien, se pueden tomar a la misma vez. Este método reduce la probabilidad de que ocurra un embarazo en hasta un 89% y lo puede adquirir de su farmacéutico sin receta médica. El otro tipo, que se llama Plan B One-Step, consiste en una sola píldora. También se puede adquirir sin receta médica.

Su médico puede también introducir un dispositivo intrauterino de cobre como método de anticonceptivo de emergencia. El Plan B y el dispositivo intrauterino actúan evitando que ocurra la ovulación, obstruyendo la *fertilización* o impidiendo que un óvulo fertilizado se implante en el útero.

Anticonceptivo permanente

La esterilización es una opción para usted y su pareja si están seguros de que no quieren tener más hijos. La eficacia de la esterilización es de más de un 99% y, en la mayoría de los casos, es permanente.

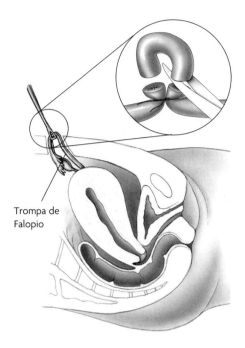

Trompa de
Falopio

Ligadura de trompas durante el período de postparto. Se hace un corte pequeño vertical u horizontal cerca del ombligo y se sacan ambas trompas de Falopio a través de la incisión. La trompa se cierra con suturas o pinzas especiales (no se ilustra). Se extrae entonces la sección entre la sección ya cerrada.

Esterilización femenina

La esterilización femenina se puede realizar durante un procedimiento quirúrgico o con un procedimiento no quirúrgico que se denomina **histeroscopia**.

Ligadura de trompas. La esterilización quirúrgica se llama **ligadura de trompas** o "atar las trompas". Durante el procedimiento, se cortan y atan las **trompas de Falopio** para evitar que los óvulos se desplacen del ovario al útero. También obstruye el paso de los espermatozoides hacia el óvulo. La ligadura de trompas no surte ningún efecto sobre sus periodos menstruales ni en su capacidad para sentir placer sexual. Algunas mujeres optan por la esterilización inmediatamente después de tener a sus bebés, mientras todavía se encuentran en el hospital. La cirugía es más sencilla en ese momento ya que el útero aún está agrandado y empuja a las trompas de Falopio hacia arriba en el abdomen. Si desea esterilizarse después de dar a luz a su bebé, hable con su proveedor de atención médica sobre ello con anticipación. En algunos casos, puede realizarse a pocos minutos del parto, con la misma anestesia que se usó en el parto. La mujer queda esterilizada inmediatamente después de tener este procedimiento.

Esterilización histeroscópica. Otro método de esterilización, que se denomina esterilización histeroscópica, también está disponible. Este procedimiento se puede realizar en el consultorio o la clínica de un proveedor de atención médica y no requiere una incisión abdominal ni **anestesia general**. Se puede realizar a partir de los 3 meses del parto. Hay dos tipos de esterilización histeroscópica que se han aprobado para su uso en Estados Unidos: el Sistema Essure y el Sistema Adiana Permanent Contraception.

La esterilización histeroscópica implica introducir un instrumento que se llama histeroscopio dentro del útero a través de la vagina y colocar un pequeño dispositivo dentro de cada trompa de Falopio. El dispositivo produce la formación de tejido cicatrizante que bloquea las trompas de Falopio y evita la fertilización del óvulo. Las trompas quedan totalmente bloqueadas al cabo de unos 3 meses del procedimiento. Durante ese período, puede quedar embarazada, por lo que necesita usar otro método anticonceptivo. Al cabo de 3 meses, tendrá una **histerosalpingografía**, un procedimiento que emplea la radiografía para garantizar que las trompas de Falopio se hayan obstruido.

Esterilización masculina

La esterilización masculina se denomina **vasectomía**. Implica cortar o atar los **conductos deferentes** (conductos a través de los cuales se desplazan los espermatozoides) para que no se liberen espermatozoides cuando el hombre eyacula. La vasectomía no surte ningún efecto en la capacidad del hombre para tener erecciones ni orgasmos. El procedimiento se hace rápidamente y el hombre puede regresar a casa el mismo día. Sin embargo, puede llevar hasta 3 meses antes de que el hombre quede esterilizado después de este procedimiento. Al cabo de unas semanas de la vasectomía, se harán pruebas periódicas en el hombre para determinar si el semen tiene espermatozoides.

Aunque hay una cirugía para revertir la esterilización, este procedimiento no siempre da resultado. Además, la cirugía de reversión de la esterilización femenina se considera una cirugía mayor.

El regreso al trabajo

Si debe, cuándo debe y cómo debe regresar a trabajar después de tener un bebé son decisiones personales. Las normas de las ausencias autorizadas con sueldo por motivos de maternidad varían entre un estado y otro, y entre dis-

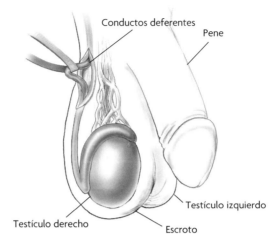

Vasectomía. Se hacen uno o dos cortes pequeños en la piel del escroto. Se extrae entonces cada conducto por la abertura hasta que forman un anillo. Posteriormente, se corta y se extrae una pequeña sección del anillo.

tintos empleadores. La Ley Federal de Ausencia por Motivos Familiares y Médicos garantiza a las mujeres un máximo de 12 semanas de ausencia sin sueldo después de dar a luz.

Además de recuperarse del parto, hay otros factores que debe tomar en cuenta. Considere la cantidad aproximada de dinero que gana y el tiempo que su familia podrá vivir sin este sueldo. Debe evaluar también el costo y las opciones de los servicios de cuidado de niños. Si está lactando, debe reservar suficiente tiempo para establecer una relación adecuada de lactancia con su bebé. También debe decidir si seguirá lactando una vez que regrese a trabajar.

Tenga cuidado de preparar un plan de acción que se ajuste a las necesidades que surjan. En otras palabras, usted no puede pronosticar con certeza lo que sucederá. Tal vez no sepa cómo se sentirá sobre el trabajo hasta que nazca el bebé. Por ejemplo, algunas mujeres planifican reducir las horas de trabajo o incluso suspender provisionalmente sus carreras profesionales por unos años. Entones encuentran que echan de menos el entusiasmo y la autoestima que derivan de sus empleos. Otras mujeres planifican regresar a trabajar a tiempo completo al poco tiempo de dar a luz. No obstante, una vez que nacen sus bebés, se sienten menos seguras sobre la decisión de ser madres y estar empleadas a tiempo completo.

Las madres que trabajan fuera del hogar actualmente tienen muchas opciones. Una cantidad cada vez mayor de empleadores les permiten a las nuevas madres trabajar una jornada parcial, trabajar desde la casa 1 ó 2 días a la semana, compartir los deberes del empleo, condensar las semanas laborales o trabajar horas flexibles. Además, algunas compañías ofrecen servicio de cuidado de niños en las mismas instalaciones, lo que es una gran ventaja para las madres nuevas. Esto se debe a que pueden llevar a sus bebés al trabajo con ellas y visitarlos durante los descansos o el almuerzo y seguir lactando.

Hay muchos factores que debe considerar cuando busque un buen servicio de cuidado de niños para su recién nacido. ¿Usará un centro de cuidado de niños (guardería) o una niñera? El período de buscar un servicio de cuidado de niños puede ser estresante para cualquier pareja. No obstante, tenga paciencia y haga su selección solamente cuando se sienta más tranquila (consulte la página 159 para obtener más consejos sobre cómo encontrar un buen servicio de cuidado de niños).

Parte III
Nutrición

Capítulo 13
La nutrición durante el embarazo

Llevar una dieta sana y balanceada es vital durante el embarazo. Es necesario alimentarse bien para satisfacer las exigencias mayores de su cuerpo, y también las del bebé en desarrollo. El antiguo dicho de, "comer por dos" es correcto, hasta cierto punto. No quiere decir que debe comer el doble. Es importante encontrar un equilibrio entre recibir suficientes nutrientes y mantener un peso sano para usted y la salud futura de su bebé. Una mujer embarazada cuyo peso era normal antes del embarazo sólo necesita unas 300 calorías adicionales al día, que es la cantidad equivalente a un vaso de leche descremada y medio sándwich.

Consumir alimentos sanos durante el embarazo puede requerir un poco de esfuerzo, pero será muy beneficioso para usted y su bebé. Si ya lleva una dieta balanceada, lo único que necesita es agregar algunas calorías bien seleccionadas. Si no ha llevado una dieta sana, el embarazo es una magnífica oportunidad para cambiar viejas costumbres y crear hábitos nuevos y sanos. Las madres que lactan también necesitan prestar mucha atención a sus dietas (consulte el Capítulo 14, "Cómo alimentar a su bebé").

Cómo planificar una dieta sana

El Departamento de Agricultura de Estados Unidos ha creado un programa interactivo para la planificación de la dieta que se llama "Plan MiPirámide para las mamás" especialmente para las mujeres embarazadas o las que lactan (consulte Recursos informativos). Este programa le ofrece un plan personalizado que incorpora los tipos de alimentos que necesita consumir en cada trimestre del embarazo. Otra herramienta, que se llama "Planificador de menús para las mamás" (Menu Planner for Moms), le permite determinar si su selección diaria de alimentos cumple con los requisitos alimenticios y las calorías recomendados. También puede usar el Planificador de menús para planear comidas y meriendas (bocadillos).

Cómo comenzar

El "Plan MiPirámide para las mamás" puede facilitarle llevar una dieta sana. Para sacarle el mayor provecho, debe entender algunos principios importantes.

Todas las dietas deben incluir proteínas, carbohidratos, vitaminas, minerales y grasa. Estos nutrientes la alimentan y promueven el crecimiento del bebé. Las mejores fuentes de nutrientes son los alimentos. Mientras esté embarazada, es importante que consuma una variedad de alimentos sanos para recibir todos los nutrientes que necesitarán usted y su bebé en desarrollo durante los próximos meses.

El "Plan MiPirámide para las mamás" se basa en grupos específicos de alimentos: verduras, frutas, productos lácteos, granos, carne y frijoles (habichuelas). También incorpora un grupo discrecional de alimentos que no pertenecen a ninguno de estos grupos. Este grupo contiene alimentos adicionales que no son esenciales en nuestras dietas, como alimentos con un alto contenido de grasa o alimentos dulces, o bien, cantidades adicionales de alimentos en otros grupos de alimentos. Las grasas y los aceites componen otro grupo.

La cantidad de alimentos que necesita consumir cada día se calcula según su estatura, peso antes del embarazo, fecha probable del parto y la cantidad de ejercicio que hace durante la semana. Las recomendaciones se proporcionan en las medidas convencionales que casi toda la gente conoce, como tazas y onzas.

Nutrientes que necesita

Los nutrientes son los componentes básicos del cuerpo. Se usan para formar huesos, músculos y órganos. Durante el embarazo, no sólo necesita mantener su propio cuerpo, sino apoyar el desarrollo del cuerpo de su bebé. Recibir los nutrientes necesarios durante el embarazo protege su propia salud y contribuye al desarrollo normal de su bebé (consulte la Tabla 13-2 en la página 271).

¿Qué es el aporte dietético de referencia?

Los aportes dietéticos de referencia son las cantidades recomendadas que una persona debe consumir diariamente de ciertos nutrientes, vitaminas y minerales (consulte la Tabla 13-1). Su objetivo es servir de guía para lograr una buena nutrición y forman la base de las pautas de nutrición del Plan MiPirámide del Departamento de Agricultura de Estados Unidos. También verá las palabras "Daily Value" (Valor diario) en la mayoría de las etiquetas. El valor diario es la cantidad de un nutriente que una persona común debe consumir todos los días. Los valores diarios se derivan en parte del aporte dietético de referencia.

No se preocupe de consumir el aporte dietético de referencia de cada nutriente todos los días. Su cuerpo almacena nutrientes para usarlos más tarde. Sólo trate de consumir una variedad de alimentos y las cantidades recomendadas de los grupos básicos de alimentos. Al hacerlo, probablemente estará llevando una dieta sana y se asegurará de que el bebé reciba la cantidad adecuada de nutrientes.

Tabla 13-1 Aportes dietéticos recomendados para mujeres

	Mujeres embarazadas			Mujeres que lactan		
	14–18 a	19–30 a	31–50 a	14–18 a	19–30 a	31–50 a
Proteínas (g)	71	71	71	71	71	71
Calcio (mg)	1,300	1,000	1,000	1,300	1,000	1,000
Fósforo (mg)	1,250	700	700	1,250	700	700
Magnesio (mg)	400	350	360	360	310	320
Hierro (mg)	27	27	27	10	9	9
Zinc (mg)	12	11	11	13	12	12
Yodo (microgramos)	220	220	220	290	290	290
Selenio (microgramos)	60	60	60	70	70	70
Vitamina A (microgramos)	750	770	770	1,200	1,300	1,300
Vitamina C (mg)	80	85	85	115	120	120
Vitamina D (microgramos)*	5	5	5	5	5	5
Vitamina E (mg)[†]	15	15	15	19	19	19
Vitamina K (microgramos)	75	90	90	75	90	90
Tiamina (mg)	1.4	1.4	1.4	1.4	1.4	1.4
Riboflavina (mg)	1.4	1.4	1.4	1.6	1.6	1.6
Niacina (mg)[‡]	18	18	18	17	17	17
Vitamina B$_6$ (mg)	1.9	1.9	1.9	2.0	2.0	2.0
Ácido fólico (microgramos)	600[§]	600[§]	600[§]	500	500	500
Vitamina B$_{12}$ (mg)	2.6	2.6	2.6	2.8	2.8	2.8

Abreviaturas: a = años.

*En ausencia de una exposición adecuada a la luz solar. El valor representa vitamina D como colecalciferol. 1 microgramo de colecalciferol = 40 unidades internacionales de vitamina D.

† Como Ð-tocoferol.

‡ Como equivalentes de niacina. Un mg de niacina = 60 mg de triptófano.

§ Como equivalentes dietéticos de folato. Un equivalente dietético de folato = 1 microgramo de folato dietético = 0.6 microgramos de ácido fólico de alimentos enriquecidos o como suplemento consumido con alimentos = 0.5 microgramos de un suplemento ingerido con el estómago vacío.

Reimpreso con permiso de Aportes de dietéticos de referencia: vitaminas; Aportes dietéticos de referencia: elementos; Aportes dietéticos de referencia: macronutrientes. Cortesía de National Academies Press, Washington, D.C. Puede acceder a estas tablas en el sitio de Internet del Instituto de Medicina de las Academias Nacionales www.iom.edu/CMS/54133.aspx.

Proteínas

Las proteínas son fuentes de nutrientes que el cuerpo necesita para crecer y reparar músculos y otros tejidos. Durante el embarazo, las proteínas también son los componentes básicos necesarios para formar las células del bebé. La mayoría de las mujeres embarazadas necesitan 71 gramos de proteína al día. Los alimentos derivados de animales, como la carne, el pescado, las aves y los productos lácteos, contienen un alto contenido de proteína:

* Carne de res, cerdo y pescado
* Pollo
* Leche baja en grasa
* Huevos

Los productos derivados de plantas, como los granos y las legumbres, también son buenas fuentes de proteínas. Para las vegetarianas estrictas (que se llaman veganas), consumir suficiente proteína puede ser difícil, aunque se puede lograr planificando debidamente las comidas y determinando cuáles alimentos de origen vegetal contienen la mayor cantidad de proteína.

Carbohidratos

Los carbohidratos (o azúcares alimenticios) son la fuente principal de energía del cuerpo. Hay dos tipos de azúcares alimenticios: azúcares simples y almidones.

Los azúcares simples dan un estímulo rápido de energía ya que están listos para que el cuerpo los use inmediatamente. Estos azúcares se encuentran en el azúcar común, la miel, el almíbar, los jugos de fruta, los caramelos duros y muchos alimentos procesados.

Los almidones son una forma más compleja de azúcar. Dado que el cuerpo tarda más en procesarlos, los almidones proporcionan energía durante más tiempo que los azúcares simples. Los almidones se encuentran en el plan, el arroz, la pasta, las frutas y las verduras con almidones, como las papas y el maíz.

Los alimentos con almidones también contienen fibra. El cuerpo no usa la fibra de la misma forma que usa los demás nutrientes. La fibra ayuda a limpiar el sistema digestivo y evita el estreñimiento. También elimina el exceso de grasa y colesterol del cuerpo. Algunas buenas fuentes de fibras son las siguientes:

* Frutas (especialmente frutas secas, bayas, naranjas, y manzanas y melocotones con la cáscara)
* Verduras (como frijoles secos y chícharos o guisantes)
* Productos de granos integrales (como pan de trigo y arroz integrales)

Tabla 13-2 Nutrientes importantes en el embarazo

Nutriente	Fuente
Proteínas	Carnes, pescado, huevos, frijoles, productos lácteos
Carbohidratos	Pan, cereales, arroz, papas, pasta
Grasa	Carnes, huevos, nueces, mantequilla de cacahuate (maní), margarina, aceites
Vitaminas	
A	Verduras de hojas verde oscuro, verduras de color amarillo o anaranjado intenso (zanahorias, camote o batata dulce), leche, hígado
Tiamina (B$_1$)	Pan y cereales de granos integrales o enriquecidos, pescado, cerdo, aves, carnes magras, leche
Riboflavina (B$_2$)	Leche, pan y cereales de granos integrales o enriquecidos, hígado, verduras de hojas verde oscuro
B$_6$	Hígado de carne de res, cerdo, jamón, cereales integrales, plátanos (guineos)
B$_{12}$	Alimentos de origen animal, como hígado, leche, aves (las vegetarianas deben tomar un suplemento)
C	Frutas cítricas, fresas, brécol, tomates
D	Leche enriquecida, aceites de hígado de pescado, luz solar
E	Aceites de origen vegetal, cereales integrales, germen de trigo, verduras de hojas verde oscuro
Ácido fólico	Verduras de hojas verde oscuro, frutas y verduras de color amarillo o anaranjado intenso; hígado; legumbres y nueces; pan cereales, arroz y pastas enriquecidos
Niacina	Carnes, hígado, aves, pescado, cereales integrales o enriquecidos
Minerales	
Calcio	Leche y productos lácteos, sardinas y salmón con espinas, berza, col rizada, mostaza, espinaca y hojas de nabo; jugo de naranja enriquecido
Yodo	Mariscos, sal yodada
Hierro	Carne roja magra, hígado, frijoles secos, pan y cereales de granos integrales o enriquecidos, jugo de ciruelas pasas, espinaca, tofú
Magnesio	Legumbres, cereales integrales, leche, carne, verduras verdes
Fósforo	Leche y productos lácteos, carne, aves, pescado, cereales integrales, legumbres
Zinc	Carne, hígado, mariscos, leche, cereales integrales

Es importante tener un balance entre las frutas, verduras y granos. No todos los almidones ofrecen los mismos beneficios, por lo tanto, elija una variedad de alimentos de este grupo. Dado que tienen otros nutrientes, las frutas y verduras son mejores fuentes de carbohidratos que el pan y los granos.

Trate de limitar el consumo de azúcares simples. Estos azúcares tienen más calorías que nutrientes, y la energía que proveen se agota rápidamente. Comerse una barra de chocolate puede hacerle sentir "por las nubes". Sin

Granos integrales y granos refinados

Hay dos tipos de granos: granos integrales y granos refinados. Los granos integrales contienen el grano entero. Algunos ejemplos de granos integrales son el arroz integral, el trigo machucado, la avena y la harina de trigo integral. Los granos refinados se han procesado para extraer la cáscara del grano. Este procesamiento también elimina una parte de la fibra y otros nutrientes. Algunos ejemplos son el arroz blanco y el pan blanco. Se recomienda que los granos integrales compongan por lo menos la mitad de los granos que consume a diario.

embargo, no ofrece ninguna nutrición y pronto se sentirá cansada otra vez. Ciertos tipos de almidones contienen muchos nutrientes y fibras. También dan energía duradera.

Grasas

Muchas personas han llegado a pensar que la grasa es mala. Aunque no es bueno para la salud consumir demasiada grasa, el cuerpo necesita una cantidad determinada de grasa para funcionar normalmente. Las grasas permiten que el cuerpo use las vitaminas A, D, E y K, así como proteínas y carbohidratos.

La grasa también es sumamente alta en calorías. Un gramo de grasa tiene más del doble de calorías que la misma cantidad de proteínas o carbohidratos. La grasa que el cuerpo no necesita inmediatamente se almacena como tejido adiposo (o graso). Este tejido se convierte en energía cuando el cuerpo necesita más calorías que las que consume con los alimentos. Los depósitos de grasa desempeñan una función importante durante la producción de leche materna para el recién nacido. Si no usa esas calorías, los depósitos de grasa se acumulan. El exceso de grasa corporal puede causar varios problemas de salud, como **diabetes mellitus**, enfermedades cardíacas y problemas con las articulaciones.

Debe tener en cuenta los distintos tipos de grasa en su dieta:

- Las grasas saturadas provienen principalmente de la carne y los productos lácteos. Tienden a solidificarse cuando están frías, como la mantequilla o manteca de cerdo. El aceite de palma y el aceite de coco también son grasas saturadas.

- Las grasas trans son un tipo de grasa saturada. Las grasas trans se forman cuando los aceites líquidos se convierten en grasas sólidas, como en la manteca o la margarina en barras. Este proceso se hace para que los alimentos duren más y sepan mejor. Las mantecas vegetales, algunas margarinas, las galletas de soda y dulces y las golosinas como los chips de papa contienen grasas trans.

- Las grasas insaturadas tienden a ser líquidas y provienen principalmente de plantas y verduras. Los aceites de oliva, canola, cacahuate (maní), girasol y pescado son todos grasas insaturadas.

Consumir demasiadas grasas saturadas y grasas trans puede aumentar el nivel de colesterol y causar enfermedades cardíacas. Estas grasas deben componer menos de una tercera parte del consumo total de grasa en su dieta, o no más de un 10% de las calorías que necesita cada día. Los dos tercios restantes de la grasa en su dieta, o aproximadamente un 20% de las calorías diarias, deben provenir de grasas insaturadas.

La grasa se encuentra en muchos alimentos, desde carnes y productos horneados, a la crema artificial que se usa en el café. Puede reducir la grasa en su dieta si cambia su forma de preparar los alimentos:

- Ase a la parrilla, hornee, hierva, o cocine al vapor su comida en lugar de freírla o saltearla.
- Elimine la grasa líquida de las sopas.
- Recorte la grasa de todas las carnes.
- Quíteles el pellejo a las aves
- Reduzca su consumo de mantequilla, margarina, crema, aceites y mayonesa.
- Elija grasas insaturadas en lugar de grasas saturadas o grasas trans tanto como pueda.

Vitaminas y minerales

Las vitaminas y los minerales son sustancias químicas naturales que se encuentran en los alimentos y desempeñan funciones importantes en el cuerpo. Usted necesita una cantidad determinada de vitaminas y minerales todos los días para que el cuerpo funcione eficazmente y apoye el desarrollo del bebé. Algunas vitaminas y minerales desempeñan funciones importantes en el desarrollo prenatal, como el hierro, el calcio, el ácido fólico y la vitamina D.

Hierro. El hierro se usa para producir hemoglobina. Esta proteína en las *células* de la sangre (los glóbulos rojos) transporta oxígeno a los órganos, tejidos y al bebé. Al igual que las demás células del cuerpo, los glóbulos rojos mueren y se reemplazan en un proceso constante. El hierro de los glóbulos rojos se usa para producir más hemoglobina.

Al quedar embarazada, es posible que no tenga suficiente hierro almacenado en el cuerpo para producir la sangre adicional que usted y su bebé necesitan, lo que causaría **anemia**. Las mujeres necesitan más hierro en la dieta durante el embarazo para apoyar el crecimiento del bebé y producir más sangre. El aporte diario recomendado de hierro que debe consumir mientras está embarazada es 27 miligramos.

Consumir ciertos alimentos le proveerá hierro adicional. Las carnes magras de res y cerdo, las carnes de órganos, las frutas y los frijoles secos, los granos integrales y las verduras de hojas verde oscuro son altas en hierro. Algunas mujeres pueden necesitar hierro adicional en forma de un suplemento con hierro. Si su proveedor de atención médica le recomienda un suplemento con hierro, siga estos consejos:

- La vitamina C ayuda a que el cuerpo absorba el hierro de los alimentos. Es buena idea tomarse la píldora de hierro con un vaso de jugo de fruta con un alto contenido de vitamina C.

- El **calcio** puede bloquear la absorción de hierro. Si también toma un suplemento con calcio, tome el suplemento con hierro por la mañana y el de calcio por la noche.

- Los suplementos con hierro pueden causar estreñimiento e hinchazón abdominal cuando empieza a tomarlos. El cuerpo se adaptará a este consumo adicional de hierro en unos días.

- Mantenga los suplementos con hierro alejados de los niños (al igual que todos los medicamentos).

Ácido fólico. El ácido fólico se usa para producir la sangre adicional que el cuerpo necesita durante el embarazo. No consumir suficiente ácido fólico en la dieta antes de la **concepción** y durante las primeras semanas del embarazo aumenta el riesgo de que el bebé tenga defectos congénitos como **defectos del tubo neural** (anormalidades en la columna vertebral y el cráneo). La falta de ácido fólico también aumenta el riesgo de que el bebé presente otros defectos congénitos.

El ácido fólico se agrega como suplemento a ciertos alimentos (panes, cereales, pasta, arroz y harina). También está presente en algunos alimentos, como las verduras de hojas verde oscuro, las frutas cítricas y los frijoles (habichuelas). Sin embargo, como es difícil recibir todo el ácido fólico que necesita de fuentes alimenticias solamente, se recomienda que todas las mujeres en edad de procrear tomen un suplemento multivitamínico que contenga 0.4 miligramos de ácido fólico al día.

Algunas mujeres pueden necesitar cantidades mayores de ácido fólico. Las mujeres embarazadas con gemelos, que tienen ciertos padecimientos médicos o que usan ciertos medicamentos, necesitan cantidades mayores de ácido fólico. Si tuvo un hijo con un defecto del tubo neural u otro defecto congénito, necesitará 4 miligramos de ácido fólico al día (10 veces la cantidad recomendada a casi todas las demás mujeres). Esta cantidad adicional de ácido fólico debe tomarse por separado y no como parte de un suplemento multivitamínico. De lo contrario, recibiría una cantidad excesiva de otras vitaminas. Su proveedor de atención médica le recetará este suplemento de ácido fólico en dosis elevada. Si desea obtener más información sobre el ácido fólico, consulte la página 24.

Calcio. El calcio se usa para formar los huesos y dientes del bebé. Si no obtiene una cantidad suficiente de este mineral de los alimentos, el bebé obtendrá el calcio que necesita de los huesos de la madre. Una deficiencia en calcio puede causar **osteoporosis** (huesos frágiles). También puede causar la pérdida de dientes.

Las mujeres embarazadas deben ingerir 1,000 mg de calcio todos los días (1,300 para mujeres menores de 19 años). Beber aproximadamente 3 vasos de leche al día cumplirá con esta cuota si es mayor de 19 años. La leche y los demás productos lácteos, como el queso y el yogur, son las mejores fuentes de calcio. Estos alimentos también son fuentes adecuadas de calcio:

- Jugo de naranja enriquecido
- Nueces y semillas
- Sardinas
- Salmón con espinas
- Berza, col rizada, mostaza, espinaca y hojas de nabo

Si es **intolerante a la lactosa** (tiene dificultad para digerir productos lácteos), puede recibir el calcio de otras maneras. Puede tomar píldoras o usar gotas con un enzima que ayuda al cuerpo a degradar el azúcar de la leche. Tomar un antiácido con calcio diariamente es otra forma sencilla de aumentar su consumo de calcio. Además, muchas tiendas disponen de leche y quesos bajos en lactosa. El hierro impide la absorción del calcio. Por lo tanto, no tome calcio junto con hierro.

Vitamina D. La vitamina D ayuda a formar los huesos y dientes del bebé. Usted necesita aproximadamente 200 unidades internacionales de vitamina D todos los días (más o menos la cantidad en varios vasos de leche enriquecida con vitamina D). El aceite de hígado de pescado y el pescado alto en grasa, como el salmón, son buenas fuentes de vitamina D. Además, la exposición a la luz solar convierte una sustancia química en la piel a vitamina D. A pesar de estas fuentes naturales de vitamina D, muchas personas tienen deficiencias de esta vitamina. Si su proveedor de atención médica sospecha que tiene una deficiencia de vitamina D, puede hacerle una prueba para medir los niveles de vitamina D en la sangre. Si se encuentra por debajo de lo normal, podría tener que tomar suplementos con vitamina D.

Grupos de alimentos

Para recibir los nutrientes que necesita, debe consumir una variedad de alimentos. Para ayudarle a planificar mejor sus comidas, el "Plan MiPirámide para las mamás" divide los alimentos en los siguientes grupos:

1. *Grupo de verduras*—Este grupo proporciona vitaminas, como A, C y ácido fólico, y minerales como hierro y magnesio. Las verduras son bajas en grasa y altas en fibra. Cuando planifique sus comidas, seleccione una amplia variedad de verduras para asegurarse de recibir una cantidad diversa de nutrientes. Las mujeres preocupadas por los pesticidas podrían considerar comprar verduras y frutas cultivadas sin sustancias químicas (orgánicas). Los pesticidas también pueden eliminarse de las frutas y verduras lavándolas con agua tibia y poco jabón, y después enjuagándolas. Consuma una combinación de estos tipos de verduras:

   • Verduras de hojas verde oscuro (espinaca; lechuga romana; verduras verdes cocidas, como col rizada, hojas de nabo y hojas de remolacha)
   • Verduras anaranjadas (zanahorias, camotes o batata dulce, calabaza)
   • Verduras con almidón (papas, calabacín invernal, remolachas)
   • Frijoles (habichuelas) secos (blancos, pintos y colorados) y chícharos o guisantes
   • Otras verduras (tomates y salsas de tomate, pimientos, brécol, coliflor, lechuga)

2. *Grupo de frutas*—Este grupo proporciona vitaminas A y C, potasio y fibra. Elija frutas frescas, congeladas, enlatadas o secas. Consuma abundantes frutas cítricas, melones y bayas. Aunque los jugos de fruta también proveen nutrientes, debe tratar de consumir frutas enteras siempre que pueda. Algunos ejemplos son:

   • Melón cantalupo
   • Melón invernal con pulpa verde
   • Mangos
   • Ciruelas pasas o jugos de ciruelas pasas
   • Plátanos (guineos)
   • Albaricoques (duraznos)

Las 12 frutas y verduras principales con los niveles más altos de pesticidas

Según la organización Environmental Working Group, las siguientes frutas y verduras contienen los niveles más altos de pesticidas:

1. Melocotones
2. Manzanas
3. Pimientos
4. Apio
5. Nectarinas
6. Fresas
7. Cerezas
8. Berza
9. Lechuga
10. Uvas (importadas)
11. Zanahorias
12. Peras

Cuando sea posible, compre las versiones orgánicas. Las frutas y verduras orgánicas pueden ser más caras que las convencionales. Si tiene un presupuesto limitado y necesita limitar las compras orgánicas, comprar sólo leche orgánica es una muy buena decisión. La leche orgánica no contiene **hormonas** ni **antibióticos**. Muchos creen que también sabe mejor.

- Naranjas o jugo de naranja
- Toronja roja o rosa
- Aguacates

3. *Grupo de productos lácteos*—La leche y los productos elaborados con leche son una fuente importante de proteína, calcio, fósforo y vitaminas. El calcio es un nutriente clave durante el embarazo y la lactancia. Si no le gusta el sabor de la leche, consuma productos lácteos como yogur, requesón o rebanadas de queso. Elija productos sin grasa (descremados) o bajos en grasa (1%) siempre que pueda.

4. *Grupo de cereales (granos)*—Este grupo proporciona carbohidratos complejos (almidones). Los granos son buenas fuentes de energía, vitaminas, minerales y fibra. Trate de que por lo menos la mitad de los granos que consuma cada día sean granos integrales. Algunos ejemplos son los siguientes alimentos:

- Cereales coci dos (como la avena)
- Cereales listos para comer
- Pan
- Arroz
- Pasta

5. *Grupo de carnes y frijoles*—Este grupo proporciona vitaminas B, proteínas, hierro y zinc. Su bebé necesita una cantidad abundante de proteínas y hierro para crecer. Elija carnes magras y recórteles la grasa y la piel de las carnes antes de cocinarlas. Algunos ejemplos de este grupo son:

- Frijoles (habichuelas) secos y chícharos (guisantes) cocidos
- Nueces y semillas (semillas de girasol, almendras, avellanas, frutos de varios tipos de pino, maní o cacahuates y mantequilla de maní o cacahuate)
- Carne de res, cordero y cerdo magras
- Aves
- Huevos
- Camarones, almejas, ostras y cangrejo
- Mero, bacalao, trucha arco iris, arenque, sardinas, besugo y atún de aleta amarilla (Mientras esté embarazada, no debe consumir tiburón, pez espada, caballa gigante ni lofolátilo o blanquillo ya que contienen niveles elevados de mercurio. Consulte la p. 86 para obtener los detalles sobre la seguridad del consumo de pescado durante el embarazo).

Además de estos grupos de alimentos, hay un grupo adicional que consumimos diariamente y que contiene una cantidad mayor de grasas y azúcares. Las grasas y los aceites componen un grupo separado. La mayoría de la grasa y el aceite en la dieta proviene de fuentes vegetales (aceite de oliva, aceites de nueces y aceite de semillas de uva). Limite las grasas derivadas de fuentes de animales, como la mantequilla y la manteca de cerdo.

¿Cuánto debe consumir?

Antes decían que tenía que comer ciertas raciones de cada grupo de alimentos. El problema con el término "ración" es que muy pocas personas saben lo que es una ración de un alimento específico. Para determinarlo mejor, el "Plan MiPirámide para las mamás" expresa las cantidades en medidas familiares como tazas y onzas. Para tener una idea de lo que representa una onza, 1 libra equivale a 16 onzas. Si ha comprado media libra de frijoles, tiene entonces 8 onzas. Un cuarto de libra equivale a 4 onzas. Si quiere ser más exacta, puede usar una balanza para la cocina, aunque no es necesario. El plan recomienda cuánto debe consumir de distintos tipos de alimentos para satisfacer sus requisitos diarios.

Cómo funciona

Para tener una idea de cómo funciona el Plan, la siguiente tabla (Tabla 13-3) ofrece pautas para las mujeres embarazadas con peso normal que hacen menos de 30 minutos de ejercicios al día. Las pautas son distintas para cada trimestre debido a que las necesidades alimenticias tienden a cambiar durante el embarazo. En el primer trimestre, las náuseas pueden influir en sus hábitos alimenticios. Puede que tenga muchos deseos de comer ciertos alimentos o que no desee comer nada en absoluto. En el segundo y tercer trimestre, generalmente aumenta el apetito. Además, se recomienda que casi todo el aumento de peso ocurra durante el segundo y tercer trimestre de embarazo. La cantidad total de calorías recomendadas para cada trimestre aumenta gradualmente para reflejar este aumento gradual de peso. Las 300 calorías adicionales que necesita una mujer embarazada se asignan en promedio durante los tres trimestres de embarazo.

Es útil saber cómo leer las etiquetas de los alimentos para planear las comidas. Recuerde contar las meriendas o bocadillos, que son una buena manera de recibir nutrición y calorías adicionales. Elija meriendas o bocadillos con la cantidad adecuada de nutrientes que sean bajos en grasa y azúcar. Las frutas, los cereales y el yogur son alimentos más sanos que los caramelos, refrescos o chips de papa.

Puede resultarle más fácil comer seis comidas más pequeñas distribuidas durante el día que tratar de consumir los nutrientes y las calorías necesarias en tres comidas más grandes. Para preparar estas minicomidas, simplemente divida la cantidad diaria recomendada de los alimentos de cada grupo alimenticio en porciones pequeñas. Leche y medio sándwich de carne, pescado, mantequilla de maní (cacahuate) o queso con lechuga y tomate es una excelente minicomida. Otras ideas son leche baja en grasa y frutas frescas, queso y galletas de soda, y sopas.

Tenga en cuenta que este plan sencillo se ha diseñado para una mujer con un peso medio que hace poco ejercicio. Si tiene sobrepeso o está muy delgada, su plan será diferente. Las mujeres con sobrepeso no necesitarán tantas calorías adicionales, mientras que las mujeres muy delgadas necesitarán más. El ejercicio también es otro factor. Las mujeres que se ejercitan más necesitarán más calorías.

Aumento de peso durante el embarazo

Las mujeres embarazadas necesitan aumentar una cantidad determinada de peso durante el embarazo (consulte la Tabla 13-4). Una mujer que aumente muy pocas libras probablemente tendrá un bebé pequeño (menos de 5 libras y media). Estos bebés a menudo tienen problemas de salud después de nacer. Las mujeres que aumentan demasiado de peso también corren riesgo de tener problemas de salud. Estos problemas son, entre otros, ***diabetes mellitus gestacional***, presión arterial alta y tener un bebé demasiado grande (***macrosomía***).

Tabla 13-3 Ejemplo de pautas dietéticas

Estas pautas son para mujeres embarazadas con peso normal que hacen menos de 30 minutos de ejercicios al día. Se ilustra además el aporte dietético recomendado diario.

	Primer trimestre	Segundo trimestre	Tercer trimestre	Comentarios
Total de calorías al día	1,800	2,200	2,400	
Granos*	6 onzas	7 onzas	8 onzas	1 onza equivale a una rebanada de pan, ½ taza de arroz cocido, ½ taza de pasta cocida, 3 tazas de palomitas de maíz o cinco galletas de trigo integral
Verduras†	2 ½ tazas	3 tazas	3 tazas	2 tazas de verduras de hojas crudas cuentan como 1 taza
Frutas	1 ½ tazas	2 tazas	2 tazas	Una naranja grande, un melocotón grande, una manzana pequeña, ocho fresas grandes o ½ taza de frutas secas cuenta como 1 taza de fruta fresca
Productos lácteos	3 tazas	3 tazas	3 tazas	Dos rebanadas pequeñas de queso suizo o 1/3 de taza de queso rallado cuenta como 1 taza
Carnes y frijoles	5 onzas	6 onzas	6 ½ onzas	½ taza de frijoles cocidos, 25 almendras, 13 acayús o nueve nueces cuentan como 2 onzas
Alimentos adicionales	290 calorías	360 calorías	410 calorías	Estas calorías adicionales provienen de alimentos altos en grasa y azúcar, o cantidades mayores de alimentos de los cinco grupos de alimentos
Grasas y aceites	6 cucharaditas	7 cucharaditas	8 cucharaditas	Algunos alimentos contienen naturalmente niveles elevados de grasas y aceites, como aceitunas, algunos pescados, aguacates y nueces and nuts

* Haga que la mitad consista en granos integrales.

† Asegúrese de recibir una combinación de verduras de hojas verde oscuro, anaranjadas, con almidón y otros tipos, así como frijoles secos y chícharos (guisantes).

Calorías: cantidad de energía que provee un alimento en cada ración.

Grasa total: cantidad de grasa en una ración. Las grasas a menudo se dividen en grasas trans y grasas saturadas. Una dieta sana debe contener una cantidad limitada de estos dos tipos de grasas.

Nutrientes: lista de los nutrientes que contiene el producto. Los nutrientes que a menudo se señalan aquí son grasa total, colesterol, sodio, total de carbohidratos y proteínas.

Nutrition Facts

Serving Size: 1 package (28g)
Servings Per Container: 1

Amount Per Serving

Calories 100   Calories from Fat 10

	% Daily Value*
Total Fat 1g	2%
Saturated Fat .5g	2%
Trans Fat 0g	
Cholesterol 0g	0%
Sodium 450mg	19%
Total Carbohydrate 22g	7%
Dietary Fiber 2g	8%
Sugars 0g	
Protein 3g	

Vitamin A 0%	•	Vitamin C 0%
Calcium 0%	•	Iron 3%

*Percent Daily Values are based on a 2,000 calorie diet. Your daily values may be higher or lower depending on your calorie needs:

	Calorie	2,000	2,500
Total Fat	Less than	65g	80g
Sat. Fat	Less than	20g	25g
Cholesterol	Less than	300mg	300mg
Sodium	Less than	2,400mg	2,400mg
Total Carbohydrate		300g	375g
Dietary Fiber		25g	30g

Calories per gram:
Fat 9   •   Carbohydrate 4   •   Protein 4

Tamaño de la ración: cantidad servida y consumida. Los números en la etiqueta se refieren a esta cantidad de comida.

Porcentaje de valor diario: para cada nutriente señalado, se ilustra un porcentaje de valor diario que proporciona el alimento. El porcentaje de valor diario se basa en una dieta de 2,000 calorías. Si consume menos de 2,000 calorías al día, el porcentaje sería menor. Si consume más de 2,000 calorías, el porcentaje sería más alto.

Nota al pie: la nota al pie ofrece información detallada sobre la cantidad de nutrientes necesarios en una dieta de 2,000 calorías y 2,500 calorías.

Todos los alimentos empaquetados deben tener etiquetas claras con la información de los nutrientes. Leer todas las etiquetas de los alimentos le asegurará tomar mejores decisiones. La etiqueta indicará la cantidad de gramos de grasa y cuántas calorías hay en cada ración.

La cantidad que debe aumentar se basa en su peso antes de quedar embarazada. El índice de masa corporal (IMC) es una medida de grasa corporal que se basa en la estatura y el peso (consulte el Apéndice A para ver la tabla del IMC). Un IMC de 18.5–24.9 se considera normal. Un IMC de 25–29.9 significa que tiene sobrepeso. Una persona con un IMC de 30 o más se considera obesa. Consulte la tabla para determinar el peso que debe aumentar durante el embarazo según su IMC.

Se debe aumentar de peso gradualmente durante el embarazo y casi todo el aumento de peso debe ocurrir en el segundo y tercer trimestres. Durante cada visita de *atención prenatal* el personal la pesará y su proveedor de atención médica llevará un control de su aumento de peso. Si está aumentando de peso demasiado rápido, le pedirán que reduzca el ritmo de su aumento de peso. Trate de reducir las calorías "adicionales" que consume, como el consumo adicional de grasas y azúcares, así como las porciones grandes y las veces que repite, antes de reducir las calorías de los cinco grupos principales de alimentos. Si no está aumentando de peso como debe, haga lo opuesto: trate de comer más de las cantidades recomendadas de los cinco grupos de alimentos. No consuma el doble de los alimentos que se consideren adicionales.

La obesidad y el embarazo

La *obesidad* es un problema de salud importante en Estados Unidos. Las mujeres que tienen sobrepeso o son obesas pueden tener problemas durante el embarazo, como diabetes mellitus gestacional o macrosomía. La obesidad puede estar asociada a otros problemas de salud de la mujer, como presión arterial alta. El Capítulo 17, "La obesidad y los trastornos de la alimentación", ofrece más información sobre la obesidad y el embarazo y cómo se tratan estos estados.

El embarazo y los trastornos de la alimentación

La *anorexia nervosa* y la *bulimia nervosa* son trastornos graves de la alimentación que impiden que la mujer reciba nutrientes importantes. En las mujeres con anorexia nervosa o bulimia nervosa, el aumento de peso y los cambios del cuerpo que normalmente ocurren durante el embarazo pueden causarles ansiedad y hacer que empeoren estos trastornos. Los trastornos de la alimentación que estaban bajo control antes del embarazo pueden también manifestarse otra vez durante el embarazo. La terapia psicológica y ciertos medicamentos ayudan a controlar los aspectos emocionales de los trastornos de la alimentación. Si padece de un trastorno de la alimentación o ha tenido uno de ellos anteriormente, dígaselo a su proveedor de atención médica. El Capítulo 17, "La obesidad y los trastornos de la alimentación", aborda más a fondo los trastornos de la alimentación y cómo se tratan durante el embarazo.

Suplementos vitamínicos prenatales

Las mejores fuentes de nutrientes son los alimentos. A excepción del hierro, el ácido fólico y posiblemente el calcio, una dieta con el balance correcto

Tabla 13-4 Aumento de peso durante el embarazo

Índice de masa corporal antes del embarazo	Aumento total de peso recomendado durante el embarazo (en libras)	Ritmo recomendado de aumento de peso por semana en el segundo y tercer trimestre* (libras por semana)
Bajo peso (IMC menos de 18.5)	28–40	1–1.3
Peso normal (IMC de 18.5–24.9)	25–35	0.8–1
Sobrepeso (IMC de 25–29.9)	15–25	0.5–0.7
Obesidad (IMC superior a 30)	11–20	0.4–0.6

Abreviaturas: IMC = índice de masa corporal.
*Supone un aumento de peso en el primer trimestre de entre 1.1 y 4.4 libras.
Datos de los Institutos de Medicina (EE.UU.). Weight gain during pregnancy: reexamining the guidelines. Washington, DC: National Academies Press; 2009.

debe suplir todos los nutrientes que necesita durante el embarazo. Para obtener estos nutrientes adicionales, se recomiendan suplementos vitamínicos prenatales a casi todas las mujeres embarazadas. Tome los suplementos vitamínicos prenatales sólo de la forma indicada. Dosis altas de cualquier sustancia, incluso de una buena, pueden ser perjudiciales. No tome más del aporte dietético de referencia de cualquier vitamina o mineral, especialmente de las vitaminas A y D, sin obtener la autorización del médico. Niveles muy elevados de vitamina A han sido asociados con defectos congénitos graves. Su suplemento multivitamínico prenatal no debe contener más de 5,000 unidades internacionales de vitamina A. Si ya toma un suplemento multivitamínico, dígaselo a su proveedor de atención médica.

Precauciones especiales sobre la nutrición

Para la mayoría de las mujeres, sólo basta con planificar cuidadosamente las comidas y tomar un suplemento multivitamínico prenatal diariamente para cumplir con todas sus necesidades alimenticias. Sin embargo, algunas madres futuras tienen situaciones especiales alimenticias que deberán abordar durante el embarazo.

Dietas vegetarianas

Si es vegetariana, aún es posible obtener todos los nutrientes que necesitan usted y su bebé durante el embarazo. Sólo necesita planificar más sus comidas. Dígale a su proveedor de atención médica en su primera visita de atención prenatal que es vegetariana y pregúntele si recomienda alguna dieta que pueda llevar. Los consejos en esta sección también pueden ser útiles cuando planifique sus comidas y al tomar en cuenta las calorías y nutrientes adicionales que necesitará durante el embarazo.

Hay distintos tipos de vegetarianismo. Los lacto-ovo vegetarianos consumen productos lácteos y huevos, pero no carne ni pescado. Los semivegetarianos consumen aves y pescado, pero no carnes rojas, como de res o cerdo. Los veganos no consumen productos derivados de animales, ni tampoco leche, huevos y miel.

Debido a que los productos derivados de animales por lo general son altos en proteínas y hierro, puede ser difícil para las vegetarianas recibir una cantidad adecuada de estos nutrientes. Las lacto-ovo vegetarianas pueden obtener una cantidad adecuada de proteína de los productos lácteos y huevos. Las veganas necesitan buscar proteína y hierro de otras fuentes que no sean de animales. Los frijoles (habichuelas) y el tofú son alimentos ricos en proteína que no provienen de animales, y la melaza negra es una buena fuente de hierro. Cocinar en una sartén de hierro también puede agregar más hierro a la dieta. Para aumentar su absorción de hierro, es útil consumir un alimento con un alto contenido de vitamina C—un potenciador natural para la absorción de hierro—a la misma vez que coma un alimento alto en hierro. Puede tener que tomar un suplemento con hierro para garantizar que reciba una cantidad suficiente de este mineral.

Las veganas también necesitan asegurarse de recibir una cantidad adecuada de calcio. Las verduras de hojas verde oscuro, el tofú y otros productos enriquecidos con calcio (leche de soya, jugo de naranja) tienen abundante calcio. La vitamina D—que se encuentra en alimentos derivados de animales, como en el salmón, atún y la leche—es necesaria para promover la absorción de calcio. Aunque la vitamina D se produce naturalmente en el cuerpo mediante la exposición a la luz solar, los vegetarianos a menudo tienen deficiencias de esta vitamina. Su proveedor de atención médica puede medir sus niveles de vitamina D. Si se determina que tiene una deficiencia de esta vitamina, necesitará tomar suplementos diarios.

Las veganas deben también vigilar el consumo de otros nutrientes, como ácido fólico, vitamina B_{12} y zinc:

- *Ácido fólico*—Las veganas y otras vegetarianas necesitan asegurarse de recibir suficiente ácido fólico en la dieta para reducir el riesgo de tener hijos con un defecto del tubo neural. Muchas mujeres tienen dificultad para obtener la cantidad recomendada—0.4 miligramos al día—de fuentes de alimentos solamente. Se recomienda que todas las mujeres en edad de procrear tomen una vitamina diaria que contenga esta cantidad de ácido fólico.

- *Vitamina B_{12}*—La vitamina B_{12} desempeña una función clave en el desarrollo fetal. Debido a que atraviesa fácilmente la placenta, es necesario recibirla regularmente para mantener un nivel constante en el cuerpo. Fuentes adecuadas de esta vitamina se encuentran en los sustitutos de carnes, los cereales enriquecidos y la levadura nutricional enriquecida.

- *Zinc*—El zinc es un mineral importante para el crecimiento y desarrollo del bebé. Las nueces y las mantequillas de nueces son buenas fuentes de zinc y también aportan proteínas y vitamina B_{12}.

Tenga en cuenta que puede ser más difícil aumentar de peso mientras lleva una dieta vegana. Comer meriendas o bocadillos es una buena manera de obtener calorías adicionales, al igual que los alimentos con abundantes calorías como las nueces y los productos de soya.

Reservas bajas de nutrientes

El embarazo exige mucho del cuerpo. Tener más de un embarazo en un período corto puede agotar algunos de los nutrientes que su cuerpo necesita para alimentarlos a usted y a su bebé. El hierro y calcio, por ejemplo, son minerales que pueden estar en cantidades deficientes en una mujer que ha tenido más de un embarazo en poco tiempo.

Si ha estado embarazada más de dos veces en 2 años (incluidos los embarazos que terminaron en abortos provocados o espontáneos), es posible que no haya tenido la oportunidad de reponer los nutrientes que su cuerpo perdió. Sus reservas también pueden estar bajas si tuvo complicaciones en el embarazo, dio a luz a un bebé con **bajo peso al nacer** o si es muy delgada.

Si cualquiera de estas situaciones se aplica en su caso, puede beneficiarse de consultar con un nutricionista. Un nutricionista puede ayudarla a diseñar un plan de dieta que incorpore todos los nutrientes necesarios y ayudarla a llevar un control de su progreso durante el embarazo.

Antojos poco comunes

Las mujeres embarazadas a menudo se antojan de ciertos alimentos. La mayoría de las veces, el ceder a esos antojos no es perjudicial. No obstante, los antojos pueden causar problemas si come sólo ciertos tipos de alimentos por períodos prolongados. También puede que no sean muy saludables si satisface sólo sus antojos por un tipo de alimento, por ejemplo, e ignora el resto de su dieta.

Pica es el deseo intenso que sienten algunas mujeres de consumir productos que no son alimentos, como almidón para la ropa, arcilla o tiza. Si siente estos deseos, no ceda a ellos. Comer productos que no son comestibles puede ser perjudicial e impedir que obtenga los nutrientes que necesita.

Mujeres con ciertos padecimientos

Aparte de los problemas de salud que causan, algunas enfermedades pueden causar problemas de nutrición también. Ciertos medicamentos que se usan para regular una enfermedad, pueden afectar la forma en que el cuerpo absorbe los alimentos. Algunos padecimientos, como las enfermedades de los riñones, la diabetes y la fenilcetonuria (cuando la mujer carece de la enzima necesaria para digerir ciertos alimentos), requieren dietas especiales. Las mujeres que tienen estos padecimientos pueden tener dificultad para consumir una dieta balanceada. Su proveedor de atención médica puede cambiarle el medicamento, recomendar otra dieta o tomar otras medidas para ayudarla a obtener los nutrientes necesarios.

Capítulo 14
Cómo alimentar a su bebé

Si deben lactar o alimentar con fórmula infantil por biberón al bebé es una decisión importante que los padres futuros deben tomar. Los expertos médicos, como los Centros para el Control y la Prevención de Enfermedades (CDC, por sus siglas en inglés), el Colegio Americano de Obstetras y Ginecólogos, y la Academia Americana de Pediatría (AAP) afirman que la lactancia es la mejor opción para alimentar a su bebé por los muchos beneficios alimenticios presentes en la leche materna. Sin embargo, lactar no siempre es la opción correcta para todas las mujeres (consulte el cuadro "Cuándo no debe lactar"). Para muchas nuevas madres, la decisión de lactar o alimentar con biberón se basa en su estilo de vida o las afecciones médicas específicas que puedan tener.

Si está teniendo dificultad para decidir cuál método es el mejor en su caso, puede ser útil hablar con el proveedor de atención médica de su bebé, su pareja o las amigas que hayan lactado a sus bebés. Recuerde, sin embargo, que la decisión de lactar o alimentar con biberón a su bebé es sumamente personal. No obstante, hay varios factores que puede considerar mientras decide lo que será mejor para usted y su nuevo bebé.

La lactancia materna y la alimentación con biberón: una comparación

Tanto los bebés como las madres se benefician en gran medida de la lactancia materna:

- *Buena para el bebé*—Su bebé recibirá muchos beneficios de la leche materna:
  - La leche materna es la nutrición más completa para los bebés. Contiene la cantidad correcta de grasa, azúcar, agua y proteínas necesarias para el crecimiento y desarrollo del bebé.
  - La leche materna es más fácil de digerir para los bebés que la fórmula infantil. Los bebés que se alimentan con leche materna tienden a tener menos gases, menos problemas de alimentación y a menudo, menos estreñimiento que los que se alimentan con fórmula infantil.
  - Contiene **anticuerpos** que pueden proteger a los bebés contra infecciones por bacterias y virus, como infecciones de oídos, diarrea, pulmonía e infecciones respiratorias.
  - Los bebés prematuros que lactan se benefician más que los bebés prematuros que se alimentan con fórmula infantil.

- *Buena para usted*—Las nuevas mamás también reciben muchos beneficios cuando lactan a sus bebés:
  - La lactancia quema **calorías** adicionales, por lo que puede bajar más fácilmente el peso que aumentó durante el embarazo. También ayuda a que el **útero** regrese a su tamaño original y reduce la cantidad de sangrado que pueda tener después de dar a luz.
  - Los estudios de investigación señalan que las mujeres que lactan pueden tener una tendencia menor a presentar cáncer del seno y ovárico.
  - La lactancia materna, especialmente la lactancia exclusiva (sin complementar con fórmula infantil), retrasa el regreso de la **ovulación** normal y los ciclos menstruales. (Sin embargo, debe hablar con su proveedor de atención médica sobre sus opciones de anticonceptivos).
  - La lactancia materna ahorra tiempo y dinero. No necesita comprar, medir ni mezclar fórmula infantil.
  - El contacto físico que brinda la lactancia le ayuda a crear un vínculo especial con su bebé. Por lo tanto, puede hacer que los bebés se sientan más seguros y reconfortados.

Cuándo no debe lactar

Aunque lactar es sumamente beneficioso, no está indicado para todas las mujeres. Hay algunas situaciones en que la mujer no debe lactar a su bebé:

- *Infecciones*—Si ha contraído alguna infección, es posible que se la transmita al bebé a través de la leche materna. No lacte si tiene el ***virus de inmunodeficiencia humana (VIH)*** o un caso activo de tuberculosis. Si recibe tratamiento para la tuberculosis y ya no está contagiosa, puede lactar al bebé. Si tiene el virus de la hepatitis B, se debe vacunar al bebé al cabo de unas horas del parto.

- *Enfermedades crónicas*—Aunque muchas mujeres con ciertas enfermedades crónicas pueden lactar, a menudo no es la enfermedad propiamente lo que es preocupante sino los medicamentos que recibe la mujer para tratar el problema médico.

Ciertos medicamentos con receta y sin receta médica pueden transferirse a través de la leche materna y perjudicar al bebé. En tales casos, su proveedor de atención médica podría aconsejarle que cambie de medicamento, tome el medicamento inmediatamente después de lactar o use una dosis reducida hasta que el bebé deje de lactar. Casi nunca los medicamentos son perjudiciales.

Hay ciertos medicamentos que no debe usar mientras esté lactando. Los medicamentos con receta médica que pueden transferirse a la leche materna y afectar adversamente al bebé son, entre otros, ergotamina (para tratar migrañas), litio (para tratar enfermedades mentales), algunos medicamentos para tratar la presión arterial alta y medicamentos para la quimioterapia (para el tratamiento de cáncer). Asegúrese de que cualquier proveedor de atención médica que le dé tratamiento sepa que está lactando. Si tiene una enfermedad crónica o toma medicamentos para una afección médica en curso, antes de que nazca el bebé hable sobre la lactancia con su proveedor de atención médica. Además, si necesita recibir tratamiento por alguna enfermedad o afección médica después de dar a luz, asegúrese de decirle al proveedor de atención médica que está lactando.

Si no puede lactar o decide no hacerlo, necesitará alimentar con biberón:

- Las fórmulas infantiles preparadas comercialmente son una alternativa nutritiva a la leche materna e incluso contienen algunas vitaminas y nutrientes que los bebés que lactan necesitan obtener de suplementos.

- La alimentación con biberón es práctica ya que ambos padres (u otro cuidador) pueden darle al bebé un biberón en cualquier momento. Tenga en cuenta, sin embargo, que los bebés pueden también recibir por biberón la leche materna que se haya extraído y guardado.

- Como la fórmula infantil se digiere más lentamente que la leche materna, los bebés que se alimentan con fórmula infantil por lo general necesitan comer con menos frecuencia que los bebés que lactan.

- Las madres que alimentan con biberón no se tienen que preocupar por lo que comen o beben o si los medicamentos que usan pueden afectar a sus bebés.

Ya sea que lacte o alimente con biberón, se recomienda que todos los bebés reciban 400 unidades internacionales de vitamina D al día para garantizar que los huesos se desarrollen fuertes y sanos. La vitamina D está disponible en forma líquida que le puede dar a su bebé con un gotero. Es muy probable que los bebés que se alimentan con fórmula infantil ya reciben las cantidades recomendadas de vitamina D al día, pero lea la etiqueta de la fórmula para verificarlo.

La decisión de lactar

Si ha decidido lactar, considere tomar una clase de **lactancia** materna de una especialista certificada en lactancia antes de que nazca el bebé. Estas clases se ofrecen en muchos hospitales y centros para padres y pueden enseñarle lo que necesita saber para comenzar. También pueden ayudarle a evitar algunos de los problemas comunes que enfrentan muchas madres cuando comienzan a lactar.

Si no puede tomar una clase, encontrará mucha información en Internet o con sólo una llamada. La Liga de la Leche Internacional ofrece apoyo y educación para las madres que desean lactar y puede responder a sus preguntas e inquietudes (consulte Recursos informativos).

Después de que nazca el bebé

En cuanto nazca el bebé, un miembro del personal en la sala de partos puede ayudarle a encontrar una buena posición y colocarle el bebé en el seno (consulte el cuadro "Buenas posiciones para lactar"). Colocar al bebé de manera que tenga contacto directo con su piel ayudará a mantener la temperatura corporal del bebé y es una magnífica manera de comenzar a lactarlo. También es el momento en que el recién nacido está más despierto y listo para mamar. Más adelante es posible que el bebé esté muy soñoliento para amamantarse bien.

Buenas posiciones para lactar

Encontrar una buena posición ayudará a que el bebé se acople al seno. También le permitirá relajarse y sentirse cómoda. Use almohadas o mantas dobladas para ayudar a apoyar al bebé.

- *Posición de cuna*—Siéntese con la espalda lo más erguida posible y sostenga al bebé acostado en sus brazos. El cuerpo del bebé debe estar orientado hacia usted, y su abdomen debe tocar la suya. Sostenga la cabeza del bebé en el pliegue del codo del brazo de manera que la cara le quede de frente al seno.

- *Posición de cuna cruzada*—Al igual que en la posición de cuna, coloque al bebé de manera que su abdomen toque la suya. Sosténgalo con el brazo que no usa para lactar. Por ejemplo, si el bebé mama del seno derecho, sosténgalo con el brazo izquierdo. Coloque el trasero del bebé en el pliegue del codo izquierdo y sostenga la cabeza y el cuello del bebé con la mano izquierda. Esta posición le permite controlar mejor la cabeza del bebé. Es una buena posición para un recién nacido que tiene dificultad para amamantar.

- *Posición de balón de fútbol*—Coloque al bebé debajo de su brazo como una pelota de fútbol. Sostenga al bebé a su lado, al mismo nivel de su cintura, de manera que quede frente a usted. Apoye la espalda del bebé con su antebrazo y sujete la cabeza al nivel de su seno. La posición de balón de fútbol es buena para amamantar gemelos. También es adecuada si dio a luz por cesárea debido a que el bebé no se recuesta sobre su abdomen.

- *Posición de lado*—Acuéstese de lado y arrime al bebé. Colóquese los dedos debajo del seno y levántelo para ayudar a que el bebé alcance el seno. Esta posición es buena para amamantar de noche. También es adecuada para las mujeres que han dado a luz por cesárea ya que el peso del bebé está alejado de la incisión. Recueste la cabeza en la parte inferior de su brazo. Es posible que desee colocarse una almohada detrás de la espalda para sostenerla mejor.

Durante los primeros días después del parto, los senos inicialmente producen *calostro*, un líquido ralo y amarillo. Este es el mismo líquido que les filtra de los senos a algunas mujeres durante el embarazo. El calostro que producen los senos durante los primeros días después del parto promueve el desarrollo y funcionamiento del sistema digestivo del recién nacido. Tiene abundantes proteínas y es todo lo que su bebé necesita durante sus primeros días de vida. Es especialmente alto en anticuerpos que ayudan a que el bebé desarrolle inmunidad contra las enfermedades.

Al cabo de 3 ó 4 días, su cuerpo envía una señal a los senos para que comiencen a producir leche. Al principio, la leche es rala, acuosa y dulce. Esta leche satisface la sed del bebé y proporciona azúcares, proteínas, minerales y el líquido que necesita el bebé. Con el tiempo, esta leche cambia. Se vuelve densa y cremosa. Esta leche le quitará el hambre al bebé y le dará los nutrientes que necesita para crecer.

Cuando el bebé amamanta, los nervios en los pezones envían un mensaje al cerebro. En respuesta a ello, el cerebro libera *hormonas* que les indican a las glándulas de los senos que "bajen leche" para que fluya a través de los pezones. Esto se denomina el reflejo de bajada de leche Algunas mujeres apenas notan esta bajada de leche. Otras sienten leves punzadas en los senos a los 2 ó 3 minutos de que comienza el bebé a amamantar.

Algunas veces, el reflejo de bajada de leche se demora si siente algún dolor o está ansiosa o estresada. Otras veces, este efecto se produce simplemente al mirar al bebé, pensar en el bebé o escuchar al bebé llorar. Para algunas mujeres, escuchar el llanto de cualquier bebé causa el reflejo de bajada de leche. Cuando baja la leche, los senos se sienten llenos y querrá amamantar cuanto antes.

Acople al bebé al seno

Los bebés nacen con el instinto que necesitan para amamantar. Por ejemplo, el reflejo de búsqueda es el instinto natural del bebé de girar la cabeza hacia el pezón, abrir la boca y mamar. Cuando usted y su bebé estén listos para amamantar, use la mano para formar una copa con el seno y roce el pezón contra el labio inferior del bebé. Al hacerlo, el bebé abrirá bien la boca (como lo hace al bostezar). Rápidamente coloque el pezón en el centro de la boca del bebé, asegurándose de que la lengua esté abajo, y acerque el cuerpo del bebé hacia el suyo. Es necesario que lleve al bebe al seno y no el seno al bebé.

Verifique la técnica del bebé

Si el bebé está acoplado al seno adecuadamente, tendrá todo el pezón y una buena parte de la *aréola* (el área oscura alrededor del pezón) en la boca. La nariz del bebé deberá estar tocando el seno. Los labios del bebé deberán estar hacia afuera, rodeando el seno. El bebé deberá estar mamando constante y uniformemente. Debe poder oírlo tragar. Es posible que sienta estirones leves en los senos. Los primeros días pueden ser un poco incómodos para usted. Sin embargo, no debe sentir dolor intenso.

No mire el reloj

Los expertos solían pensar que los recién nacidos debían amamantar durante sólo unos minutos en cada seno. Ahora se sabe que el hacerlo puede causar que los bebés dejen de alimentarse antes de sentirse llenos. Reducir el tiempo para amamantar puede hacer que los senos no produzcan suficiente leche. Permítale al bebé establecer su propio horario para amamantar. Muchos recién nacidos amamantan durante 10 a 20 minutos en cada seno. (Un bebé que desee amamantar por mucho tiempo, es decir, 30 minutos en cada lado, puede que esté teniendo dificultad para obtener suficiente leche. Si esto sucede cada vez que lacte, dígaselo a su proveedor de atención médica). Cuando el bebé se sienta lleno, se despegará del seno. Si no lo hace, interrumpa suavemente la succión.

Cambie de lado

Cuando el bebé vacíe un seno, ofrézcale el otro. No se preocupe si el bebé no se acopla a ese seno. No es necesario amamantar con ambos senos cada vez que lacte. Tal vez desee colocarse un imperdible (seguro) del tirante del sostén para marcar el último lado donde amamantó al bebé. La próxima vez que lacte, ofrézcale el otro seno primero.

Amamante cuando el niño se lo pida

Cuando su bebé tenga hambre, le acariciará el seno con la nariz, hará movimientos para mamar o se meterá las manos a la boca. Llorar es una señal tardía de hambre. (Quedarse con el bebé todo el tiempo en la habitación del hospital le ayudará a percatarse de estas señales.) Esté atenta a las señales de su bebé, no al reloj. Llevar un programa rígido de alimentación privará al bebé de nutrientes y le indicará a su cuerpo que debe producir menos leche. Durante las primeras semanas, el bebé debe alimentarse por lo menos de 8 a 12 veces en 24 horas (cada 2–3 horas). Algunos recién nacidos se sienten satisfechos sin lactar por 3 horas. Otros necesitan amamantar una vez cada hora durante las primeras semanas. Con el tiempo, usted y su bebé fijarán su propio horario de alimentación.

Dificultades

Algunas madres nuevas lactan sin ningún problema. Sin embargo, es muy normal que surjan algunos problemas al principio, especialmente si es la primera vez que lacta. La buena noticia es que es posible superar casi todos los problemas con un poco de ayuda y apoyo. Si necesita ayuda, no dude en llamar a su proveedor de atención médica o acudir a una especialista en lactancia.

Pezones adoloridos

La lactancia no debe ser dolorosa. Aunque es posible que tenga los senos un poco sensibles al principio, esta sensación debe aliviarse a medida que pasan los días. Las dificultades de acoplamiento del bebé al seno o de posición al lactar son las causas principales de senos sensibles debido a que es posible que la boca del bebé no esté bien colocada en la aréola y esté mamando mayormente del pezón. Examine la posición del cuerpo del bebé y la manera en que se acopla al seno y mama. Para reducir al mínimo esta sensibilidad, asegúrese de que la boca del bebé esté bien abierta y la aréola se encuentre tan adentro de la boca del bebé como pueda. Debe sentir una mejora inmediata en cuanto el bebé se encuentre en la posición correcta. Si tiene los pezones adoloridos, es posible que posponga lactar debido al dolor, pero el hacerlo puede causar que se llenen excesivamente o congestionen los senos y que esto a su vez bloquee las glándulas mamarias del seno. Si su bebé está bien acoplado en el seno y mamando correctamente, debe poder amamantar el tiempo que el bebé quiera sin producirle dolor. Si siente dolor, despegue al bebé del seno e inténtelo otra vez. Pida ayuda si todavía tiene dolor.

Hinchazón de los senos

La hinchazón de los senos puede ocurrir cuando se produce leche al cabo de unos días del parto. Los senos congestionados se sienten llenos y sensibles. Es posible que incluso tenga fiebre. Si la fiebre es mayor de 101°F o si el dolor es intenso, llame a su proveedor de atención médica. Si tiene los senos muy congestionados, puede que sea difícil para el bebé acoplarse a ellos.

Una vez que su cuerpo determine cuánta leche necesita el bebé, el problema a menudo se resuelve. Este alivio comienza en una semana más o menos. Mientras tanto, puede hacer lo siguiente:

- Alimente al bebé más a menudo para vaciar los senos.

- Extraiga un poco de leche con una bomba o manualmente para ablandar los senos antes de amamantar.

- Para estimular el flujo de leche, masajee los senos, báñese con agua caliente en la regadera (ducha) o aplíquese compresas calientes en los senos.

- Después de amamantar, aplíquese compresas frías en los senos para aliviar las molestias y reducir la hinchazón.

Pezones invertidos o planos

Es común que uno o ambos pezones de una mujer no sobresalgan completamente. En la mayoría de los casos, las mujeres con pezones planos o invertidos pueden amamantar.

Durante las primeras alimentaciones después del parto es cuando los pezones invertidos o planos presenten problemas. Es posible que el bebé tenga dificultad para acoplarse al seno inicialmente. Pídale ayuda a su proveedor de atención médica o a una experta en lactancia. Es posible que le aconsejen usar una bomba sacaleches inmediatamente antes de amamantar o estimular de otras maneras el pezón. La lactancia será más fácil cuando el bebé esté más grande y fuerte.

Glándulas bloqueadas

Si se bloquea una glándula con leche acumulada sin usar, se formará una masa dura y sensible en el seno. Llame a su proveedor de atención médica si la masa no desaparece al cabo de unos días o si tiene fiebre. Mientras tanto, pruebe estos consejos:

- Permita que el bebé amamante por mucho tiempo y a menudo del seno bloqueado.

Glándula bloqueada

Glándula bloqueada. Esta situación ocurre cuando una glándula mamaria se obstruye con leche.

- Ofrezca primero el seno con la glándula bloqueada.

- Si le queda leche en el seno después de amamantar, extráigala con una bomba o manualmente.

- Báñese con agua caliente en la tina o ducha o aplíquese compresas calientes en la masa del seno antes de amamantar.

- Masajee la masa del seno mientras el bebé mama para estimular la salida de leche.

Mastitis

Si una glándula bloqueada no drena, puede inflamarse y causar una infección que se llama mastitis. Si tiene esta enfermedad, sus síntomas pueden ser semejantes a los que produce la gripe, como fiebre, dolores generalizados en el cuerpo y agotamiento. Los senos también estarán hinchados, adoloridos, con estrías rojas y cálidos al tacto.

Si cree que tiene mastitis, llame a su proveedor de atención médica de inmediato. Él o ella puede recetarle un *antibiótico* para tratar la infección. Deberá sentirse mejor en uno o dos días de haber comenzado el tratamiento, pero siga tomando el medicamento hasta agotar todo el suministro que tenga.

Hasta ese momento, tome las medidas necesarias para tratar una glándula bloqueada. Descanse mucho y beba una cantidad abundante de líquidos. Su proveedor de atención médica puede recomendarle tomar ibuprofeno para aliviar el dolor. Mientras tanto, no deje de lactar. Lacte a su bebé a menudo para estimular la salida de leche del seno (el bebé no puede contraer la infección). Si deja de lactar, la glándula bloqueada puede inflamarse, se podría reducir su suministro de leche y la recuperación tardará más.

Preguntas comunes

¿Por cuánto tiempo debo lactar a mi bebé?

La AAP y el Colegio Americano de Obstetras y Ginecólogos recomiendan que las madres lacten a sus bebés durante los 6 primeros meses de vida del bebé. De ahí en adelante, la AAP y el Colegio sugieren la lactancia hasta por lo menos 12 meses y más tiempo aún si la madre y el bebé lo desean. Según el CDC, muchas mujeres están tratando de seguir esta regla de 6 meses. En el 2005, por ejemplo, el 74% de las madres nuevas comenzaron a lactar a sus bebés y el 43% todavía lo estaban haciendo a los 6 meses.

Tenga en cuenta que puede lactar todo el tiempo que usted y su bebé lo deseen. Cualquier cantidad de leche materna que reciba el bebé, incluso si es durante unos pocos días, es beneficiosa. Mientras más tiempo lo haga, mayores beneficios recibirá el bebé.

Cuando desee dejar de lactar, hay varias maneras de hacerlo. Algunas mujeres suspenden la lactancia gradualmente a medida que sus bebés ingieren alimentos sólidos y comienzan a beber de una taza. Este proceso puede ser muy largo y es un cambio gradual para ambos.

Otras mujeres deciden destetar al bebé a cierta edad. En este caso, todavía es mejor hacerlo gradualmente. Suspender la lactancia abruptamente puede causarle dolor físico ya que los senos se llenarán con leche sin usar. También puede ser difícil para su bebé.

Una forma de hacerlo es reemplazar una sesión de lactancia con una alimentación con biberón o taza cada cierto número de días. Comience a suspender las alimentaciones que su bebé parece disfrutar menos. Lentamente, suspenda las más importantes. La mayoría de las veces, la lactancia antes de dormir por la noche es la última que se elimina y la más difícil de dejar. A medida que reduzca las sesiones de lactancia, su suministro de leche también se reducirá lentamente.

¿Está recibiendo suficiente leche mi bebé?

Cuando un bebé se alimenta con fórmula infantil, es fácil determinar cuánta leche bebe. Lo único que necesita hacer es sumar los biberones vacíos. Este no es el caso cuando se lacta. Hay otras formas de determinar si su bebé está bien nutrido:

- Su bebé lacta con frecuencia. Un recién nacido debe amamantar por lo menos 8–12 veces en 24 horas. Cuanto más grande sea el bebé, mayor será la capacidad de su estómago y menor será la frecuencia con que necesite lactar. Aún así, un recién nacido no debe estar sin amamantar por más de 3 horas (incluso por la noche). Cada sesión de lactancia debe durar entre 20 y 45 minutos.

- Su bebé se siente lleno después de amamantar. Un bebé que se ha alimentado bien tendrá sueño y se sentirá contento.

- Los senos se llenan y vacían. Los senos deben sentirse llenos y firmes antes de lactar. Después de ello, deben sentirse menos llenos y más blandos.

- El bebé usa muchos pañales. Después que le salga la leche, el bebé deberá empapar por lo menos seis pañales al día. La *orina* del bebé debe ser casi transparente. Durante el primer mes, el bebé debe tener por lo menos tres evacuaciones al día. De hecho, la mayoría de los bebés que lactan tienen una evacuación después de cada alimentación. Las heces deben ser blandas y amarillas.

- Su bebé aumenta de peso. La mayoría de los recién nacidos pierden un poco de peso inicialmente. Al cabo de 2 semanas, su bebé deberá haber aumentado hasta alcanzar su peso de nacimiento. El proveedor de atención médica pesará al bebé en todas las visitas y le dirá si está aumentando adecuadamente de peso. Si le preocupa que el bebé no esté recibiendo suficiente leche, dígaselo al proveedor de atención médica.

¿Qué tipo de dieta debo llevar?

Cuando está embarazada, su cuerpo almacena nutrientes y grasa adicionales para prepararla para la lactancia. Aun así, una vez que nazca su bebé necesitará más nutrientes y alimentos de lo normal para estimular la producción de leche. Durante la lactancia, necesitará alrededor de 200 calorías más al día que las que necesitó durante el embarazo. Eso representa 500 calorías más que las que necesitó antes de quedar embarazada. Deberá además beber mucho líquido durante el día ya que la lactancia exige mucho líquido. Necesita beber por lo menos ocho vasos de líquido todos los días. Si se deshidrata, puede afectarse su suministro de leche.

Las madres que lactan necesitan 1,000 miligramos de calcio al día. Puede obtener esta cantidad consumiendo abundantes productos lácteos como leche, yogur y queso. Si no puede digerir los productos lácteos, pregúntele a su proveedor de atención médica sobre tomar un suplemento con calcio. Asegúrese de recibir ácido fólico todos los días también. Al hacerlo, ayudará a mantener en buen estado su salud y se asegurará de tener abundantes depósitos de ácido fólico. Su proveedor de atención médica puede recomendarle tomar una vitamina prenatal diaria hasta que el bebé se haya destetado.

Algunos bebés que amamantan son sensibles a ciertos alimentos en las dietas de sus madres. Si su bebé se muestra inquieto o presenta sarpullido, diarrea o congestión en un plazo de dos horas después de amamantar, dígaselo a su proveedor de atención médica. Estas pueden ser señales de alergias a un alimento. La causa más común son los alimentos preparados con leche de vaca (queso, yogur), maní (cacahuate), soya, trigo, huevos y maíz. Trate de eliminar por unos días los alimentos que crea que puedan estar causando la reacción y vea si el bebé se siente mejor. Es posible que también desee llevar un diario de alimentos. De esta forma le será más fácil determinar la asociación entre el alimento que consumió y la reacción del bebé.

Ya que no estoy embarazada, ¿puedo fumar cigarrillos y beber alcohol otra vez?

Es importante recordar que, mientras esté lactando, todo lo que entra en su cuerpo todavía le llega al bebé igual que cuando estaba embarazada. Si fuma, el período que esté embarazada y lactando es la mejor oportunidad para dejar de hacerlo. Además, aunque dejar de fumar es lo mejor que puede hacer para su salud y la de su bebé, la AAP todavía considera la leche materna como el alimento ideal para el bebé, aun si fuma.

Si debe o no beber alcohol y lactar depende de la cantidad de alcohol que beba y cuándo lo haga. Aunque el alcohol entra fácilmente en la leche materna, beber ocasionalmente una copa de vino o un cóctel no parece ser perjudicial a largo plazo a los bebés que amamantan. Si de vez en cuando bebe una bebida alcohólica o más, espere por lo menos dos horas por bebida antes de amamantar a su bebé para darle tiempo al cuerpo de eliminar el alcohol. Si bebe mucho (más de dos bebidas alcohólicas al día regularmente), sin embargo, los estudios indican que esta cantidad de alcohol puede perjudicar a su bebé e incluso hacerle sentirse mareado, débil y causarle un aumento anormal de peso.

Tuve una cirugía del seno. ¿Puedo como quiera lactar?

Las cirugías que se practican para extraer quistes y otras masas benignas del seno rara vez causan problemas para lactar en el futuro. Si tuvo una cirugía en los senos, hable con su proveedor de atención médica prenatal o cirujano antes de la fecha del parto para ayudarle a planificar la lactancia del bebé.

Muchas mujeres que han tenido cirugías para agrandarse los senos pueden amamantar a sus bebés; sin embargo, algunas mujeres con implantes del seno pueden tener problemas si se rompen los implantes. Las rupturas de implantes pueden causar la formación de tejido cicatrizante que a su vez afecta adversamente la producción y liberación de leche. Si le preocupan los implantes en los senos, hable con su proveedor de atención médica.

Asimismo, las mujeres que han tenido cirugías para reducir el tamaño de sus senos pueden tener problemas para lactar. Esto se debe a que la cirugía de reducción del seno puede cortar las glándulas mamarias y evitar que la madre lactante produzca suficiente leche. Si tuvo esta cirugía, hable con su proveedor de atención médica para asegurarse de que estén intactos los pezones, las aréolas y las glándulas mamarias.

He oído hablar sobre los bancos de leche materna. ¿Qué son estos bancos?

Los bancos de leche materna obtienen leche materna donada de madres lactantes y la tienen disponible para los bebés prematuros o enfermos de gravedad en hospitales por todo el país. Las madres que lactan y que tienen un suministro abundante de leche pueden convertirse en donantes de cualquier banco de leche materna del país. Cuando una madre se convierte en donante, envía leche materna congelada al banco de leche para ayudar a los bebés con necesidades especiales. Si le interesa donar a un banco de leche materna o usar leche de un banco, su proveedor de atención médica o instructora de lactancia puede darle información sobre los bancos en su localidad.

El regreso al trabajo

Aun después de regresar a trabajar puede seguir alimentando a su bebé con leche materna. Sólo necesita más tiempo y planificación.

Dígaselo a su empleador

Si regresará a trabajar cuando termine su ausencia planeada por maternidad, dígale a su jefe que está lactando y necesita tomar descansos durante el día para extraerse la leche que le dará más tarde a su bebé. Si tiene la suerte de contar con un servicio de cuidado de niños en sus instalaciones de trabajo, puede lactar a su bebé periódicamente.

Si no tiene una oficina privada, hable con su jefe acerca de dónde puede extraerse con bomba la leche en el trabajo. Asegúrese de que sea un área limpia, privada y tranquila. Necesitará una silla, una mesa pequeña y una toma de corriente si usa una bomba eléctrica. Si su jefe no puede ayudarla con sus necesidades, presente su solicitud al departamento de recursos humanos. Además, asegúrese de tener un lugar para guardar la leche (consulte el cuadro "Cómo guardar la leche materna").

Su jefe puede tener algunas inquietudes sobre cómo usted planifica incorporar las extracciones de leche en su día laborable. Puede planear extraerse la leche materna durante el almuerzo u otros descansos. Puede sugerir compensar el tiempo que le dedica a extraerse la leche en el trabajo. Durante un día laborable de 8 horas, debe poder extraerse con bomba suficiente leche durante los descansos de la mañana, del almuerzo y de la tarde. Puede usar una bomba doble—que extrae leche de ambos senos a la misma vez—para hacerlo más rápidamente. Con la bomba doble, debe poder extraerse leche en 10 a 15 minutos en lugar de 20 a 30 minutos.

Cómo guardar la leche materna

- Después de extraerse leche con bomba, la puede refrigerar, colocarla en una neverita portátil o congelarla para alimentar más tarde al bebé. Muchas bombas sacaleches vienen con estuches de transporte y una sección para guardar la leche con compresas de hielo. No deje la leche materna a temperatura ambiente por más de 8 horas ya que las enzimas comenzarán a digerir la grasa.

- La leche materna debe guardarse en botellas de vidrio o plásticas, o en bolsas especiales para retener la leche. Guarde cantidades pequeñas (2 a 4 onzas) para evitar desperdiciarla. Marque las botellas o bolsas con la fecha en que extrajo la leche. Si la va a congelar, debe quedar una pulgada de espacio en la parte superior del recipiente.

- Puede guardar la leche materna en el refrigerador (40°F o menos) por un máximo de 2 días. No guarde la leche en la puerta del refrigerador ya que la temperatura puede variar en ese lugar. Si necesita guardar leche por más de 2 días, puede conservarla en el congelador (0°F o menos) por un máximo de 3 meses.

- Nunca descongele leche a temperatura ambiente. Para descongelar leche, sosténgala bajo un chorro de agua fría. Una vez que se haya empezado a descongelar, colóquela debajo de un chorro de agua tibia para terminar el proceso. También puede descongelar leche lentamente en el refrigerador. Una vez que esté descongelada, úsela en 24 horas. Nunca vuelva a congelar leche que haya sido descongelada.

- Puede agregar leche recién extraída a la leche materna que se extrajo anteriormente. Enfríe siempre primero la leche más fresca.

- Caliente (pero no en exceso) la leche materna fría colocándola en un tazón con agua muy tibia. No caliente botellas en la estufa ni en el horno de microondas. Si lo hace, se destruirán las cualidades de la leche materna que combaten enfermedades.

Conozca sus derechos

Muchos estados han aprobado leyes que requieren que los empleadores le permitan lactar en su empleo. Estas leyes estipulan que el empleador debe proporcionar un lugar que les permita lactar a las madres que lactan, u otorgarles tiempo con o sin sueldo para este fin, o ambas opciones. Para determinar si su estado ha aprobado una ley de lactancia para los empleadores, consulte el sitio de Internet de La Liga de la Leche Internacional (consulte Recursos informativos).

Extracción de leche con bomba

Hay algunos pasos básicos que debe saber sobre la extracción de leche con bomba:

- *Adquiera una bomba buena.* Hay muchos tipos distintos de bombas sacaleches en el mercado. Algunas son más portátiles que otras, más silenciosas y pueden ser más costosas. El precio de las bombas sacaleches manuales (que no son automáticas) puede variar entre $14 a $50. Las bombas automáticas eléctricas más nuevas, diseñadas para las madres que necesitan extraerse leche regularmente, cuestan más de $200 y se suministran con un estuche de transporte y una sección con aislamiento para guardar recipientes con leche. Puede comprar algunas bombas en las tiendas de artículos de bebés o tiendas por departamento. Sin embargo, puede comprar o alquilar bombas automáticas de calidad de una consultora en lactancia, en un hospital local o de una organización de lactancia. Debe verlas clasificadas como "bombas de una sola usuaria". No tome prestado ni comparta la bomba sacaleches de otra madre debido al riesgo de contaminación.

- *Mantenga la esterilidad.* Es buena idea lavarse las manos antes de extraerse leche materna con una bomba y asegurarse de que la mesa o el área que use esté limpia también. Cada vez que termine de usar la bomba, lave bien el equipo con agua y jabón y permita que se seque al aire. De esta manera evita que entren gérmenes en la leche materna.

- *Relájese.* Extraer leche con bomba lleva más o menos la misma cantidad de tiempo que lactar, a menos que use una bomba sacaleches automática doble. El reflejo de bajada de leche es importante al usar una bomba para extraer una buena cantidad de leche. Puede ser útil tener cerca una foto de su bebé. También puede probar alternativas para estimular el reflejo de bajada de leche, como aplicarse una compresa húmeda y tibia al seno, masajearse los senos, o sólo sentarse serenamente y pensar en algo relajante. Cuando comience a extraerse la leche, piense en su bebé.

La decisión de alimentar con biberón

Si ha decidido que alimentar con biberón es la mejor opción para usted, puede sentirse segura de que las fórmulas infantiles en el mercado actual le darán a su bebé los nutrientes que necesita para crecer.

La selección de fórmula infantil

Hay distintos tipos de fórmula infantil para escoger; por lo tanto, hable con el pediatra de su bebé para que le recomiende la mejor. Hay tres tipos principales disponibles:

1. *Fórmulas infantiles de leche de vaca*—Casi toda la fórmula infantil se elabora con leche de vaca que ha sido modificada para proporcionar el equilibrio correcto de nutrientes, como los que contiene la leche materna.

2. *Fórmulas infantiles a base de soya*—Las fórmulas infantiles a base de soya son una opción para los bebés que no pueden digerir o son alérgicos a la leche de vaca o a la lactosa, un azúcar natural que se encuentra en la leche de vaca. Sin embargo, los bebés alérgicos a leche de vaca también pueden ser alérgicos a la leche de soya.

3. *Fórmulas infantiles de hidrolizados de proteína*—Estas fórmulas están indicadas para bebés con un historial familiar de alergias a la leche o soya. Las fórmulas infantiles de hidrolizados de proteína son más fáciles de digerir y es menos probable que produzcan las reacciones alérgicas de los otros tipos de fórmulas. También se denominan fórmulas hipoalergénicas.

Una vez que elija el tipo de fórmula que usará para alimentar a su bebé, deberá decidir también cuál forma comprará. Las fórmulas infantiles se proporcionan en tres preparaciones:

1. La fórmula infantil en polvo es la menos costosa. Cada cucharada de fórmula en polvo debe mezclarse con agua.

2. La fórmula infantil líquida concentrada también debe mezclarse con agua.

3. Las fórmulas listas para usar no hay que mezclarlas con agua pero son las más costosas.

Biberones

Tal vez haya oído hablar sobre una sustancia química que se llama bisfenol-A (BFA) que se usa en algunas botellas, incluidos los biberones de bebés y en la cubierta de los envases de alimentos enlatados. Los resultados de algunos estudios de investigación indican que el BFA puede alterar adversamente las hormonas del cuerpo y causar problemas como infertilidad y cáncer. Los resultados de estos estudios también señalan que los **fetos**, bebés y niños expuestos al BFA pueden presentar efectos tóxicos en el cerebro, las células nerviosas y la glándula de la próstata. Debido a que el BFA atraviesa la **placenta**, los bebés pueden estar expuestos al BFA indirectamente antes de nacer. Cuando nacen, los bebés pueden estar expuestos a esta sustancia al comer alimentos que fueron almacenados o administrados en biberones de plástico. El bisfenol-A también se ha detectado en la leche materna.

Tras haber examinado los estudios vigentes, la Administración de Alimentos y Medicamentos de Estados Unidos (FDA, por sus siglas en inglés) ha afirmado que los niveles de BFA a los que han estado expuestos los bebés y los niños se encuentran muy por debajo de los niveles que pueden producir efectos perjudiciales. No obstante, la FDA también concluyó que es necesario realizar otros estudios con BFA, y también se encuentra evaluando la investigación sobre los efectos en la conducta y el sistema nervioso del BFA. Los padres que deseen tomar precauciones contra el BFA pueden usar biberones de vidrio o biberones de plástico que no contenga BFA y que ahora están disponibles en muchas tiendas y en línea.

Dificultades

Al igual que con la lactancia, las madres que alimentan a sus bebés con biberón también enfrentan algunos desafíos. Tratar esos desafíos requiere tiempo y planificación.

Preparación

Es vital que tenga suficiente fórmula infantil a la mano en todo momento, y deberá preparar los biberones. Es necesario preparar las fórmulas en polvo y condensadas con agua estéril que deberá hervir hasta que el bebé tenga por lo menos 6 meses de vida.

Algunos padres calientan las botellas antes de alimentar al bebé, aunque esta medida a menudo no es necesaria. Nunca use el horno de microondas para calentar el biberón de un bebé ya que puede crear áreas calientes peligrosas.

En lugar de ello, coloque las botellas refrigeradas bajo un chorro de agua tibia por unos minutos si el bebé prefiere un biberón tibio en vez de uno frío. Otra opción es colocar los biberones del bebé en una cacerola de agua caliente (alejada del calor de la estufa) y comprobar la temperatura echando una o dos gotas de la fórmula infantil en el lado de la muñeca cerca de la palma de la mano.

Esterilización

Los biberones y chupones (tetinas) se deben esterilizar antes de usarlos por primera vez. Debe entonces lavarlos cada vez que los use. Los biberones y chupones pueden transmitir bacterias si no se han lavado debidamente, al igual que la fórmula infantil si no se guarda en recipientes estériles.

Refrigeración

Si los biberones permanecen fuera del refrigerador durante más de 1 hora, debe desechar la fórmula infantil en ellos. Guarde los biberones de fórmula infantil preparada en el refrigerador por un máximo de 24 a 48 horas (consulte la etiqueta de la fórmula infantil para obtener toda la información).

Parte IV
Consideraciones especiales

Chapter 15
Embarazada otra vez: qué puede esperar la segunda vez

¡Felicitaciones! ¡Va a ser madre otra vez! Ya que ha vivido la experiencia una vez, sabe mucho sobre lo que debe esperar en los próximos trimestres y durante el trabajo de parto y parto. Los cambios que ocurrirán en su cuerpo durante el embarazo no la sorprenderán tanto esta vez. Quizá incluso note que no tiene los altibajos drásticos que tuvo durante el primer embarazo. Ya es una experta.

Sin embargo, es importante recordar que cada embarazo es distinto. Aunque tal vez usted no haya cambiado mucho, es posible que este embarazo no sea como el primero.

¿Cómo será diferente?

Hay ciertas cosas que tienden a cambiar después del primer embarazo, y algunas tienden a permanecer igual. Sin embargo, en verdad no hay manera de saber cómo será su segundo (o tercer) embarazo.

Es probable que algunas cosas sean distintas esta vez:

* *Se sentirá más cansada esta vez*—Algo que casi siempre ocurre en los embarazos posteriores es que se sentirá más cansada que con el primero. Hay varias razones que explican este hecho. En primer lugar, usted es ahora mayor que cuando tuvo su primer embarazo. Tal vez nunca tuvo la oportunidad de volver al estado físico que tenía antes de dar a luz. En segundo lugar, tiene otro hijo (o hijos) para cuidar, lo cual puede ser una tarea agotadora aun si no está embarazada. Si le suma el trabajo y las demás obligaciones, sin duda se sentirá más cansada que la primera vez.

- *Se verá embarazada más pronto esta vez*—De hecho, es posible que necesite usar ropa de maternidad antes del cuarto mes de embarazo. Esto se debe a que los músculos abdominales se estiraron durante el embarazo previo y tal vez no hayan recobrado la fortaleza de antes. Por consiguiente, estos músculos no sostendrán el *útero* en crecimiento hacia arriba o adentro tan bien como lo hicieron durante el primer embarazo.

- *Sentirá al bebé moverse antes*—Es probable que sienta los movimientos del bebé unas semanas antes que cuando los sintió con el primer bebé. No es que el bebé se esté moviendo antes. Es que ahora sabe qué debe sentir.

- *Notará antes las contracciones de Braxton Hicks*—Es posible que las **contracciones de Braxton Hicks** se presenten durante el segundo trimestre en lugar del tercer trimestre, por ejemplo.

- *Los cambios en los senos son distintos*—Tal vez lo senos no se sientan tan sensibles ni crezcan tanto como lo hicieron antes. Si lactó a su primer bebé, los senos también pueden comenzar a tener pérdidas graduales de leche antes en el embarazo.

Posibles problemas

Aunque cada embarazo es diferente, es posible que presente por lo menos las mismas molestias que presentó en el primer embarazo. Estar consciente de este hecho puede motivarla a tomar medidas por anticipado para reducir las molestias o tal vez prevenirlas totalmente. Por ejemplo, si tuvo estreñimiento o hemorroides la última vez, puede tratar de evitar estos problemas desde un principio consumiendo una cantidad abundante de fibras o tomando suplementos con fibra, bebiendo mucha agua y haciendo ejercicios regularmente.

Además de estos tipos de síntomas normales del embarazo, si está saludable y no tuvo problemas graves la primera vez, su riesgo de presentar complicaciones en esta ocasión es bajo. No obstante, si padece de ciertas afecciones, como presión arterial alta, depresión o **diabetes mellitus**, estos problemas médicos pueden causarle dificultades durante el embarazo. Su proveedor de atención médica querrá asegurarse de que estas enfermedades estén bien controladas a medida que evoluciona el embarazo.

Además, si presentó complicaciones durante el primer embarazo, como parto **prematuro**, hipertensión, **preeclampsia** o **diabetes mellitus gestacional**, tiene una tendencia mayor a presentar estas complicaciones en embarazos posteriores. Tenga en cuenta, sin embargo, que el simple hecho de haber tenido problemas en un embarazo anterior no quiere decir que ocurrirán otra vez.

Si presentó una de las siguientes complicaciones, es buena idea acudir con anticipación a su proveedor de atención médica en este embarazo. De esta manera podrá hablar sobre su riesgo de presentar complicaciones y determinar cómo es posible reconocer antes los signos y los síntomas que ocurren. También hay medidas que puede tomar para reducir sus riesgos:

- *Parto prematuro*—Si tuvo un parto prematuro (parto que ocurre antes de las 37 semanas de embarazo), especialmente en el segundo trimestre, corre un riesgo mayor de que vuelva a suceder otra vez en este embarazo. Las contracciones prematuras (trabajo de parto prematuro), la **ruptura prematura de membranas (RPDM)** durante una etapa prematura o ciertos problemas con el **cuello uterino** (insuficiencia cervical) pueden provocar un parto prematuro. Si tiene un historial de parto prematuro, debe hablar con su médico en las primeras etapas del embarazo. Le podrían recomendar no hacer actividades físicas rigurosas y estar atenta a los signos y los síntomas de una infección. Además, le pueden ofrecer otros exámenes, como una medida de la longitud cervical por **ecografía (ultrasonido)**, y puede recibir ciertos tratamientos, según su situación (consulte el Capítulo 23, "Trabajo de parto prematuro, parto prematuro y ruptura prematura de membranas").

- *RPDM durante una etapa prematura*—Si ha sucedido antes, el riesgo de que ocurra este desgarre prematuro (un estado en que las membranas que contienen el **líquido amniótico** se rompen antes de la semana 37 de embarazo) en otro embarazo es entre un 16% y 32%. Sin embargo, las membranas se pueden desgarrar prematuramente aunque no haya factores de riesgo conocidos (consulte el Capítulo 23).

- *Depresión*—Su riesgo de presentar **depresión después del parto** es mayor si padeció de esta enfermedad en un embarazo previo. Hable con su proveedor de atención médica sobre las medidas que puede tomar para reducir el riesgo esta vez. Le podrían recomendar sesiones de terapia conductual o tomar antidepresivos. Además, descansar suficiente y hacer una cantidad adecuada de ejercicios durante en el embarazo le brindará ciertos beneficios.

- *Diabetes mellitus gestacional*—Si padeció de diabetes mellitus gestacional anteriormente, o si tuvo un bebé muy grande, corre un riesgo mayor de que ocurra otra vez. Además, las mujeres que tuvieron diabetes mellitus gestacional tienen una mayor tendencia a presentar diabetes mellitus más

Estoy contemplando quedar embarazada otra vez

Aunque aún no está embarazada está pensando que desea tener otro hijo. Cuándo deben planear su próximo embarazo es una decisión que la deben tomar usted y su pareja. Sólo ustedes dos pueden decidir si están listos para lidiar con los factores físicos, emocionales y financieros.

Considere hablar con su médico sobre sus planes para tener otro bebé. El médico puede darle una idea acerca del tiempo ideal que debe transcurrir entre cada hijo. Aun si desea que sus hijos estén cerca en edad, es mejor esperar por lo menos 12 meses antes de quedar embarazada otra vez. Se cree que los bebés que se conciben en menos de 6 meses (o más de 5 años) después de dar a luz, corren un mayor riesgo de nacer prematuramente, tener bajo peso al nacer y ser menores en tamaño. Los bebés que nacen poco tiempo después de nacer sus hermanos pueden presentar estos problemas ya que el cuerpo de la madre no ha tenido tiempo de recuperarse del parto ni reponer los nutrientes.

Es buena idea también esperar el comienzo de los ciclos menstruales regulares porque el ciclo menstrual regular le ayudará a determinar más pronto cuándo quedó embarazada y calcular con más exactitud la fecha prevista del parto. Es de gran utilidad tener un cálculo más preciso de la fecha del parto, en especial si dio a luz antes de tiempo anteriormente o si surgen complicaciones inesperadas más adelante en el embarazo.

Cuando decida volver a quedar embarazada, programe un examen médico antes del embarazo para asegurarse de que tenga el mejor estado de salud posible. Durante esta consulta, su médico le preguntará sobre su dieta y estilo de vida.

Por ejemplo, si ha tenido dificultad para regresar al peso que tenía antes del embarazo desde que tuvo su primer bebé, el médico le dirá que este es el momento de esmerarse para lograr esa meta. Algunos estudios han revelado que aumentar demasiado de peso entre los embarazos puede provocar complicaciones, como presión arterial alta y diabetes mellitus gestacional.

Para ayudarle a controlar su peso entre cada embarazo, comience a hacer ejercicios por lo menos durante 30 minutos 3 veces a la semana. Coloque al bebé en un cochecito y camine por el vecindario o en un centro comercial cercano. Haga ejercicios con un DVD si le resulta difícil salir de casa. Además, procure llevar una dieta sana para controlar la cantidad de calorías que consume cada día.

En términos generales, a medida que planifique su próximo embarazo, es buena idea comenzar a adoptar los hábitos saludables que adquirió durante el primer embarazo. Nunca es demasiado tarde para lograr el mejor estado físico posible.

adelante en la vida. Debido a los problemas que produce esta afección, su proveedor de atención médica le hablará sobre las maneras en que puede reducir su riesgo a través de la dieta, el ejercicio y posiblemente medicamentos (consulte el Capítulo 19 "Diabetes mellitus").

- *Preeclampsia*—La preeclampsia es casi siempre un problema que ocurre en el primer embarazo, aunque corre riesgo de que vuelva a suceder si lo presentó antes (consulte el Capítulo 18, "Hipertensión").

- *Retardo del crecimiento intrauterino*—En algunos embarazos, el feto no crece ni se desarrolla normalmente, una afección que se denomina retardo del crecimiento intrauterino. Las mujeres que anteriormente dieron a luz a un bebé más pequeño de lo normal corren un riesgo mayor de que esta afección ocurra en embarazos futuros, por lo tanto, su médico puede ordenar ecografías durante el embarazo para controlar el crecimiento de su bebé (consulte el Capítulo 27, "Problemas de desarrollo").

Cuándo decírselo a sus otros hijos

Quizás se pregunte cuándo es el mejor momento de anunciarles a sus otros hijos que va a tener otro bebé. Usted es la persona que conoce mejor a sus hijos, así que es usted quien debe tomar la decisión. El momento de hacerlo depende de la edad de sus otros hijos y de cómo usted cree que tomarán la noticia.

Algunos expertos recomiendan esperar hasta después del primer trimestre, cuando disminuye el riesgo de aborto espontáneo. Puede también esperar hasta que se haya confirmado que el embarazo es saludable, es decir, cuando se oigan los latidos del corazón del bebé o por ecografía. Con los niños pequeños, es buena idea esperar hasta que físicamente se vea embarazada. Sus hijos pueden tener dificultad para imaginarse que tiene un bebé creciendo dentro su cuerpo si se ve igual que antes. Es más fácil explicar lo que está diciendo una vez que muestre un poco de crecimiento en el área abdominal.

Independientemente de cuándo dé la noticia, asegúrese de recordarles a sus hijos de que los quiere y que el nuevo bebé no cambiará eso. Además, asegúreles a sus hijos que dar a luz al bebé no le causará daño a usted. Dígales que aunque estará en el hospital no quiere decir que esté enferma.

Para evitar que los niños se sientan ignorados, invítelos a participar en su embarazo tanto como pueda. La relación entre los hermanos es una de las más largas e importantes de la vida. Estos consejos pueden promover que se cree un vínculo desde un principio:

- Lleve a sus hijos de compras y déjelos que escojan las cosas del nuevo hermano o la nueva hermana.

- Permítales sugerir el nombre que más les guste para el bebé y que participen en la decisión.
- Dígales a sus hijos la función que desempeñarán para ayudar con el nuevo bebé.
- Lean libros juntos sobre el embarazo y acerca de los hermanos o hermanas mayores.
- Enséñeles a sus hijos algunas fotos de cómo se veía cuando estaba embarazada con ellos. Enséñeles además fotos de cuando ellos eran bebés.

También es buena idea preparar por anticipado la habitación del bebé. Si necesita cambiar a sus hijos de una cuna o a una habitación diferente, hágalo lo antes posible para que no se sientan desplazados a causa del nuevo bebé. A medida que se aproxima la fecha probable del parto, puede ser útil para ellos oír cuentos sobre lo orgullosa que usted se sentía de que otros hermanos durmieran en su cuna o usaran su ropa cuando era pequeña. Pídales que elijan algunos de sus viejos juguetes para dárselos al bebé.

Recuerde que la bienvenida de otro bebé a la familia puede producir tanto felicidad como ansiedad en los demás hijos. Planifique de antemano en la mejor medida que pueda la llegada del bebé para que la transición sea lo más llevadera posible.

Capítulo 16
Embarazo múltiple: cuando se trata de gemelos, trillizos o más niños

Cuando una mujer está embarazada con más de un bebé, se dice que tiene un *embarazo múltiple*. En los últimos 20 años, los embarazos múltiples se han convertido en sucesos más comunes en Estados Unidos. De hecho, según el Centro Nacional de Estadísticas de la Salud, entre 1980 y 2003, la cantidad de partos de gemelos aumentó en dos tercios (66%) y se cuadruplicó la cantidad de madres que dieron a luz trillizos o más de tres bebés (que se denomina partos múltiples de orden superior).

Hoy en día, más de un 3% de los bebés nacen en grupos de dos, tres o más, y cerca de un 94% de estos partos múltiples son de gemelos. En parte, este aumento en los embarazos múltiples se debe a que una cantidad más grande de mujeres mayores 35 años están teniendo bebés y las mujeres en este grupo de edad tienen una mayor tendencia a tener gemelos.

Sin embargo, todos los expertos coinciden en que, más que nada, lo que ha promovido el aumento en la cantidad de embarazos múltiples es que más mujeres se están sometiendo a tratamientos de la fertilidad para quedar embarazadas. Estos tratamientos aumentan el riesgo de tener embarazos múltiples. Es importante hablar con su médico sobre los riesgos que conlleva un embarazo múltiple y las posibles maneras de prevenirlo, si recibe tratamientos de la fertilidad (consulte el cuadro "Tratamientos de la fertilidad y los embarazos múltiples").

Tratamientos de la fertilidad y los embarazos múltiples

Los tratamientos de la fertilidad son un factor importante que ha contribuido a los embarazos múltiples durante los últimos 20 años. Aunque todos los tratamientos de la fertilidad aumentan el riesgo de tener un embarazo múltiple, es más común en las mujeres que usan medicamentos para la fertilidad que inducen la ovulación. Hay varios medicamentos que se pueden usar para estimular *ovulación*. Cuando se usa un medicamento que se llama citrato de clomifeno, el 5 al 12% de los embarazos que se logran son gemelares, y menos del 1% son de trillizos o más niños. Cuando se usan los medicamentos que se llaman gonadotrofinas, el 20% de los embarazos que se logran son de múltiples bebés. Aunque la mayoría son embarazos de gemelos, hasta un 5% de ellos son de trillizos o más niños.

Con las **tecnologías de reproducción asistida**, los **óvulos** se fertilizan fuera del cuerpo. Los óvulos pueden ser de una donante o los puede producir la mujer misma con medicamentos de la fertilidad. El **embrión** o los embriones que se crean se transfieren al **útero** o las **trompas de Falopio** de una mujer. El riesgo de tener un embarazo múltiple aumenta en la medida que aumente la cantidad de embriones que se transfieran. Casi un 45% de los embarazos que se producen con las tecnologías de reproducción asistida dan lugar a gemelos y un 7% a trillizos o más niños.

Debido a los riesgos asociados con los embarazos múltiples, la Sociedad Americana de Medicina Reproductiva recomienda mantener un enfoque preventivo cuando se usen tratamientos de la fertilidad. Si usted y su pareja están considerando emplear tratamientos de la fertilidad, su especialista en fertilidad le hablará sobre los riesgos de tener un embarazo múltiple y cómo puede evitar tener más de un bebé. Por ejemplo, con las tecnologías de reproducción asistida tiene la opción de limitar la cantidad de embriones que se transfieren al útero. Es menos probable que quede embarazada con trillizos o más niños si sólo se transfieren uno o dos embriones. Con la inducción de la ovulación, se puede usar la **ecografía (ultrasonido)** para controlar la cantidad de óvulos que se desarrollan en los **ovarios**, y análisis de sangre para medir los niveles de las hormonas. Si la ecografía revela el desarrollo de una cantidad grande de óvulos, o si los resultados del análisis de sangre indican niveles elevados de **hormonas**, le recomendarán no tratar de quedar embarazada durante ese ciclo para evitar que ocurra un embarazo múltiple.

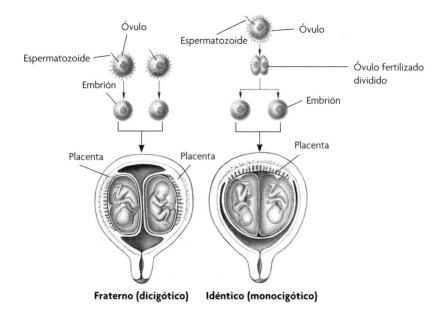

Tipos de gemelos. Los gemelos fraternos provienen de dos óvulos y cada uno tiene su propia placenta. Los gemelos idénticos provienen de un óvulo que se divide en dos. Ambos comparten la misma placenta y a veces el saco amniótico.

Cómo se forman múltiples bebés

Los embarazos múltiples ocurren cuando se implantan y desarrollan más de un óvulo fertilizado en el útero. Este proceso puede ocurrir naturalmente, o se puede provocar por medios artificiales durante tratamientos de la fertilidad.

¿Gemelos fraternos o idénticos?

El tipo más común de embarazo múltiple es el de gemelos. Los gemelos pueden ser de dos tipos, es decir, fraternos e idénticos:

* **Gemelos fraternos (dicigóticos)**—Casi todos los gemelos son fraternos. Cada uno se desarrolla a partir de un *óvulo* y *espermatozoide* separados. Cada uno de los gemelos fraternos tiene su propia *placenta* y *saco amniótico*. Dado que cada gemelo se desarrolla a partir de la unión de un óvulo y espermatozoide diferente, estos gemelos se parecen sólo en la misma medida que lo hacen los hermanos y hermanas. Los gemelos pueden ser ambos varones, dos niñas o uno de cada sexo.

- **Gemelos idénticos (monocigóticos)**—Cuando un óvulo fertilizado se divide durante las primeras etapas del embarazo y se desarrolla en dos o más **fetos**, se forman gemelos idénticos. Los gemelos idénticos comparten la placenta pero a menudo cada uno tiene su propio saco amniótico. Dado que los gemelos idénticos comparten desde un principio el material genético, tienen el mismo sexo, grupo sanguíneo, color de cabello y color de los ojos.

Tres o más bebés

Un embarazo con tres o más bebés se produce cuando más de un óvulo se fertiliza, al dividirse un solo óvulo fertilizado o cuando ocurren ambos procesos en el mismo embarazo. Este embarazo de orden superior rara vez ocurre naturalmente—sólo 1 de cada 3,000 partos—y a menudo es el resultado de tratamientos de la fertilidad.

Cómo se sabe si tiene más de un bebé

En años pasados, las madres que acababan de dar a luz a un bebé con frecuencia se sorprendían cuando oían al médico exclamar, "¡Viene otro bebé!". Afortunadamente, estas sorpresas raras veces ocurren en la actualidad porque casi todas las madres futuras se enteran con bastante antelación que están embarazadas con más de un bebé. La ecografía (ultrasonido) puede detectar la mayoría de los embarazos múltiples en o antes de las 12 semanas de embarazo.

No obstante, antes de que se haga una ecografía, hay otras señales que le pueden indicar al médico que está embarazada con más de un bebé:

- Rápido aumento de peso durante el primer trimestre
- Náuseas intensas del embarazo
- Resultados anormales en la prueba de detección cuádruple que se realiza alrededor de la semana 16 de embarazo para detectar ciertos defectos congénitos (consulte la p. 394)
- Oír más de un latido del corazón durante un examen prenatal
- Tamaño del útero más grande de lo esperado durante un examen prenatal

Riesgos

El riesgo de que surjan problemas durante el embarazo aumenta con la cantidad de bebés. Es decir, el peligro de que ocurran problemas es mayor con gemelos que con un solo bebé y el riesgo es más elevado aún con trillizos que con gemelos.

¿A qué tipo de médico debe acudir?

Muchas madres que esperan bebés múltiples se preguntan si necesitan acudir a un subespecialista en medicina materno–fetal durante el embarazo. Estos médicos, que también se llaman perinatólogos, son obstetras que se especializan en la atención de mujeres embarazadas que pueden tener un riesgo mayor de presentar problemas médicos especiales. El hecho de tener un embarazo múltiple no quiere decir que necesite un subespecialista. Si está saludable, puede acudir a un obstetra con experiencia en la atención de mujeres con embarazos múltiples. Si tiene otras afecciones que la expongan a presentar complicaciones o un historial de problemas en el embarazo, su obstetra puede recomendarle acudir a un subespecialista. El subespecialista en medicina materno–fetal generalmente les presta atención médica a usted y sus bebés, junto con su obstetra regular.

Tenga en cuenta que el recibir una remisión a un subespecialista en medicina materno–fetal no quiere decir que su médico espera que su embarazo será difícil. Generalmente, la remisión se hace como medida de precaución para usted y los bebés y para que se sienta tranquila.

Un embarazo múltiple puede afectar a su salud y la de sus bebés también. Sin embargo, con la debida atención prenatal, su médico puede diagnosticar y tratar las complicaciones para protegerla a usted y a sus bebés de presentar problemas más graves (consulte el cuadro "A qué tipo de médico debe acudir"). Debe estar consciente de las complicaciones que tienen una probabilidad mayor de ocurrir con un embarazo múltiple.

Parto prematuro

El parto *prematuro*—o nacimiento antes de las 37 semanas de gestación—es el problema más común de los embarazos múltiples. Más de un 50% de los gemelos y más de un 90% de los trillizos nacen prematuramente. La cantidad de semanas que estará embarazada disminuye con cada bebé adicional (consulte la Tabla 16-1).

Cuando los bebés nacen prematuramente, a menudo tienen problemas para respirar y comer. También pueden ocurrir problemas graves a largo plazo, como parálisis cerebral y otros problemas neurológicos, problemas de la vista, problemas con el sistema digestivo y retrasos del desarrollo. Dado que la prematuridad es tan común en los embarazos múltiples, es importante estar preparada para la posibilidad de que sus bebés presenten estos proble-

Tabla 16-1 Duración de embarazos múltiples

Tipo de embarazo	Promedio de edad gestacional en la fecha del parto	Promedio de peso al nacer
Un feto	40 semanas	7 libras (3,300 gramos)
Gemelos	35 semanas	5.5 libras (2,500 gramos)
Trillizos	33 semanas	4 libras (1,800 gramos)
Cuádruples	29 semanas	3 libras (1,400 gramos)

De: Multiple pregnancy and birth: twins, triplets, and higher order multiples: a guide for patients. Serie de información para las pacientes. Birmingham, AL: Sociedad Americana de Medicina Reproductora; 2004.

mas. El riesgo de que ocurran estos problemas aumenta mientras más se adelante el nacimiento de los bebés.

Si inicia trabajo de parto antes de las 34 semanas de embarazo y los indicios del parto se detectan con suficiente antelación, su médico puede tratar de demorar el parto por unos días. Posponer el parto, aunque sea por unos días más, puede hacer una gran diferencia. Puede también recibir un medicamento con esteroides para promover la maduración de los pulmones de los bebés.

Es importante que pueda reconocer los indicios del trabajo de parto prematuro si está embarazada con más de un bebé y que llame a su proveedor de atención médica si presenta cualquiera de estos signos o síntomas:

- Cambio en las secreciones vaginales (se vuelven aguadas, tienen mucosidad o están teñidas de sangre)
- Aumento en la cantidad de secreción vaginal
- Presión pélvica o en la parte inferior del abdomen
- Dolor constante y sordo ubicado en la parte inferior de la espalda
- Cólicos abdominales leves, con o sin diarrea
- Contracciones regulares o frecuentes, u opresión uterina, que a menudo no producen dolor (cuatro veces cada 20 minutos u ocho veces por hora durante más de una hora)
- Ruptura de membranas (romper fuente, ya sea que el líquido salga a chorros o poco a poco)

Preeclampsia

La **preeclampsia** es una afección durante el embarazo en que ocurren niveles elevados de presión arterial y proteína en la **orina**. El riesgo de que ocurra esta afección es más del doble en las mujeres embarazadas con gemelos en comparación con las mujeres que tienen un solo bebé.

La preeclampsia puede ser leve o grave. Esta enfermedad puede reducir el flujo de sangre a los bebés, por lo que se limitan el oxígeno y los nutrientes que reciben. Es posible que los bebés tengan que nacer antes de tiempo si la presión arterial suya sube demasiado. La preeclampsia puede progresar a convulsiones en la madre, una afección potencialmente mortal que se llama *eclampsia*. El único tratamiento para la eclampsia es el parto inmediato, independientemente de la *edad gestacional* de los bebés.

Problemas de desarrollo

Las mujeres embarazadas con varios bebés corren un riesgo mayor de que uno o más bebés presenten problemas de desarrollo. Por ejemplo, el tamaño de los gemelos tiende a ser menor en promedio cuando se compara con el de un solo bebé. La ecografía (ultrasonido), que se realiza aproximadamente cada 3 a 4 semanas durante el embarazo, por lo general se usa para evaluar el desarrollo de cada bebé y la cantidad de *líquido amniótico* presente.

Los gemelos se denominan *discordantes* si uno es más pequeño que el otro. Los gemelos discordantes tienen una mayor tendencia a presentar problemas durante el embarazo y después de nacer. La discordancia de los gemelos puede ocurrir debido a una deficiencia en el funcionamiento de la placenta, problemas genéticos o al *síndrome de transfusión feto–fetal*.

El síndrome de transfusión feto–fetal puede ocurrir cuando los gemelos idénticos comparten una sola placenta. La sangre se transfiere de un gemelo al otro a través de la placenta que se comparte. El gemelo que da la sangre será muy pequeño y tendrá muy poco líquido amniótico. El otro gemelo puede tener demasiada sangre y líquido amniótico. Puede que haya que extraer una porción del líquido adicional. Si el síndrome de transfusión feto-fetal es grave, los gemelos deberán nacer prematuramente o recibir tratamiento con cirugía por láser.

Diabetes mellitus gestacional

Las mujeres embarazadas con varios bebés corren un riesgo mayor de presentar *diabetes mellitus gestacional*, un tipo de *diabetes mellitus* relacionado con el embarazo. Esta enfermedad puede hacer que el bebé crezca demasiado, por lo que aumenta el riesgo de sufrir lesiones durante el parto vaginal. Los bebés que nacen de mujeres con diabetes mellitus gestacional también pueden presentar problemas respiratorios y otros problemas mientras son recién nacidos.

Qué puede esperar

Las mujeres embarazadas con más de un bebé pueden necesitar atención especial durante el embarazo, trabajo de parto y parto. Es posible que necesite acudir a su proveedor de atención médica más a menudo que una mujer embarazada con un solo bebé. También necesitará adaptar su dieta y rutina de ejercicios.

Más alimentos

Si está embarazada con múltiples bebés, necesitará comer más que si solo tuviera un bebé. Es importante alimentarse bien para su salud y la salud de los bebés. Durante el embarazo, necesita consumir alrededor de 500 calorías más al día o un total de 2,700 calorías al día para gemelos. Si está embarazada con trillizos, o múltiples de orden superior, deberá aumentar su consumo de calorías de la manera correspondiente.

Además de suplementos vitamínicos prenatales, su médico puede recetarle más vitaminas y suplementos con minerales para promover el desarrollo de los bebés. Un padecimiento común en las mujeres embarazadas con gemelos es la *anemia*; por lo tanto, las vitaminas prenatales y los suplementos con hierro recetados son de vital importancia. El ácido fólico también es importante para los gemelos, por ello debe tomar suplementos vitamínicos prenatales que contengan ácido fólico.

Aumento mayor de peso

Además de alimentarse bien, aumentar la cantidad adecuada de peso es muy importante para la salud de sus bebés. Necesitará aumentar más de peso si tiene más de un bebé que si está embarazada con sólo uno.

Si espera gemelos, debe aumentar entre 37 libras y 54 libras. Si tenía sobrepeso antes del embarazo, sin embargo, debe aumentar entre 31 libras y 50 libras. Si estaba obesa (un índice de masa corporal de 30 o mayor), debe aumentar entre 25 libras y 42 libras (consulte el Apéndice A). Este aumento de peso necesario durante el embarazo debe ocurrir gradualmente. Con gemelos, el médico le aconsejará aumentar aproximadamente 1 libra por semana en la primera mitad del embarazo. En la segunda mitad del embarazo, debe tratar de aumentar un poco más de 1 libra cada semana.

Cautela al hacer ejercicio

Es importante hacer ejercicios regularmente en cada embarazo. Si está embarazada con varios bebés, sin embargo, debe ser un poco precavida. Su médico le aconsejará no hacer ejercicios de mucho impacto, como aeróbicos y correr. Algunas opciones mejores para mantenerse activa durante el embarazo son los deportes que implican menos impacto, como la natación, el yoga prenatal y caminar.

Evaluaciones adicionales

Necesitará recibir **atención prenatal** especial si tiene un embarazo múltiple. La programarán acudir más a menudo a su proveedor de atención médica para hacerse exámenes prenatales y necesitará más evaluaciones para controlar el bienestar de sus bebés.

Su proveedor de atención médica puede usar algunas o todas estas técnicas:

- Pedirle que cuente los movimientos de los bebés (denominado **recuento de patadas**) en casa

- Examinarle el **cuello uterino** mediante un examen físico o por ecografía (ultrasonido) para detectar cambios que puedan indicar algún riesgo de presentar trabajo de parto prematuro.

- Repetir las ecografías para evaluar el desarrollo de los bebés

- Medir la frecuencia cardíaca de los bebés en reacción a los propios movimientos de los bebés (que se denomina **examen en reposo**)

- Realizar un **perfil biofísico**, que consiste en examinar por ecografía la frecuencia cardíaca, los movimientos corporales y el tono muscular de los bebés, además del líquido amniótico

Restricciones y reposo en cama

Aunque a menudo se les receta reposar en cama y limitar las actividades a las mujeres embarazadas con varios bebés, estas recomendaciones no se han estudiado lo suficiente como para determinar que den lugar a bebés más sanos o una madre más saludable. Lo mismo aplica a las hospitalizaciones rutinarias que se recomiendan a las mujeres con embarazos múltiples de orden superior. Sin embargo, los resultados de los estudios de hospitalizaciones rutinarias en las mujeres embarazadas con gemelos han revelado que no prolongan el embarazo.

El parto

La probabilidad de tener un ***parto por cesárea*** es mayor si está embarazada con gemelos que si tiene un solo bebé. Sin embargo, la probabilidad de tener un parto vaginal normal es mayor si ambos bebés se encuentran con la cabeza orientada hacia abajo y no hay ninguna otra complicación. Si está embarazada con tres o más bebés, el médico probablemente recomendará una cesárea debido a que es más seguro para los bebés.

Cómo nacerán sus bebés depende de ciertos factores, entre otros:

- La posición de cada bebé
- El peso de cada bebé
- Su salud
- La salud de los bebés

A veces, es necesario dar a luz a gemelos tanto por vía vaginal como por cesárea. Cuando el bebé situado en el área más inferior está orientado hacia abajo pero el bebé más arriba no lo está, una vez que nazca el primer gemelo, a veces es posible girar al otro gemelo o asistirlo para que nazca con los pies o las nalgas primero. Cuando esto no se pueda hacer, el segundo gemelo nacerá por cesárea.

El trabajo de parto, especialmente la etapa de pujar, puede ser más largo con gemelos. Los bebés generalmente nacen con unos minutos de diferencia en un parto vaginal, aunque puede transcurrir más tiempo.

Su preparación

Tener más de un bebé puede ser un suceso emocionante y también abrumador. Es importante que usted y su pareja se preparen lo más que puedan para la futura aventura de convertirse en los padres de más de un bebé. Puede ser útil hablar con otros padres que han tenido múltiples bebés. Aunque es imposible prepararse para cada eventualidad que pueda surgir, a continuación figuran los desafíos que enfrentan muchas familias de múltiples bebés:

- *Costos altos de atención médica*—Debido a que múltiples bebés a menudo nacen con problemas médicos, pueden requerir atención médica especializada a corto y largo plazo. Prepare un plan financiero para tomar en cuenta estos costos de atención médica. Si tiene seguro médico, asegúrese de que le proporcione cobertura para el costo de la atención especializada.

- *Ayuda adicional*—Necesitará algunas manos más para ayudarle con los bebés, por lo tanto, asegúrese de tener listo un grupo de voluntarios mucho antes de la fecha prevista del parto. Además, asegúrese de que por lo menos algunos de sus ayudantes estén dispuestos a ayudar por bastante tiempo. Es posible que necesite ayudantes durante varias semanas o meses, según los bebés que tenga.

- *Estrés y agotamiento*—Cuidar de múltiples bebés es estresante. Los bebés prematuros necesitan alimentaciones más pequeñas pero más frecuentes, y las horas de sueño pueden ser escasas para los padres. Es posible que uno de los padres necesite quedarse en casa para cuidar de múltiples bebés.

Es buena idea inscribirse en una clase de parto especial para los padres que esperan gemelos o más niños. Programe tomar las clases desde el cuarto mes hasta el sexto mes de embarazo cuando es probable que se sienta más cómoda. Su proveedor de atención médica o enfermera debe poder ayudarle a encontrar una clase.

Capítulo 17
La obesidad y los trastornos de la alimentación

L a **obesidad** y los trastornos de la alimentación son comunes en las mujeres. Ambos pueden afectar adversamente el embarazo. Si tiene cualquiera de estos padecimientos, necesita saber los riesgos que conllevan. Su proveedor de atención médica puede colaborar con usted para controlar su embarazo y evitar algunos de estos riesgos.

La obesidad y el embarazo

La cifra de mujeres obesas en Estados Unidos ha aumentado en gran medida durante los últimos 20 años. Los estudios han revelado que aproximadamente un tercio de las mujeres adultas ahora son obesas y que la obesidad es uno de los problemas médicos de más rápido crecimiento.

Cuando una mujer está obesa durante el embarazo, el riesgo de que tanto ella como el bebé puedan presentar problemas es más alto. Con los debidos cuidados, sin embargo, muchas futuras madres obesas pueden tener embarazos completamente seguros y bebés sanos.

¿Está obesa?

Una mujer se considera obesa si tiene un índice de masa corporal (IMC) antes del embarazo de 30 o más (use la tabla del Apéndice A para determinar su IMC). El índice de masa corporal mide la cantidad de grasa del cuerpo según la estatura y el peso. Además de obesidad, el IMC tiene tres categorías distintas de peso:

1. Peso normal: IMC de 18.5–24.9
2. Sobrepeso: IMC de 25–29.9
3. Obesidad: IMC de 30–39.9

Cuando el IMC de una persona es de 40, los médicos clasifican esta medida como obesidad patológica, que quiere decir que corre un riesgo mucho mayor de presentar problemas médicos potencialmente mortales.

¿Cuáles son los riesgos?

Como durante cualquier otra etapa de su vida, estar obesa durante el embarazo conlleva otros riesgos a la salud. Mientras está embarazada, el peso adicional que lleva aumenta la probabilidad de que surjan problemas para usted y su bebé. Su médico controlará su estado de salud durante las visitas prenatales para ayudar a detectar estas posibles complicaciones si ocurrieran:

- *Presión arterial alta*—La probabilidad de tener presión arterial alta durante el embarazo es 10 veces mayor si está obesa. Cuando la presión arterial alta no se trata durante el embarazo, puede causar problemas médicos para la madre y el bebé.

- *Preeclampsia*—Esta afección ocurre sólo durante el embarazo. La **preeclampsia** se caracteriza por niveles elevados de presión arterial y proteína en la orina. Puede causar además complicaciones graves para la madre. El bebé podría tener que nacer antes de tiempo.

- *Diabetes mellitus gestacional*—Los niveles elevados de **glucosa** en la sangre debido a la **diabetes mellitus gestacional** aumentan el riesgo de tener un bebé muy grande y posiblemente un **parto por cesárea** (consulte el Capítulo 19, "Diabetes Mellitus").

- *Parto por cesárea*—Si su bebé necesita nacer por cesárea, su riesgo de presentar complicaciones por este procedimiento es mayor si está obesa.

- *Defectos congénitos*—Los bebés que nacen de madres obesas tienen una mayor tendencia a tener defectos congénitos, especialmente **defectos del tubo neural.**

- *Complicaciones en el trabajo de parto y parto*—La presencia de un exceso de grasa en el cuerpo puede dificultar la capacidad de su médico para usar la **ecografía (ultrasonido)** y examinar el peso y la posición del bebé en el **útero**. También puede hacer más difícil oír los latidos del corazón del bebé.

Antes de quedar embarazada

Si está obesa, el mejor plan de acción es adelgazar antes de quedar embarazada. Al hacerlo podrá tener la mejor condición física para el embarazo y eso los beneficiará a usted y a su bebé.

Trate de adelgazar

Si su IMC es más de 30 y está planeando quedar embarazada, hable con su médico. Este puede ayudarle a crear un plan saludable para que su peso se acerque más al peso ideal antes de quedar embarazada. Adelgazar unas libras puede ayudarle a reducir la probabilidad de tener un embarazo de alto riesgo.

¿Ha tenido una cirugía bariátrica?

Muchas mujeres que se han sometido a una cirugía bariátrica (para adelgazar) se preguntan sobre el efecto que esta cirugía pueda tener cuando queden embarazadas. Los estudios revelan que tener estos tipos de cirugías no afecta adversamente su embarazo. De hecho, si ha tenido una cirugía bariátrica y ha adelgazado, tendrá una tendencia menor a presentar problemas durante el embarazo, como diabetes mellitus gestacional y presión arterial alta, que las mujeres obesas que no han tenido esta cirugía.

Debe, sin embargo, posponer el embarazo de 12 a 24 meses después de la cirugía. Este es el período cuando ocurre la mayor pérdida de peso. Si ha tenido ciertos problemas, como **síndrome de ovario poliquístico**, falta de **ovulación** o periodos menstruales irregulares antes de su cirugía, estos

Tipos de cirugía bariátrica

La cirugía bariátrica se practica en una porción del aparato digestivo para tratar la obesidad patológica. Los dos tipos más comunes de cirugía bariátrica hoy en día son la cirugía de derivación gástrica y el procedimiento de colocación de banda:

1. En la cirugía de derivación gástrica, se crea una pequeña bolsa en el estómago para limitar la cantidad de alimento que puede comer. La porción restante del estómago se sella con grapas. También se modifica el intestino delgado para que el alimento se desvíe y no pase por las porciones principales de absorción del aparato digestivo.

2. En el procedimiento de colocación de banda, se introduce una banda llena de líquido alrededor del estómago para reducir la cantidad de alimento que puede recolectar. El tamaño de la banda se puede ajustar, si fuera necesario.

problemas se pueden resolver por su cuenta a medida que adelgaza rápidamente. Es importante estar consciente de esta posibilidad ya que el aumento en la fertilidad puede provocar un embarazo involuntario. También es importante indicar que si ha tenido una cirugía de derivación gástrica, dicha cirugía puede surtir un efecto en cómo el cuerpo absorbe los medicamentos, incluidos los **anticonceptivos orales**. Por ello, es posible que necesite cambiar de método anticonceptivo.

Cuando en efecto quede embarazada, hay varios factores que necesita saber para mantenerse lo más saludable posible:

- Puede tener ciertas deficiencias de vitaminas, por lo tanto deberá tomar un suplemento vitamínico prenatal a diario y tal vez más suplementos de vitaminas con hierro, vitamina B_{12}, ácido fólico y **calcio**. Se recomienda que reciba estas vitaminas como suplementos separados en lugar de en un suplemento multivitamínico diario. El exceso de otras vitaminas en estos suplementos, como de vitamina A, puede ser perjudicial durante el embarazo.

- Asegúrese de saber cuánto peso debe aumentar cada mes y llevar un control estrecho del mismo. Las recomendaciones de aumento de peso se basan en su IMC previo al embarazo. Consulte la página 27 para obtener estas recomendaciones.

- Si tuvo una cirugía de banda gástrica, pídale al médico que le practicó la cirugía que mantenga un control estrecho de su situación durante el embarazo. Algunas mujeres presentan deficiencias de nutrientes a causa de esta cirugía. La banda se puede adaptar durante el embarazo para promover una mejor nutrición en las mujeres embarazadas.

Cuando esté embarazada

Si su IMC es más de 30, las pautas más recientes del Instituto de Medicina indican que debe aumentar entre 11 libras y 20 libras mientras esté embarazada. Si su IMC es más de 40, su proveedor de atención médica puede recomendarle que aumente menos de peso, que no aumente de peso o posiblemente que adelgace un poco durante el embarazo. La pérdida de peso no debe ser drástica y se debe adaptar a su situación particular. No debe tratar de adelgazar durante el embarazo a menos que se encuentre bajo la supervisión estrecha de un proveedor de atención médica.

Durante el transcurso del embarazo, probablemente le harán más pruebas que las que reciben las futuras madres con un promedio de peso normal. Por ejemplo, en las visitas prenatales durante las primeras semanas del embarazo, su médico le hará una prueba de glucosa en la sangre para determinar si tiene diabetes mellitus gestacional. Puede tener esta prueba otra vez en los últimos meses.

A medida que se acerca la fecha prevista del parto, su proveedor de atención médica puede indicarle que necesita cuidados especiales si tiene un parto por cesárea. Las mujeres obesas pueden necesitar cuidados especiales antes, durante y después del procedimiento para reducir el riesgo de presentar ciertos problemas, como **trombosis venosa profunda**.

Los trastornos de la alimentación y el embarazo

Cada año en Estados Unidos, 10 millones de mujeres luchan con un trastorno de la alimentación. Algunas mujeres con trastornos de la alimentación pueden tener una remisión temporal de sus síntomas cuando quedan embarazadas. En otras mujeres, los trastornos de la alimentación que estaban controlados antes del embarazo pueden volver a manifestarse durante el embarazo. A veces, un trastorno de la alimentación puede comenzar durante el embarazo.

¿Tiene un trastorno de la alimentación?

La **anorexia nervosa** y **bulimia nervosa** son dos tipos de trastornos de la alimentación. Las señales de advertencia de estos trastornos a menudo son distintas y dan lugar a problemas médicos diferentes.

Anorexia nervosa

Una persona con anorexia nervosa lleva dietas excesivas porque cree que está demasiado gorda aun cuando no lo está. La mayoría de las mujeres con anorexia nervosa sienten un miedo intenso de ser gordas. Sus deseos de ser delgadas son tan intensos que se hacen pasar mucha hambre, a veces hasta la muerte.

Debe estar consciente de los síntomas de anorexia nervosa y decirle a su proveedor de atención médica si los tiene:

- Lleva una dieta continuamente (aun si está delgada), se niega a comer excepto porciones pequeñas o desea comer sola.
- Ha adelgazado mucho y todavía considera que está gorda.
- Sus periodos menstruales han cesado.
- Hace ejercicios excesivamente.
- Tiene un crecimiento de vello fino en la cara y los brazos.
- Se le está cayendo el cabello.
- Tiene la piel reseca, pálida y amarillenta.

Bulimia nervosa

Las mujeres con bulimia nervosa se dan atracones de comida, es decir, comen cantidades grandes de alimentos, en un período breve. Entonces se purgan el exceso de alimento vomitando; usando *laxantes*, diuréticos (medicamentos para eliminar líquidos) o vomitivos (píldoras que inducen el vómito), o bien, ayunando.

Las señales de que puede tener bulimia figuran a continuación:

• Hinchazón alrededor de la mandíbula
• Hinchazón abdominal
• Ojos rojizos
• Problemas con los dientes y las encías
• Debilidad y agotamiento
• Cambios en el estado de ánimo y sensación de haber perdido el control

Cómo pueden los trastornos de la alimentación perjudicar a su bebé

Tener un trastorno de la alimentación puede afectar adversamente su embarazo de muchas maneras. Cuando usted no come, tampoco lo hace su bebé. Si no aumenta suficiente de peso mientras está embarazada, pueden surgir muchos problemas para ambos. Algunos de estos problemas son los siguientes:

• Aborto espontáneo
• Parto *prematuro*
• *Bajo peso al nacer*
• *Depresión*
• Desarrollo lento del bebé
• Diabetes mellitus gestacional
• Preeclampsia

Los laxantes, diuréticos y otros medicamentos que tome para eliminar los alimentos pueden también perjudicar a su bebé. Estas sustancias eliminan nutrientes y líquidos antes de que puedan alimentar y nutrir al bebé.

Cómo obtener ayuda

Si padece de un trastorno de la alimentación, dígaselo de inmediato a su proveedor de atención médica. Cuanto más pronto resuelva el problema, mejor será. La buena noticia es que muchas mujeres con trastornos de la alimentación pueden tener bebés sanos. Además, a menudo las mujeres con trastornos de la alimentación que están muy delgadas tienen problemas para concebir. Al volver a tener un peso normal, la fertilidad se repone también.

Pídale a su proveedor de atención médica una recomendación para acudir a un profesional capacitado que pueda ayudarle con su trastorno y con otras inquietudes. Es buena idea probar tanto la terapia individual como la de grupo. Puede necesitar también medicamentos.

Mientras se esfuerza por superar los efectos negativos de la anorexia nervosa o bulimia nervosa, hay varias medidas que puede tomar para dirigirse por el camino de un embarazo sano. En primer lugar, pídale a su proveedor de atención médica una recomendación para un nutricionista que pueda ayudarle a aprender a alimentarse bien. Una vez que establezca un plan de alimentación, trate de aumentar el peso recomendado durante su embarazo. Aumentar la cantidad correcta de peso es vital para tener un bebé saludable. Si necesita más apoyo, pídalo.

Si tiene un historial de trastornos de la alimentación

Algunas mujeres que han tenido trastornos de la alimentación y que han recibido tratamiento pueden volver a presentar los signos y los síntomas del trastorno durante el embarazo. Con el embarazo surgen ciertos sentimientos asociados con la imagen del cuerpo en casi todas las mujeres. En una mujer con un trastorno previo de la alimentación, estos sentimientos pueden provocar que reaparezca el trastorno.

Si tiene un historial de un trastorno de la alimentación, es importante decírselo a su proveedor de atención médica a principios del embarazo. Juntos, pueden dar seguimiento a sus sentimientos y mantenerse atentos a los signos que indiquen que el trastorno ha vuelto a aparecer. Es buena idea seguir recibiendo terapia psicológica o buscar un consejero cuando quede embarazada.

Parte V
Problemas médicos durante el embarazo

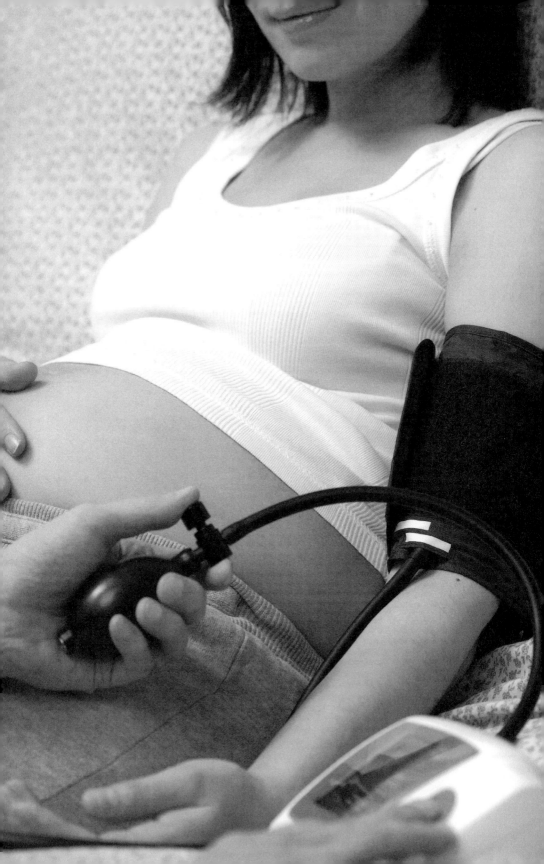

Capítulo 18

Hipertensión

L a presión arterial es la presión que ejerce la sangre sobre las paredes de los vasos sanguíneos a medida que bombea el corazón. Esta presión aumenta cuando el corazón se contrae y empuja sangre dentro de los vasos sanguíneos, y disminuye cuando el corazón se relaja.

La presión arterial se registra por medio de dos números: la presión sistólica (cuando el corazón bombea) sobre la presión diastólica (como el corazón se relaja entre cada latido). Cuando se toma una lectura de la presión arterial, el número más alto representa la presión sistólica y el número más bajo representa la presión diastólica. Por ejemplo, 120/80 (120 sobre 80) quiere decir una presión sistólica de 120 y una presión diastólica de 80.

La presión arterial sube y baja todo el día, incluso de un minuto a otro. Cambia según su nivel de actividad, temperatura del cuerpo, dieta, emociones y los medicamentos que use. Si su proveedor de atención médica determina que su presión arterial es más alta de lo normal durante una de las visitas prenatales, se tomará otra lectura para determinar si se ha normalizado.

Si, después de tomar varias lecturas, la presión arterial sistólica permanece en 140 o más, la presión diastólica en 90 o más, o ambas, se considera que tiene presión arterial alta o hipertensión. La hipertensión es una "enfermedad silenciosa" porque no produce síntomas propiamente. Sin embargo, es necesario controlar la hipertensión porque puede causar problemas médicos graves, como insuficiencia cardíaca, insuficiencia renal o derrames cerebrales.

La lectura de la presión arterial

110 = sistólica = presión en las arterias cuando se contrae el corazón

80 = diastólica = presión en las arterias cuando se relaja el corazón

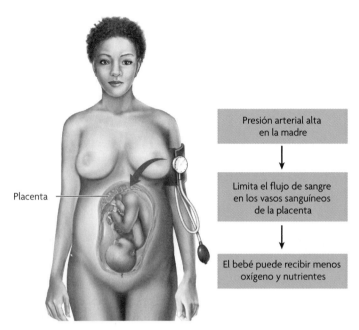

Placenta

> Presión arterial alta
> en la madre

> Limita el flujo de sangre
> en los vasos sanguíneos
> de la placenta

> El bebé puede recibir menos
> oxígeno y nutrientes

Hipertensión. La hipertensión durante el embarazo puede reducir la cantidad de oxígeno y nutrientes que recibe el bebé.

Hipertensión crónica

Cuando el nivel de presión arterial ha estado elevado por un tiempo antes del embarazo, se denomina hipertensión crónica. Esta enfermedad también se puede diagnosticar durante el embarazo si una mujer tiene presión arterial alta antes de la semana 20 de embarazo o si ha tenido presión arterial alta en las últimas etapas del embarazo y ese estado dura más de 12 semanas después del nacimiento del bebé.

Riesgos durante el embarazo

La hipertensión crónica puede causar problemas durante el embarazo. El bebé recibe todos sus nutrientes y el oxígeno de la sangre de la madre cuando atraviesan la *placenta*. La hipertensión puede limitar el flujo de sangre y por ello aumenta el riesgo de que ocurran los siguientes problemas y afecciones:

- Parto *prematuro*
- Problemas de desarrollo
- *Desprendimiento placentario* (un padecimiento que ocurre cuando la placenta se desprende de la pared uterina)

- *Parto por cesárea*
- Muerte del feto

La hipertensión en el embarazo también puede afectar adversamente a la mujer embarazada. El embarazo aumenta la cantidad de sangre del cuerpo. En una mujer con hipertensión, este aumento en el volumen de sangre ejerce más tensión sobre el corazón y los **riñones**. Además, la hipertensión en el embarazo puede ocultar un padecimiento que se llama **preeclampsia**.

La importancia de tener una evaluación antes del embarazo

Preferiblemente, si ha padecido de hipertensión crónica por varios años, debe acudir a su proveedor de atención médica antes de quedar embarazada. La finalidad de esta evaluación previa al embarazo es determinar si su hipertensión está controlada y si ha producido algún efecto negativo en su salud. Debido a que la hipertensión puede afectar adversamente el corazón y los riñones, le harán exámenes o pruebas para evaluar el funcionamiento de estos órganos.

La información que se obtenga de estos estudios se usará para evaluar los riesgos que conlleva el embarazo a su salud futura. Si tiene hipertensión grave, corre peligro de presentar complicaciones graves, como insuficiencia renal (de los riñones) o cardíaca. Sin embargo, casi todas las mujeres con hipertensión crónica leve tienen embarazos perfectamente normales sin efectos a largo plazo.

Además de los exámenes y pruebas, puede consultar con su proveedor de atención médica acerca de las medidas que puede tomar para que tenga un embarazo más seguro. La finalidad de estas medidas es reducir la presión arterial antes del embarazo:

- Si tiene sobrepeso, adelgace por medio de dieta y ejercicios.
- Tome el medicamento para la presión arterial de la forma recetada.
- Deje de fumar.

Tratamiento de la hipertensión en el embarazo

Las mujeres con hipertensión crónica pueden recibir otras evaluaciones durante el embarazo para controlar su enfermedad y la salud del bebé. Estas evaluaciones le permitirán a su proveedor de atención médica detectar posibles problemas en cuanto ocurran.

Las mujeres con hipertensión leve generalmente no necesitan recibir tratamiento con medicamentos antihipertensivos durante el embarazo. Algunas mujeres que toman medicamentos cuando no están embarazadas pueden dejar de hacerlo durante el embarazo. Otras mujeres, por lo general las que padecen de hipertensión grave, necesitan seguir recibiendo tratamiento durante el embarazo. Hable con su proveedor de atención médica para determinar cuál es el mejor tratamiento para usted. En algunos casos, la mujer puede cambiar a un medicamento distinto que mantenga normalizada la presión arterial pero que sea más seguro durante el embarazo.

Hipertensión gestacional

Cuando la presión arterial alta ocurre por primera vez durante la segunda mitad del embarazo, se denomina hipertensión gestacional. Este tipo de presión arterial alta se normaliza al poco tiempo de que nace el bebé. Si presenta hipertensión gestacional, puede necesitar acudir más a menudo a su proveedor de atención médica para que le tomen la presión arterial. Cerca de un cuarto de las mujeres con hipertensión gestacional presentan preeclampsia.

Preeclampsia

La preeclampsia es una afección que ocurre sólo durante el embarazo. Se caracteriza por niveles elevados de presión arterial y de proteína en la orina. Por lo general comienza después de la semana 20 de embarazo y puede afectar adversamente a todos los órganos del cuerpo. La preeclampsia ejerce una mayor tensión en los riñones y puede afectar también el hígado y el cerebro.

Esta enfermedad generalmente se detecta por análisis de orina o con las lecturas de presión arterial. Algunos síntomas de preeclampsia son los siguientes:

- Dolores de cabeza
- Problemas de la vista
- Aumento rápido de peso
- Dolor en la región abdominal superior

Los médicos desconocen por qué algunas mujeres presentan preeclampsia, aunque saben que algunas mujeres corren un mayor peligro que otras. Su tendencia a presentar preeclampsia es mayor si se aplican las siguientes situaciones a su caso:

- Está embarazada por primera vez.
- Está embarazada con más de un bebé (gemelos, trillizos o más).

- Tuvo preeclampsia en un embarazo previo.
- Tiene un historial de hipertensión crónica.
- Tiene más de 35 años.
- Padece de ciertas enfermedades, como **diabetes mellitus**, enfermedades de los riñones y **lupus**.
- Está obesa.
- Es afroamericana.

Si desarrolla preeclampsia, habrá que tomar la decisión de dar a luz o no al bebé. Si la preeclampsia es leve, llevarán un control estrecho de su salud con visitas frecuentes al proveedor de atención médica y se harán exámenes para evaluar la salud del bebé. Es posible que necesite permanecer hospitalizada durante unos días al principio. Si todo anda bien, debe poder tener un embarazo a término (por lo menos de 38 semanas).

Si tiene preeclampsia grave, pero su bebé no sobreviviría si diera a luz, la controlarán estrechamente y tendrá pruebas o exámenes frecuentes. En algunos casos, se recomienda hacer evaluaciones a diario y podría tener que hospitalizarse. El tratamiento de la preeclampsia grave es más adecuado cuando lo proporciona un obstetra con experiencia en complicaciones durante el embarazo, como un subespecialista médico materno–fetal. La decisión de dar a luz se basa en la **edad gestacional** y la situación clínica de la madre o el bebé. Dar a luz prematuramente depende en parte de si el hospital está equipado con una unidad neonatal de atención intensiva, un departamento especializado que atiende a bebés prematuros. Si no es así, se traslada a la mujer embarazada a otro hospital que cuente con una unidad neonatal de atención intensiva para el parto.

Eclampsia

La **eclampsia** se define como el comienzo de convulsiones en una mujer de varios días a varias semanas después del parto. Este problema médico puede ocurrir en una mujer que tiene preeclampsia o hipertensión gestacional, o puede ser el primer indicio de hipertensión. La eclampsia es un estado médico potencialmente mortal. Cuando ocurre eclampsia durante el embarazo, el bebé debe nacer independientemente de su edad gestacional. Las mujeres con esta afección requieren cuidados especiales para normalizar los niveles elevados de presión arterial y evitar que ocurran más convulsiones para que el parto se logre sin riesgo. Cuando la eclampsia ocurre después del parto, se trata con medicamentos para controlar las convulsiones y reducir la presión arterial.

Síndrome de hemólisis, niveles elevados de enzimas hepáticas y cifra reducida de plaquetas

Algunas mujeres con presión arterial alta también desarrollan un problema médico que se denomina síndrome HELLP. HELLP son las siglas en inglés de hemólisis, niveles elevados de enzimas hepáticas (del hígado) y cifra reducida de plaquetas. Aunque es una enfermedad rara, es grave. Las mujeres con el síndrome HELLP pueden tener problemas de sangrado, del hígado y de presión arterial que pueden poner en peligro sus vidas. El tratamiento por lo general consiste en dar a luz al bebé, independientemente de su edad gestacional.

Capítulo 19

Diabetes mellitus

La **diabetes mellitus** es una enfermedad que ocurre cuando el cuerpo no puede producir o usar debidamente la insulina. La **insulina** es una **hormona** que convierte la **glucosa** (azúcar) en energía y la producen las **células** del páncreas. Cuando el cuerpo no produce suficiente insulina o no la usa correctamente, la glucosa no puede entrar en las células y en lugar de ello permanece en la sangre. Con el tiempo, los niveles elevados de azúcar en la sangre pueden perjudicar el corazón, los ojos y los **riñones**.

Hay tres tipos de diabetes mellitus: diabetes mellitus de tipo 1, diabetes mellitus de tipo 2 y **diabetes mellitus gestacional**. En la diabetes mellitus de tipo 1, el organismo produce poca o ninguna insulina por sí mismo. En la diabetes mellitus de tipo 2, el organismo produce suficiente insulina pero las células del cuerpo son resistentes a dicha insulina. Para controlar el nivel de azúcar en la sangre, se requieren cantidades de insulina más altas de lo normal. La diabetes mellitus gestacional es el tipo de diabetes que ocurre durante el embarazo.

Diabetes mellitus pregestacional

Si padece de diabetes mellitus de tipo 1 o tipo 2 antes de quedar embarazada, se considera que tiene diabetes mellitus pregestacional. Aproximadamente 1 de cada 100 mujeres padece de esta enfermedad.

Riesgos al embarazo

Las mujeres cuya diabetes pregestacional no está bien controlada corren el riesgo de presentar varias complicaciones en el embarazo. Sin embargo, el riesgo de desarrollar las siguientes complicaciones se puede reducir en gran medida si la mujer controla los niveles de azúcar en la sangre antes y durante el embarazo:

* *Defectos congénitos*—Pueden ocurrir defectos congénitos que afectan el corazón, cerebro y esqueleto. Estos defectos han estado asociados con niveles elevados de azúcar en la sangre en las primeras etapas del embarazo, cuando estos órganos se están desarrollando.

* *Aborto **espontáneo** y nacimiento de un niño muerto*—El **aborto espontáneo** y el **nacimiento de un niño muerto** son sucesos que ocurren con más frecuencia en las mujeres embarazadas con diabetes cuya enfermedad no está bien controlada.

* *Hidramnios*—**Hidramnios** es una afección que ocurre cuando hay demasiado **líquido amniótico** en el **saco amniótico** que rodea al bebé. Puede provocar trabajo de parto y parto **prematuros**.

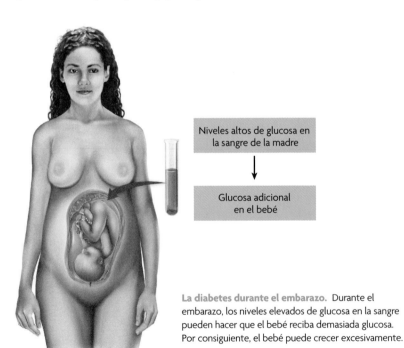

Niveles altos de glucosa en la sangre de la madre

↓

Glucosa adicional en el bebé

La diabetes durante el embarazo. Durante el embarazo, los niveles elevados de glucosa en la sangre pueden hacer que el bebé reciba demasiada glucosa. Por consiguiente, el bebé puede crecer excesivamente.

- *Preeclampsia*—La **preeclampsia** ocurre sólo durante el embarazo y generalmente consiste en niveles elevados de presión arterial y proteína en la orina. El bebé podría tener que nacer antes de tiempo. La preeclampsia grave puede producir convulsiones y problemas en los riñones o el hígado y es una causa común de parto prematuro.

- *Macrosomía*—**Macrosomía** es una afección que ocurre cuando un bebé es considerablemente más grande del promedio de tamaño de un bebé. Las mujeres con fetos macrosómicos tienen una mayor tendencia a experimentar dificultades durante el trabajo de parto e incidencias mayores de parto por cesárea que las mujeres con fetos de tamaño normal. Los factores de riesgo para la macrosomía son diabetes maternal y un embarazo que se prolonga después de la fecha prevista del parto por más de 2 semanas. La macrosomía puede ser muy difícil de pronosticar con precisión.

- *Síndrome de dificultad respiratoria*—Este síndrome puede causar problemas respiratorios en el bebé después de nacer. El riesgo de que ocurra el **síndrome de dificultad respiratoria** es mayor en los bebés de madres que padecen de diabetes.

Atención antes de la concepción

Si tiene diabetes y está planeando un embarazo, es importante que acuda a su médico antes de quedar embarazada. Durante esta visita previa a la concepción, aprenderá a tomar medidas antes del embarazo que pueden reducir el riesgo de que surjan complicaciones futuras. Le conviene planear el momento en que quedará embarazada con la ayuda de un obstetra, un subespecialista en medicina materno-fetal u otro médico para controlar estrechamente sus niveles de glucosa en la sangre. Comenzar el embarazo de esta manera mejora la probabilidad de tener un bebé sano y un embarazo exitoso. También la preparará para las medidas adicionales que deberá tomar para mantener un nivel estricto de glucosa durante el embarazo.

Muchas mujeres con diabetes que nunca han estado embarazadas se sorprenden del nivel tan bajo de azúcar en la sangre que se recomienda durante el embarazo. Su médico probablemente le recomendará examinarse a menudo los niveles de glucosa en la sangre para lograr un nivel en ayunas inferior a 100. El nivel recomendado 1 hora después de comer es inferior a 140. Para controlar su progreso, se usa un análisis de sangre que se denomina hemoglobina A1C (glucohemoglobina). Esta prueba ofrece un cálculo del grado de control del nivel de glucosa en la sangre en las 4 a 6 semanas anteriores. Una vez que la hemoglobina A1C se encuentre por debajo de 7, el riesgo de tener un aborto espontáneo o de que ocurra el nacimiento de un niño muerto es muy semejante al de las mujeres sin diabetes. En ese momento, es razonable considerar quedar embarazada.

La atención antes de la concepción también le permite a su médico diagnosticar y tratar cualquier problema médico que pueda tener a causa de la diabetes. Además de controlar sus niveles de glucosa en la sangre y ajustar su medicamento, es importante tratar de lograr un peso corporal cerca de lo normal mediante una dieta sana y ejercicios. Su proveedor de atención médica puede darle información para planear una dieta sana y un programa de ejercicios, o puede recomendarle acudir a un nutricionista u otro experto.

Diabetes mellitus gestacional

El embarazo causa una forma de resistencia natural a la insulina cuya finalidad es aumentar ligeramente el nivel de glucosa de la sangre de la madre para permitirle al bebé disponer de más energía. Aproximadamente un 4% de las mujeres, sin embargo, no pueden producir suficiente insulina para mantener normalizado el nivel de glucosa en la sangre y compensar el mayor consumo de alimentos, peso corporal y resistencia a la insulina. Estas mujeres presentan diabetes gestacional. Este tipo de diabetes ocurre al comienzo del último trimestre de embarazo, cuando el bebé empieza a aumentar más de peso.

Factores de riesgo

Algunas mujeres corren un riesgo mayor de presentar diabetes gestacional, especialmente si presentan lo siguiente:

- Tienen sobrepeso
- Han tenido diabetes mellitus gestacional anteriormente
- Tienen un pariente cercano con diabetes mellitus
- Han tenido problemas con embarazos previos, como haber dado a luz un bebé muerto
- Son indígenas norteamericanas, asiáticas, hispanas, afroamericanas o de una isla del Pacífico
- Han dado a luz un bebé muy grande
- Tienen una enfermedad que se llama *síndrome de ovario poliquístico*

Si presenta cualquiera de estos factores de riesgo, su proveedor de atención médica puede hacerle una prueba de detección de diabetes gestacional durante una de las primeras visitas de atención prenatal. Si no presenta tales factores, se hará esta prueba entre las 24 y 28 semanas de embarazo.

Cómo puede afectar su embarazo

En las mujeres con diabetes gestacional, los niveles elevados de glucosa en la sangre durante el embarazo pueden aumentar el riesgo de tener un bebé demasiado grande y un posible *parto por cesárea*. La incidencia de preeclampsia también es mayor en las mujeres con diabetes gestacional.

Una vez que las pruebas revelen que tiene diabetes gestacional, su proveedor de atención médica llevará un control estrecho de su salud. La diabetes gestacional generalmente se resuelve después de que nace el bebé, aunque aproximadamente la mitad de las mujeres con esta enfermedad desarrollan diabetes de tipo 2 más tarde en la vida. Por este motivo, en el futuro, es importante decirles a sus proveedores de atención médica que ha tenido diabetes gestacional para que puedan seguir controlando su salud.

Tratamiento de la diabetes

Es vital controlar la diabetes durante el embarazo. Ya sea que presente diabetes pregestacional o diabetes gestacional, el tratamiento de la diabetes durante el embarazo exige mucho esfuerzo y dedicación. Este esfuerzo consiste en medirse a diario los niveles de glucosa en la sangre, alimentarse bien, hacer ejercicios regularmente y a veces, recibir medicamentos. La atención médica prenatal también es importante. Si padece de diabetes, deberá acudir más a menudo a su médico mientras esté embarazada.

El control de los niveles de glucosa

Las mujeres con diabetes pregestacional y diabetes gestacional deben medirse los niveles de glucosa a menudo. Sólo al saber sus niveles de glucosa durante el día podrá ajustar debidamente su dieta, ejercicios y medicamentos para mantener dichos niveles dentro de un límite normal. Su proveedor de atención médica le dirá la frecuencia con que debe hacerse estas medidas. Si se enferma, necesitará examinarse los niveles más a menudo aún. A finales del embarazo, también puede necesitar medírselos con mayor frecuencia.

Su proveedor de atención médica le enseñará cómo medirse la glucosa con un medidor de glucosa. Examinarse el nivel de glucosa es una parte importante de su cuidado para mantener dicho nivel dentro del límite normal. Para obtener los mejores resultados, siga el horario que le indique su proveedor de atención médica. Lleve un registro preciso de sus niveles de glucosa e infórmeselo al médico durante cada visita prenatal.

Alimentación sana

Llevar una dieta balanceada es una parte importante de cualquier embarazo. Su bebé depende de los alimentos que usted consume para su crecimiento y nutrición. La dieta es aun más importante si padece diabetes, tan importante como los medicamentos. No alimentarse adecuadamente puede producir niveles de glucosa demasiado altos o demasiado bajos.

La cantidad de calorías que necesita depende de su peso, etapa del embarazo, edad y nivel de actividad. En la mayoría de los casos, la dieta requerirá comidas especiales. Las comidas y las meriendas (o bocadillos) se distribuirán durante el día y antes de acostarse. Tal vez le pidan llevar un registro de lo que come. Es posible que se hagan algunos cambios para regular mejor la glucosa o satisfacer las necesidades de crecimiento del bebé.

Ejercicio

Para todas las mujeres embarazadas, pero especialmente para las que padecen de diabetes, el ejercicio es importante. El ejercicio ayuda a mantener los niveles de glucosa dentro del límite normal. Debe hacer por lo menos 30 minutos de ejercicio al día. Hable con su proveedor de atención médica primero sobre su programa de ejercicios.

Medicamentos

Las mujeres con diabetes pregestacional que usaban insulina antes del embarazo generalmente necesitan aumentar la dosis de insulina mientras estén embarazadas. Este aumento se debe a tres razones:

1. Se recomienda llevar un control más rígido del nivel de glucosa durante el embarazo para evitar algunas de las complicaciones de la diabetes mellitus.

2. Dado que el consumo diario recomendado de calorías es mayor durante el embarazo, se requieren dosis más altas de insulina.

3. Durante el embarazo, el organismo de una mujer embarazada se vuelve cada vez más resistente a la insulina, por lo que se requiere una dosis más elevadas para controlar la misma cantidad de glucosa en la sangre que antes se controlaba con menos.

Durante el embarazo puede usar insulina sin riesgo. La insulina no causa defectos congénitos. Es importante colaborar con su proveedor de atención médica y educador de la diabetes para ajustar debidamente la cantidad, los tipos y el horario de las dosis de insulina. Si usó una bomba de insulina antes de quedar embarazada, probablemente podrá seguir usándola en casi todas las circunstancias. A veces, le recomiendan a una mujer que se inyecta insulina cambiar a un tratamiento con bomba de insulina, o cambiar del tratamiento con bomba a inyecciones de insulina.

Algunas mujeres con diabetes gestacional o diabetes pregestacional de tipo 2 pueden controlar los niveles de glucosa en la sangre con dieta y ejercicio solamente. Sin embargo, si estas medidas no mantienen los niveles de glucosa en la sangre dentro del límite normal, es necesario agregar un medicamento. Los medicamentos orales que actúan aumentando la eficacia de la insulina producida por el cuerpo mismo, a menudo pueden mantener un control eficaz de los niveles de glucosa en la sangre. Estos medicamentos con frecuencia se usan para tratar la diabetes de tipo 2. Por lo general es necesario aumentar la dosis a medida que progresa el embarazo. Si los medicamentos orales no controlan los niveles de glucosa de una mujer con diabetes pregestacional de tipo 2 o diabetes gestacional, puede ser necesario cambiar el tratamiento a inyecciones de insulina.

Atención prenatal

Durante la atención médica prenatal se da seguimiento a su salud y la de su bebé. Puede necesitar hacerse pruebas o exámenes especiales que le ayuden a su médico a identificar problemas y tomar medidas para corregirlos. La *ecografía (ultrasonido)* es un examen que a menudo se les hace a las mujeres con diabetes en las semanas 18–22 de embarazo para detectar la presencia de defectos congénitos. Sin embargo, la ecografía no es un examen perfecto. Las mujeres con diabetes tienen una mayor tendencia a tener un bebé con una enfermedad congénita cardíaca, entre otras, y la ecografía es un examen imperfecto para detectar estas enfermedades. Si tiene sobrepeso, la ecografía no es muy útil. Este examen también se usa en el embarazo de una madre con diabetes para controlar el desarrollo fetal y planificar así el nacimiento del niño.

En las últimas etapas del embarazo, le pueden hacer un examen semanal (o más a menudo) para evaluar el estado de salud del bebé. Este examen puede ser un *examen en reposo* o un *perfil biofísico*. También es importante llevar un *recuento de patadas* a diario según las indicaciones del médico en las últimas etapas del embarazo.

Otras pruebas que le pueden hacer son análisis adicionales de orina para detectar la presencia de una infección urinaria y algunas complicaciones, como una enfermedad de los riñones o preeclampsia. Se volverán a tomar medidas del nivel de hemoglobina A1C. Su proveedor de atención médica puede recomendar pruebas para evaluar su función renal (de los riñones).

Parto

En la mayoría de las mujeres cuya diabetes ha estado bien controlada durante el embarazo se permite que el trabajo de parto ocurra naturalmente. No obstante, en las mujeres cuya diabetes no ha estado bien controlada, que han dado a luz a un niño muerto o que tienen complicaciones, como una enfermedad de los riñones, se les recomienda dar a luz antes de tiempo (antes de las 40 semanas de embarazo). En tales casos, se hacen evaluaciones de madurez pulmonar fetal, que implica someterse a una *amniocentesis*. Los resultados de esta evaluación determinarán si el bebé recibirá medicamentos que se llaman *corticoesteroides* para promover la maduración de los pulmones del bebé.

La mayoría de las mujeres pueden tener un parto vaginal. Si hay indicios de que el bebé es muy grande, le recomendarán tener una cesárea. Es necesario dar seguimiento a los niveles de glucosa de las mujeres con diabetes y vigilar el estado del bebé durante el trabajo de parto.

Si sus niveles de glucosa están bien regulados durante el embarazo, es menos probable que su bebé presente problemas después de nacer. Es necesario, sin embargo, cuidar de algunos bebés por un tiempo en una sala especial de recién nacidos si presentan problemas respiratorios, niveles bajos de glucosa o *ictericia* (piel amarillenta).

Atención postparto

El cincuenta por ciento de las mujeres con diabetes gestacional desarrollan diabetes de tipo 2 más adelante en la vida. Este riesgo se puede reducir si mantiene un peso sano por medio de dieta y ejercicios después de que nazca el bebé. Además, generalmente se hace una prueba de diabetes a las mujeres con diabetes gestacional al cabo de 6 a 12 semanas de haber dado a luz. Aun si los resultados son normales, la Asociación Americana de la Diabetes recomienda aún pruebas de diabetes cada 3 años.

Si tiene diabetes pregestacional, podrá regresar a la dosis de insulina que tenía antes del embarazo al poco tiempo de dar a luz. Si lacta, necesitará consumir más calorías y medirse a menudo los niveles de glucosa en la sangre. Hable con su proveedor de atención médica o una consultora en lactancia sobre la cantidad y los tipos de alimentos que debe consumir para recibir estas calorías adicionales.

Capítulo 20
Otros padecimientos crónicos

El embarazo exige mucho de su cuerpo. En las mujeres con padecimientos médicos existentes, el embarazo puede cambiar la manera en que se tratan sus afecciones. La mayoría de las mujeres con problemas médicos dan a luz a bebés saludables. Simplemente requieren cuidado especial y más esfuerzo para lograrlo. Algunos padecimientos médicos pueden exigir un control más estrecho durante el embarazo para evitar que surjan problemas tanto para la mujer como para su bebé.

Si tiene un problema médico, durante el embarazo es posible que necesite realizarse pruebas adicionales, acudir al proveedor de atención médica con más frecuencia o recibir tratamiento especial. En algunos casos puede controlar su padecimiento desde su casa; en otros casos, puede necesitar hospitalizarse.

A menudo, un equipo de proveedores de atención médica colabora para asegurarse de que tanto usted como su bebé reciban la atención que necesitan. Su proveedor de atención médica puede recomendarle que acuda también a un subespecialista en medicina materno-fetal, un médico con capacitación especial en la atención de mujeres embarazadas con problemas médicos.

Enfermedades cardíacas

Si tiene un historial de enfermedades cardíacas, soplo del corazón o fiebre reumática, debe hablar con un médico antes de tratar de quedar embarazada. El riesgo de que surjan problemas durante el embarazo depende del tipo de defecto cardíaco y el nivel de gravedad. Por ejemplo, una mujer con una enfermedad congénita cardíaca (que estaba presente al nacer) corre un riesgo mayor de tener un bebé con algún tipo de defecto cardíaco. Puede que sea necesario hacer algunos exámenes o pruebas para determinar si su bebé tiene el mismo defecto congénito.

El embarazo produce cambios importantes en el sistema circulatorio. El volumen de sangre aumenta por un 40% a 50%. Este aumento obliga al corazón a trabajar más arduamente. Haga una cita con su cardiólogo o acuda a un subespecialista en medicina materno-fetal para que puedan darle más detalles sobre cómo su problema puede afectar su corazón y el embarazo.

Es importante saber que algunos medicamentos que son seguros antes del embarazo no se deben usar cuando quede embarazada ya que pueden ser perjudiciales a su bebé. Si tiene una enfermedad cardíaca y necesita tomar medicamentos durante el embarazo, su médico le recetará medicamentos que no perjudiquen al bebé.

Problemas de los riñones

Las mujeres que sólo padecen de una enfermedad renal (de los riñones) leve, probablemente tendrán un embarazo exitoso. Sin embargo, en las mujeres con enfermedades graves de los riñones, quedar embarazada aumenta el riesgo de que surjan complicaciones para la salud de la madre y del bebé:

- Hipertensión (presión arterial alta)
- *Preeclampsia*
- Trabajo de parto *prematuro*
- *Aborto espontáneo*

Si tiene una enfermedad de los riñones y está considerando quedar embarazada, es de suma importancia que se comunique con un especialista en medicina materno–fetal o un especialista en los riñones para recibir atención antes de la concepción. Estos especialistas la evaluarán y le explicarán los riesgos que el embarazo impone en la salud. Si ya está embarazada, es probable que la atienda un especialista cada 2 semanas.

Las mujeres con enfermedades de los riñones que necesitan diálisis por lo general no pueden quedar embarazadas ni tener un embarazo saludable. La tensión del embarazo para una mujer en diálisis puede imponer un riesgo mayor en su salud y la del bebé, e incluso provocar un aborto espontáneo.

Trastornos del sistema respiratorio

El sistema respiratorio consiste en los pulmones y las vías respiratorias (la tráquea y los conductos aéreos que se ramifican a partir de ella en los pulmones).

Aun las mujeres que no tienen un trastorno respiratorio comúnmente presentan dificultad para respirar. A medida que se desarrolla el bebé, el crecimiento del útero comprime el diafragma, el músculo principal respiratorio y lo eleva unos 4 centímetros por encima de su posición normal. Los pulmones también se comprimen. Debido a estos cambios, una mujer embarazada puede tener dificultad para respirar, especialmente en las últimas etapas del embarazo.

En las mujeres con ciertos trastornos respiratorios, el embarazo puede plantear otros desafíos. Los problemas respiratorios pueden reducir la cantidad de oxígeno que reciben tanto la madre como el bebé. El embarazo puede empeorar ciertos padecimientos, como el asma. El tratamiento de las enfermedades respiratorias requiere una colaboración estrecha entre la mujer y el proveedor de atención médica para garantizar su salud y la del bebé.

Asma

Si padece de asma pero la mantiene bien controlada, debe poder tener un embarazo sano y un bebé saludable. Es cuando una mujer cuya enfermedad de asma no está controlada cuando pueden surgir problemas, como que el bebé reciba una menor cantidad de oxígeno.

Dígale a su proveedor de atención médica en su primera visita prenatal que tiene asma para que se pueda controlar el estado del bebé. Aunque a muchas mujeres embarazadas les produce intranquilidad usar medicamentos durante el embarazo, si padece de asma, es vital que siga usando sus medicamentos una vez que el médico los haya aprobado. Los inhaladores para el asma se pueden seguir usando sin riesgo durante el embarazo.

Algunas mujeres que padecen de asma hallan que sus síntomas empeoran durante el embarazo. Es importante acudir a su alergista, inmunólogo o especialista en medicina materno–fetal para saber cómo controlar mejor el asma mientras esté embarazada y cuáles medicamentos adicionales, si los hubiera, necesita usar. Deberá dar seguimiento a sus síntomas durante el embarazo

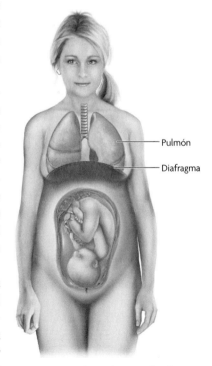

Pulmón

Diafragma

Sistema respiratorio durante el embarazo. Durante el embarazo, el diafragma se eleva y comprime los pulmones. Es común tener dificultad para respirar, especialmente en las últimas etapas del embarazo.

y podría tener pruebas periódicas de funcionamiento pulmonar para determinar si usted y su bebé están recibiendo suficiente oxígeno.

Pulmonía

La pulmonía es una infección de los pulmones que la produce una bacteria o un virus. Puede ser más grave si la contrae durante el embarazo. La pulmonía puede causar que tanto la madre como el bebé reciban menos oxígeno.

Algunos síntomas de la pulmonía son semejantes a los de un resfriado o la gripe, como tos y fiebre. Otro síntoma común es el dolor de pecho. Sin embargo, muchas personas a menudo no se dan cuenta que tienen esta enfermedad grave.

Si su médico sospecha que tiene pulmonía, podría ordenar una radiografía del pecho para confirmarlo. Aunque este tipo de radiografía no se considera perjudicial durante el embarazo, dígale al técnico de radiografía que está embarazada para que se tomen las debidas precauciones.

La pulmonía provocada por bacterias se trata con antibióticos. Si le recetan un antibiótico, asegúrese de que su médico sepa que está embarazada para que recete el medicamento correcto. En algunos casos, puede que sea necesario permanecer hospitalizada hasta que la infección se cure.

Enfermedades digestivas

Si tiene una enfermedad digestiva que afecta la manera en que su cuerpo digiere el alimento, deberá colaborar estrechamente con su proveedor de atención médica durante su embarazo. Debe asegurarse de que usted y su bebé en desarrollo reciban una cantidad adecuada de las vitaminas y los nutrientes que son vitales para ambos y para lograr un embarazo sano.

Enfermedad inflamatoria del colon

La enfermedad inflamatoria del colon es un padecimiento en que ocurre una inflamación crónica (a largo plazo) en el sistema digestivo. Los investigadores creen que la inflamación se debe a un ataque mal dirigido del sistema inmunitario contra las bacterias normales que se encuentran en el sistema digestivo. Hay dos tipos de enfermedad inflamatoria del colon: la enfermedad de Crohn y la colitis ulcerosa. Ambas producen síntomas semejantes, como diarrea persistente, dolor abdominal, fiebre y sangrado rectal. Al igual que con muchos **trastornos autoinmunitarios,** los síntomas de la enfermedad inflamatoria del colon aparecen y desaparecen. Una persona con una enfermedad inflamatoria del colon puede tener períodos de síntomas intensos (recrudecimientos) seguidos de períodos sin síntomas (remisiones) o síntomas leves.

Si tiene una enfermedad inflamatoria del colon, puede ser difícil para usted recibir los nutrientes que necesita de los alimentos que consume. Tal vez no reciba suficiente proteína, vitaminas o calorías de su dieta. También podría tener algún daño intestinal. Antes de quedar embarazada, es muy importante que acuda a su médico para hablar sobre su padecimiento y cómo se debe tratar durante su embarazo. Le recomendarán quedar embarazada sólo cuando no esté pasando por un recrudecimiento de síntomas. Debe hablar sobre los medicamentos que toma y si debe usar los mismos medicamentos mientras esté embarazada. Es útil también consultar con un nutricionista.

Síndrome del colon irritable

El síndrome del colon irritable afecta principalmente a las mujeres entre los 30 y 50 años. Las personas con esta enfermedad parecen tener el colon más sensible de lo habitual y pueden presentar síntomas como cólicos, gases y estreñimiento. Los síntomas pueden aparecer y desaparecer con el tiempo.

El estrés, consumir comidas grandes o viajar puede provocar estos síntomas. Ciertos medicamentos o alimentos también pueden hacer que los síntomas empeoren. Cuando esté embarazada, deberá estar más consciente de los factores que provocan sus síntomas. De esta manera podrá lidiar mejor con los cambios del cuerpo que ocurrirán durante 9 meses.

Aunque no hay una cura para el síndrome del colon irritable, esta enfermedad puede tratarse para reducir los síntomas. Su médico o dietista puede sugerirle hacer ciertos cambios a la dieta o su médico puede recomendarle medicamentos para aliviar los síntomas.

Enfermedad celíaca

La enfermedad celíaca lesiona el intestino delgado e interfiere en la absorción de nutrientes de los alimentos. Si padece de esta enfermedad, su organismo no puede digerir gluten, una proteína que se encuentra en el trigo, el centeno, la avena y la cebada.

El gluten se encuentra en los alimentos que comemos todos los días, como la pasta, el pan, las salsas y también quizás en medicamentos y vitaminas. Si no se controla esta enfermedad, pueden ocurrir problemas médicos graves, como desnutrición, que puede causar anemia y osteoporosis, y provocar un aborto espontáneo.

La única manera de tratar la enfermedad celíaca es consumir alimentos que no contienen gluten. Colabore con su médico y dietista durante su embarazo para asegurarse de que lleve un buen plan de alimentación sin gluten que les brinde a usted y a su bebé los nutrientes necesarios para mantenerse sanos.

Trastornos autoinmunitarios

En los trastornos autoinmunitarios, el sistema inmunitario ataca a los propios tejidos del cuerpo. Por consiguiente, los órganos como la tiroides y otras partes del cuerpo podrían afectarse.

Muchas enfermedades autoinmunitarias presentan síntomas que coinciden con los de otras enfermedades. Por lo tanto, son difíciles de detectar. La mayoría de estos trastornos son crónicos. Además, muchas veces no hay cura para ellos debido a que se desconoce la causa. Los síntomas pueden desaparecer por un tiempo y recrudecer con poca advertencia y por ninguna razón particular.

Los efectos de los trastornos autoinmunitarios en el embarazo dependen del tipo de trastorno y su gravedad. Las mujeres con estos trastornos necesitan recibir atención especial durante el embarazo.

Lupus

El lupus es un trastorno autoinmunitario que puede afectar varias partes del cuerpo, como la piel, las articulaciones, el corazón, los pulmones y los riñones. En la actualidad, más de la mitad de las mujeres con lupus tienen embarazos completamente normales. Aunque algunas mujeres que padecen de lupus pueden tener hijos, los embarazos se consideran de alto riesgo. Esta enfermedad aumenta el riesgo de sufrir un aborto espontáneo, parto prematuro y problemas de desarrollo fetal.

Si tiene lupus, debe recibir los cuidados de un especialista en medicina materno–fetal que colabore estrechamente con su médico primario. Deberá acudir a su médico a menudo debido a que muchos problemas que pueden surgir durante el embarazo se pueden evitar, o tratar más fácilmente, si se detectan en sus primeras etapas.

Su médico le dirá los medicamentos para el lupus que puede usar sin riesgo durante el embarazo. Casi todos los medicamentos que se usan comúnmente para los síntomas de lupus, como la prednisona y prednisolona, son seguros

Esclerosis múltiple

La esclerosis múltiple es una enfermedad que ataca al sistema nervioso central. Los síntomas de esta enfermedad son distintos para cada persona, pero casi siempre consisten en agotamiento extremo, problemas de la vista, pérdida del equilibrio y del control muscular, y rigidez. La persona puede tener recrudecimientos en que los síntomas empeoran y también tener períodos sin síntoma alguno.

Las mujeres con esclerosis múltiple pueden tener embarazos saludables. El embarazo no empeora la enfermedad y el bebé se desarrollará normalmente. De hecho, algunas mujeres notifican que sus síntomas mejoran cuando están embarazadas. Si tiene esclerosis múltiple, el mejor tratamiento es llevar un estilo de vida saludable con buena nutrición, ejercicios, reposo y atención prenatal.

Cuando se presente el trabajo de parto, la debilidad de la esclerosis múltiple puede impedirle pujar con suficiente fuerza. En este caso, el médico puede usar fórceps o la extracción por vacío (consulte el Capítulo 11, "Parto instrumentado, parto por cesárea y presentación de nalgas") para ayudarle a su bebé a salir sin riesgo por el canal de parto.

Artritis reumatoide

La artritis reumatoide es un trastorno autoinmunitario que causa dolor e hinchazón en las articulaciones. También produce rigidez por la mañana, y una sensación general de agotamiento y malestar.

La artritis reumatoide puede recrudecer y después mejorar por un tiempo, o empeorar y lesionar las articulaciones. Durante el embarazo, la artritis reumatoide mejora en gran medida para muchas mujeres.

Con frecuencia se usan medicamentos antiinflamatorios para tratar esta enfermedad, como aspirina y acetaminofeno, que a su vez pueden causar complicaciones en mujeres embarazadas. Asegúrese de que su médico le diga cuáles medicamentos puede usar para aliviar el dolor mientras esté embarazada. Algunos medicamentos que debe evitar durante el embarazo son, entre otros, el metotrexato y la ciclofosfamida.

Síndrome antifosfolípido

El síndrome antifosfolípido es un padecimiento que ocurre debido a niveles elevados de anticuerpos antifosfolípidos. Los anticuerpos son proteínas que se producen a consecuencia de un estímulo. Por ejemplo, en algunos casos, son útiles para proteger al cuerpo contra enfermedades. A veces, los anticuerpos pueden ser perjudiciales.

Durante el embarazo, este trastorno ha estado asociado con abortos espontáneos, preeclampsia y coágulos de sangre. Sin embargo, el tratamiento de las mujeres que padecen esta enfermedad a menudo es eficaz durante el embarazo y puede evitar que ocurran complicaciones.

Discapacidades físicas

En las mujeres con discapacidades físicas, el embarazo y el convertirse en madres pueden presentar desafíos especiales. Pero eso no quiere decir—ni debe decir—que no pueden ser madres.

Es buena idea para las mujeres con discapacidades y sus parejas reunirse con sus proveedores de atención médica antes de quedar embarazadas. Recibir atención antes de la concepción reduce la probabilidad de que surjan problemas durante el embarazo.

Es necesario además recibir atención especial una vez que comience el embarazo. Su proveedor de atención prenatal puede colaborar estrechamente con su médico de atención primaria o con otros especialistas. Dicho médico posiblemente sugiera sesiones de terapia ocupacional o física para ayudarle a lidiar mejor con la tensión que el embarazo le impone al cuerpo.

Antes del nacimiento del bebé, puede que necesite instalar o modificar un equipo especial en la casa para ayudarle a cuidar del bebé. Cuando salga del hospital, es posible que necesite atención de postparto a domicilio para usted y su bebé.

Trombofilias

La gente que padece de trombofilia tiende a formar coágulos de sangre con mucha facilidad debido a que tiene una cantidad excesiva o insuficiente de ciertas proteínas en la sangre. Aproximadamente una de cada cinco personas en Estados Unidos tiene una trombofilia.

Casi todas las personas con trombofilia no presentan síntomas. Sin embargo, algunas desarrollan un coágulo de sangre en donde no se debe, o trombosis. A menudo, se forman coágulos de sangre en las venas de la parte inferior de las piernas que provocan dolor e hinchazón. Este problema médico se denomina *trombosis venosa profunda*.

La mayoría de las mujeres con una trombofilia tienen embarazos saludables. La enfermedad propiamente, sin embargo, conlleva ciertos riesgos. Las trombofilias pueden contribuir a complicaciones durante el embarazo, como abortos espontáneos, desprendimiento placentario o el nacimiento de un niño muerto.

Si nunca la han diagnosticado con una trombofilia pero tiene un historial de coágulos de sangre, dígaselo a su médico en la primera visita prenatal para que le hagan una prueba. Si en efecto tiene una trombofilia, su médico le dirá si corre riesgo de presentar complicaciones. El médico decidirá el tratamiento que deberá recibir para asegurarse de que su embarazo sea saludable.

Algunas mujeres embarazadas con trombofilia reciben tratamiento con un medicamento que reduce la densidad de la sangre que se llama heparina o heparina de bajo peso molecular. Estos medicamentos no perjudican al bebé.

Enfermedades de la tiroides

Algunos trastornos causan que la glándula tiroidea libere una cantidad excesiva o insuficiente de la hormona de la tiroides. Hipotiroidismo significa que la tiroides no está tan activa como debe. Hipertiroidismo significa que la tiroides está demasiado activa. Cualquiera de estos dos padecimientos puede perjudicarle a usted o a su bebé durante el embarazo y aumentar el riesgo de tener presión arterial, un bebé con bajo peso al nacer y parto prematuro.

Si tiene un historial o síntomas de una enfermedad de la tiroides y está considerando quedar embarazada o ya está embarazada, dígaselo a su médico. Su médico puede controlar estrechamente su salud y recetarle medicamentos que reducen el riesgo de presentar problemas. Su médico medirá los niveles de la hormona de la tiroides en el cuerpo a intervalos periódicos durante el embarazo para garantizar que se encuentren en límites saludables. La probabilidad de que surjan problemas durante el embarazo es mayor cuando no se le da tratamiento ni se controla esta enfermedad.

Muchos de los medicamentos que se usan para tratar las enfermedades de la tiroides pueden usarse sin riesgo durante el embarazo. Sin embargo, el yodo radioactivo, que a veces se usa para tratar el hipertiroidismo, no debe usarse durante el embarazo.

Algunas mujeres podrían no tener problemas con la tiroides durante el embarazo pero presentar problemas después del parto. Este estado se denomina tiroiditis de postparto. A menudo, este problema es pasajero y los niveles hormonales se normalizan rápidamente. A veces, este padecimiento puede producir hipotiroidismo a largo plazo que requiere tratamiento.

Trastornos convulsivos

La epilepsia y ciertos otros trastornos causan convulsiones. Una convulsión puede consistir en pequeños espasmos musculares, o puede ser un ataque intenso que causa que la persona pierda el conocimiento y el control de la vejiga y los intestinos.

La mayoría de las mujeres con trastornos convulsivos tienen bebés saludables, aunque pueden surgir problemas. Los bebés que nacen de madres con trastornos convulsivos tienen una probabilidad dos o tres veces mayor de presentar

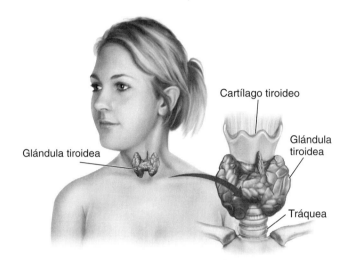

Cartílago tiroideo

Glándula tiroidea

Glándula tiroidea

Tráquea

La glándula tiroidea se encuentra en el cuello. Esta glándula libera la hormona de la tiroides. La hormona de la tiroides desempeña muchas funciones en el organismo, como mantener la frecuencia cardíaca y regular la temperatura del cuerpo.

defectos congénitos que los bebés que nacen de madres sin estos padecimientos. La hendidura del paladar, el labio leporino y los defectos cardíacos son problemas comunes, aunque se desconoce por qué ocurren estos problemas.

Si tiene un trastorno convulsivo y queda embarazada, no suspenda el uso del medicamento anticonvulsivo sin antes hablar con su médico. En algunos casos, las convulsiones pueden ser más perjudiciales que el medicamento que se usa para controlar o prevenirlas.

La cantidad necesaria de medicamento a menudo cambia durante el embarazo. El médico controlará los niveles del medicamento y ajustará las dosis según sea necesario. Cuando los niveles del medicamento están bien controlados, debe haber poco cambio en el número o la intensidad de las convulsiones.

Los medicamentos que tratan los trastornos convulsivos pueden agotar las reservas de ácido fólico, un nutriente vital que ayuda a prevenir defectos del tubo neural durante el embarazo. Tomar suplementos de ácido fólico puede ayudar a reducir este riesgo.

Enfermedades mentales

Millones de mujeres padecen de enfermedades mentales en Estados Unidos. Algunas enfermedades mentales son más comunes en las mujeres que en los hombres:

• Depresión

- Trastorno bipolar
- Esquizofrenia
- Trastornos de ansiedad (trastorno del pánico, trastorno obsesivo–compulsivo y las fobias)
- Trastornos de la personalidad

Las enfermedades mentales pueden afectar el embarazo de varias maneras. Si tiene una enfermedad mental o tuvo una anteriormente, asegúrese de decírselo a su médico. El médico puede gestionar para que reciba terapia psicológica o servicios sociales o de salud mental por parte de agencias comunitarias.

El embarazo puede hacer que empeoren las enfermedades mentales. Puede también hacer que una enfermedad vuelva a ocurrir. Esto puede ser el resultado de cambios hormonales o estrés. Si no se les da tratamiento a las enfermedades mentales, puede hacer algo que le inflija daño a su bebé. Por ejemplo, podría tener dificultad para alimentarse bien, obtener el reposo necesario o atender sus propias necesidades de otras maneras. También puede estar menos propensa a recibir atención prenatal periódicamente.

Su proveedor de atención prenatal necesita saber los medicamentos que toma para controlar su enfermedad mental. Algunos medicamentos son seguros durante el embarazo, mientras que otros pueden ser perjudiciales para un bebé en desarrollo. Si ya toma un medicamento, su médico o proveedor de salud mental le hablará sobre si debe suspender ese medicamento mientras esté embarazada o si debe seguir tomándolo. Esta decisión se basa en varios factores, como la gravedad de su enfermedad, si ha vuelto a ocurrir y si presenta síntomas. Usted y su médico deberán decidir si el beneficio de usar un medicamento para controlar su enfermedad mental es mayor que los posibles riesgos de usar el medicamento para tratarla. Si decide suspender su medicamento, algunas opciones son las terapias alternativas, como la psicoterapia.

Es vital recibir atención de salud mental después de que nazca el bebé. Algunas mujeres sufren problemas de salud mental después del parto. Las mujeres con problemas de salud mental tienen una incidencia 20 veces mayor de ser ingresadas en un hospital debido a una enfermedad psiquiátrica al cabo de un mes de haber dado a luz, que durante los 2 años antes del parto. También están más propensas a tener *depresión después del parto*.

Las primeras semanas después de la llegada de un recién nacido pueden ser muy estresantes para cualquier madre nueva. Durante las primeras semanas, es importante obtener ayuda y apoyo para ayudarla a adaptarse a su papel de madre.

Part VI
Complicaciones durante el embarazo

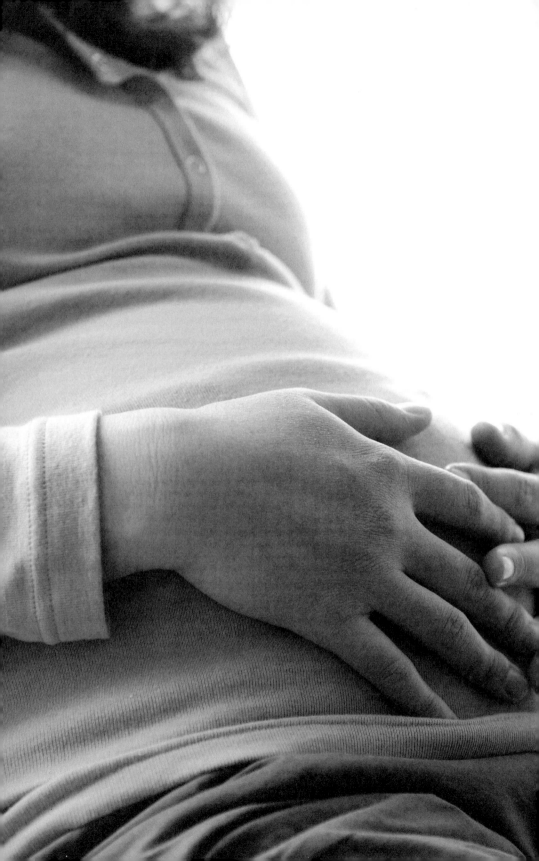

Capítulo 21
Problemas en las primeras etapas del embarazo: aborto espontáneo, embarazo ectópico y embarazo molar

Aborto espontáneo

Un embarazo normal dura 40 semanas más o menos. La pérdida de un embarazo antes de las 20 semanas se denomina pérdida prematura del embarazo o *aborto espontáneo*. El aborto espontáneo ocurre aproximadamente entre un 15% a 20% de los embarazos, y la mayoría en las 13 primeras semanas de embarazo. Algunos abortos espontáneos ocurren antes de que la mujer se dé cuenta que no ha tenido un periodo menstrual o incluso antes de que sepa que está embarazada.

Causas

El proceso de *fertilización*—cuando un *espermatozoide* del hombre se une con un *óvulo* de la mujer—es complejo. Un aborto espontáneo puede ocurrir por una de varias causas; ya sea antes, durante o después de este proceso. Casi siempre se desconoce qué provoca un aborto espontáneo. Muchos de los factores que causan un aborto espontáneo son genéticos. Aunque a veces, el aborto espontáneo se produce debido a problemas médicos de la mujer.

Genética
Más de la mitad de los abortos espontáneos que ocurren durante las 13 primeras semanas de embarazo se deben a un problema con los *cromosomas* del *feto*. Los cromosomas son estructuras dentro de las *células* del cuerpo. Cada cromosoma contiene muchos *genes*, que determinan los rasgos de una persona.

Un aborto espontáneo puede ocurrir a causa de alguna anormalidad en la cantidad o la estructura de los cromosomas. La mayoría de los problemas cromosómicos no se heredan, es decir, no se transmiten de los padres. Generalmente ocurren al azar y es probable que no vuelvan a ocurrir en un embarazo posterior. En la mayoría de los casos, la mujer y el hombre no tienen problemas de salud. Sin embargo, la probabilidad de que surjan problemas aumenta con la edad de la mujer.

Su salud

Ciertas infecciones pueden afectar el *útero* y al feto, y por consiguiente, hacer que fracase el embarazo. Los problemas hormonales de la madre también pueden provocar un aborto espontáneo muy prematuro. Si tiene una enfermedad crónica, como *diabetes mellitus*, que no está bien controlada, su riesgo de tener un aborto espontáneo puede ser mayor.

A veces, el tratamiento de una enfermedad puede mejorar la probabilidad de tener un embarazo saludable. Esto es aun más real si la enfermedad está bien controlada antes de quedar embarazada. Algunas mujeres con enfermedades necesitan recibir tratamiento o controlar estrechamente la enfermedad durante el embarazo.

Algunos problemas con el útero o el *cuello uterino* de una mujer pueden provocar un aborto espontáneo. Estos problemas pueden consistir en una anormalidad en la forma del útero o insuficiencia del cuello uterino. En el caso de insuficiencia del cuello uterino, este órgano se comienza a ensanchar y abrir antes de tiempo, generalmente entre las 14 y 26 semanas de embarazo, sin causar dolor ni otras señales de trabajo de parto.

Estilo de vida

Fumar cigarrillos aumenta su riesgo de tener un aborto espontáneo. Este es el caso también para las mujeres que beben alcohol en exceso y usan drogas ilegales, especialmente en las primeras etapas del embarazo.

Factores que no causan un aborto espontáneo

La mayoría de los aspectos de la vida cotidiana no aumentan el riesgo de un aborto espontáneo. No hay pruebas de que trabajar, hacer ejercicio, tener relaciones sexuales o haber usado píldoras anticonceptivas antes de quedar embarazada aumente los riesgos de la mujer. Los síntomas de náuseas del embarazo tampoco aumentan este riesgo.

Síntomas de un aborto espontáneo

La señal más común de aborto espontáneo es la presencia de sangrado. La mayoría de las mujeres que presentan manchas o sangrado vaginal durante los primeros meses de embarazo tienen bebés sanos. Algunas mujeres, sin embargo, tendrán un aborto espontáneo. Por eso, el sangrado que ocurre en las primeras etapas del embarazo se denomina "amenaza de aborto espontáneo". Comuníquese con su proveedor de atención médica si presenta cualquiera de estas señales o síntomas:

- Manchas de sangre o sangrado sin dolor
- Sangrado intenso o constante con dolor abdominal o cólicos
- Expulsión de un chorro de líquido de la *vagina* sin dolor ni sangrado
- Expulsión de tejido fetal

Si sangra mientras está embarazada, usted y su proveedor de atención médica necesitarán mantenerse en alerta por unos días. En las etapas bien prematuras del embarazo, es difícil determinar si el embarazo terminará en un aborto espontáneo. Su proveedor de atención médica puede ordenar análisis de sangre o realizar una *ecografía (ultrasonido)*.

A veces pueden ocurrir cólicos leves en la parte inferior del estómago o dolor en la parte baja del espalda junto con el sangrado. Este sangrado puede persistir, aumentar en intensidad u ocurrir junto con dolores semejantes a dolores menstruales o de ruptura del *saco amniótico*.

Si presenta sangrado intenso y cree que ha secretado tejido fetal, colóquelo en un frasco limpio y lléveselo a su proveedor de atención médica para examinarlo. Su proveedor querrá examinarla a usted también. Si su proveedor de atención médica cree que ha ocurrido un aborto espontáneo, puede hacer un examen pélvico para determinar si el cuello uterino se ha dilatado (abierto). Si el cuello uterino se ha dilatado y ha expulsado tejido fetal, es seguro que ha ocurrido un aborto espontáneo. Si el diagnóstico de aborto espontáneo no es definitivo, su proveedor de atención médica le dará seguimiento estrecho con ecografías o análisis de sangre.

Tratamiento

Si su proveedor de atención médica no cree que ha ocurrido un aborto espontáneo, le pedirán reposar y evitar tener relaciones sexuales. Aunque no se ha comprobado que estas medidas evitan un aborto espontáneo, pueden ayudar a reducir el sangrado y aliviar las molestias.

A menudo, cuando ocurre un aborto espontáneo en las primeras etapas del embarazo, una porción de tejido permanece en el útero. Si se sospecha que puede ocurrir sangrado intenso o una infección, este tejido se extraerá por **dilatación y raspado**. Mediante este método, se expande el cuello uterino, si es necesario, para extraer entonces el tejido del revestimiento del útero. El procedimiento de dilatación y raspado se puede hacer en el consultorio de un proveedor de atención médica, sala de emergencia o sala de operaciones. A menudo no hay que hospitalizarla. Su proveedor de atención médica también puede recomendarle un medicamento para ayudarla a secretar el tejido que permanezca en el útero.

Después de haber tenido un aborto espontáneo, su periodo menstrual comenzará otra vez al cabo de 4 a 6 semanas. Puede, sin embargo, ovular y quedar embarazada al cabo de tan solo 2 semanas de un aborto espontáneo prematuro. Si no desea quedar embarazada inmediatamente otra vez, asegúrese de usar un método anticonceptivo. Si la sangre es Rh negativa, puede necesitar un producto sanguíneo que se llama inmunoglobulina Rh (RhIg). Esta inyección impide que se produzcan anticuerpos que puedan afectar a un bebé Rh positivo en el futuro. Consulte el Capítulo 24, "Incompatibilidad de grupo sanguíneo", para obtener más detalles.

Múltiples abortos espontáneos

Si sufre varios abortos espontáneos, generalmente más de tres consecutivos, su proveedor de atención médica le hará algunas pruebas para determinar la causa. Casi siempre, sin embargo, no se detecta una causa. Tenga en cuenta, no obstante, que aun sin tratamiento, entre un 60% a 70% de las mujeres que han tenido varios abortos espontáneos pueden tener embarazos exitosos.

Embarazo ectópico

Aproximadamente el 2% de todos los embarazos son ectópicos. En un embarazo normal, el óvulo fertilizado se traslada por la **trompa de Falopio** y se implanta en el revestimiento del útero donde se comienza a desarrollar. Cuando un óvulo fertilizado se desarrolla fuera del útero, se considera que ha ocurrido un **embarazo ectópico**. Casi un 97% de los embarazos ectópicos ocurren en una trompa de Falopio. Debido a que ocurre fuera del útero, el embarazo ectópico no puede desarrollar un bebé sano y puede amenazar la salud de la madre. Por estos motivos, es necesario abortar un embarazo ectópico ya sea por medio de cirugía o un tratamiento médico.

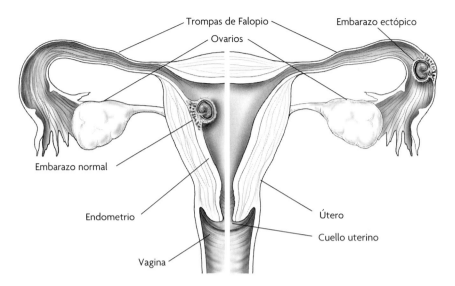

Trompas de Falopio
Ovarios
Embarazo ectópico
Embarazo normal
Endometrio
Útero
Cuello uterino
Vagina

Embarazo ectópico. Durante un embarazo normal (*izquierda*), el óvulo fertilizado o feto se desarrolla en el útero. En un embarazo ectópico (*derecha*), el óvulo fertilizado o feto se desarrolla en una trompa de Falopio o en otro órgano abdominal.

Factores de riesgo

Toda mujer sexualmente activa en edad de procrear corre riesgo de tener un embarazo ectópico. Sin embargo, las mujeres que han tenido los siguientes padecimientos o procedimientos corren un riesgo mayor:

- *Enfermedad inflamatoria pélvica*
- Embarazo ectópico previo
- Cirugía pélvica o abdominal
- *Endometriosis*
- Enfermedades de transmisión sexual
- Cirugía tubárica previa (como ligadura de trompas)

Algunas de estas afecciones pueden producir tejido cicatrizante en las trompas. Al hacerlo, se obstruye el paso del óvulo fertilizado hacia el útero.

Otros factores que pueden aumentar el riesgo de una mujer de tener un embarazo ectópico son el hábito de fumar y el uso de la *tecnología de reproducción asistida* para quedar embarazada, como la *fertilización in vitro*.

Síntomas

Los síntomas de un embarazo ectópico a veces consisten en los mismos síntomas de un embarazo, como senos sensibles o malestar estomacal. Algunas mujeres no presentan síntomas. Por ello, es posible que ni siquiera sepan que están embarazadas. Si el embarazo ectópico se detecta en sus primeras etapas, es posible tratarlo antes de que se desgarre la trompa. Si tiene un embarazo ectópico, puede presentar todos o algunos de los siguientes síntomas:

- Sangrado vaginal que ocurre fuera de la fecha del periodo menstrual normal
- Dolor agudo y repentino en el abdomen o área pélvica
- Dolor en el hombro
- Debilidad, mareo o desmayo

Los síntomas se pueden presentar incluso antes de que sospeche que está embarazada. Si tiene estos síntomas, llame a su proveedor de atención médica.

Diagnóstico

Si su proveedor de atención médica cree que tiene un embarazo ectópico, le harán una ecografía o un análisis de sangre para determinar su nivel de la hormona *gonadotropina coriónica humana (hCG)*, la hormona que se produce cuando una mujer está embarazada. Esta prueba se puede repetir al cabo de dos días para determinar otra vez el nivel de hCG. Si su embarazo progresa normalmente, el nivel de hCG en la sangre aumentará. Si el nivel es igual o inferior, este resultado puede confirmar que tiene un embarazo ectópico o corre peligro de que ocurra un aborto espontáneo.

Las pruebas que determinan la presencia de un embarazo ectópico requieren tiempo. Es posible que los resultados no sean claros inmediatamente Sin embargo, si su proveedor de atención médica cree que tiene un embarazo ectópico y que una trompa se ha desgarrado, esto constituye una emergencia. En tal caso, necesitará someterse a una operación de inmediato. Si el embarazo aún se encuentra en sus primeras etapas y la trompa no corre peligro de desgarrarse, es posible dar tratamiento médico.

Tratamiento

Hay dos métodos que se emplean para tratar un embarazo ectópico: medicamentos y cirugía. Si su proveedor de atención médica decide que el tratamiento con medicamento es la mejor opción, le darán un medicamento que se llama metotrexato. Este medicamento hace que se aborte el embarazo suspendiendo el desarrollo del mismo. El cuerpo entonces absorbe el embarazo ectópico.

Hay muchos factores que debe considerar a la hora de decidir si se debe usar metotrexato. Este medicamento no se debe usar en mujeres que lactan o que padecen ciertas afecciones.

Administración de metotrexato

El metotrexato a menudo se administra en una o dos dosis. En algunos casos, se administran muchas dosis durante varios días. Después del tratamiento, el embarazo se absorbe durante un período de aproximadamente 4 a 6 semanas.

Para este tratamiento, su proveedor de atención médica tomará una muestra de sangre por anticipado para medir el funcionamiento de ciertos órganos y el nivel de la hormona hCG del embarazo. Después de recibir metotrexato, le harán dos análisis adicionales de sangre en el cuarto y séptimo día después de tomar el medicamento. El proveedor de atención médica hará otro análisis para determinar si el nivel de hCG está disminuyendo como debe. Si el nivel no se ha reducido lo suficiente, su proveedor de atención médica recomendará una cirugía u otra dosis de metotrexato para tratar el embarazo ectópico.

Después de tomar metotrexato, deberá acudir a su proveedor de atención médica durante las siguientes semanas hasta que no se detecten niveles de hCG en la sangre.

Cirugía

Si el embarazo es pequeño y la trompa no se ha desgarrado, en algunos casos es posible extraer el embarazo ectópico por medio de una pequeña incisión en la trompa durante una *laparascopia*. En este procedimiento, se introduce un telescopio delgado que transmite una luz a través de una pequeña abertura en el abdomen.

Se hará una incisión más grande en el abdomen si el embarazo es grande u ocurre una pérdida considerable de sangre. Puede que haya que extraer una porción o toda la trompa de Falopio.

Es importante extraer todo el tejido y líquido del embarazo de la trompa. Durante varias semanas se harán pruebas de sangre para medir el nivel de hCG y detectar el estado del embarazo.

Si ha tenido una cirugía y no se ha extirpado ninguna de las trompas, hay una buena posibilidad de que pueda tener un embarazo normal en el futuro. Sin embargo, una vez que haya tenido un embarazo ectópico, el riesgo de tener otro es mayor.

Embarazo molar

Un *embarazo molar*, que también se denomina enfermedad trofoblástica gestacional, ocurre en raras ocasiones. Este tipo de embarazo se produce a causa del desarrollo de tejido anormal. En Estados Unidos, un embarazo molar ocurre en 1 de cada 1,000 a 1,200 embarazos.

Tanto los embarazos normales como los embarazos molares se desarrollan a partir de un óvulo fertilizado. En un embarazo molar, sin embargo, el óvulo fertilizado no se desarrolla como debe. Esto es debido a que un error genético hace que crezcan células anormales y se forme una masa de tejido.

Tipos de embarazo molar

Hay dos tipos de embarazos molares: completo y parcial. La masa en un embarazo molar completo está totalmente compuesta de células anormales que hubieran formado la *placenta* en un embarazo normal. Tampoco hay feto. En el embarazo molar parcial, la masa contiene las células anormales que se encuentran en el embarazo molar completo y a menudo, un feto anormal con defectos graves y mortales.

Síntomas y diagnóstico

La mayoría de los embarazos molares producen síntomas que indican la presencia de un problema. El síntoma más común es sangrado vaginal durante el primer trimestre. Su proveedor de atención médica puede encontrar otros indicios de embarazo molar, como un útero de tamaño demasiado grande para la etapa del embarazo o quistes en los ovarios.

Si su proveedor de atención médica sospecha que tiene un embarazo molar, le hará una ecografía o un análisis de sangre que mide el nivel de hCG. Si se detecta un embarazo molar, le harán una serie de pruebas para detectar la presencia de otros problemas médicos que a veces ocurren junto con el embarazo molar. Estos problemas pueden consistir en *preeclampsia* e *hipertiroidismo* (glándula tiroidea hiperactiva). Estos problemas se tratan extrayendo el embarazo molar.

Tratamiento

Para tratar un embarazo molar, se dilata el cuello uterino, ya sea bajo *anestesia general* o *local*, y se extrae el tejido por medio de dilatación y raspado. Aproximadamente un 90% de las mujeres a quienes se les extrae un embarazo molar no requieren ningún otro tipo de tratamiento. Sin embargo, necesitan seguimiento médico estrecho. Se seguirán haciendo pruebas rutinarias del nivel de hCG durante 6 meses a 1 año, más o menos. Estas pruebas pueden determinar si necesita más tratamiento.

Una vez que se extraiga el embarazo, pueden quedar algunas células anormales. Este estado médico se denomina enfermedad trofoblástica gestacional persistente y ocurre en hasta un 10% de las muchas mujeres que tienen un embarazo molar. También puede ocurrir después de un embarazo normal. Una señal de que hay una enfermedad trofoblástica gestacional persistente es un nivel de hCG que permanece elevado después de haberse extraído el embarazo molar. A veces, es necesario recibir un medicamento para extraer las células anormales restantes.

Si ha tenido un embarazo molar, su proveedor de atención médica le recomendará esperar entre 6 meses a 1 año antes de tratar de quedar embarazada otra vez. Puede usar con seguridad píldoras anticonceptivas durante ese período. La probabilidad de tener otro embarazo molar es baja (aproximadamente 1%).

Cómo lidiar con la aflicción

En muchas mujeres, la recuperación emocional después de perder un embarazo dura más que la recuperación física. La sensación de pérdida puede ser intensa, aun cuando el embarazo fracasa al poco tiempo de quedar embarazada.

La aflicción puede dar lugar a una amplia gama de emociones. No se culpe por haber perdido el embarazo. En la mayoría de los casos es poco probable que haya podido impedirlo.

Sus sentimientos de aflicción pueden ser distintos a los de su pareja. Recuerde que usted fue la que sintió los cambios físicos del embarazo. Aunque su pareja pueda sentirse afligida, es posible que no manifieste los sentimientos igual que usted. Algunas parejas creen que deben mantenerse fuertes por el bien de ambos. Puede incluso mostrarse reacio a compartir con usted el dolor y la desilusión que siente. Esta reacción puede crear tensiones entre ambos cuando necesitan apoyarse mutuamente más que nunca.

Si uno de ustedes está teniendo dificultad para lidiar con los sentimientos que surgen con esta pérdida, hable con su proveedor de atención médica. También puede resultarle útil hablar con un consejero. La terapia psicológica de un consejero puede ayudarlos a usted y su pareja si no pueden afrontar solos estos sentimientos.

Perder un embarazo a menudo no quiere decir que no podrá tener más hijos. La mayoría de las mujeres que sufren un aborto espontáneo pueden tener embarazos sanos posteriormente. Debe, sin embargo, permitir que transcurra el tiempo necesario para recuperarse física y emocionalmente antes de tratar de quedar embarazada otra vez. Su proveedor de atención médica puede darle algunos consejos sobre esto.

Capítulo 22
Defectos congénitos

Aunque la mayoría de los bebés nacen sanos, un bebé puede nacer también con un defecto congénito. Algunas personas tienen factores de riesgo que aumentan la probabilidad de tener bebés con problemas médicos. Sin embargo, los bebés con defectos congénitos generalmente nacen de parejas que no presentan ningún factor de riesgo conocido.

Para aminorar las inquietudes de los futuros padres, hay pruebas y exámenes destinados a determinar los riesgos que corren los padres de tener un bebé con ciertos defectos congénitos. Algunas pruebas se pueden hacer antes de concebir al bebé. Los resultados de estas pruebas, junto con el asesoramiento genético, pueden ayudar a los posibles padres a tomar en cuenta los riesgos potenciales que poseen y tomar decisiones.

Datos sobre los defectos congénitos

Un defecto congénito es un problema que ocurre durante un embarazo que afecta el funcionamiento normal o el aspecto de un bebé. Hay más de 4,000 tipos de defectos congénitos, y estos pueden variar de leves a graves. En Estados Unidos, aproximadamente 1 de cada 33 bebés nace con un defecto congénito.

Algunos defectos congénitos se transfieren de uno de los padres al niño. Al igual que el bebé hereda el color del cabello y de los ojos de sus padres, puede también heredar ciertas enfermedades o padecimientos. Otros defectos congénitos se producen a causa de la exposición a agentes perjudiciales durante el embarazo. Por ejemplo, algunos defectos congénitos pueden ocurrir si la mujer contrae ciertas infecciones, bebe alcohol o usa determinados medicamentos durante el embarazo. En muchos casos, se desconoce el motivo del defecto.

Se cree que la mayoría de los defectos congénitos ocurren en las 12 primeras semanas de embarazo cuando los sistemas de órganos atraviesan un período de intenso desarrollo. Muchos defectos congénitos se pueden observar en cuanto nace el bebé, como el pie zambo. Otros no se manifiestan hasta más adelante en la vida. Todo defecto presente al nacer, sin importar cuándo se diagnostique, se denomina *trastorno congénito*. Un ejemplo es la enfermedad congénita cardíaca. Los trastornos congénitos pueden ser o no ser heredados.

Trastornos genéticos

Los trastornos congénitos se producen a causa de problemas con los genes o los cromosomas. Un *gen* es una pequeña parte de un material hereditario que se denomina ADN (siglas de ácido desoxirribonucleico) que controla algunos aspectos de la constitución física de una persona. Los genes se encuentran en estructuras que se llaman *cromosomas* que a su vez están ubicados dentro de cada *célula* del organismo. En los seres humanos, la mayoría de las células tienen 23 pares de cromosomas, para un total de 46 de cromosomas. Los pares de cromosomas 1 al 22 se denominan autosomas y el par 23 contiene los cromosomas del sexo. Los cromosomas del sexo se llaman X y Y.

Las células de los *espermatozoides* y los *óvulos* contienen una copia de cada uno de los 23 cromosomas. Al unirse un óvulo y un espermatozoide (*fertilización*) se crea un óvulo fertilizado que contiene 23 pares. El óvulo siempre contiene un cromosoma X y el espermatozoide contiene un cromosoma X o un cromosoma Y. La combinación de cromosomas del sexo XX crea una mujer y la combinación XY crea un hombre.

Los genes ocurren en pares. La mitad de los genes del bebé proviene de la madre. La otra mitad proviene del padre. Algunos rasgos, como el grupo sanguíneo, están determinados por un sólo par de genes. Otros rasgos, entre ellos el color de la piel o del cabello y la estatura, se producen debido a la combinación de muchos pares de genes que actúan juntos.

Un gen o un trastorno genético es dominante o recesivo. Si uno de los genes en un par es dominante, el gen dominante anula al gen recesivo. Para que un rasgo recesivo se manifieste en un bebé, ambos genes del par deberán ser recesivos.

Trastornos heredados

Un trastorno heredado ocurre debido a un gen que se transfiere de uno de los padres al niño. Estos trastornos pueden ser dominantes, recesivos o ligados al cromosoma X. La Tabla 22-1 indica los trastornos heredados.

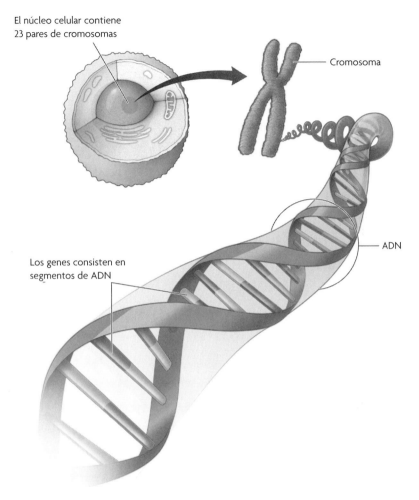

El núcleo celular contiene
23 pares de cromosomas

Cromosoma

ADN

Los genes consisten en
segmentos de ADN

Cromosomas y genes. Los cromosomas son las estructuras dentro de las células que contienen los genes de una persona. Cada persona tiene 22 pares de autosomas y un par de cromosomas del sexo. Un gen único constituye un segmento de una molécula grande que se llama ADN.

Trastornos dominantes

Un trastorno dominante ocurre debido a un sólo gen de uno de los padres. Algunos trastornos dominantes son comunes y no son graves. Otros ocurren en raras ocasiones, pero pueden ser mortales. Si uno de los padres tiene el gen, cada hijo de la pareja tiene un 50% de probabilidad de heredar el trastorno.

Trastornos recesivos

En el caso de los trastornos recesivos, ambos padres deben tener el gen para que ocurra en el hijo. Todos portamos algunos genes recesivos anormales. Es-

Tabla 22-1 Trastornos genéticos y defectos congénitos comunes

Trastorno	¿Qué significa?	¿Quién corre peligro?
Trastornos dominantes		
Enfermedad de Huntington	Causa la pérdida del control de los movimientos y de la función mental. Los síntomas por lo general comienzan entre las edades de 35 y 50 años, pero pueden comenzar a cualquier edad desde la niñez hasta la edad madura	Personas con un historial familiar
Polidactilia	El bebé nace con dedos de más en las manos o los pies.	Personas con un historial familiar del trastorno, afroamericanos; ocurre comúnmente sin factores de riesgo
Trastornos recesivos		
Talasemia	Causa anemia; hay distintos tipos de este trastorno y algunos son más graves que otros.	Depende del tipo de trastorno: ascendencia mediterránea (especialmente griegos o italianos), africana, asiática o del Medio Oriente
Anemia de células falciformes	Trastorno sanguíneo que ocurre cuando los glóbulos rojos tienen forma de media luna u hoz en lugar de la forma normal de rosca. Debido a su forma anormal, estas células quedan atrapadas en los vasos sanguíneos. Al hacerlo, evitan que el oxígeno llegue a los órganos y tejidos, lo que causa dolor.	Afroamericanos
Enfermedad de Tay–Sachs	Enfermedad que ocurre cuando se acumulan cantidades dañinas de una sustancia grasa que se denomina gangliósido GM2 en las neuronas del cerebro. Causa retraso mental grave, ceguera y convulsiones. Los síntomas ocurren por primera vez más o menos a los 6 meses de vida.	Judíos asquenazí; francocanadienses
Fibrosis quística	Causa problemas con la digestión y respiración. Los síntomas se presentan en la niñez, a veces, inmediatamente después del parto. Algunas personas presentan síntomas más leves que otras. Con el tiempo, los síntomas tienden a empeorar y son más difíciles de tratar.	Personas blancas descendientes del norte de Europa

Tabla 22-1 Trastornos genéticos y defectos congénitos comunes, *continuación*

Trastorno	¿Qué significa?	¿Quién corre peligro?
Trastornos ligados al cromosoma X		
X frágil	La causa más común de retraso mental heredado. Las personas que padecen del síndrome del cromosoma X frágil tienen diversos grados de retraso mental o discapacidades del aprendizaje, así como problemas conductuales y emocionales. Los rostros de los niños varones con el trastorno tienen forma alargada y triangular y las orejas sobresalen. Las mujeres pueden ser portadoras del gen X frágil pero no presentan síntoma alguno.	Varones
Hemofilia	Trastorno que ocurre debido a que la sangre carece de una sustancia que promueve la coagulación. Las personas afectadas corren peligro de desangrarse hasta morir si se lesionan.	Varones

tos genes casi nunca causan problemas porque los genes normales anulan a los anormales. Cuando alguien tiene un gen recesivo de un trastorno específico significa que es **portador** de ese trastorno. Aunque esa persona puede que no muestre ninguna señal del trastorno, puede transmitir el gen a sus hijos.

Si ambos padres son portadores del mismo trastorno recesivo, cada uno de los hijos tiene un 25% de probabilidad de tener ese trastorno. Si uno de los padres tiene el trastorno y el otro no (y tampoco es portador), los hijos serán portadores.

Trastornos ligados al cromosoma X

Los trastornos que surgen a causa de genes en el cromosoma X se denominan trastornos "ligados al cromosoma X". En la mayoría de los trastornos ligados al cromosoma X, el gen anormal es recesivo. Cuando un trastorno ligado al cromosoma X lo causa un gen recesivo, la mujer puede portar el gen pero por lo general no presenta ese trastorno. Eso se debe a que la mujer tiene dos cromosomas X y el gen normal en el otro cromosoma X anula al gen anormal.

Un bebé varón hereda un cromosoma X de su madre y un cromosoma Y del padre. Si su madre tiene un trastorno ligado al cromosoma X y él hereda un cromosoma X con un gen para ese trastorno, el niño manifestará ese trastorno. El cromosoma Y del padre no contiene un gen normal que pueda anular al gen anormal.

Si una mujer es portadora de un trastorno ligado al cromosoma X y el padre del bebé no presenta el trastorno, un hijo varón tendrá un 50% de probabilidad de tener el trastorno y una hija será portadora. Las pruebas genéticas a veces pueden revelar si una mujer es portadora de un trastorno ligado al cromosoma X o si el *feto* está afectado.

Trastornos cromosómicos

Los trastornos cromosómicos surgen cuando hay cromosomas de más o de menos, o cuando estos están defectuosos. Estos problemas generalmente se producen debido a un error que ocurre cuando se unen el óvulo y el espermatozoide. La mayoría de los niños con trastornos cromosómicos presentan defectos físicos o defectos mentales.

Dos ejemplos de trastornos cromosómicos son el **síndrome de Down** y la **trisomía 18**. En el síndrome de Down, hay un cromosoma 21 adicional. Los niños con el síndrome de Down presentan varios grados de retraso mental, facciones anormales y problemas médicos, como defectos cardíacos. En la trisomía 18, hay un cromosoma 18 adicional que provoca retraso mental grave, defectos congénitos y la muerte prematura.

El síndrome de Down es uno de los defectos cromosómicos más comunes. Este síndrome afecta aproximadamente a 1 de cada 800 bebés, y en Estados Unidos aproximadamente 5,500 bebés nacen con este trastorno cada año. El riesgo del síndrome de Down aumenta con la edad de la madre:

- 1 en 1,250 a los 25 años
- 1 en 1,000 a los 30 años
- 1 en 400 a los 35 años
- 1 en 100 a los 40 años
- 1 en 30 a los 45 años

No obstante, estas estadísticas pueden llevar a conclusiones erróneas. Aunque se considera que las mujeres mayores de 35 años tienen una mayor probabilidad de tener bebés con el síndrome de Down, casi un 80% de los bebés con este síndrome nacen de mujeres menores de 35 años, simplemente porque las mujeres más jóvenes tienen muchos más bebés.

Factores ambientales

Los **teratógenos** son agentes que pueden causar defectos congénitos cuando una mujer se expone a ellos durante el embarazo. Se pueden encontrar teratógenos en el hogar, en el trabajo y en el ambiente. Entre estos figuran ciertos medicamentos, sustancias químicas e infecciones. Sus efectos dependen de la cantidad de exposición que la mujer haya tenido al agente y en qué etapa del embarazo ocurre la exposición. Algunos agentes producen efectos perjudiciales pero sólo si una mujer se expone a ellos mientras se forman ciertos sistemas de órganos.

Medicamentos

Muy pocos medicamentos han revelado ser perjudiciales durante el embarazo. La Administración de Alimentos y Medicamentos de Estados Unidos (FDA, por sus siglas en inglés) evalúa toda la información disponible sobre los medicamentos y determina si un medicamento aumenta el riesgo de causar defectos congénitos cuando se administra durante el embarazo. A menudo, la información sobre un medicamento está limitada. Por ejemplo, es posible que los estudios de un medicamento se hayan realizado sólo en animales. La FDA toma en cuenta la fuente de donde proviene la información del medicamento cuando determina el riesgo de la sustancia durante el embarazo.

Es importante decirle a su proveedor de atención médica los medicamentos que usa, incluidos los medicamentos de venta sin receta, las vitaminas, los suplementos con minerales y las hierbas medicinales, en cuanto se entere que está embarazada. Mejor aún, antes de quedar embarazada, hable con su médico sobre los medicamentos que usa para que se puedan ajustar o cambiar si fuera necesario. Sin embargo, no deje de tomar los medicamentos recetados hasta que haya hablado con su proveedor de atención médica. Aunque algunos medicamentos pueden aumentar el riesgo de presentar defectos congénitos, los beneficios de seguir usando el medicamento durante el embarazo pueden ser mayores que los riesgos a su bebé.

Mercurio metílico

El mercurio es un contaminante industrial que se acumula a niveles elevados en ciertas especies de pez. El mercurio puede causar defectos del sistema nervioso en el feto en desarrollo. Para evitar exponerse a niveles elevados de mercurio, las mujeres embarazadas y los niños pequeños no deben consumir ciertos tipos de pescado (consulte la p. 94).

Alcohol

El alcoholismo durante el embarazo es una causa principal y evitable de retraso mental. El alcohol es un teratógeno comprobado y se considera que el efecto que surte en un bebé en desarrollo depende de las dosis. Beber alcohol durante el embarazo puede surtir una variedad de efectos, desde hiperactividad y falta de coordinación, a varios grados de retraso mental. El defecto más grave asociado con el alcohol se llama *síndrome de alcoholismo fetal*, una enfermedad que produce un patrón de problemas físicos, mentales y de la conducta. Los bebés con el síndrome de alcoholismo fetal pueden presentar una o más de las siguientes afecciones:

- Problemas con las articulaciones y las extremidades
- Cuerpos pequeños
- Defectos cardíacos
- Facciones anormales
- Problemas de conducta
- Retraso mental

Todos los tipos de alcohol conllevan el mismo peligro. Una copa de vino, una cerveza y una bebida mezclada contienen cantidades semejantes de alcohol. Debido a que no se sabe con certeza cuánto alcohol se puede beber sin riesgo durante el embarazo, no beba ninguna cantidad de alcohol mientras esté embarazada.

Radiación

Todos estamos expuestos a niveles bajos de radiación de la tierra y el sol cada día. La radiación también se usa en algunos procedimientos médicos de imágenes (como las radiografías). Niveles elevados de radiación pueden afectar adversamente a los cromosomas y alterar los genes (causar mutaciones) en un feto en desarrollo. Durante el primer trimestre, se requiere una exposición de 10 rads para causar daño a un feto, y 100 rads posteriormente en el embarazo. El límite superior recomendado de exposición a la radiación en el embarazo es de 5 rads, que corresponde a un nivel de exposición mucho más alto del que produce la mayoría de las radiografías. Sin embargo, la radioterapia para el cáncer en dosis elevadas no se recomienda durante el embarazo porque aumenta el riesgo de que ocurran abortos espontáneos, defectos congénitos y muerte fetal.

Otras sustancias químicas

Los pesticidas, solventes de limpieza y metales pesados, como el plomo, pueden potencialmente causar problemas graves durante el embarazo. Las mujeres que trabajan en la agricultura, manufactura, tintorerías, empresas de equipo electrónico o imprentas, o que trabajan con pintura o vidriado de cerámica como pasatiempo, pueden estar expuestas a agentes perjudiciales a la salud.

Puede encontrar información sobre varias sustancias químicas en los sitios de Internet de las siguientes organizaciones (consulte Recursos informativos):

- Administración de Seguridad y Salud Ocupacional
- Organización de Especialistas en Información Teratológica
- Instituto Nacional de Seguridad y Salud Ocupacional

Trastornos multifactoriales

Los trastornos multifactoriales son trastornos que pueden provenir de una combinación de factores genéticos y ambientales. Se desconoce la causa real de dichos trastornos. Algunos de ellos pueden detectarse durante el embarazo. Estos problemas se pueden tratar mediante cirugía. Algunos ejemplos de trastornos multifactoriales son los *defectos del tubo neural*, la hendidura del paladar, el pie zambo, los defectos de la pared abdominal y los defectos cardíacos.

Los defectos del tubo neural ocurren debido al cierre incompleto del revestimiento de la médula espinal o el cerebro. Algunos ejemplos de defectos del tubo neural son la *espina bífida* y la *anencefalia*.

La hendidura del paladar o labio leporino es uno de los defectos más comunes en Estados Unidos. Cada año nacen aproximadamente 6,800 bebés con este defecto. La hendidura del paladar o labio leporino puede causar problemas para comer, hablar y del lenguaje. Algunos bebés afectados tienen una hendidura pequeña que se puede corregir con un procedimiento quirúrgico, mientras que otros con hendiduras más agudas necesitan varias cirugías.

Hay varios tipos de defectos de la pared abdominal. En uno de ellos, el músculo y la piel que cubren la pared del abdomen están ausentes y por ello sobresalen los intestinos por el orificio de la pared abdominal (gastrosquisis). En otro tipo, los órganos abdominales sobresalen por la base del *cordón umbilical* (onfalocele).

Los defectos cardíacos son otro tipo de trastorno multifactorial. En estos defectos, las cavidades cardíacas o las vías que atraviesan el corazón no están debidamente desarrolladas.

¿Corre algún riesgo?

La mayoría de los bebés con defectos congénitos nacen de parejas sin ningún factor de riesgo. No obstante, el riesgo de defectos congénitos aumenta cuando están presentes ciertos factores:

- Edad materna de 35 años o más en la fecha probable del parto
- Historial familiar o personal de defectos congénitos

- Otro hijo con un defecto congénito
- Uso de ciertos medicamentos cerca de la fecha de concepción
- *Diabetes mellitus* antes del embarazo

Cuando acuda a su consulta previa al embarazo o comience la **atención prenatal**, su proveedor de atención médica podría darle una lista de preguntas para encontrar factores de riesgo. Sus respuestas a estas preguntas ayudarán a determinar su riesgo de tener un bebé con un defecto congénito (consulte el cuadro "Factores de riesgo para trastornos genéticos").

También le pueden hacer pruebas durante el embarazo para determinar su riesgo de presentar un problema o diagnosticarlo. Algunas pruebas para detectar defectos congénitos se les ofrecen a todas las mujeres embarazadas. Otras pruebas se pueden ofrecer si su historial médico, historial familiar o examen físico plantea alguna duda sobre la salud de su bebé.

Pruebas de detección y diagnóstico

Hay varias pruebas disponibles que pueden ayudar a los padres a determinar si corren riesgo de tener un bebé con un trastorno específico:

- Si se encuentra en un grupo de alto riesgo, le pueden ofrecer una prueba de portadores. El período para hacer las pruebas de portadores varía; algunas se hacen antes de la concepción o durante el embarazo, mientras que otras sólo se pueden hacer durante el embarazo. El riesgo de tener un hijo con un trastorno genético es mayor si usted o su pareja tienen un historial familiar de esa enfermedad. Su riesgo es también mayor si tuvo un hijo previamente con ciertos trastornos.

- Las pruebas de detección revelan si hay un riesgo mayor de que ocurrirá un defecto relativo al riesgo de otras mujeres. Estas pruebas no le indican si el defecto está presente o no. Algunas pruebas se ofrecen a todas las mujeres embarazadas.

- Si los resultados de una prueba de detección revelan que hay un riesgo mayor, puede elegir tener una prueba de diagnóstico. Las pruebas de diagnóstico revelan si el bebé tiene un defecto congénito específico.

Prueba de detección de portadores

Si corre un riesgo mayor de tener un bebé con una enfermedad genética, puede beneficiarse de recibir asesoramiento genético (consulte la p. 54–55) y tener una prueba de detección de portadores para que usted y su pareja evalúen el

Factores de riesgo para trastornos genéticos

Responda a las siguientes preguntas sobre diversos factores de riesgo. Si responde de forma afirmativa a cualquiera de ellas, puede que tenga un riesgo mayor de tener un bebé con un trastorno genético:

____ ¿Tendrá por lo menos 35 años para la fecha prevista del nacimiento del bebé?

____ ¿Tendrá el padre del niño por lo menos 50 años para la fecha prevista del nacimiento del bebé?

____ Si usted o el padre del bebé son de ascendencia mediterránea o asiática, ¿tiene talasemia uno de ustedes o algún miembro de la familia?

____ ¿Hay antecedentes familiares de defectos del tubo neural?

____ ¿Ha tenido usted o el padre del bebé un hijo con un defecto del tubo neural?

____ ¿Hay antecedentes familiares de defectos congénitos cardíacos?

____ ¿Hay antecedentes familiares del síndrome de Down?

____ ¿Han tenido usted o el padre del bebé un hijo con el síndrome de Down?

____ Si usted o el padre del bebé son de ascendencia judía de Europa oriental, francocanadienses o "cajun", ¿hay antecedentes familiares de la enfermedad de Tay–Sachs?

____ Si usted o su pareja son de ascendencia judía de Europa oriental, ¿hay antecedentes familiares de la enfermedad de Canavan o de otros trastornos genéticos?

____ Si usted o su pareja son afroamericanos, ¿hay antecedentes familiares de la enfermedad de células falciformes o el rasgo de células falciformes?

____ ¿Hay antecedentes familiares de hemofilia?

____ ¿Hay antecedentes familiares de distrofia muscular?

____ ¿Hay antecedentes familiares de fibrosis quística?

____ ¿Hay antecedentes familiares de la enfermedad de Huntington?

____ ¿Tiene alguien en su familia o en la familia del padre del bebé fibrosis quística?

____ ¿Hay alguna persona en su familia o en la familia del padre del bebé con retraso mental?

____ De ser así, ¿le han hecho pruebas a esa persona para detectar el síndrome del cromosoma X frágil?

____ ¿Tienen usted, el padre del bebé, alguna persona en sus familias o alguno de sus hijos otras enfermedades genéticas, trastornos cromosómicos o defectos congénitos?

____ ¿Tiene usted algún trastorno metabólico, como diabetes mellitus o fenilcetonuria?

____ ¿Tiene un historial de problemas con embarazos (aborto espontáneo o nacimiento de un niño muerto)?

riesgo de tener un bebé con el trastorno. En esta prueba, se analizan muestras de sangre o saliva en un laboratorio para detectar un gen defectuoso correspondiente a un trastorno heredado específico.

Las pruebas de portadores están disponibles para algunos, pero no para todos, los defectos congénitos heredados. Las pruebas de portadores detectan si una persona es portadora de un defecto genético. Todas las mujeres embarazadas deben recibir información sobre las pruebas de portadores para detectar la fibrosis quística. Otras pruebas de portadores para otros trastornos se pueden hacer si su historial familiar, origen étnico u otros factores aumentan su riesgo de ser portadora. Por ejemplo, a las personas de ascendencia judía de Europa oriental (asquenazí) se les puede ofrecer una prueba de portadores para la enfermedad de Tay–Sachs, Canavan, fibrosis quística y disautonomía familiar, y pueden tener pruebas para otras enfermedades, como mucolipidosis IV, enfermedad de Niemann-Pick de tipo A, anemia de Fanconi de grupo C, síndrome de Bloom y enfermedad de Gaucher.

Resultados

Si el resultado de su prueba es negativo, no es necesario hacerle otras pruebas. Si el resultado de la prueba es positivo, el paso siguiente sería hacerle la prueba al padre del bebé. Si los resultados de ambas pruebas son positivos, un consejero genético o proveedor de atención médica le ayudará a entender sus riesgos de tener un hijo con el trastorno y las otras opciones disponibles. Puede haber otros exámenes o pruebas disponibles que confirmen si el bebé tiene el trastorno o es un portador. Una vez que sepa su categoría de portadora, no necesita volver a someterse a pruebas en embarazos futuros. Si se determina que es portadora, debe considerar decírselo a sus familiares ya que ellos también pueden ser portadores.

Período para las pruebas

Las pruebas de detección de portadores se pueden hacer antes de concebir al bebé o durante las primeras semanas del embarazo. Si la prueba de detección de portadores se realiza antes de que quede embarazada, puede usar los resultados para decidir si desea quedar embarazada. Si la prueba se realiza después de quedar embarazada, en algunos trastornos es posible realizarle la prueba al bebé para detectar el defecto.

Pruebas y exámenes de detección

A todas las mujeres embarazadas se les ofrecen pruebas y exámenes de detección de defectos congénitos, aun cuando no presentan síntomas ni factores de riesgo determinados, para aminorar las inquietudes de los posibles padres acerca de un problema en el bebé en desarrollo. Las pruebas y exámenes de detección de defectos congénitos consisten en análisis de sangre y una *ecografía (ultrasonido)*. La ecografía generalmente se hace entre las semanas 18 y 20 de embarazo y consiste en una evaluación de la anatomía del bebé para detectar anormalidades, por ello sirve como un examen de detección para las mujeres de bajo riesgo. Algunos de los problemas comunes que se detectan por medio de estas pruebas o exámenes de detección son los defectos del tubo neural, los defectos cardíacos y el síndrome de Down. De hecho, a todas las mujeres embarazadas se les ofrece una prueba de detección de síndrome de Down, independientemente de su edad.

Resultados

El resultado de una prueba puede ser positivo (revela que existe el riesgo de un problema) aunque el bebé esté saludable. Tenga en cuenta, sin embargo, que las pruebas de detección no indican si su hijo tiene el síndrome de Down u otro padecimiento. Sólo indican la probabilidad de que su bebé tenga un problema. Los resultados de las pruebas o exámenes le ayudarán a decidir si debe someterse a otras pruebas.

Período para las pruebas o exámenes

Las pruebas o exámenes de detección para defectos congénitos se hacen en períodos distintos durante el embarazo. Algunos se hacen en el primer trimestre y otros en el segundo trimestre. Los resultados de las pruebas o exámenes de detección también se pueden combinar. La Tabla 22-2 ofrece una comparación de los distintos tipos de pruebas o exámenes de detección disponibles y sus tasas de detección:

- *Detección en el primer trimestre*—La detección en el primer trimestre consiste en un análisis de sangre que mide los niveles de dos proteínas en la sangre y un examen especial por ecografía que se denomina *examen de detección por translucidez nucal*. Estos dos exámenes juntos se conocen como prueba combinada de detección en el primer trimestre y se hacen entre la semana 10 y 14 del embarazo. El análisis de sangre mide dos proteínas que produce la placenta durante el embarazo: *gonadotropina coriónica humana (hCG)* y proteína plasmática A asociada al embarazo. Una mujer embarazada con un bebé con el síndrome de Down es más probable que presente niveles más elevados de lo normal de estas dos proteínas en la sangre. El examen de detección por translucidez nucal mide el espacio transparente (translúcido) de la parte posterior del cuello del bebé. Los bebés con anormalidades cromosómicas tienden a acumular líquido en la parte posterior del cuello, lo que hace que se agrande esa área transparente.

• *Detección en el segundo trimestre*—La prueba de detección que se realiza en el segundo trimestre consiste en un análisis de sangre que se administra entre las 15 y 20 semanas de embarazo. Esta prueba se conoce por muchos nombres, como prueba de detección cuádruple, prueba de detección de marcadores múltiples y prueba de evaluación del suero materno. La prueba mide los niveles de cuatro sustancias en la sangre. Estas sustancias pueden indicar si el bebé tiene un problema cromosómico (consulte la página 386):

1. *Alfa-fetoproteína*—Una proteína que produce el hígado del bebé
2. *Gonadotropina corónica humana (hCG, por sus siglas en ingles)*
3. Estriol—Una hormona relacionada con el embarazo
4. Inhibina A—Una proteína relacionada con el embarazo

• *Prueba combinada de detección*—Los resultados de las pruebas y exámenes de detección del primer y segundo trimestre se pueden combinar de varias maneras y mejorar la capacidad para detectar el síndrome de Down. Mediante este tipo de detección, el resultado final no estará disponible hasta que se hayan realizado todos los exámenes o las pruebas. Cuando se usan juntos, y según los exámenes o las pruebas empleados, es posible detectar del 85% al 96% de los casos de síndrome de Down:

— En la prueba de detección integrada, los resultados de las pruebas y exámenes del primer y segundo trimestre se analizan juntos. Esta de-

Tabla 22-2 Exámenes, pruebas de detección y tasas de detección del síndrome de Down

Prueba o examen de detección	Tasa de detección
Primer trimestre	
Examen de detección de TN	64–70%
Examen de detección de TN además de análisis de sangre de niveles de PAPP-A y hCG	82–87%
Segundo trimestre	
Prueba de detección triple	69%
Prueba de detección cuádruple	81%
Primer trimestre más segundo trimestre	
Integrada (examen de detección de TN, análisis de sangre de PAPP-A, prueba cuádruple)	94–96%
Integrada (PAPP-A además de prueba cuádruple)	85–88%
Contingente secuencial	88–94%

Abreviaturas: hCG, gonadotropina coriónica humana; PAPP-A, proteína plasmática A asociada al embarazo; TN, translucidez nucal.

Adaptado de Screening for fetal chromosomal abnormalities. ACOG Practice Bulletin No. 77. American College of Obstetricians and Gynecologists. Obstet Gynecol 2007;109:217–27.

terminación es sumamente precisa y produce el índice más bajo de resultados falso positivos de todas las estrategias de evaluación.

— En la prueba de detección secuencial, los resultados de las pruebas de detección en el primer trimestre se usan para determinar la próxima evaluación. Si los resultados revelan que su riesgo es alto, puede optar por hacerse una prueba de diagnóstico. Si los resultados revelan que su riesgo es bajo o intermedio, puede proseguir a la detección en el segundo trimestre.

Pruebas de diagnóstico

Si alguna prueba o examen de detección, u otros factores, plantean alguna duda sobre el bebé, se ofrecen pruebas adicionales para diagnosticar ciertos defectos congénitos. Anteriormente, se les ofrecían a las mujeres con un riesgo mayor de tener un bebé con un defecto congénito —por ejemplo, las mujeres mayores de 35 años— primero las pruebas de diagnóstico, en lugar de pruebas o exámenes de detección. Hoy en día, ambas pruebas o exámenes de detección y de diagnóstico se ofrecen como primera opción a todas las mujeres antes de las 20 semanas de embarazo. Usted deberá decidir si desea cualquier tipo de prueba o examen y si es así, si debe someterse a una prueba o examen de detección o de diagnóstico. Sin embargo, algunas pruebas de diagnóstico conllevan ciertos riesgos, entre ellos un mayor riesgo de perder el embarazo. Es importante que entienda todos los riesgos si elije esa opción.

Examen detallado por ecografía

Se puede hacer un examen detallado por ecografía si una prueba o un examen de detección es anormal. Este tipo de examen permite visualizar más a fondo los órganos y rasgos del bebé. El examen ecográfico detallado puede generalmente hacerse después de 18 semanas de embarazo. Sin embargo, ni siquiera una ecografía detallada puede detectar todos los defectos congénitos. Este tipo de ecografía es más adecuada para detectar anormalidades estructurales, como defectos de la pared abdominal.

Amniocentesis

Casi siempre la **amniocentesis** se realiza entre la semana 15 y 20 de embarazo. Para realizar este procedimiento, el médico introduce una aguja fina por el abdomen y el útero. Entonces extrae una pequeña muestra de líquido amniótico que se envía a un laboratorio.

En el laboratorio, se cultivan las células provenientes del bebé en un cultivo especial. Este proceso puede tomar hasta 3 semanas. Posteriormente, se estudian bajo un microscopio los cromosomas de estas células. De esta forma es posible determinar si existe un cromosoma adicional (como en el caso del síndrome de Down). También puede revelar si hay otros defectos cromosómicos y defectos congénitos específicos, como fibrosis quística. Sin embargo, es necesario pedir específicamente estos exámenes. La prueba del nivel de alfa-fetoproteína en el *líquido amniótico* puede ayudar a determinar si el feto tiene un defecto del tubo neural.

Algunas complicaciones de la amniocentesis son cólicos, sangrado vaginal y secreción del líquido amniótico, que ocurre entre el 1 y 2% de las mujeres que se someten a este procedimiento. Hay una leve probabilidad

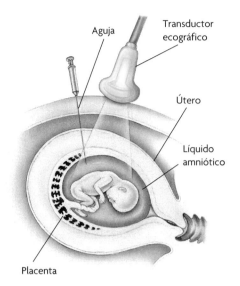

Amniocentesis. En este procedimiento, se extrae con aguja una pequeña muestra de líquido amniótico para estudiarla.

(aproximadamente el 0.5%) de que ocurra un aborto espontáneo a causa de la amniocentesis (aunque en un estudio reciente el riesgo fue de sólo 0.06%).

Muestreo de vellosidades coriónicas

El *muestreo de vellosidades coriónicas* detecta los mismos problemas cromosómicos que detecta la amniocentesis. Sin embargo, puede realizarse antes de la amniocentesis, a menudo entre las semanas 10 y 12 de embarazo.

Para realizar este procedimiento, el médico introduce un pequeño tubo a través de la *vagina* y el *cuello uterino*, o una aguja fina por el abdomen y la pared uterina. El médico entonces extrae una pequeña muestra de vellosidades coriónicas de la placenta. Las *vellosidades coriónicas* son proyecciones diminutas, que se asemejan a los dedos de las manos, de tejido placentario. Estas vellosidades provienen del mismo óvulo fertilizado que creó al bebé. Esto significa que ambos tienen los mismos componentes genéticos.

La muestra entonces se envía a un laboratorio y se prolifera en un cultivo. Este proceso puede llevar hasta 2 semanas. Los cromosomas de las vellosidades se estudian bajo un microscopio para determinar si existen defectos cromosómicos u otros defectos.

El riesgo de que ocurra un aborto espontáneo a causa del muestreo de vellosidades coriónicas es de aproximadamente 1%. Si se realiza antes de la 10ª semana de embarazo, el riesgo asociado con este procedimiento, aumenta el riesgo de que ocurra alguna anormalidad en los miembros o extremidades.

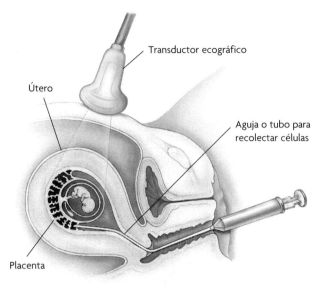

Transductor ecográfico

Útero

Aguja o tubo para recolectar células

Placenta

Muestreo de vellosidades coriónicas. En este procedimiento, se extrae una pequeña muestra de células (vellosidades coriónicas) de la placenta para estudiarla.

Por eso, este procedimiento no se debe realizar antes de la 10ª semana de embarazo.

Cordocentesis

La cordocentesis, que también se denomina *muestreo de sangre fetal*, se usa para detectar defectos cromosómicos y otras anormalidades. Durante la semana 18 de embarazo, o posteriormente, se extrae sangre de una *vena* del cordón umbilical. El muestreo de sangre fetal por lo general se usa cuando no son definitivos los resultados de la amniocentesis, el muestreo de vellosidades coriónicas o la ecografía. Al igual que con la amniocentesis, los posibles efectos secundarios de este procedimiento son cólicos y sangrado. La tasa de aborto espontáneo después de la cordocentesis es aproximadamente del 1 al 2%.

Diagnóstico genético preimplantatorio

En las parejas que se han sometido a *fertilización in vitro* para quedar embarazadas, se puede hacer una prueba del *embrión* para detectar ciertos problemas. Esta prueba se denomina *diagnóstico genético preimplantatorio.* Mediante este procedimiento, si se detectan embriones afectados por un trastorno, estos no se implantan en el útero de la madre. El diagnóstico genético preimplantatorio se ha usado para diagnosticar algunos trastornos cromosómicos; trastornos genéticos, como la fibrosis quística; trastornos recesivos ligados al cromosoma X y otros problemas heredados.

Asesoramiento genético

¿Cómo puede tomar decisiones sobre los exámenes o las pruebas que debe tener? El asesoramiento genético puede ayudar a una pareja a evaluar el riesgo de tener un bebé con un trastorno genético, decidir si deben hacerse pruebas o exámenes y estudiar las opciones disponibles. Los consejeros especialistas en genética están capacitados especialmente en materias de genética. Estos profesionales pueden ofrecer asesoramiento experto sobre los tipos de trastornos genéticos y cómo se ven afectados los bebés que nacen con ellos.

El consejero especialista en genética tomará un historial médico, genético y familiar minucioso. Si un miembro de la familia tiene un problema, el consejero podría pedir los expedientes médicos de esa persona. También puede remitir a la mujer o a su pareja a realizarse exámenes físicos, análisis de sangre o pruebas prenatales. Una vez que reúna toda la información, el consejero tratará de determinar el riesgo del bebé de tener un problema. También explicará y presentará las opciones de que dispone.

Opciones

Cuando reciba el resultado de su prueba o examen, necesitará procesar la información y decidir cómo proceder. Su proveedor de atención médica o consejero especialista en genética puede orientarla acerca de las opciones disponibles.

Si usted o su pareja son portadores

Si se entera de que usted o su pareja son portadores de una enfermedad antes de quedar embarazada, el resultado de la prueba o el examen puede ayudarles a decidir si deben tratar de concebir un hijo. Es buena idea explorar otras opciones para comenzar una familia, como la adopción de un niño o usar los espermatozoides de un donante o el óvulo de una donante para quedar embarazada. También puede considerar decírselo a sus hermanos y otros familiares que tal vez quieran tener hijos en el futuro.

Si ya está embarazada y alguna prueba o examen revela una probabilidad alta de que su bebé tenga un trastorno genético, puede hacerse una prueba de diagnóstico, si está disponible, para determinar si el bebé nacerá con el trastorno.

Si su bebé tiene un trastorno

Si las pruebas de diagnóstico revelan que su bebé tiene un trastorno, usted tiene dos opciones. Puede optar por continuar con el embarazo. O bien, abortar el embarazo. No hay tal cosa como una decisión correcta en estos casos. Su salud, sus valores y creencias, y su situación, desempeñan una función en la decisión.

Si decide continuar con el embarazo, puede usar el resto del embarazo para prepararse para el nacimiento de un hijo con necesidades especiales. Obtenga toda la información que pueda sobre el padecimiento y el efecto que tendrá en la salud de su bebé. Puede buscar un pediatra que se especialice en el cuidado de bebés con el trastorno. Su proveedor de atención médica o enfermera pueden ayudarle a encontrar esta atención especial. Puede además buscar la ayuda de grupos de apoyo para usted y su pareja. Pregunte si el hospital donde planea dar a luz cuenta con médicos pediátricos que puedan brindar la mejor atención posible a su bebé. Si no es así, considere pedir una transferencia de la atención para dar a luz en una instalación que cuente con dichos médicos.

Recuerde que es vital educarse sobre el padecimiento de su hijo. Puede resultarle útil visitar el sitio de Internet de la organización March of Dimes Foundation para encontrar la oficina local en su área (consulte Recursos informativos).

Prevención

Algunos defectos congénitos se pueden prevenir o reducir el riesgo de tener un bebé con un trastorno específico tomando ciertas medidas. Muchas implican hacer ciertos cambios al estilo de vida antes y durante el embarazo. Por ejemplo, se ha comprobado que consumir la cantidad recomendada de ácido fólico antes y durante el embarazo reduce el riesgo de que ocurran defectos del tubo neural (consulte el Capítulo 1, 1er y 2º mes [Semanas 1–8], p. 24). Hay otras medidas que puede tomar:

- Acudir a su médico para evaluar sus riesgos (p. 40)
- Controlar sus problemas médicos antes de quedar embarazada (p. 357)
- Evitar la exposición a agentes perjudiciales durante el embarazo (pp. 386–389)
- Limitar el consumo de pescado con niveles elevados de mercurio (p. 94–95)
- Mantener un peso sal (pp. 25–27)
- No beber, fumar ni usar drogas ilega (pp. 31–35)
- Prevenir las infecciones (pp. 424–425)

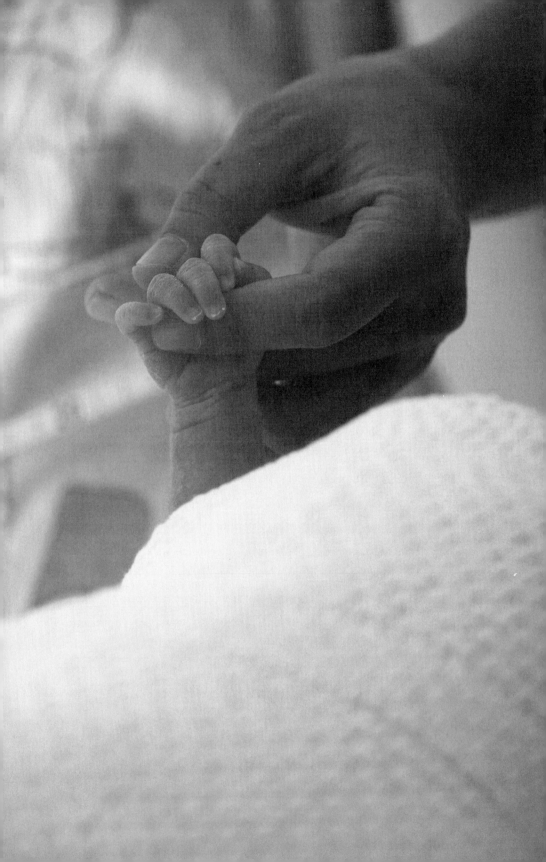

Capítulo 23

Trabajo de parto prematuro, parto prematuro y ruptura prematura de membranas

El embarazo por lo general dura 40 semanas más o menos. El trabajo de parto o el parto que ocurre antes de tiempo—antes de las 37 semanas de embarazo—se llama **prematuro**. Otro problema que puede ocurrir es la **ruptura prematura de membranas** durante una etapa prematura (pretérmino), cuando el **saco amniótico** que acojina al bebé se rompe antes de las 37 semanas de embarazo.

Trabajo de parto prematuro y parto prematuro

Cuando un bebé nace entre la semana 32 y semana 37 de embarazo, se dice que es prematuro y que no se ha desarrollado totalmente. Los que nacen antes de las 32 semanas de embarazo se denominan "bebés muy prematuros". Cuanto más prematuro sea un bebé, menor será su probabilidad de sobrevivir. Los bebés que sobreviven pueden presentar problemas graves de salud a largo plazo. Aproximadamente un 12% de los bebés que nacen en Estados Unidos cada año nacen prematuramente.

Los Institutos Nacionales de la Salud Infantil y Desarrollo Humano (NICHD) *Eunice Kennedy Shriver* estudiaron el desenlace clínico de bebés muy prematuros en 16 hospitales. Entre 1998 y 2002, los estudios revelaron que la probabilidad de supervivencia de los bebés que nacen antes de la semana 23 de embarazo es muy baja. Aproximadamente la mitad de los bebés que nacieron en la semana 25 sobrevivieron. En la semana 26 de embarazo, la probabilidad de supervivencia aumentó a un 76%. No obstante, la mayoría de los bebés que sobrevivieron presentaron problemas médicos graves al cabo de 18 a 22 meses de nacidos, como problemas respiratorios, hemorragia cerebral, infecciones, parálisis cerebral y retrasos del desarrollo. Muchos de esos problemas médicos pueden durar toda la vida.

El peso al nacer y el sexo de su bebé son factores importantes en lo que respecta a su probabilidad de supervivencia y riesgo de presentar problemas médicos. La tasa de supervivencia y los desenlaces también varían entre los distintos hospitales.

Cómo el peso al nacer y el sexo influyen en las probabilidades de supervivencia de un bebé y el riesgo de presentar problemas de salud

Los médicos consideran estos factores cuando toman decisiones sobre tratamientos:

- Los bebés que pesan entre 501 y 750 gramos (1.10–1.65 libras) tienen un 55% de probabilidad de sobrevivir. Entre los bebés que sobreviven, un 65% tienen problemas graves de salud.

- Los bebés que pesan entre 751 y 1,000 gramos (1.66–2.20 libras) tienen un 88% de probabilidad de sobrevivir. Entre los bebés que sobreviven, un 43% tienen problemas graves de salud.

- Los bebés que pesan entre 1,001 y 1,250 gramos (2.21–2.76 libras) tienen un 94% de probabilidad de sobrevivir. Entre los bebés que sobreviven, un 22% tienen problemas graves de salud.

- Los bebés que pesan entre 1,251 y 1,500 gramos (2.76-3.31 libras) tienen un 96% de probabilidad de sobrevivir. Entre los bebés que sobreviven, un 11% tienen problemas graves de salud.

- Las niñas que nacen durante la semana 25 de embarazo y pesan aproximadamente 700 gramos (1½ libras) tienen una mayor probabilidad de sobrevivir que los varones que nacen a la misma edad y con el mismo peso.

- Para gemelos, las probabilidades de sobrevivir son menores que las de un solo bebé de la misma edad y el mismo peso.

Factores de riesgo

Cualquier mujer puede presentar trabajo de parto prematuro, sin advertencia alguna. Sin embargo, hay ciertos factores que pueden aumentar su riesgo de que ocurra:

- Haber tenido trabajo de parto o un parto prematuro en embarazos previos
- Tener gemelos
- Ciertas infecciones
- Sangrado a mediados del embarazo
- *Placenta previa*
- Presión arterial alta
- Tener una enfermedad crónica
- Exceso de líquido en el saco amniótico
- Síntomas defectos congénitos en el bebé

Síntomas que debe vigilar

Un parto prematuro puede producirse si el comienzo del trabajo de parto ocurre antes de que finalice la semana 37. Si se detecta a tiempo, se toman medidas para prorrogarlo a fin de darle al bebé más tiempo para desarrollarse y madurar. Incluso unos pocos días adicionales en el útero pueden ser importantes para garantizar la salud del bebé. Manténgase atenta a estas síntomas que pueden indicar el comienzo de trabajo de parto prematuro y llame a su médico o enfermera de inmediato:

- Cambio en las secreciones vaginales (se vuelve aguada, tiene mucosidad o está teñida de sangre)
- Presión en la pelvis o la parte inferior del abdomen
- Dolor constante y sordo ubicado en la parte inferior de la espalda
- Cólicos abdominales leves
- Contracciones regulares que a menudo no producen dolor
- Rompimiento de fuente

A veces, es bastante fácil determinar que el trabajo de parto está ocurriendo prematuramente. Por ejemplo, usted misma puede determinar si está teniendo contracciones. Acuéstese de lado y palpe suavemente la superficie entera de la parte inferior del abdomen con los dedos de las manos. Trate de palpar si la superficie del *útero* se siente bien apretada. Por lo general esta sensación no es dolorosa. Si siente estas contracciones, lleve un registro de ellas por una hora. Anote cuándo comienza y termina cada una. Si tiene contracciones que ocurren cuatro veces cada 20 minutos o que ocurren ocho veces por hora durante más de una hora, llame de inmediato a su proveedor de atención médica.

Diagnóstico

La única manera que su proveedor de atención médica puede determinar con certeza que ha comenzado prematuramente el trabajo de parto es examinándole el **cuello uterino.** Durante el trabajo de parto, el cuello uterino se achica y adelgaza (borramiento) y se abre (**dilatación**) para permitirle al bebé entrar en el canal de parto. Para determinar si el cuello uterino se ha dilatado, su proveedor de atención médica le examinará el cuello uterino mediante un **examen pélvico**. También se puede usar la monitorización fetal para examinar el latido cardíaco del bebé y las contracciones del útero. La **ecografía** (**ultrasonido**) se usa además para calcular el tamaño y la **edad gestacional** del bebé.

Hay dos exámenes que ayudan a determinar si su riesgo de presentar trabajo de parto prematuro es alto: 1) ecografía, para evaluar la longitud del cuello uterino, y 2) una prueba que mide la cantidad de fibronectina fetal en las secreciones vaginales. La fibronectina fetal es una sustancia que "pega" el saco amniótico a la pared uterina. En las últimas etapas del embarazo, este pegamento comienza a desintegrarse y se puede detectar en las secreciones vaginales. Estos dos exámenes se pueden usar juntos o individualmente. Pueden además ser los más útiles para identificar a las mujeres con una menor probabilidad de irse de parto. Si los resultados de estos exámenes son negativos, es decir, la longitud cervical y la cantidad de fibronectina son normales, es poco probable que ocurra un parto prematuro. La prueba de fibronectina fetal a menudo se les hace a las mujeres que presentan síntomas de trabajo de parto prematuro.

Atención del parto prematuro

Si corre riesgo de tener un parto prematuro, se le podría remitir a un especialista en medicina materno–fetal, un obstetra que se especializa en el tratamiento de problemas que afectan a las mujeres embarazadas y sus bebés. Se puede también administrar medicamentos a las mujeres que corren riesgo de tener un parto prematuro para ayudar a desarrollar los pulmones del bebé (**corticoesteroides**) o prolongar el embarazo (**tocolíticos** o **progesterona**). Durante el trabajo de parto, una mujer puede recibir **antibióticos** para evitar el contagio prematuro del bebé por estreptococos del grupo B (consulte la p. 425). La podrían trasladar a un hospital con instalaciones especiales para el tratamiento de bebés prematuros (unidad neonatal de atención intensiva).

Cuando el bebé haya nacido, el niño puede recibir otros medicamentos y medidas de apoyo respiratorio, si fuera necesario.

Corticoesteroides

Los corticoesteroides son medicamentos que appresuran el desarrollo de los pulmones y otros órganos del bebé. La administración de este medicamento a la madre puede aumentar en gran medida la probabilidad de supervivencia de un bebé. Los bebés cuyas madres han recibido este tratamiento también tienen una tendencia mucho menor a presentar problemas respiratorios.

Progesterona

La progesterona se puede administrar para prevenir que ocurra un parto prematuro si ha dado a luz prematuramente en otra ocasión. A veces, se administra a las mujeres en quienes, tras examinarlas, se detecta un cuello uterino muy corto pero no presentan síntomas de trabajo de parto prematuro. Es necesario realizar más estudios para determinar si la progesterona puede prevenir un parto prematuro en mujeres con otros factores de riesgo.

Tocolíticos

Los tocolíticos son medicamentos que suspenden o demoran el trabajo de parto. Algunos tocolíticos se administran para permitir que los corticoesteroides ayuden a madurar los pulmones del bebé. Además, demorar el trabajo de parto puede permitir que se le pueda trasladar a un hospital con una unidad neonatal de atención intensiva de alto nivel que esté mejor equipada, y con médicos y enfermeras con experiencia y capacitación especializada en el cuidado de bebés prematuros. Si le dan tocolíticos, puede presentar efectos secundarios como pulso acelerado, dolor de pecho, mareos y dolor de cabeza.

Unidades Neonatales de Atención Intensiva (NICU, por sus siglas en inglés)

Los bebés prematuros que nacen en hospitales con unidades neonatales de atención intensiva de alto nivel, tienen una mayor probabilidad de sobrevivir. Las unidades de alto nivel brindan cuidado especializado a los bebés con problemas graves de salud. Estas unidades están mejor equipadas y disponen de médicos y enfermeras con capacitación avanzada y experiencia para cuidar de bebés prematuros. Su cuidado y el de su bebé generalmente lo proveerá un equipo de proveedores de atención médica. Este equipo por lo general cuenta con un neonatólogo, un médico que se especializa en el tratamiento de problemas de recién nacidos.

Es posible que haya que trasladarla a un hospital de este tipo para el parto si comienza el trabajo de parto antes de tiempo. Es más seguro dar a luz a un bebé prematuro en estos hospitales que trasladar al bebé después del parto.

Tratamiento de reemplazo con surfactante

Si su bebé nace prematuramente, podría recibir tratamiento de reemplazo con surfactante. Surfactante es una sustancia líquida en el organismo de la que carecen todos los bebés muy prematuros. Cuando un bebé recibe surfactante, el medicamento puede impedir el colapso de los pulmones y ayudar al bebé a respirar. Aunque este tratamiento a menudo es eficaz, generalmente se administra sólo en los hospitales que cuentan con personal con experiencia en el cuidado de bebés muy prematuros con problemas respiratorios.

Reanimación y medidas de apoyo respiratorio

Si no es posible demorar el parto y el bebé nace antes de tiempo, los médicos deberán tomar medidas inmediatas para ayudar al bebé a respirar por sí solo debido a que los pulmones no tienen la madurez necesaria para funcionar bien. Si el bebé no respira por su cuenta, le colocarán un respirador que respirará por el niño.

Las decisiones de tratar de revivir a un bebé que no respira cuando nace, así como el tiempo en que el bebé debe usar un respirador, son complejas. Muchos factores se toman en cuenta, como la edad gestacional, el peso del bebé al nacer y el estado médico del bebé cuando nace. A veces, la presencia de un problema médico cuando nace el bebé, como una infección, es evidente. Dicho problema puede empeorar el pronóstico de un bebé que recibe medidas de apoyo respiratorio. Su proveedor de atención médica le explicará la probabilidad realista de supervivencia de su bebé y la ayudará a tomar decisiones.

Ruptura prematura de membranas

Cuando el saco que contiene el *líquido amniótico* se rompe y ocurre el rompimiento de fuente, este suceso por lo general va seguido de otros signos de trabajo de parto. Si las membranas se rompen en la fecha probable del parto de la mujer o cerca de dicha fecha, pero el trabajo de parto no comienza al poco tiempo, se dice que ha ocurrido una ruptura prematura de membranas ("RPDM a término" o simplemente "RPDM"). Cuando las membranas se rompen antes de las 37 semanas de embarazo, se denomina ruptura prematura de membranas durante una etapa pretérmino (o "RPDM pretérmino").

La RPDM a término ocurre en aproximadamente el 8% de los embarazos. Se produce a causa de la debilidad normal del saco amniótico a medida que el parto se aproxima, así como debido a las fuerzas de las contracciones uterinas. En casi el 95% de los casos, el trabajo de parto comienza dentro de las próximas 28 horas. El riesgo de RPDM es infección del útero y problemas con el **cordón umbilical**. La probabilidad de que ocurran estas complicaciones aumenta mientras más se demore el trabajo de parto.

Debido a que ocurre antes de las 37 semanas de embarazo, la RPDM durante una etapa prematura puede dar lugar a problemas graves para el bebé relacionados con prematuridad. Otras complicaciones que pueden ocurrir son infección (en usted o el bebé, o ambos) y problemas con la **placenta** y el cordón umbilical. Hay un riesgo del 1 al 2% de muerte fetal a causa de la RPDM durante una etapa prematura.

Hay varios factores de riesgo para la RPDM durante una etapa prematura, aunque muchos casos ocurren en ausencia de factores de riesgo. Los factores de riesgo asociados con la ruptura prematura de membranas son infección, índice bajo de masa corporal (menos de 19), sangrado durante el segundo o tercer trimestre, fumar y deficiencias alimenticias. Un factor de riesgo importante es haber tenido RPDM durante una etapa prematura en un embarazo previo. El riesgo de que vuelva a ocurrir es de un 16% a un 32%.

Diagnóstico

El síntoma principal de ruptura prematura de membranas es la descarga de líquido de la **vagina**. Llame a su proveedor de atención médica si cree que ha expulsado líquido. Su proveedor querrá determinar si se han desgarrado las membranas. A veces, puede tener secreciones por otros motivos, como pérdida accidental de **orina**, secreción de moco cervical, sangrado vaginal o infección vaginal. Probablemente le harán un examen físico y quizás análisis de laboratorio para confirmar la presencia de líquido amniótico en la vagina.

Tratamiento

Una vez que se confirme el diagnóstico de ruptura prematura de membranas, una de las primeras medidas que tomará su proveedor de atención médica es determinar la edad gestacional de su bebé. Si tiene alguna afección que pueda poner en peligro su vida o la de su bebé, como **desprendimiento placentario** o infección del útero, la asistirán para dar a luz de inmediato, independientemente de la edad gestacional del bebé. Sin embargo, si no presenta ninguno de estos problemas médicos, la edad gestacional de su bebé es un factor importante para determinar cómo se tratará su problema médico.

Si ocurre una RPDM a término y su bebé se encuentra en la posición correcta para el parto, probablemente le provocarán el parto con *oxitocina*. Si el bebé no se encuentra en la posición correcta (*presentación de nalgas*), tendrá un *parto por cesárea*. En cualquiera de los dos casos, recibirá antibióticos para estreptococos del grupo B según los resultados de pruebas previas o sus factores de riesgo si no se han hecho dichas pruebas.

Si la ruptura pretérmino de membranas ocurre durante una etapa prematura, es decir entre las semanas 23 y 33 de embarazo, su proveedor de atención médica puede tratar de demorar el parto hasta que el bebé se haya desarrollado mejor. Quizás tenga que permanecer hospitalizada para que le puedan dar seguimiento estrecho. Además, puede recibir antibióticos para evitar una infección y corticoesteroides para promover la maduración de los pulmones del bebé. También puede recibir tocolíticos. Le recetarán reposo estricto en cama y recomendarán no tener relaciones sexuales. Estas medidas pueden suspender la descarga de líquido amniótico. En aproximadamente un 10% de las mujeres con RPDM durante una etapa prematura, el nivel de líquido amniótico se normaliza.

Si tiene RPDM durante una etapa prematura antes de que termine las 24 semanas de embarazo, su proveedor de atención médica le explicará los riesgos de tener un bebé muy prematuro y los posibles riesgos y beneficios de demorar el parto. Si inicia trabajo de parto, su bebé podría nacer con problemas médicos graves.

Cómo cuidar de un bebé prematuro

Cuando nazca el bebé, el médico del bebé tendrá una mejor idea de la salud del niño y si existen otros problemas. Si su bebé está lo suficiente sano como para superar las dificultades que conlleva nacer antes de tiempo, aún así necesitará recibir cuidado especial. Hay pediatras que se especializan en la atención de bebés (neonatólogos) y niños prematuros. Algunas clínicas también están centradas en el cuidado de seguimiento de bebés prematuros. Asegúrese de encontrar un médico con quien se sienta cómoda y que sea de su confianza. El médico vigilará cuidadosamente el crecimiento del bebé y lo examinará para detectar la presencia de otros problemas de desarrollo durante la niñez.

Puede también encontrar información para los padres que cuidan de bebés prematuros. Es buena idea mantenerse lo más informado posible para que pueda brindarle al bebé la mejor atención. A medida que el bebé se aproxima a la edad escolar, es posible que necesite buscar una escuela o maestras especiales para ayudarle con los problemas de aprendizaje. Si desea obtener más información sobre el parto prematuro y el cuidado de un bebé prematuro, comuníquese con la fundación March of Dimes o el Instituto Nacional de Salud Infantil y Desarrollo Humano *Eunice Kennedy Shriver* (consulte Recursos informativos).

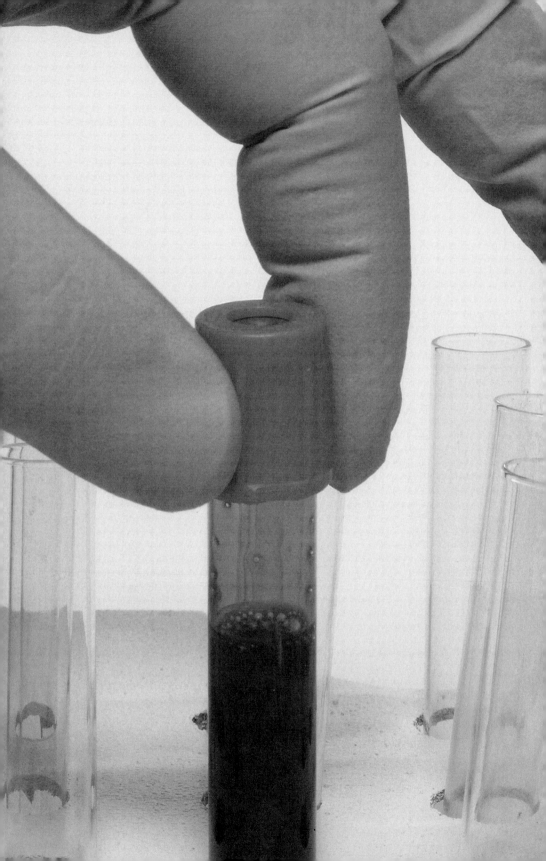

Capítulo 24

Incompatibilidad de grupo sanguíneo

C omo parte de su atención prenatal, le harán análisis de sangre para determinar su tipo sanguíneo y factor Rh (o factor rhesus). Estas determinaciones son importantes ya que pueden surgir complicaciones si tiene un grupo sanguíneo determinado y su bebé tiene otro tipo. Los expertos llaman a este problema incompatibilidad de grupo sanguíneo. Antes, estos problemas eran una causa principal de enfermedades e incluso la muerte de recién nacidos. En la actualidad, sin embargo, las pruebas y el tratamiento precoz pueden evitar estas complicaciones.

Tipos sanguíneos y el factor Rh

Su tipo sanguíneo es A, B, AB u O. Los tipos sanguíneos están determinados por la clase de *antígenos*—proteínas diminutas—que se encuentran en los glóbulos rojos (las *células* de la sangre). El tipo A tiene sólo antígenos A, el tipo B tiene sólo antígenos B, el tipo AB tiene antígenos A y B, y el tipo O no tiene ninguno de estos antígenos.

Los análisis de sangre prenatales determinarán su tipo de factor Rh. El factor Rh es un tipo de antígeno que a veces se encuentra en la superficie de los glóbulos rojos. Si la sangre contiene esta proteína, usted es Rh positiva. Si no contiene la proteína, usted es Rh negativa.

La mayoría de la gente (aproximadamente un 85%) es Rh positiva. Su clasificación de Rh no surte ningún efecto en su salud excepto durante el embarazo. En ese momento, sólo puede ser motivo de preocupación cuando su clasificación de Rh no coincide con la de su bebé.

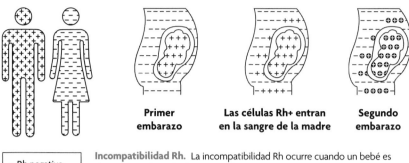

Primer embarazo

Las células Rh+ entran en la sangre de la madre

Segundo embarazo

- Rh negativo
+ Rh positivo
⊕ Anticuerpos

Incompatibilidad Rh. La incompatibilidad Rh ocurre cuando un bebé es Rh positivo y la madre ha producido anticuerpos contra el Rh durante un embarazo previo. Primer embarazo: una mujer Rh negativa puede tener un bebé Rh positivo. Las células del bebé Rh positivo entran en el torrente sanguíneo de la madre. La mujer puede producir anticuerpos que atacan las células Rh positivas. Segundo embarazo: si queda embarazada otra vez con un bebé Rh positivo, los anticuerpos contra el Rh se adhieren a los glóbulos rojos del bebé.

Incompatibilidad de Rh

Algunas mujeres son Rh negativas y están embarazadas con un bebé que es Rh positivo. Esto puede ocurrir si el padre es Rh positivo. El problema que esta situación puede producir se denomina incompatibilidad del factor Rh.

Que significa

Si una pequeña cantidad de la sangre del bebé se mezcla con su sangre, puede hacer que su organismo produzca **anticuerpos** para atacar el factor Rh positivo en la sangre del bebé. Esta mezcla de sangre puede ocurrir durante el trabajo de parto y el parto así como durante algunos procedimientos, como la **amniocentesis** y el **muestreo de vellosidades coriónicas** (exámenes que se hacen para diagnosticar defectos congénitos u otros problemas en las primeras etapas del embarazo). También puede ocurrir espontáneamente sin ninguna causa aparente. Si su organismo ha producido estos anticuerpos, se dice que usted está sensibilizada. La sensibilización generalmente no causa problemas hasta que vuelva a quedar embarazada. Durante un embarazo posterior, estos anticuerpos pueden destruir los glóbulos rojos en la sangre del bebé si el niño es Rh positivo. Este problema médico se llama enfermedad hemolítica del recién nacido, un problema que puede causar **anemia**. Si no se trata, puede provocar daños leves o incluso graves a su bebé. En casos muy raros, puede provocar la muerte.

Tratamiento

Si usted es Rh negativa, le harán una prueba a las 28 semanas de embarazo para determinar si ha producido anticuerpos contra el Rh. Esta prueba se denomina prueba de Coombs indirecta. Si el resultado de la prueba revela que no está produciendo anticuerpos contra el Rh, su médico le pondrá una inyección de **inmunoglobulina Rh (RhIg)** para evitar causarle daño a su próximo hijo. Estas inyecciones evitan la formación de anticuerpos contra los antígenos de Rh y las mujeres embarazadas pueden recibirlas sin riesgo. Los únicos efectos secundarios son dolor en el sitio de la inyección o fiebre leve.

Además de la inyección de RhIg a las 28 semanas, recibirá otra inyección dentro de un plazo de 72 horas del parto (si el bebé es Rh positivo). Los efectos de la RhIg duran aproximadamente 12 semanas. Por este motivo, se administra otra inyección anti-RhIg cada vez que se pueda mezclar la sangre del bebé con la de la madre, como en un aborto espontáneo o antes de ciertos procedimientos, como la amniocentesis. También se puede administrar si ha sufrido una lesión abdominal (debido al riesgo de que alguna cantidad de la sangre del bebé haya entrado en su sangre a consecuencia de la lesión), sangrado durante el embarazo o si es necesario girar a su bebé en el **útero** para evitar la **presentación de nalgas**. No necesitará el tratamiento RhIg si se sabe (y se puede confirmar) que el padre es Rh negativo. Dos padres Rh negativos sólo pueden tener un bebé Rh negativo, y no hay peligro de que la madre produzca anticuerpos.

No obstante, si los análisis de sangre revelan que usted está produciendo anticuerpos contra el Rh, el tratamiento con RhIg no es beneficioso. En este caso, necesitará hacerse análisis de sangre periódicamente durante el embarazo para medir el nivel de anticuerpos. Si han aumentado, le realizarán pruebas para comprobar el estado de salud del bebé. Puede que el bebé tenga anemia y necesite una transfusión de sangre. Al cabo de 18 semanas de embarazo, se podría transfundir sangre mientras el bebé aún está en el útero. Si el desarrollo del bebé es adecuado, se considera la opción de dar a luz prematuramente. Es probable que el bebé reciba atención en una sala de cuidado especial para recién nacidos.

Incompatibilidad ABO

Aunque ocurre en raras ocasiones, el tipo sanguíneo de algunas mujeres embarazadas es incompatible con el de sus bebés. Cuando esto sucede, generalmente es porque la madre es tipo O y su bebé es tipo A, B o AB. Esto se denomina incompatibilidad ABO.

Que significa

Los recién nacidos que nacen con incompatibilidad ABO pueden tener un caso leve de enfermedad hemolítica y niveles elevados de bilirrubina en la sangre. La bilirrubina es una sustancia que se forma cuando se descomponen los glóbulos rojos viejos. Una señal de niveles elevados de bilirrubina es *ictericia* (piel amarillenta). Una cantidad excesiva de esta sustancia puede ser perjudicial, especialmente al sistema nervioso del bebé, y causar problemas de desarrollo.

Tratamiento

Si su bebé tiene ictericia a causa de la enfermedad hemolítica, el médico le medirá el nivel de bilirrubina en la sangre. Si es alto, le administrará un tratamiento especial, como el uso de luces especiales, para reducir el nivel. Si este tratamiento no reduce el nivel de bilirrubina, si el nivel es muy alto desde un principio o si el bebé revela indicios de toxicidad por bilirrubina, se le podría administrar una transfusión de sangre.

Capítulo 25
Problemas placentarios

En un embarazo normal, la **placenta** se adhiere en la parte superior de la pared uterina alejada del **cuello uterino**. Ahí permanece ubicada hasta poco después del nacimiento del bebé cuando se separa de la pared del **útero**. La placenta es importante para proveer al bebé nutrientes y oxígeno. Durante el embarazo, pueden ocurrir ciertos problemas con la placenta. Estos problemas pueden causar complicaciones graves si no se detectan a tiempo. Debe estar atenta a las señales y los síntomas de estos problemas y avisarle a su proveedor de atención médica inmediatamente si cree que los presenta.

Placenta previa

La **placenta previa** es una afección que ocurre cuando la placenta se encuentra en la parte inferior del útero y cubre parte (denominada placenta previa parcial) o toda (denominada placenta previa completa) del cuello uterino. Debido a que cubre el cuello uterino, la placenta bloquea la salida del bebé del útero. Además, la placenta está adherida al útero con vasos sanguíneos. Cuando el cuello uterino se comienza a adelgazar en preparación para el trabajo de parto, puede ocurrir una hemorragia antes o durante el parto. La hemorragia puede ser excesiva y poner en peligro a la madre y al bebé.

1 de cada 200 mujeres sufre de placenta previa. Aunque se desconocen los motivos que causan la placenta previa en algunas mujeres, es más común en una mujer con las siguientes situaciones:

- Ha tenido más de un hijo
- Ha tenido un **parto por cesárea**

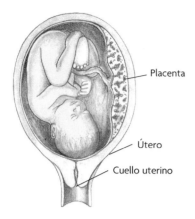

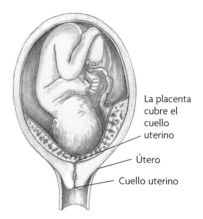

Ubicación normal de la placenta.
La placenta normalmente se adhiere en la parte superior de la pared uterina, alejada del cuello uterino.

Placenta previa. En esta afección, la placenta se encuentra en la parte inferior del útero y bloquea parcial o totalmente el cuello uterino.

- Ha tenido una cirugía en el útero
- Está embarazada con gemelos o trillizos

Signos de advertencia

El signo principal de placenta previa es sangrado vaginal que no produce dolor. Este sangrado por lo general ocurre hacia finales del segundo trimestre o comienzos del tercer trimestre (desde las semanas 20 a la 32 más o menos). La placenta previa es un problema médico grave que debe tratarse de inmediato, por lo tanto, dígale a su proveedor de atención médica si presenta algún tipo de sangrado en el tercer trimestre.

Algunas mujeres se enteran que tienen placenta previa en las primeras etapas del embarazo durante una *ecografía* (**ultrasonido**), antes de que observen algún sangrado. Las mujeres con placenta previa diagnosticada precozmente recibirán seguimiento estrecho con ecografías durante el transcurso del embarazo. En la mayoría de los casos (el 90%), la placenta previa se resuelve por su cuenta y el trabajo de parto y el parto proceden de manera normal.

Tratamiento

El tratamiento inicial que reciba dependerá de la etapa de su embarazo. Su proveedor de atención médica decidirá cuál tratamiento es mejor según su situación y la duración del embarazo. A principios del embarazo, le pedirán que limite sus actividades (no podrá tener relaciones sexuales). Cuando ocurre más adelante en el embarazo, la placenta previa generalmente requiere hospitalización y líquidos intravenosos. Controlarán además el estado de su bebé. En algunas ocasiones hay que administrar una transfusión de sangre. Se usará la ecografía para examinar la ubicación de la placenta dentro del útero.

La placenta previa puede ser de suficiente gravedad como para requerir que el parto se realice prematuramente. Las mujeres con esta afección por lo general no necesitarán tener un parto por cesárea. A veces, el sangrado cesa por su cuenta y se permite que prosiga el embarazo. Si esto sucede y tiene menos de 34 semanas de embarazo, es posible que controlen su estado como paciente ambulatoria (sin necesidad de hospitalizarse), pero necesitará acudir a menudo a su proveedor de atención médica y llamarlo de inmediato si presenta cualquier tipo de sangrado vaginal. Puede recibir medicamentos que se llaman **corticoesteroides** para promover la maduración de los pulmones del bebé. Entre las semanas 36 y 37 de embarazo, se hará un examen para determinar si los pulmones del bebé se han madurado. Si es así, le harán una cesárea en ese momento.

Desprendimiento placentario

La *desprendimiento placentario* ocurre cuando la placenta se separa de la pared del útero antes o durante el parto. Al hacerlo, por lo general se produce sangrado vaginal y dolor intenso en el abdomen. El desprendimiento placentario es un problema potencialmente peligroso tanto para la madre como para el bebé. Esto se debe a que el bebé puede recibir menos oxígeno del que necesita para sobrevivir y la madre puede perder una cantidad grande de sangre. Es necesario tratar esta situación de inmediato.

Sólo el 1% de las mujeres embarazadas presentan este problema y por lo general sucede en las últimas 12 semanas de embarazo. El desprendimiento placentario ocurre más a menudo en las mujeres que tienen presión arterial alta, fuman, o las que usan cocaína o anfetaminas durante el embarazo. También es más común en las mujeres con las siguientes situaciones:

- Ya han tenido hijos
- Tienen más de 35 años
- Han tenido desprendimiento placentario anteriormente
- Tienen la enfermedad de células falciformes

Signos de advertencia

Los signos de advertencia más comunes son sangrado vaginal y dolor abdominal o de espalda. Algunas mujeres no presentan mucho sangrado

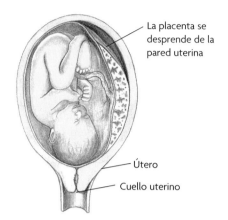

La placenta se desprende de la pared uterina

Útero

Cuello uterino

Desprendimiento placentario. La placenta se desprende de la pared uterina.

con el desprendimiento placentario porque la sangre queda atrapada dentro del útero debido a la placenta.

Tratamiento

Al igual que con la placenta previa, el tratamiento del desprendimiento placentario depende de su estado médico y la duración del embarazo. Aunque se puede emplear la ecografía, a veces no es posible identificar la el desprendimiento placentario por ecografía. Si ha perdido mucha sangre, podría necesitar una transfusión de sangre y líquidos intravenosos. Después de que se haya estabilizado su situación, su proveedor de atención médica evaluará a su bebé para asegurarse de que se encuentre bien. Tal vez tenga que permanecer hospitalizada para que los médicos puedan controlar su salud estrechamente.

Si el desprendimiento placentario es pequeña, y se encuentra cerca de la fecha prevista del parto, se podría provocar el parto o asistirla para dar a luz por cesárea si hay otros problemas presentes. A veces, el sangrado cesa por su cuenta. En tal caso, controlarán su estado estrechamente para asegurarse de que no empeore el desprendimiento placentario. Si falta mucho para la fecha prevista del parto (se encuentra entre las semanas 24 y 34), recibirá medicamentos que se llaman *tocolíticos* para tratar de suspender el trabajo de parto además de corticoesteroides para promover la maduración de los pulmones del bebé. Después de las 34 semanas de embarazo, la madre por lo general da a luz. Aunque el bebé corre peligro de tener problemas médicos relacionados con la prematuridad, en algunos casos a menudo es más seguro que nazca el bebé.

Placenta adherente

La placenta adherente es una afección que ocurre cuando los vasos sanguíneos de la placenta se desarrollan muy adentro en la pared uterina. Puede causar una pérdida intensa de sangre potencialmente mortal durante el embarazo. Un factor de riesgo importante para esta afección es haber tenido un parto por cesárea previo. El riesgo aumenta según la cantidad de partos por cesárea previos. La placenta adherente puede causar sangrado durante el tercer trimestre y ocurre comúnmente con placenta previa. Aunque la placenta adherente a menudo no se diagnostica hasta después de dar a luz, en algunas ocasiones se puede diagnosticar por ecografía o con un procedimiento que se llama imagen por resonancia magnética (MRI, por sus siglas en inglés). A veces, es necesario practicar una *histerectomía* después de un parto vaginal o por cesárea si una mujer presenta placenta adherente, aunque se hará todo lo posible por preservar el útero. Sin embargo, es posible que no haya otra opción sino extraer el útero si el sangrado puede ser mortal cuando la placenta se separa parcialmente del útero.

Capítulo 26
Infecciones

iertas infecciones pueden presentar riesgos a usted y al bebé que espera. Muchas de las pruebas y los exámenes que se realizan durante las visitas de atención prenatal están destinados a detectar estas infecciones. Si le diagnostican una infección, es importante recibir tratamiento con prontitud. Sin embargo, la mejor manera posible de reducir el riesgo de presentar problemas es prevenir las infecciones.

Las infecciones son enfermedades que se producen a partir de bacterias, virus o parásitos que invaden el cuerpo y se propagan. También pueden ocurrir a causa de bacterias que por lo general habitan en la piel y los sistemas digestivos, respiratorios y reproductores del cuerpo. Si se altera el equilibrio de esas bacterias, por ejemplo, debido a una lesión que permite el ingreso de bacterias en el cuerpo, algunas bacterias pueden propagarse descontroladamente. Si no se controla esta propagación, puede ocurrir una infección.

El sistema inmunitario del cuerpo consiste en una variedad de *células* y tejidos que detectan la presencia de invasores extraños, suenan una alarma y desencadenan medidas de defensa para combatir la infección. Una parte integral del *sistema inmunitario* son los *anticuerpos*. Estas proteínas especiales se forman en la sangre en reacción a una infección. Los anticuerpos "marcan" las células extrañas para que otros componentes del sistema inmunitario las destruyan.

En algunas infecciones, ciertos análisis de sangre revelan si el cuerpo ha formado anticuerpos. Si lo ha hecho, quiere decir que ha estado expuesta a esa infección. En muchos casos, una vez que el cuerpo produce anticuerpos contra una enfermedad, la persona se vuelve inmune a esa enfermedad y no la contraerá en el futuro.

A veces, la infección no produce ningún síntoma o los síntomas no se presentan de inmediato. Mientras más pronto se detecte y trate una infección, menor será la probabilidad de que cause problemas médicos a largo plazo.

Algunas infecciones pueden prevenirse con vacunas. Sin embargo, algunas vacunas no son seguras durante el embarazo. Si cree que ha estado expuesta a una infección, dígaselo de inmediato a su proveedor de atención médica. A veces es posible tomar medidas para evitar problemas y reducir el riesgo que correría el bebé.

Vacunas

Las vacunas ayudan a prevenir enfermedades que se producen a causa de infecciones. Al igual que con todos los medicamentos, las vacunas deben administrarse durante el embarazo sólo si son necesarias y seguras. Lo mejor es recibir todas las vacunas antes de quedar embarazada. Si es necesario administrar alguna vacuna durante el embarazo, es mejorar esperar hasta el cuarto mes.

Evite estar expuesta al sarampión, la rubéola, las paperas y la varicela durante el embarazo. Vacúnese contra el sarampión, la rubéola y las paperas por lo menos 1 mes antes de quedar embarazada. También debe recibir la vacuna contra la varicela por lo menos 1 mes antes de quedar embarazada. Las vacunas son seguras para usted y su bebé durante la lactancia. Las mujeres embarazadas también deben vacunarse contra la gripe si estarán embarazadas durante la temporada de la gripe (de octubre a marzo)

Las siguientes vacunas por lo general no se administran a las mujeres embarazadas, pero los beneficios podrían ser mayores que los riesgos si tiene la probabilidad de entrar en contacto con estas infecciones:

- Virus de hepatitis A
- *Virus de hepatitis B*
- Pulmonía por neumococos
- Rabia
- Polio
- Vacuna de refuerzo contra tétanos, difteria y tos ferina o vacuna de refuerzo contra el tétanos según su necesidad de protegerse contra el tétanos o la difteria durante el embarazo.

Evite vacunarse contra las siguientes enfermedades durante el embarazo:

- Enfermedad de Lyme
- Sarampión
- Paperas
- Rubéola
- Varicela

La mejor manera de protegerse contra las infecciones es tomar medidas para prevenirlas:

- Sepa las enfermedades de la niñez que ha tenido y asegúrese de que sus vacunas estén al día antes de quedar embarazada.
- Sepa cuáles son los síntomas de una infección para avisarle a su proveedor de atención médica de inmediato si presenta alguno.
- Compórtese en formas que eviten aumentar su riesgo de contraer una infección.
- Siga buenas costumbres de higiene, como lavarse a menudo las manos.
- Evite tener contacto con personas enfermas.

Estreptococo del grupo B

Casi un 10% al 30% de las mujeres embarazadas tienen una bacteria que se denomina estreptococo del grupo B (EGB). En las mujeres, esta bacteria puede estar alojada en la *vagina* y el recto. Tanto los hombres como las mujeres pueden tener estreptococo del grupo B y por lo general la bacteria vive en el cuerpo sin causar daño alguno, por lo que no presentará síntomas.

Aunque el estreptococo del grupo B es bastante común durante el embarazo, son muy pocos los bebés que se enferman por la infección de esta bacteria. Si la bacteria se transmite de la mujer al bebé, el bebé puede infectarse. Esto ocurre en raras ocasiones (sólo 1% al 2% de los bebés se infectan). Los bebés que se infectan pueden presentar infecciones al poco tiempo de contagiarse con la bacteria o posteriormente:

- *Infecciones de inicio temprano*—El bebé por lo general se enferma al cabo de 6 horas del parto o hasta los 7 primeros días. Estas infecciones pueden causar problemas graves, como inflamación del cerebro (meningitis), pulmonía y fiebre. Casi un 5% de los bebés con infecciones de inicio temprano mueren aun al recibir tratamiento inmediato.

- *Infecciones de inicio tardío*—El bebé se infecta al cabo de una semana hasta varios meses después del parto. Aproximadamente la mitad de las infecciones que se contraen posteriormente se transmiten de la madre al bebé durante el parto. El resto de las infecciones provienen de otras fuentes, como del contacto con personas con estreptococo del grupo B. Las infecciones de inicio tardío son peligrosas y pueden causar meningitis.

Debido a que las mujeres infectadas con estreptococo del grupo B no presentan síntomas, todas las mujeres embarazadas reciben una prueba de detección de estreptococo del grupo B como parte de sus visitas de *atención prenatal*.

Esta prueba por lo general se realiza entre la semana 35 y 37 de embarazo y se hace por medio de un cultivo de la vagina y el área rectal. Este cultivo entonces se examina para detectar la presencia de estreptococo del grupo B. Si los resultados revelan que estas bacterias están presentes, se administrarán **antibióticos** durante el trabajo de parto para evitar que se infecte el bebé.

No es necesario hacerles la prueba de estreptococo del grupo B a algunas mujeres. Si tuvo un hijo anteriormente con una infección de estreptococo del grupo B, no le harán la prueba, pero recibirá antibióticos durante el trabajo de parto. Si le detectan bacterias de estreptococo del grupo B en la **orina** en algún momento durante el embarazo, tampoco le harán la prueba y recibirá antibióticos durante el trabajo de parto.

Infecciones de las vías urinarias

Las infecciones de las vías urinarias son infecciones de la **vejiga**, los **riñones** o la **uretra**, y son comunes durante el embarazo. Casos graves de estas infecciones pueden ser perjudiciales para usted y su bebé, por ello, es importante tratar las infecciones con prontitud. Debido a que algunas infecciones de las vías urinarias no producen síntomas, le harán pruebas para detectarlas en la primera visita prenatal. Si se detecta una infección, puede tratarse fácilmente con antibióticos.

Cuando una infección de la vejiga produce síntomas, sentirá ardor doloroso al orinar. Las infecciones de la vejiga hacen que sienta una mayor necesidad de orinar, que la orina tenga sangre y que presente dolor abdominal.

Si no se trata una infección de la vejiga o no se cura con tratamiento, puede causar una infección de los riñones. Es importante tomarse todo el medicamento recetado para tratar la infección de la vejiga, aun cuando deje de tener síntomas. La infección de los riñones puede producir síntomas como escalofríos, fiebre, dolor de espalda, latido cardíaco acelerado, y náuseas o vómitos. Comuníquese de inmediato con su proveedor de atención médica si presenta cualquiera de estos síntomas para que reciba tratamiento con antibióticos. Las infecciones de riñones que no se tratan pueden causar trabajo de parto prematuro o infecciones graves.

Tuberculosis

La **tuberculosis** es una enfermedad bacteriana que se transmite por el aire. Se contrae cuando una persona infectada tose o estornuda. Por lo general, la infección ocurre en los pulmones.

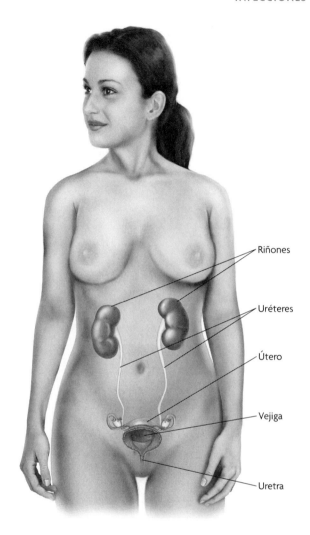

Riñones

Uréteres

Útero

Vejiga

Uretra

Vías urinarias de la mujer. Si no se tratan, las infecciones de la vejiga pueden diseminarse a los riñones.

Si su proveedor de atención médica determina que tiene factores de riesgo para la tuberculosis, como haberse trasladado de un país con una tasa elevada de esta infección, le harán la prueba de Mantoux durante el embarazo. Esta prueba contiene un derivado de proteína purificada. Si el resultado es positivo, le harán una radiografía del pecho para confirmarlo.

La tuberculosis puede estar activa o latente. La gente con tuberculosis activa puede tener síntomas como fiebre, pérdida de peso, sudor nocturno, tos, dolor de pecho y agotamiento. La infección activa por lo general aparece en una radiografía del pecho.

La tuberculosis latente, sin embargo, por lo general no produce síntomas y no se detecta en una radiografía del pecho. La mayoría de la gente infectada con tuberculosis tiene la forma latente de esta enfermedad. Sin embargo, sus cuerpos pueden detener la propagación de la bacteria. La bacteria se vuelve inactiva pero permanece viva en el cuerpo y puede activarse posteriormente.

En la mayoría de las mujeres embarazadas, el tratamiento de la infección latente de la tuberculosis debe prorrogarse hasta que hayan transcurrido 2 ó 3 meses después del parto. Si la tuberculosis está latente pero amenaza con volverse activa, el tratamiento debe comenzar de inmediato. Hay muchos medicamentos que se usan para tratar la tuberculosis latente y deberá tomarse el medicamento durante 2 a 9 meses. Es importante terminar con el tratamiento. Puede lactar con seguridad aunque esté bajo tratamiento después de que nazca el bebé.

Si tiene tuberculosis activa, deberá recibir tratamiento con varios medicamentos durante por lo menos 9 meses. La mayoría de los medicamentos que se usan para tratar la tuberculosis son seguros y pueden administrarse durante el embarazo. El bebé también puede recibir tratamiento para la tuberculosis después de nacer y así evitar que contraiga la infección. Cuando nazca el bebé, es posible que necesiten mantenerse alejados uno del otro por un tiempo hasta que deje de estar contagiosa.

Enfermedades de transmisión sexual

Las **enfermedades de transmisión sexual (STD)** son infecciones que se contraen por medio del contacto sexual. Pueden producirse a causa de bacterias, virus o parásitos. Las enfermedades de transmisión sexual pueden ser muy perjudiciales para el cuerpo si no se diagnostican ni tratan.

Algunas enfermedades de transmisión sexual pueden ser perjudiciales durante el embarazo. Las mujeres embarazadas reciben pruebas de detección de algunas enfermedades de transmisión sexual como parte de la atención prenatal rutinaria. También es importante protegerse contra este tipo de infecciones siguiendo las siguientes pautas:

- Limite sus parejas sexuales. Cuantas más parejas sexuales tenga, mayor será su riesgo de contraer una infección de transmisión sexual.

- Conozca a su pareja. Pregúntele a su pareja sobre su historial sexual. Pregunte además si ha tenido una enfermedad de transmisión sexual. Aunque su pareja no presente síntomas, puede estar infectada.

- Use un condón (profiláctico). Los condones masculinos y femeninos se venden sin receta en las farmacias y la ayudan a protegerse contra una enfermedad de transmisión sexual.

- Evite tener contacto directo con llagas en los **genitales**.

Herpes genital

El **herpes genital** es una infección que puede producir llagas y ampollas dolorosas en los órganos sexuales o alrededor de estos, así como en la boca, los ojos y los dedos. Otros síntomas son glándulas hinchadas, fiebre, escalofrío, dolores musculares, agotamiento y náuseas. A veces, sin embargo, no surgen síntomas.

Esta infección se transmite mediante el contacto directo con una persona con llagas activas. En algunos casos, el virus puede transmitirse a otras personas aun cuando las llagas han sanado. Aunque las llagas se sanen, el virus permanece en el cuerpo hasta que algo provoque un nuevo episodio, y vuelva a tener un brote de llagas. En la mayoría de la gente, estos brotes no son tan dolorosos ni intensos como cuando ocurre el brote inicial.

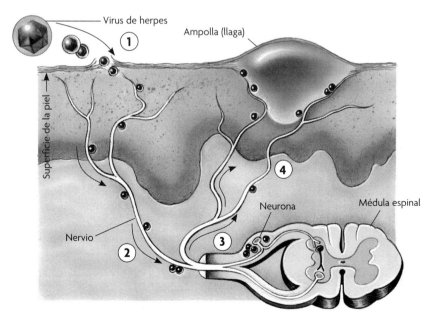

Cómo vuelve a aparecer el herpes después de infectarse. Cuando contrae la infección por primera vez, el virus de herpes atraviesa la piel (1). De ahí viaja por los nervios (2) y se aloja en las neuronas cerca de la columna vertebral (3). Si algo desencadena el virus, este viaja otra vez por los nervios (4) a la superficie de la piel y comienza un nuevo brote.

No hay cura para el herpes genital. Sin embargo, hay medicamentos antivíricos disponibles que pueden prevenir algunos brotes o reducir la duración o intensidad de los mismos. Es vital tomarse estos medicamentos todos los días.

En casos raros, los recién nacidos se pueden infectar con el virus de herpes durante el parto si la madre tiene llagas de herpes en la fecha del parto. Las infecciones de herpes en los recién nacidos pueden perjudicar el sistema nervioso, causar ceguera, retraso mental o la muerte. El riesgo es mayor cuando la mujer contrae herpes por primera vez durante las últimas semanas de embarazo.

Si alguna vez ha tenido herpes genital o tiene relaciones sexuales con una persona que tiene esta infección, dígaselo a su proveedor de atención médica. Se recomienda que las mujeres con historial de herpes reciban medicamentos antivíricos durante las últimas 4 semanas de embarazo. Se ha comprobado que este tratamiento reduce la incidencia de un nuevo episodio de herpes durante el parto. Si ha tenido herpes anteriormente pero no tiene llagas de herpes durante el parto, el bebé puede nacer por vía vaginal. Si hay indicios de una infección activa durante el trabajo de parto, es posible que necesite dar a luz a su bebé por cesárea para reducir la probabilidad de infectarlo.

Si su pareja sexual tiene herpes, deberá tomar medidas adicionales para no contraer la infección durante el embarazo. Su proveedor de atención médica puede recomendarle un medicamento antivírico a usted o a su pareja. Use condones cuando tenga relaciones sexuales (aunque la eficacia de los condones es de sólo un 50% con respecto a reducir la transmisión del virus de herpes). En las últimas 6 a 8 semanas de embarazo, no debe tener ningún tipo de contacto sexual si su pareja ha tenido un brote (si su pareja tiene herpes oral, se debe evitar el contacto oral y genital).

Gonorrea y clamidia

La *gonorrea* y la *clamidia* son enfermedades provocadas por bacterias. Las mujeres de 25 años y menores corren un riesgo mayor de contraer estas infecciones, aunque pueden ocurrir a cualquier edad. Estas infecciones se pueden presentar en la boca, los órganos reproductores y el recto. En las mujeres, estas infecciones ocurren con más frecuencia en el *cuello uterino*. Del cuello uterino, las bacterias se pueden diseminar al *útero* y las *trompas de Falopio*, y causar una *enfermedad inflamatoria pélvica*. La enfermedad inflamatoria pélvica es una infección peligrosa que puede lesionar las trompas de Falopio y por consiguiente causar infertilidad. La formación de tejido cicatrizante que se crea debido a la lesión de una enfermedad inflamatoria pélvica también aumenta el riesgo de tener un *embarazo ectópico*.

Las mujeres infectadas con clamidia o gonorrea corren un peligro mayor de aborto espontáneo, **ruptura prematura de membranas** y **parto prematuro**. La infección se puede transmitir de la madre al bebé. Los bebés de madres infectadas pueden tener conjuntivitis (una infección de los ojos) o defectos congénitos. La clamidia puede causarle pulmonía a un bebé infectado. Para evitar la conjuntivitis, se les da tratamiento a los ojos de todos los recién nacidos independientemente de si la madre está o no infectada.

Las mujeres con clamidia o gonorrea a menudo no presentan síntomas o estos son leves. Algunos síntomas son los siguientes:

- Secreción de la vagina de la mujer o el pene del hombre
- Dolor al orinar o necesidad frecuente de orinar
- Dolor en la pelvis o el abdomen
- Ardor o comezón (picazón) en el área de la vagina
- Enrojecimiento o hinchazón de la **vulva**
- Sangrado entre periodos
- Dolor de garganta con o sin fiebre
- Glándulas linfáticas hinchadas o agrandadas

Todas las mujeres embarazadas reciben una prueba de clamidia en las primeras etapas del embarazo y también se hacen pruebas de diagnóstico a las mujeres con ciertos factores de riesgo más adelante en el embarazo. Las mujeres que corren un mayor peligro de contraer gonorrea o que presentan síntomas reciben una prueba para detectar la infección a principios del embarazo y nuevamente en el tercer trimestre. Estas infecciones se tratan con antibióticos durante el embarazo.

Virus de inmunodeficiencia humana

El **virus de inmunodeficiencia humana** (**VIH**) se transmite mediante el contacto con los líquidos del cuerpo, principalmente sangre o semen, de una persona infectada. Las formas más comunes de transmitir esta infección son a través del contacto sexual y al compartir las agujas que se usan para inyectarse drogas.

Una vez que se encuentra en el cuerpo, el VIH destruye las células que forman parte del sistema inmunitario, la defensa natural del cuerpo contra las enfermedades. Al hacerlo, el organismo queda expuesto a infecciones que pueden causar la muerte. Cuando una persona con VIH contrae una de estas infecciones o tiene un nivel muy bajo de células del sistema inmunitario, se dice que tiene el **síndrome de inmunodeficiencia adquirida** (**SIDA**).

Una vez que se contrae la infección del VIH, no hay cura. La persona infectada tendrá el virus por el resto de su vida. En la mayoría de los casos, la persona infectada con el VIH no se enferma de inmediato y en algunas personas los síntomas pueden aparecer al cabo de 5 años. A veces las personas infectadas con el VIH tienen una enfermedad breve, como gripe. Los síntomas que se producen posteriormente son, entre otros, pérdida de peso, agotamiento, ganglios linfáticos hinchados, sudor nocturno, fiebre, diarrea y tos.

El VIH puede transmitirse de la madre al bebé durante el embarazo, el parto vaginal o al lactar. En Estados Unidos, se calcula que de 120,000 a 160,000 mujeres viven con el VIH, y muchas no saben que están infectadas. Cerca del 80% de estas mujeres están en edad de procrear. Por este motivo, a todas las mujeres embarazadas se les hace la prueba del VIH como parte de las pruebas prenatales rutinarias. Si una mujer embarazada se entera que está infectada, puede comenzar a recibir tratamiento. Si el tratamiento comienza durante el embarazo, el peligro de que el bebé se infecte se reduce en gran medida. Para obtener los mejores resultados, los medicamentos del VIH se deben tomar durante el embarazo, trabajo de parto y el parto. Algunas mujeres podrían beneficiarse de dar a luz por cesárea. Se debe administrar el medicamento también al recién nacido durante las 6 primeras semanas de vida. Una mujer infectada con el VIH no debe lactar a su bebé.

Virus del papiloma humano

El *virus del papiloma humano* (*VPH*) es una infección muy común que se puede transmitir de una persona a otra. Hay más de 100 tipos de VPH y algunos se transmiten por contacto sexual.

Al igual que con muchas enfermedades de transmisión sexual, a menudo no hay indicios del virus del papiloma humano. Sin embargo, algunos tipos de este virus causan verrugas en los genitales y otras partes del cuerpo. Las verrugas se pueden tratar con un medicamento que se aplica en el área o por medio de una cirugía para extraerlas. El tipo de tratamiento depende de dónde se encuentren las verrugas.

Además, algunos tipos de VPH pueden causar cáncer del cuello uterino. Este virus también puede estar asociado con cáncer del ano, la vulva y la vagina. Sin embargo, generalmente las verrugas genitales no están asociadas con cáncer.

No hay cura para el VPH, por ello lo mejor es tratar de prevenirlo. La prueba de Papanicolaou se usa para detectar cambios en las células del cuello uterino que pueden producir cáncer. La mayoría de las mujeres deben hacerse la prueba de Papanicolaou regularmente. El uso de condones con su pareja sexual puede reducir el riesgo de contraer la infección. También hay vacunas que protegen contra algunos tipos de este virus. Aunque no debe vacunarse contra el virus del papiloma humano durante el embarazo, puede hacerlo mientras lacta.

Sífilis

La *sífilis* la causan ciertos organismos que se denominan espiroquetas. Esta infección puede ocurrir en etapas. En algunas etapas se transmite más fácilmente que en otras. Si no se le da tratamiento, la sífilis puede lesionar el corazón y el cerebro, causar ceguera, demencia y provocar la muerte. Si se detecta y trata a tiempo, el daño puede ser menor.

Una mujer puede transmitirle sífilis a su bebé por medio del torrente sanguíneo. Esta infección puede provocar un aborto espontáneo, el nacimiento de un niño muerto o la ruptura prematura de membranas. Los bebés que nacen con sífilis pueden tener defectos congénitos. Aunque el tratamiento del bebé infectado después de nacer a menudo evita que ocurra más daño, no es posible revertir el daño ya ocasionado.

La sífilis puede ser difícil de detectar en la mujer. La llaga que marca el sitio de la infección—denominada *chancro*—no es dolorosa. Podría estar alojada en la vagina y por lo tanto no se puede ver. El chancro aparece sólo en las primeras etapas de la sífilis. Los síntomas que se presentan posteriormente consisten en sarpullido, falta de energía o fiebre leve.

En las etapas iniciales de la sífilis, puede realizarse un análisis de sangre que a veces detecta la enfermedad. Si se observa un chancro, la infección puede diagnosticarse raspando tejido del chancro. Aunque el chancro desaparece por su cuenta sin tratamiento, la infección continúa. Una vez que desaparece el chancro, la única forma confiable de diagnosticar la sífilis es mediante un análisis de sangre.

Todas las mujeres reciben una prueba de sífilis en las primeras etapas del embarazo. Cuando se administra tratamiento durante los 3 ó 4 meses iniciales del embarazo es posible evitar que se produzcan daños a largo plazo.

Tricomoniasis

La *tricomoniasis* es una enfermedad que la produce el parásito microscópico *Trichomonas vaginalis*. Las mujeres con tricomoniasis corren un mayor riesgo de tener otra enfermedad de transmisión sexual. La tricomoniasis puede exponerla a ciertos problemas en el embarazo, como ruptura prematura de membranas y parto prematuro.

Los indicios de tricomoniasis son secreción vaginal gris amarillenta o verdosa. Esta secreción puede oler a pescado. También puede ocurrir picazón (comezón), irritación, enrojecimiento e hinchazón de la vulva. A veces, ocurre dolor al orinar. A menudo, la mujer no presenta síntomas o estos son leves. La tricomoniasis se puede tratar durante el embarazo con medicamentos.

Vaginosis bacteriana

Cuando hay un desequilibrio en las bacterias que se proliferan en la vagina, se puede producir una infección que se llama *vaginosis bacteriana*. Esta es la causa más común de secreción vaginal con olor a pescado. La vaginosis bacteriana no es una enfermedad de transmisión sexual. Algunos estudios indican que las mujeres que tienen esta infección durante el embarazo corren un riesgo mayor de tener un parto **prematuro** o **ruptura prematura de membranas**. Sin embargo, otros estudios no revelan esta asociación.

La vaginosis bacteriana puede causar una secreción poco densa grisácea o blanca. El olor puede ser más intenso después de tener relaciones sexuales. También puede ocurrir picazón (comezón) alrededor de la vagina. Sin embargo, el 50% de las mujeres con vaginosis bacteriana no presentan síntomas. Si se diagnostica vaginosis bacteriana durante el embarazo en una mujer con síntomas, se tratará con medicamentos.

Listeriosis

La **listeriosis** es una infección peligrosa que ocurre al comer alimentos contaminados con la bacteria *Listeria monocytogenes*. La probabilidad de que una mujer embarazada contraiga listeriosis es 20 veces mayor que la de los demás adultos sanos, y un tercio de los casos de listeriosis ocurren durante el embarazo.

Si se infecta durante el embarazo, puede presentar síntomas semejantes a la gripe. Sin embargo, la infección es muy peligrosa y puede provocar un aborto espontáneo, el nacimiento de un niño muerto, parto prematuro o infección del bebé.

Para reducir su riesgo de contraer listeriosis, siga estas precauciones:

- Cocine bien todos los alimentos crudos provenientes de animales, como las carnes de res, cerdo o aves.

- No coma *hot dogs*, fiambres, boloña ni ninguna otra carne en conserva a menos que se hayan vuelto a calentar a una temperatura bien alta.

- Lave bien las verduras crudas antes de comérselas.

- Mantenga separadas las carnes crudas de las verduras y de los alimentos cocidos listos para comer.

- Evite ingerir leche sin pasteurizar (sin procesar) o alimentos preparados con leche sin pasteurizar.

- Lávese las manos y lave los cuchillos y picadores después de preparar alimentos crudos.

Hepatitis

La *hepatitis* es una infección viral que afecta al hígado. Los cuatro tipos más comunes de infecciones de hepatitis son el virus de hepatitis A, *virus de hepatitis B*, virus de hepatitis C y virus de hepatitis D. El virus de hepatitis A no se puede transmitir a otras personas y el virus de hepatitis D ocurre en raras ocasiones. El virus de hepatitis B es el más preocupante durante el embarazo ya que tiene una mayor probabilidad de transmitirse al bebé.

El virus de hepatitis B se puede transmitir entre una persona y otra a través de líquidos corporales infectados, como sangre, semen, líquidos vaginales y saliva. Las siguientes actividades exponen más a una persona a contraer una infección del virus de hepatitis B:

- Inyectarse drogas y compartir agujas
- Tener varios compañeros sexuales
- Trabajar en un empleo relacionado con la salud que la exponga a sangre y productos sanguíneos
- Vivir con una persona infectada con el virus de hepatitis B
- Recibir productos sanguíneos (por ejemplo, para un trastorno de la coagulación)

Algunas personas infectadas con el virus de hepatitis B tienen hepatitis crónica. La hepatitis crónica puede ser potencialmente mortal y causar *cirrosis* (endurecimiento) del hígado y cáncer del hígado. La mayoría de las personas que contrae hepatitis no puede transmitirla a otras personas una vez que la hepatitis se haya curado.

Es posible que algunas personas con el virus de hepatitis B no se sientan enfermas ni muestren indicios de la enfermedad. Sin embargo, son *portadoras* de la infección. Es decir, tienen el virus en el cuerpo y pueden contagiar a otras personas.

Todas las mujeres embarazadas deben tener una prueba del virus de hepatitis B. La infección puede ser difícil de diagnosticar sin dichas pruebas ya que los síntomas—náuseas y vómitos—ocurren a menudo en el embarazo de todas formas. Si es posible que esté infectada, el médico le administrará *inmunoglobulina de hepatitis B*. Esta sustancia contiene anticuerpos contra el virus y puede reducir la gravedad de la enfermedad. También se receta reposar, llevar una dieta sana e ingerir líquidos.

Una mujer portadora puede transmitirle el virus de hepatitis B a su bebé durante el parto. La probabilidad de que el bebé contraiga el virus depende de cuándo se infectó la madre. Si fue durante las primeras semanas de embarazo, la probabilidad es de menos de un 10% de que el bebé se infecte con el virus. Si fue más tarde en el embarazo, la probabilidad de que el bebé se infecte podría ser de un 90%. La hepatitis puede ser una infección peligrosa o incluso potencialmente mortal en los bebés. Aun los bebés que aparentan estar bien corren riesgo de presentar problemas graves de salud.

Los recién nacidos infectados tienen un alto riesgo (hasta un 90%) de convertirse en portadores crónicos de hepatitis B. Si se convierten en portadores, como adultos tienen un 25% de probabilidad de morir de cirrosis o cáncer del hígado.

Hay una vacuna disponible para prevenir la infección del virus de hepatitis B. Todos los adolescentes o adultos con un riesgo elevado de contraer el virus de hepatitis B deben vacunarse. Los bebés también deben recibir la vacuna. Esta vacuna se administra en tres dosis. Las dos primeras dosis se administran con un mes de intervalo entre cada dosis y la tercera al cabo de 6 meses.

Los bebés que nacen de madres infectadas también recibirán la inmunoglobulina de hepatitis B al poco tiempo de nacer. Con este tratamiento, la probabilidad de que el bebé contraiga la infección es de sólo 1 en 20. Si el bebé recibe la vacuna, puede lactarlo sin riesgo.

Rubéola

La rubéola (que también se conoce como sarampión alemán) es un virus que causa fiebre, ganglios linfáticos hinchados, dolor en las articulaciones y sarpullido. La rubéola ocurre raras veces en Estados Unidos porque la mayoría de la gente se ha vacunado contra ella en la niñez.

Si nunca se vacunó en la infancia, es posible infectarse como adulta y durante el embarazo. Si esto ocurre, la rubéola puede ser peligrosa. Esta infección puede causar un aborto espontáneo o defectos congénitos.

La prueba de detección de rubéola se hace como parte de la *atención prenatal*. Si no es inmune, no la vacunarán contra la rubéola durante el embarazo. Sin embargo, puede recibir la vacuna después de dar a luz para protegerse en el futuro.

Citomegalovirus

El citomegalovirus (CMV) es el virus más común que se transmite durante el embarazo. Las personas que corren un riesgo mayor de contraer esta infección son los trabajadores médicos y de laboratorio, las madres de niños pequeños en centros de cuidado de niños (guarderías) y los proveedores que cuidan niños.

Es difícil detectar el citomegalovirus debido a que rara vez produce síntomas. Cuando se detecta, sin embargo, los síntomas son, entre otros, fiebre, dolor de garganta y agotamiento. Las mujeres infectadas pueden transmitir la infección a sus bebés durante el embarazo, parto o al lactar. Sin embargo, los bebés saludables que nacen a término de mujeres infectadas con citomegalovirus tienen anticuerpos protectores y se les puede lactar sin problemas.

Cuando una mujer contrae el citomegalovirus por primera vez durante el embarazo, corre un riesgo mayor de contagiar al bebé durante el parto. Al hacerlo, pueden surgir problemas graves, como **ictericia** (piel amarillenta), problemas neurológicos y pérdida auditiva.

Si corre un riesgo mayor de contraer citomegalovirus, hable con su proveedor de atención médica sobre hacerle una prueba. Si la diagnostican con la infección, se recomienda hacer una **amniocentesis** para detectar la infección en el bebé. Se controlará la salud del bebé estrechamente por **ecografía** también.

Toxoplasmosis

La toxoplasmosis es una infección que la causa un parásito y se contrae mediante carnes contaminadas crudas o por animales. La toxoplasmosis a veces no produce síntomas. Cuando los síntomas aparecen, son semejantes a la gripe, como agotamiento y dolores musculares. Si contrae la infección antes de quedar embarazada, no la transmitirá a su bebé. Sin embargo, puede contagiar a su bebé si la contrae por primera vez mientras está embarazada.

Aunque es posible que usted no presente síntomas, el bebé corre peligro de padecer problemas graves, como enfermedades del sistema nervioso y de los ojos. Si se infecta durante el embarazo, puede recibir medicamentos. Se controlará estrechamente su salud y la de su bebé durante el embarazo y después de que nazca el bebé.

Los gatos que salen de la casa y cazan presas salvajes desempeñan una función en la transmisión de la toxoplasmosis. Pueden contraer la infección comiendo roedores, pájaros u otros animales pequeños infectados. El parásito entonces se transmite a las heces del gato. No tiene que deshacerse de su gato mientras esté embarazada, pero necesita tomar algunas precauciones:

- Sólo consuma carne bien cocida.

- Lave los picadores, mostradores de la cocina, utensilios y las manos con agua caliente y jabón cuando entre en contacto directo con carnes, aves o pescado crudos, o con frutas o verduras sin lavar.

- Use guantes cuando trabaje en el jardín o cuando toque tierra o arena ya que pueden estar contaminados con heces de gatos.

- Lávese bien las manos después de trabajar en el jardín o tocar tierra o arena.

- Si tiene un gato que sale fuera de la casa, evite limpiar la caja de arena si es posible. Si no hay quien lo haga, use guantes desechables y lávese bien las manos con agua y jabón cuando termine. Limpie la caja de arena todos los días. (Las cajas de arena limpias no son peligrosas; son las cajas de arena usadas las que pueden transmitir la infección).

- No adopte ni toque gatos callejeros, especialmente los gatitos. No adopte un gato nuevo mientras esté embarazada.

Parvovirus

El parvovirus es una infección contagiosa que se conoce como eritema infeccioso o también "quinta enfermedad". Es común entre los niños en edad escolar, y si la contrajo durante la infancia, es probable que no se vuelva a infectar otra vez.

El parvovirus puede causar síntomas semejantes a los de la gripe, seguido de sarpullido en las mejillas, los brazos y las piernas. También puede producir dolor e hinchazón en las articulaciones que puede durar varios días o semanas.

Si cree que ha estado expuesta al parvovirus o presenta cualquiera de los síntomas, acuda a su proveedor de atención médica para que le hagan un análisis de sangre y confirmen si está infectada. Las mujeres embarazadas rara vez presentan problemas a causa del parvovirus. En algunos casos, hay la probabilidad de que el bebé tenga *anemia*. Si la diagnostican con parvovirus, su proveedor de atención médica controlará su salud y la de su bebé para asegurarse de que se mantengan sanos.

Gripe

La gripe (o influenza) es una infección contagiosa del sistema respiratorio. La causa un virus. Los síntomas principales consisten en fiebre, dolor de cabeza, agotamiento, dolores musculares, tos, congestión, goteo nasal y dolor de garganta. El embarazo puede aumentar el riesgo de sufrir complicaciones por la gripe, como pulmonía.

Todas las mujeres embarazadas durante la temporada de la gripe (de octubre a marzo) deben vacunarse contra la gripe. La protección que confiere la vacuna por lo general comienza al cabo de 1 ó 2 semanas de haber recibido la inyección. Esta protección dura 6 meses o más tiempo. La vacuna contra la gripe se considera segura durante cualquier etapa del embarazo. Sin embargo, la vacuna administrada por rociador nasal no está aprobada para usarse en mujeres embarazadas.

Capítulo 27

Problemas de desarrollo

En algunos embarazos, el bebé por nacer no crece ni se desarrolla normalmente. Los bebés pueden ser demasiado pequeños o demasiado grandes y estos dos estados pueden causar complicaciones para el bebé y la madre. Su proveedor de atención médica controlará su salud durante el transcurso del embarazo si presenta cualquiera de estas dos situaciones.

Retardo del crecimiento intrauterino

Cuando un bebé en desarrollo es más pequeño de lo esperado, puede que se deba a que el bebé sea más pequeño que el tamaño común o tal vez su tamaño sea señal de que está teniendo una dificultad de desarrollo. El término "retardo del crecimiento intrauterino" se usa para describir a bebés que están desarrollándose en el *útero* y en quienes el cálculo del peso parece ser menor de lo esperado. El término "pequeño para la edad gestacional" se usa para describir a los bebés que nacen con un peso por debajo de lo normal. Se considera que los bebés son pequeños para la edad gestacional cuando nacen de un tamaño más pequeño que 9 de cada 10 bebés con la misma edad gestacional.

Casi un 25% de los bebés que nacen muertos presentan retardo del crecimiento intrauterino. Hasta la mitad de los bebés afectados con este tipo de retardo presentan complicaciones, como anormalidades de la frecuencia cardíaca durante el trabajo de parto y el parto. También pueden ocurrir consecuencias a largo plazo, como problemas de conducta y de desarrollo, en algunos bebés que nacen demasiado pequeños. El riesgo de presentar complicaciones a largo plazo depende de la causa del retardo del crecimiento intrauterino y su gravedad. Algunos bebés no presentan complicaciones a largo plazo, mientras que otros se ven sumamente afectados. Por ejemplo, si su tamaño pequeño para la edad gestacional se debe a un problema con la **placenta** pero el bebé es de lo contrario normal, es probable que el bebé recupere el peso antes de cumplir 2 años de edad.

Factores de riesgo

La salud de la madre puede ser uno de los factores de riesgo principales para el retardo del crecimiento intrauterino. Algunos problemas médicos crónicos, como los siguientes, pueden exponerla aún más:

- Presión arterial alta
- Enfermedades de los **riñones**
- **Lupus**
- **Diabetes mellitus**
- Ciertas enfermedades cardíacas
- **Anemia** grave

El uso de ciertos medicamentos para tratar algunos padecimientos médicos, como la hipertensión, también puede causar retardo del crecimiento intrauterino. Ciertas situaciones en el embarazo pueden aumentar el riesgo de tener un bebé con retardo del crecimiento intrauterino, como embarazos múltiples y problemas placentarios. Algunas infecciones, como la del citomegalovirus, la exponen más a tener un bebé con este tipo de retardo. Las afecciones que afectan al bebé, como algunos trastornos genéticos, pueden causar retardo del crecimiento intrauterino.

El retardo del crecimiento intrauterino también se puede producir por mala nutrición y hábitos de estilo de vida poco sanos durante el embarazo. Fumar y usar alcohol y drogas ilegales son factores de riesgo comprobados que provocan retardo del crecimiento intrauterino. Una mujer embarazada que fuma tiene una probabilidad tres veces y media mayor de tener un bebé pequeño para la edad gestacional que las que no fuman. No se sabe con certeza cuánto alcohol se requiere para afectar el peso del bebé, pero parece que mientras más alcohol beba una mujer, mayor será su riesgo de tener un bebé más pequeño de lo normal. Las drogas ilegales, como la heroína y la cocaína, aumentan en gran medida el riesgo de tener un bebé pequeño para la edad gestacional. De hecho, hasta un 50% de las mujeres que abusan de la heroína durante el embarazo y hasta un 30% de las mujeres que abusan de la cocaína tienen bebés pequeños para la edad gestacional.

Diagnóstico

Hay varias maneras de diagnosticar retardo del crecimiento intrauterino en el embarazo. Muchos de los exámenes que tendrá durante las visitas de **atención prenatal** fueron diseñados para detectar problemas lo antes posible en el embarazo:

- *Medida de la altura del fondo uterino*—a partir de aproximadamente el 5° mes de embarazo, su proveedor de atención médica medirá la altura del fondo uterino, que es la distancia entre el hueso púbico y la parte superior de útero. Esta medida le permite a su proveedor evaluar el tamaño y el ritmo del desarrollo de su bebé (consulte las páginas 105–107).

- *Ecografía (ultrasonido)*—entre la semana 18 y semana 22, tendrá una **ecografía**. Durante este examen, se toman medidas del bebé que se usan para calcular el peso del niño.

La desventaja de estos métodos es que no son muy exactos. Aproximadamente un 50% de los casos de retardo del crecimiento intrauterino no se detectan durante el embarazo.

Si su proveedor de atención médica sospecha que el bebé presenta retardo del crecimiento intrauterino tras emplear estos métodos, o si tiene factores de riesgo para este problema médico, tendrá ecografías más a menudo (cada 3 a 6 semanas más o menos para llevar un control del desarrollo de su bebé durante el embarazo). Otros exámenes que también se pueden hacer regularmente son la velocimetría Doppler (un examen ecográfico especial que mide el flujo de sangre en la arteria umbilical del bebé), el examen en reposo, la evaluación por monitor con contracciones y el perfil biofísico. Estos exámenes se explican en más detalle en el Capítulo 28, "Evaluaciones para examinar la salud fetal".

Tratamiento

Se tratará de determinar la causa del retardo del crecimiento intrauterino del bebé. Si se sospecha que un problema médico es la causa de esta afección, por ejemplo, su proveedor de atención médica se asegurará de que reciba tratamiento óptimo. Si se sospecha que existe un trastorno genético, le harán pruebas para identificar el tipo de trastorno. Sin embargo, aun cuando se determina su causa, es poco lo que se puede hacer durante el embarazo para revertir el retardo del crecimiento intrauterino. Se ha comprobado, no obstante, que dejar de fumar es beneficioso. Las mujeres que dejan de fumar antes de la semana 16 de embarazo tienen bebés cuyo peso al nacer es semejante al de bebés de mujeres que nunca han fumado. Abandonar el hábito de fumar aun en el séptimo mes puede producir un efecto positivo en el peso del bebé.

Prevención

Puede mejorar su probabilidad de tener un bebé con peso normal mediante hábitos sanos de alimentación y asegurándose de recibir todos los nutrientes adecuados recomendados por su proveedor de atención médica y en las secciones de este libro dedicadas a meses específicos. La medida más importante de todas es renunciar a los hábitos que puedan sean perjudiciales. No beba alcohol ni fume mientras esté embarazada. Si usa drogas ilegales, como heroína y cocaína, reciba asesoramiento de inmediato para que pueda abandonar este hábito.

Es importante tomar medidas para evitar tener un bebé más pequeño de lo normal. Hable francamente con su médico si tiene dificultades para abandonar estos hábitos poco sanos para que pueda darle la ayuda que necesita.

Macrosomía

La macrosomía es un término que describe a un bebé que ha crecido demasiado, es decir, que pesa más de 4,000 a 4,500 gramos al nacer (entre 8 libras, 13 onzas y 9 libras, 14 onzas). Hay varios factores de riesgo asociados con la macrosomía, como *diabetes mellitus* pregestacional y gestacional, historial previo de macrosomía, sobrepeso antes del embarazo, aumento excesivo de peso durante el embarazo, haber tenido más de un hijo y estar embarazada con un bebé varón.

La diabetes puede causar macrosomía si el nivel de azúcar en la sangre es elevado durante el embarazo. Si esto ocurre, el bebé recibirá demasiada azúcar y puede crecer excesivamente. Debido a que la macrosomía puede causar problemas durante el parto, es importante controlar la diabetes y seguir al pie de la letra los consejos de su proveedor de atención médica (consulte el Capítulo 19, "Diabetes mellitus", para obtener más información sobre la diabetes en el embarazo.

Diagnóstico

Al igual que el tamaño pequeño para la edad gestacional, es difícil diagnosticar macrosomía. Sólo se diagnostica con certeza después de que nace el bebé. La medida de la altura del fondo uterino y las palpaciones del abdomen, así como las ecografías, se pueden usar para diagnosticar la macrosomía.

Complicaciones

La macrosomía puede causar complicaciones para la madre y el bebé. Los problemas más comunes ocurren durante el trabajo de parto y el parto. Las mujeres con bebés grandes tienen una mayor probabilidad de tener un **parto por cesárea.** El bebé puede afectarse debido a un parto difícil. Los bebés más grandes corren un riesgo mayor de tener un **puntaje Apgar** bajo (consulte el Capítulo 12, "El período de postparto") y mayor tendencia a necesitar atención especializada en una unidad neonatal de atención intensiva.

La distocia de hombros es un problema durante el trabajo de parto y el parto que ocurre cuando los hombros del bebé son demasiado grandes (anchos) para pasar por el canal de parto de la madre. Aunque la distocia de hombros también puede ocurrir en el parto de bebés de tamaño normal, ocurre con más frecuencia en casos de macrosomía. Este problema no se puede pronosticar antes del trabajo de parto. La distocia de hombros puede lesionar al bebé, por ejemplo, causar una fractura de la clavícula o una lesión del plexo braquial. El plexo braquial es un grupo de nervios cerca de los hombros. Estos nervios se pueden comprimir o estirar y esta compresión producir una afección que se llama parálisis de Erb-Duchenne. Este problema médico a menudo se resuelve por su cuenta cerca de la edad de 1 año. Las lesiones del plexo braquial no son comunes y pueden ocurrir también en bebés de tamaño normal, durante un parto por cesárea y en ausencia de distocia de hombros.

Cuando los hombros del bebé tienen dificultad para pasar por el canal de parto, el proveedor de atención médica tratará de alterar la posición de la mujer para abrir más la pelvis. Hay además varias técnicas que se pueden emplear para facilitar el parto de los hombros del bebé y evitar lesiones.

La sospecha de macrosomía no siempre es en sí una indicación de parto por cesárea, debido a que el pronóstico de macrosomía antes del parto es impreciso y porque las cesáreas acarrean más riegos para las madres que los partos vaginales. El bebé puede aún sufrir una lesión cuando se practica el parto por cesárea. No obstante, el parto por cesárea está indicado si se calcula que el bebé pesa más de 5,000 gramos (aproximadamente 11 libras) en las mujeres sin diabetes mellitus y más de 4,500 gramos en las mujeres con este padecimiento.

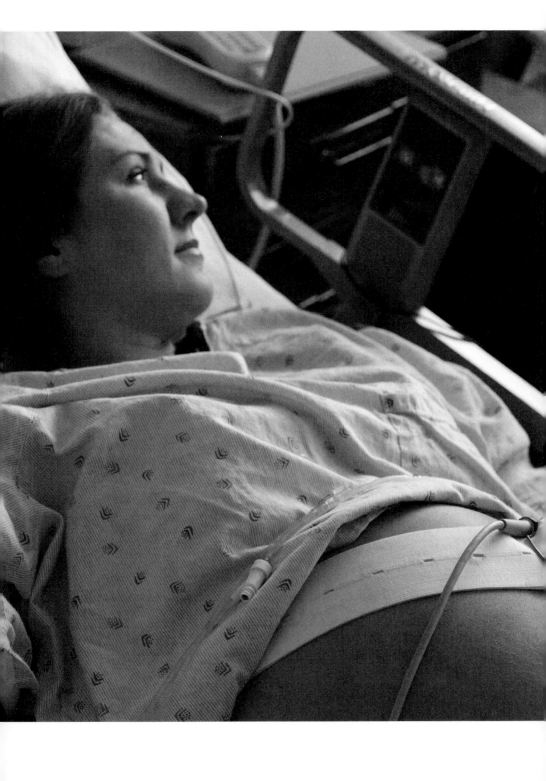

Capítulo 28
Evaluaciones para examinar la salud fetal

Hay muchas técnicas distintas disponibles para examinar el bienestar de su bebé durante el embarazo. Estos exámenes se pueden hacer para confirmar los resultados de otros exámenes o proveerle más información al médico. Los resultados de estos exámenes les permitirán a usted y a su médico sentirse mejor con respecto a su embarazo o determinar si necesita recibir cuidado especial.

La necesidad de emplear exámenes y los tipos que se usarán depende de la etapa en que se encuentre su embarazo, sus factores de riesgo y los resultados de las pruebas y exámenes rutinarios. Algunos de los padecimientos maternales que pueden requerir exámenes más frecuentes son los siguientes:

- Trastornos de la sangre
- Enfermedades de la tiroides
- Enfermedades cardíacas
- **Lupus**
- **Enfermedades de los riñones**
- **Diabetes mellitus**
- Presión arterial alta

Algunas de las afecciones relacionadas al embarazo que pueden indicar la necesidad de realizar exámenes más frecuentes son las siguientes:

- Presión arterial alta debido al embarazo
- Reducción del movimiento fetal
- Cantidad excesiva o deficiente de **líquido amniótico**
- Problemas de desarrollo fetal
- **Embarazo postmaduro**

- *Sensibilización de Rh*
- Muerte fetal previa
- *Embarazo múltiple*, si hay complicaciones

No hay una prueba o examen perfecto. Tenga en cuenta que los exámenes no pueden siempre detectar un problema o que los resultados pueden indicar que hay un problema cuando realmente no lo hay.

Cuándo se hacen exámenes

En la mayoría de los casos, se comienzan a realizar exámenes especiales entre las semanas 32 y 34 de embarazo. Si su bebé presenta problemas de desarrollo o usted tiene más de un padecimiento médico, se pueden comenzar a hacer exámenes al cabo de sólo 26 semanas. Su proveedor de atención médica decide cuándo deben comenzar a realizarse los exámenes sobre la base de los siguientes factores:

- La probabilidad de que sobreviva el bebé si nace antes de tiempo
- La gravedad del padecimiento médico de la madre
- El riesgo del *nacimiento de un niño muerto*

Tipos de exámenes especiales

Los exámenes que se usan para evaluar la salud fetal son el recuento de movimientos fetales, la ecografía (ultrasonido), la ecografía Doppler, el examen por monitor en reposo, el perfil biofísico y la evaluación por monitor con contracciones. Algunos de estos exámenes se repiten regularmente hasta el parto siempre y cuando haya algún peligro presente en el embarazo. Algunos exámenes se hacen semanalmente. En algunos casos de alto riesgo, se pueden hacer dos veces por semana.

Recuento de movimientos fetales

El recuento de movimientos fetales (o también "recuento de patadas") es un examen que puede hacer en casa. Su proveedor de atención médica le dirá la frecuencia con que debe hacerlo y cuándo debe notificar los resultados.

Una manera de hacer el recuento de patadas es determinar cuánto tiempo se tarda el bebé en hacer 10 movimientos. Si se tarda menos de 2 horas, el resultado es "alentador" (que quiere decir que todo marcha bien en ese momento). Una vez que haya sentido 10 movimientos, puede dejar de contar ese día. Este examen se repite a diario. Otra manera de hacer el recuento de pata-das es determinar los movimientos fetales durante 1 hora 3 veces en semana. Debe percibir por lo menos la misma cantidad de movimientos que por lo general siente.

Independientemente del método que use, asegúrese de contar los movi-mientos fetales. No cuente el hipo del bebé, por ejemplo. Además, cuando cuente las patadas, elija el momento de mayor actividad del bebé, como des-pués de una comida.

Si no siente suficiente movimiento, su proveedor de atención médica pue-de hacerle otros exámenes para examinar al bebé. Estos exámenes consisten en el examen por monitor en reposo y la evaluación del líquido amniótico, el perfil biofísico, el perfil biofísico modificado o la evaluación por monitor con contracciones.

Ecografía (ultrasonido)

La *ecografía* crea imágenes o sonidos del bebé a partir de ondas sonoras. Este examen no es perjudicial ni para usted ni para su bebé. La ecografía ofrece información útil sobre su embarazo:

- La edad del bebé
- El peso calculado del bebé
- La ubicación de la **placenta**
- La posición, el movimiento, la respiración y la frecuencia cardíaca del bebé
- La cantidad de líquido amniótico en el útero
- Si está embarazada con más de un bebé

La ecografía también se usa junto con otros exámenes para detectar defectos congénitos en las primeras semanas de embarazo. Si presenta sangrado o do-lor pélvico, le harán una ecografía para determinar su causa.

Cuando un técnico capacitado la realiza por motivos médicos, la ecografía es un procedimiento seguro durante el embarazo. Las ecografías que se hacen sin motivos médicos—como para determinar el sexo del bebé o para conservar una foto de recuerdo—no se recomiendan. Puede incluso infringir las leyes o los reglamentos estatales o locales. La ecografía es una herramienta médica que sólo debe usarse cuando haya un motivo médico válido.

El proveedor de atención médica hará el examen de ecografía mediante el uso de un instrumento denominado transductor. Hay dos tipos de transducto-res: uno que se desplaza sobre el abdomen (*ecografía transabdominal*) y otro que se introduce en la vagina (*ecografía transvaginal*).

En la ecografía transabdominal, necesitará acostarse boca arriba sobre una camilla con el abdomen expuesto. Se usa un gel en el abdomen para mejorar el

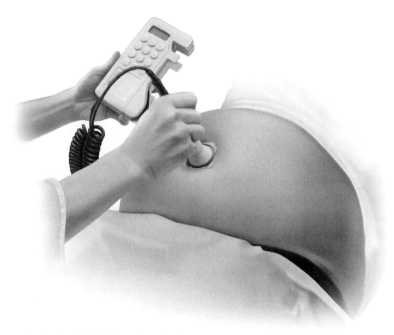

Monitorización del latido cardíaco fetal. Durante este examen, se usa un instrumento pequeño manual que se presiona contra el abdomen para detectar los latidos cardíacos de su bebé.

contacto entre el transductor y la superficie de la piel. El transductor entonces se desplaza sobre el abdomen y registra las ondas sonoras a medida que rebotan en las distintas partes del bebé. Estas ondas sonoras proyectan imágenes que se visualizan en una pantalla. En la ecografía transvaginal, se introduce un transductor en la vagina para ver los órganos pélvicos y el bebé y proyecta imágenes de la misma manera. Ambos tipos de ecografías se ilustran en la página 59.

Si el desarrollo del bebé no es adecuado, le harán ecografías cada 2 a 4 semanas. Si los resultados "no son alentadores" (que quiere decir que es necesario obtener más información para asegurarse de que todo marche bien), se pueden hacer otros exámenes. Estos consisten en la velocimetría Doppler, la evaluación del líquido amniótico o el perfil biofísico.

Velocimetría Doppler

Algunas veces se usa un examen especial de ecografía que se denomina velocimetría Doppler para comprobar cómo fluye la sangre en el **cordón umbilical** del bebé. Este examen usa un tipo de ecografía que le permite al proveedor de atención médica ver y oír el tipo de onda que la misma produce. El examen se realiza si el bebé no se desarrolla normalmente o junto con otros exámenes o pruebas para detectar **anemia** fetal.

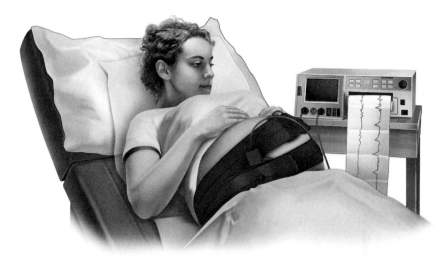

Monitorización electrónica fetal. Durante estos exámenes, le colocarán un cinturón que contiene un dispositivo de ecografía por Doppler.

Monitorización del latido cardíaco fetal

El latido cardíaco del bebé se puede oír mediante un dispositivo de ecografía por Doppler. La ecografía por Doppler convierte las ondas sonoras en señales que pueden oírse. Para detectar los latidos cardíacos de su bebé, se usa un instrumento pequeño manual que se presiona contra el abdomen. Con el dispositivo Doppler, se puede detectar el latido cardíaco fetal al cabo de sólo 12 semanas de gestación.

Examen por monitor en reposo

El *examen por monitor en reposo* mide la frecuencia cardíaca del bebé en reacción a los propios movimientos del bebé; cuando el bebé se mueve, los latidos se aceleran. Estos cambios en la frecuencia cardíaca del bebé son señales de un buen estado de salud.

El examen por monitor en reposo se puede realizar en el consultorio del proveedor de atención médica, en un hospital o en otra instalación de atención médica. Durante el examen por monitor en reposo, necesitará acostarse boca arriba. Le colocarán entonces un cinturón con transductores de ecografía por Doppler alrededor del abdomen. Le indicarán que oprima un botón cada vez que perciba el movimiento del bebé. Al hacerlo, se produce una marca en una hoja que registra el ritmo de la frecuencia cardíaca fetal. (El examen por monitor en reposo también puede hacerse con un instrumento que percibe los movimientos fetales). Este examen dura de 10 a 40 minutos.

Si el bebé no se mueve por un rato durante el examen por monitor en reposo, es posible que esté dormido. Un instrumento parecido a un timbre podría usarse para producir sonidos y vibraciones con el fin de despertar al bebé y causar movimiento. Este examen se conoce como estimulación vibroacústica. El médico puede recomendar también que coma o beba algo para estimular al feto.

Perfil biofísico

El *perfil biofísico* evalúa el bienestar del bebé en estas cinco áreas durante un período de 30 minutos:

1. Frecuencia cardíaca fetal (se hará otra vez el examen en reposo si los resultados de exámenes previos no fueron alentadores)
2. Movimientos respiratorios
3. Movimientos corporales
4. Tono muscular
5. Cantidad de líquido amniótico

A cada una de estas áreas se le asigna una puntuación de 0 a 2 puntos, para un posible total de 10 puntos. Una puntuación de 8 ó 10 es normal.

Al medir la cantidad de líquido amniótico, su proveedor de atención médica puede usar el término "índice de líquido amniótico". En este examen, se usa la ecografía para medir la profundidad del líquido amniótico en cuatro áreas distintas del útero. La suma de estas medidas constituye el índice de líquido amniótico.

A veces se realiza un perfil biofísico modificado. Ese examen consiste en un examen en reposo y el índice de líquido amniótico. El perfil biofísico no afecta adversamente al bebé. Esta evaluación se puede repetir varias veces para controlar el bienestar del bebé. La puntuación ayudará a decidir si necesita recibir atención especial o si el bebé debe nacer antes de lo previsto.

Evaluación por monitor con contracciones

La evaluación por monitor con contracciones mide cómo reacciona la frecuencia cardíaca del bebé ante la contracción del **útero**. Para estimular las contracciones, su proveedor de atención médica le administrará un medicamento que se llama **oxitocina** o le pedirá que se frote los pezones para estimular contracciones leves del útero. La frecuencia cardíaca del bebé se registra a la misma vez que se mide la contracción del útero. La evaluación por monitor con contracciones a menudo se usa si el examen en reposo no revela cambios en el la frecuencia cardíaca del bebé. Sin embargo, la mayoría de los proveedores de atención médica ahora prefieren el perfil biofísico más sencillo.

Durante una contracción, se reduce el flujo sanguíneo que se dirige a la **placenta** por un período breve. Esta reducción del flujo sanguíneo también disminuye brevemente el flujo de oxígeno al bebé. Un bebé sano no se verá afectado por esta breve reducción de oxígeno y la frecuencia cardíaca del bebé permanecerá normal (el resultado del examen es negativo). Si se reduce la frecuencia cardíaca del bebé durante una contracción (el resultado del examen es positivo), esa determinación puede indicar un problema. Por lo general se harán varios exámenes si los resultados de la evaluación por monitor contracciones son positivos.

Resultados de los exámenes

Los resultados de estos exámenes pueden ayudar a su proveedor de atención médica a detectar problemas y tratarlos según sea necesario. Los resultados pueden confirmar los de otras pruebas o bien indicar la necesidad de hacer más exámenes. Tenga en cuenta, sin embargo, que los exámenes no pueden siempre detectar un problema o que los resultados pueden indicar que hay un problema cuando realmente no lo hay.

Aun si los resultados de sus exámenes son alentadores, puede ser necesario repetir algunos exámenes regularmente para asegurarse de que el bebé siga bien durante el resto del embarazo. Si los resultados no son alentadores, repetir los exámenes puede indicarle a su proveedor de atención médica si los resultados fueron correctos. El bebé podría necesitar atención adicional.

Capítulo 29
Nacimiento de un niño muerto

C uando un bebé muere después de las 20 semanas de embarazo, se dice que ha ocurrido el *nacimiento de un niño muerto*. La pérdida de un bebé es trágica y enfrentará sentimientos intensos de tristeza y conmoción. Aunque puede ser útil entender qué pudo haber salido mal, tal vez nunca sepa la respuesta a esa pregunta. Más importante aún, es beneficioso lamentar esta pérdida todo el tiempo que sea necesario y contar con el apoyo de su pareja y sus seres queridos durante este momento difícil.

¿Qué salió mal?

Quizá la pregunta más difícil para su proveedor de atención médica es responder a qué fue lo que pasó. Lamentablemente, se desconocen los motivos de muchos nacimientos de niños muertos. La muerte la pudo haber causado un defecto congénito. También pueden surgir complicaciones durante el trabajo de parto y el parto que provoquen la muerte de un bebé. Algunas de ellas son problemas con la *placenta*, el *cordón umbilical*, infección, falta de oxígeno o una enfermedad maternal.

Si surgen inquietudes relacionadas con su bebé, se usará la *ecografía* para determinar si el niño está vivo. Si su bebé muere en el *útero*, su proveedor de atención médica le hablará sobre las mejores opciones para el parto. A menudo, lo mejor puede ser inducir el trabajo de parto. Esta decisión depende de su estado de salud y de la etapa del embarazo. Su proveedor de atención médica puede recomendarle una *amniocentesis* para obtener información sobre la causa de la muerte del bebé, como debido a una infección o un problema genético.

Después de que nazca el bebé, su proveedor puede pedir hacer una autopsia—un examen de los órganos del bebé—para ayudar a determinar la causa de la muerte. También se puede examinar la placenta para determinar la presencia de algún problema. Aunque el proveedor de atención médica tal vez no pueda determinar la causa exacta de la muerte del bebé, la autopsia podría ayudar a responder a las preguntas sobre lo que sucedió.

Aflicción

La aflicción es una respuesta normal y natural ante la pérdida de un bebé. Es importante que lamente su pérdida todo el tiempo que sea necesario. También debe pasar por todo el período de aflicción para que pueda enfrentar mejor su pérdida y seguir adelante. Recuerde que los sentimientos de aflicción de cada padre o madre son distintos. Es importante hablar con su pareja o con otra persona de su confianza sobre lo que siente.

Etapas de la aflicción

Durante la aflicción es posible sentir una amplia gama de emociones. Al igual que cada embarazo es especial, las distintas reacciones que surgen ante la pérdida de un embarazo también son únicas. Sus experiencias con la muerte, la cultura en la que se haya criado, la función que desempeñe en su familia y lo que crea que los demás esperan de usted influirán en el proceso que siga.

La muerte de un bebé es un suceso profundamente doloroso. Su aflicción puede durar años. El proceso de aflicción conlleva atravesar por ciertas etapas que pueden coincidir y repetirse. Cada persona que atraviese por el proceso de aflicción, se recuperará de su propia manera. Sin embargo, el proceso por lo general sigue un patrón común en muchas personas y consiste en choque, entumecimiento emocional e incredulidad; búsqueda y añoranza; enojo o ira; depresión y soledad; y aceptación.

Choque, entumecimiento emocional e incredulidad

Al enfrentarse a la noticia de la muerte de su bebé, los padres a menudo piensan "Esto no puede estar sucediendo" o "No puede ser cierto". Tal vez niegue que el suceso haya ocurrido. Puede que tenga dificultad para comprender la noticia o que no sienta absolutamente nada. Aunque usted y su pareja se encuentren juntas físicamente, cada uno puede tener una sensación muy privada de aislamiento o vacío.

Búsqueda y añoranza

Estos sentimientos tienden a coincidir con el choque emocional inicial y se vuelven cada vez más intensos. Puede que comience a buscar el motivo de la muerte del bebé: ¿quién o qué le causó la muerte? Es común durante esta etapa sentirse sumamente culpable. Tal vez piense que de alguna manera usted provocó la muerte del bebé y se culpe por lo que hizo o no hizo. Es posible que sueñe con el bebé y añore la vida que pudo haber tenido con él o ella.

Cómo lidiar con el dolor

Lamentar la pérdida toma tiempo. Hay algunas medidas que puede tomar para lidiar un poco mejor con el dolor:

- *Despídase*—En el momento en que nazca su bebé, a menudo es útil sostener al bebé en sus brazos y decirle adiós. El personal del hospital tomará fotos de su bebé o le dará algunos objetos de recuerdo, como el gorrito del bebé, una huella digital de la mano o el pie, un brazalete de identificación o la tarjeta de la cuna de su bebé. Si no se los ofrecen, pídalos.

- *Exprese lo que siente*—Hable sobre sus sentimientos con su pareja, familia y amistades. Puede ser útil escribir lo que siente en un diario o en cartas al bebé y otras personas.

- *Pida ayuda*—Dígales a sus familiares y amistades lo que pueden hacer para ayudarlos a usted y su pareja, ya sea con la preparación de comidas, las tareas del hogar, mandados o simplemente acompañarla.

- *Cuídese*—Aliméntese bien, trate de dormir lo suficiente todas las noches y manténgase físicamente activa. Evite usar alcohol o drogas para lidiar con la aflicción.

- *Elija un nombre*—Nombrar al bebé ayuda a darle una identidad. El nombre le permite a usted, sus amistades y su familia hablar de él o ella por su nombre específico, no sólo "del bebé que perdió". Es posible que desee usar el nombre que escogió inicialmente o elegir otro.

- *Planee un entierro o servicio conmemorativo*—a muchos padres les consuela en gran medida que la familia y las amistades reconozcan la vida y la muerte de sus bebés y expresen la pena durante un servicio especial. Puede que desee comunicarse con una funeraria para programar el entierro o la cremación.

Enojo o ira

"¿Qué hice para merecer esto?" y "¿Cómo es posible que esto me esté sucediendo?" son sentimientos comunes que se suscitan después de la muerte de un bebé. En esta etapa de la aflicción puede que dirija su ira contra su pareja, los médicos o el proveedor de atención médica, el personal del hospital o incluso contra otras mujeres cuyos bebés nacieron saludables. Si usted y su pareja están enojados uno con el otro, puede que les resulte difícil darse consuelo. Es bueno aceptar la ira, expresarla y deshacerse de ella. La ira se vuelve peligrosa a la salud cuando se reprime y se dirige a su propia persona.

Depresión y soledad

En esta etapa, toma conciencia de que ha perdido a su bebé. Puede que se sienta cansada, triste e impotente. Tal vez tenga dificultad para reanudar su rutina habitual. Puede que ya no cuente con el apoyo que recibió de los amigos y familiares durante las primeras semanas después de la muerte, aunque todavía necesite consuelo y consideración. Lentamente comenzará a valerse por sí misma y a lidiar con la pena.

Aceptación

En esta etapa final de la aflicción, usted acepta lo que ha sucedido. La muerte de su bebé ya no domina sus pensamientos. Comienza a sentirse renovada con energía. Aunque nunca olvidará a su bebé, empieza a pensar en él o ella con menos frecuencia y menos dolor. Comienza a reanudar su rutina habitual y vida social. Se divierte con sus amistades y hace planes para el futuro. Tal vez se sienta lista para comenzar a planificar su próximo embarazo.

Los aniversarios de la fecha del parto o los cumpleaños del bebé pueden ser períodos tristes. Debe planear su próximo embarazo cuando se sienta física y emocionalmente lista para quedar embarazada otra vez (consulte "Otro embarazo" en la página 459).

Mientras acepta la muerte de su bebé, puede sentirse culpable sobre haber pasado por lo peor de su aflicción. Sin embargo, es bueno aceptar lo que ha sucedido. Una parte normal de la vida es comenzar a planear su futuro. Seguir adelante no quiere decir que olvidará a su bebé; sólo significa que se está recuperando y está lista para aceptar lo que la vida tiene que ofrecerle.

Usted y su pareja

La relación con su pareja podría verse afectada por la tensión de la pérdida del bebé. Es posible que tengan dificultad para comunicar los pensamientos y sentimientos uno con otro. Uno o ambos podrían sentir hostilidad hacia el otro. Puede que les resulte difícil volver a tener relaciones sexuales o hacer lo que antes disfrutaban. Esta sensación es normal. Traten de tener paciencia el uno con el otro. Dígale a su pareja cuáles son sus necesidades y cómo se siente. Reserve unos momentos para dar afecto, cariño y acercarse más. Pongan más empeño en mantenerse receptivos y honestos.

Durante el proceso de aflicción, es posible que su pareja no reaccione igual que usted. Puede que sus sentimientos sean distintos a los suyos y que sea capaz de seguir adelante antes que usted. Tal vez su pareja no esté lista a la misma vez que usted para hablar sobre la pena. Cada persona debe sentir que puede lamentar la pérdida de su propia manera. Trate de comprender y responder a las necesidades de su pareja y a las suyas también.

Búsqueda de apoyo

Manténgase rodeada de su pareja, familia y amistades para recibir apoyo durante los próximos meses. Tenga en cuenta que usted no está sola. Hay varias personas que tienen los conocimientos y destrezas necesarias para ayudarla. Pídale a su proveedor de atención médica que la encamine a los sistemas de apoyo disponibles en su comunidad. Entre estos figuran las educadoras de parto, los grupos de autoayuda, trabajadores sociales y miembros del clero. Dedíquele tiempo a encontrar el grupo que mejor se adapte a sus necesidades (consulte Recursos informativos).

Muchos padres que lamentan la muerte de sus hijos encuentran beneficioso participar con grupos de padres que han tenido la misma experiencia. Los miembros de estos grupos de apoyo comprenden sus sentimientos, tensiones y temores, y saben el tipo de consideración que necesita.

También puede ser útil recibir terapia profesional para ayudar a mitigar el sufrimiento, la culpa y la depresión. Hablar con un consejero capacitado puede ayudarle a comprender y aceptar lo que ha acontecido. Puede que desee recibir ayuda sólo para usted, para usted y su pareja o para la familia entera.

Otro embarazo

Antes de pensar en quedar embarazada nuevamente, permita que transcurra algún tiempo para que usted y su pareja puedan lidiar con sus sentimientos. Después de perder a un bebé, algunas parejas sienten la necesidad de tener otro bebé de inmediato. Creen que de esa manera se llenará el vacío que sienten o se mitigará el dolor. Un bebé nuevo no puede reemplazar al bebé que ha muerto. Si tiene un bebé al poco tiempo de la muerte del otro bebé, tal vez se le haga difícil pensar en el hijo nuevo como una persona independiente y especial.

Si decide quedar embarazada nuevamente, tenga en cuenta que la probabilidad de perder a otro bebé es muy pequeña en la mayoría de los casos. Aun así, es posible que se sienta ansiosa y preocupada durante el siguiente embarazo. Hable con su proveedor de atención médica sobre la muerte del bebé. Averigüe cuál es la probabilidad de que vuelva a suceder y lo que puede hacer para reducir este riesgo. Su médico o proveedor de atención médica puede recomendarle algunas pruebas o exámenes antes o durante el embarazo para detectar problemas en sus primeras etapas.

El futuro

El dolor de perder a su bebé nunca desaparecerá por completo, pero no será siempre el enfoque principal de su vida y sus pensamientos. Llegará el momento en que usted podrá hablar y pensar sobre el bebé con más facilidad y menos dolor. Un día se encontrará haciendo las cosas que acostumbraba hacer, como disfrutar de actividades favoritas, reanudar amistades y mirar con esperanza hacia el futuro.

Glosario

Aborto espontáneo: Pérdida prematura del embarazo.

Ácido fólico: Vitamina que se ha demostrado que reduce el riesgo de que ocurran ciertos defectos congénitos cuando se toman cantidades suficientes de ella antes y durante el embarazo.

Alfa-fetoproteína (AFP): Proteína que produce el feto en desarrollo; está presente en el líquido amniótico y, en cantidades más pequeñas, en la sangre materna.

Amniocentesis: Procedimiento mediante el cual se emplea una aguja para extraer y analizar una pequeña cantidad de líquido amniótico del saco que rodea al feto.

Analgésico: Medicamento que alivia el dolor sin causar la pérdida del conocimiento.

Anencefalia: Tipo de defecto del tubo neural que ocurre cuando la cabeza y el cerebro del feto no se desarrollan normalmente.

Anemia: Niveles anormalmente bajos de sangre o glóbulos rojos en la sangre. En la mayoría de los casos se debe a una deficiencia o ausencia de hierro.

Anestesia: Alivio del dolor mediante la pérdida de la sensación.

Anestesia general: Uso de medicamentos que producen un estado semejante a la somnolencia para evitar el dolor durante una cirugía.

Anestesia local: Uso de medicamentos para evitar el dolor en cierta parte del cuerpo.

Anestesia regional: Uso de medicamentos para bloquear la sensación en ciertas partes del cuerpo.

Anestésico: Medicamento que se usa para aliviar el dolor.

Anestesiólogo: Médico que se especializa en aliviar el dolor.

Anorexia nervosa: Trastorno de la alimentación en el cual una imagen distorsionada del cuerpo causa que una persona lleve una dieta excesivamente estricta.

Antibióticos: Medicamentos que se administran para tratar infecciones.

Anticonceptivos orales: Píldoras anticonceptivas que contienen hormonas que evitan la ovulación y, por consiguiente, un embarazo.

Anticuerpo: Proteína en la sangre que se produce debido a la reacción ante una sustancia extraña.

Antidepresivos: Medicamentos que se emplean para tratar la depresión.

Antígeno: Sustancia, como un organismo que causa infecciones o una proteína en la superficie de las células sanguíneas, que puede inducir una respuesta inmunitaria y causar la producción de un anticuerpo.

Aréola: La piel más oscura que rodea el pezón.

Atención prenatal: Programa de atención médica para una mujer embarazada antes del nacimiento del bebé.

Bajo peso al nacer: Peso de menos de 5 ½ libras al nacer.

Bazo: Órgano ubicado en el abdomen que almacena sangre, atrapa organismos para su destrucción posterior por parte del sistema inmunitario y crea células que se deshacen de glóbulos sanguíneos viejos o desgastados.

Bloqueo epidural: Tipo de anestesia que se administra a través de una sonda colocada en el espacio de la base de la columna vertebral.

Bloqueo raquídeo: Tipo de anestesia en que se administra un medicamento en el líquido cefalorraquídeo para reducir el dolor del trabajo de parto o proveer anestesia para un parto por cesárea.

Bulimia nervosa: Trastorno de la alimentación en que la persona come excesivamente y luego induce el vómito o abusa de laxantes.

Calcio: Mineral almacenado en los huesos que permite fortalecerlos.

Caloría: Unidad de calor que se usa para expresar el valor de combustible o energía de un alimento.

Calostro: Líquido que secretan los senos cuando comienza la producción de leche.

Catéter: Sonda que se emplea para drenar líquido u orina del cuerpo.

Célula: Unidad más pequeña en las estructuras del cuerpo; los componentes básicos de todas las partes del cuerpo.

Chancro: Llaga que aparece en el lugar de una infección.

Cirrosis: Enfermedad que se produce debido a la pérdida de células hepáticas (del hígado), las cuales se reemplazan por tejido cicatrizante causando un deterioro de la función hepática.

Clamidia: Enfermedad de transmisión sexual que la produce una bacteria y puede causar una enfermedad inflamatoria pélvica e infertilidad.

Cloasma: Formación de áreas oscuras en la piel de la cara durante el embarazo.

Coito: Acto de penetración del pene masculino en la vagina de la mujer (también se denomina "tener relaciones sexuales" o "hacer el amor").

Concepción: Fertilización de un óvulo por un espermatozoide.

Conductos deferentes: Conducto pequeño que transporta los espermatozoides desde los testículos masculinos hasta la glándula de la próstata.

Contracciones de Braxton Hicks: Dolores de trabajo de parto falso.

Cordón umbilical: Estructura en forma de cordón que contiene vasos sanguíneos y conecta al feto con la placenta.

Coronamiento: Fase en la 2.ª etapa del parto en que se observa una porción grande del cuero cabelludo del bebé en la entrada de la vagina.

Corticoesteroides: Hormonas que se administran para promover el desarrollo de los pulmones del feto, para la artritis o para otros problemas médicos.

Cromosomas: Estructuras que se encuentran dentro de cada célula del cuerpo y contienen los genes que determinan la composición física de una persona.

Cuello uterino: Abertura del útero que se encuentra encima de la vagina.

Defecto del tubo neural: Defecto congénito que se produce debido al desarrollo incompleto del cerebro, la médula espinal o sus revestimientos.

Depresión después del parto: Sentimientos intensos de tristeza, ansiedad o desesperación después del parto que se interponen en la capacidad de la madre de un recién nacido para funcionar y que no desaparecen al cabo de 2 semanas.

Depresión: Sensación de tristeza durante períodos de por lo menos 2 semanas.

Desprendimiento placentario: Estado clínico en que la placenta se ha comenzado a separar de las paredes internas del útero antes del nacimiento del bebé.

Desproporción cefalopelviana: Estado clínico en que el bebé es demasiado grande para pasar sin riesgo por la pelvis de la madre durante el parto.

Diabetes mellitus gestacional: Diabetes que se presenta durante el embarazo.

Diabetes mellitus: Enfermedad en la que los niveles de azúcar en la sangre son demasiado altos.

Diagnóstico genético preimplantatorio: Tipo de prueba genética que se realiza durante la fertilización in vitro. La prueba se efectúa en el óvulo fertilizado antes de implantarlo en el útero.

Dilatación: Ensanchamiento de la abertura del cuello uterino.

Dilatación y raspado: Procedimiento mediante el cual se abre el cuello uterino para raspar o aspirar levemente el interior del útero.

Discordante: Diferencia considerable en el tamaño de los fetos en un embarazo múltiple.

Dispositivo intrauterino (IUD, por sus siglas en inglés): Dispositivo pequeño que se introduce y permanece dentro del útero para evitar embarazos.

Eclampsia: Convulsiones que ocurren en el embarazo y que están asociadas con niveles elevados de presión arterial.

Ecografía, ultrasonido: Examen que usa ondas sonoras para examinar estructuras internas. Durante el embarazo, puede usarse para examinar al feto.

Ecografía (ultrasonido) transabdominal: Tipo de ecografía en que se desplaza un transductor por el abdomen.

Ecografía (ultrasonido) transvaginal: Tipo de ecografía que usa un transductor especialmente diseñado para colocarlo en la vagina.

Edad gestacional: Número de semanas que han transcurrido entre el primer día del último periodo menstrual normal y la fecha del parto.

Edema: Hinchazón que se produce por la retención de líquidos.

Ejercicios de Kegel: Ejercicios del músculo pélvico para mejorar el control de la vejiga y los intestinos.

Embarazo ectópico: Embarazo en que el óvulo fertilizado comienza a desarrollarse en un lugar fuera del útero, por lo general, en las trompas de Falopio.

Embarazo molar: Proliferación de tejido placentario anormal en el útero. También se le denomina enfermedad trofoblástica gestacional.

Embarazo múltiple: Embarazo en que hay dos o más fetos.

Embarazo postmaduro: Embarazo que dura más de 42 semanas.

Embrión: Óvulo fertilizado en desarrollo desde el momento que se implanta en el útero hasta que transcurren 8 semanas completas de embarazo.

Endometrio: El revestimiento del útero.

Endometriosis: Enfermedad en que un tejido semejante al del revestimiento del útero se encuentra fuera del mismo, por lo general en los ovarios, las trompas de Falopio y otras estructuras pélvicas.

Enfermedad de transmisión sexual: Enfermedad que se propaga mediante el contacto sexual, por ejemplo: clamidia, gonorrea, virus del papiloma humano, herpes, sífilis e infección del virus de inmunodeficiencia humana (VIH, la causa del síndrome de inmunodeficiencia adquirida [SIDA]).

Enfermedad inflamatoria pélvica: Infección del útero, las trompas de Falopio y las estructuras pélvicas circundantes.

Episiotomía: Incisión quirúrgica que se hace en el perineo (la región entre la vagina y el ano) con la finalidad de ensanchar la entrada de la vagina para el parto.

Escroto: Saco genital externo masculino que contiene los testículos.

Espermatozoide: Célula masculina que se produce en los testículos y puede fertilizar al óvulo femenino.

Espermicidas: Sustancias químicas (cremas, geles, espumas) que desactivan los espermatozoides.

Espina bífida: Defecto del tubo neural que ocurre debido al cierre incompleto de la médula espinal del feto.

Esterilización: Método anticonceptivo permanente.

Estrógeno: Hormona femenina que se produce en los ovarios.

Evaluación por monitor con contracciones: Prueba mediante la cual se inducen contracciones leves en el útero de la madre y se registra con un monitor electrónico fetal la frecuencia cardíaca del feto en reacción a las contracciones.

Examen de detección por translucidez nucal: Examen en que se mide la cantidad de un líquido que se acumula detrás del cuello fetal por medio de ecografía (ultrasonido) para detectar ciertos defectos congénitos, como síndrome de Down, trisomía 18 o defectos del corazón.

Examen de detección: Examen cuyo fin es detectar los posibles indicios de una enfermedad en personas que no presentan síntomas.

Examen pélvico: Examen manual de los órganos reproductores de la mujer.

Examen por monitor en reposo: Examen en que se registran los cambios en la frecuencia cardíaca del feto por medio de un monitor electrónico fetal.

Extracción por vacío: Uso de un instrumento especial que se coloca en la cabeza del bebé para orientarlo fuera del canal del parto durante el parto.

Fertilización in vitro: Procedimiento mediante el cual se extrae un óvulo del ovario de la mujer, se fertiliza en el laboratorio en un plato (o caja) de Petri con espermatozoides del hombre y posteriormente se vuelve a introducir en el útero de la mujer para producir un embarazo.

Fertilización: Unión de un óvulo con un espermatozoide.

Feto: Cría que se desarrolla en el útero desde la novena semana de embarazo hasta el final del embarazo.

Fibromas: Tumores benignos que se forman en el músculo de útero.

Folitropina (FSH, por sus siglas en inglés): Hormona que produce la glándula pituitaria (hipófisis) y que promueve la maduración del óvulo.

Fórceps: Instrumentos especiales que se colocan alrededor de la cabeza del bebé para orientarlo fuera del canal del parto durante el parto.

Gemelos fraternos: Gemelos que se desarrollan a partir de dos óvulos fertilizados y que no son idénticos en términos genéticos.

Gemelos idénticos: Gemelos que se desarrollan a partir de un solo óvulo fertilizado y que son idénticos en términos genéticos.

Gen: Componente principal del ADN que codifica rasgos específicos, como el color del cabello y los ojos.

Genitales: Órganos sexuales o reproductores.

Glucosa: Azúcar presente en la sangre que es la fuente principal de energía del organismo.

Gonadotropina coriónica humana (hCG, por sus siglas en inglés): Hormona que se produce durante el embarazo y su detección es la base de la mayoría de las pruebas de embarazo.

Gonorrea: Enfermedad de transmisión sexual que puede causar una enfermedad inflamatoria pélvica, infertilidad y artritis.

Hepatitis: Inflamación del hígado.

Herpes genital: Enfermedad de transmisión sexual que la produce un virus y causa llagas dolorosas y sumamente contagiosas en o alrededor de los órganos sexuales.

Hidramnios: Enfermedad en que hay una cantidad excesiva de líquido amniótico en el saco alrededor del feto.

Hiperemesis gravídica: Náuseas y vómitos intensos durante el embarazo que pueden ocasionar pérdida de peso y de líquidos corporales.

Hipertiroidismo: Enfermedad en que la glándula tiroidea produce demasiada hormona de la tiroides.

Hipotiroidismo: Enfermedad en que la glándula tiroidea produce muy poca hormona de la tiroides.

Histerectomía: Extracción del útero.

Histerosalpingografía: Procedimiento especial de radiografía en que se inyecta una pequeña cantidad de líquido en el útero y las trompas de Falopio para detectar cambios anormales en el tamaño y la forma de estos órganos o determinar si las trompas están bloqueadas.

Histeroscopia: Procedimiento en que, a través del cuello uterino, se introduce dentro del útero un instrumento delgado que transmite una luz, el histeroscopio, para ver el interior del útero o practicar cirugías.

Hormonas: Sustancias que produce el cuerpo para regular las funciones de diversos órganos.

Ictericia: Acumulación de bilirrubina que produce un aspecto amarillento.

Incisión transversal: Incisión que se usa para un parto por cesárea y que se hace horizontalmente en el área inferior y más delgada del útero.

Incontinencia: Incapacidad para controlar las funciones fisiológicas del cuerpo, como la micción (expulsión de orina).

Inmunoglobulina contra la hepatitis B: Sustancia que se administra para proteger temporalmente contra la infección del virus de hepatitis B.

Inmunoglobulina Rh (IgRh): Sustancia que se administra para evitar que los anticuerpos de una persona Rh negativa reaccionen ante la presencia de células sanguíneas Rh positivas.

Insulina: Hormona que reduce los niveles de glucosa (azúcar) en la sangre.

Intolerancia a la lactosa: Incapacidad para digerir productos lácteos.

Labios vaginales: Pliegues de piel a cada lado de la abertura de la vagina.

Lactancia: Producción de leche materna.

Laminaria: Varillas delgadas (naturales y sintéticas) que se introducen en la entrada del cuello uterino para ensancharlo.

Lanugo: Vello fino que recubre el cuerpo del feto.

Laparoscopia: Procedimiento quirúrgico en que se introduce un instrumento delgado que transmite una luz, el laparoscopio, dentro de la cavidad pélvica mediante pequeñas incisiones. El laparoscopio se usa para ver los órganos pélvicos. Se podrían usar otros instrumentos para practicar la cirugía.

Laxante: Producto que se usa para evacuar el contenido de los intestinos.

Ligadura de trompas: Procedimiento de esterilización quirúrgica en que se bloquean las trompas de Falopio para impedir que un óvulo llegue al útero.

Línea negra: Línea que va desde el ombligo hasta el vello púbico que se oscurece durante el embarazo.

Líquido amniótico: Agua en el saco que rodea al feto dentro del útero de la madre.

Listeriosis: Tipo de enfermedad transmitida por una bacteria en los alimentos, como en leche sin pasteurizar, hot dogs, fiambres y mariscos ahumados.

Loquios: Secreción vaginal que ocurre después del parto.

Lupus: Trastorno autoinmunitario que causa alteraciones en las articulaciones, la piel, los riñones, los pulmones, el corazón o el cerebro.

Lutropina (LH, por sus siglas en inglés): Hormona que produce la glándula pituitaria (hipófisis) y que promueve la maduración y liberación del óvulo.

Macrosomía: Estado clínico en que el feto crece muy grande

Manto sebáceo: Capa grasa y blancuzca que recubre al recién nacido.

Masturbación: Estimulación de los genitales por la propia persona que generalmente produce un orgasmo.

Meconio: Sustancia de color verdoso que se acumula en los intestinos del feto en desarrollo.

Menstruación: Secreción mensual de sangre y tejido proveniente del útero que ocurre en la ausencia de un embarazo.

Metabolismo: Procesos físicos y químicos del cuerpo que mantienen la vida.

Monitorización electrónica fetal: Método mediante el cual se usan instrumentos electrónicos para registrar los latidos cardíacos del feto y las contracciones del útero de la madre.

Muestreo de sangre fetal: Procedimiento mediante el cual se extrae una muestra de sangre del cordón umbilical y se analiza.

Muestreo de vellosidades coriónicas: Procedimiento mediante el cual se extrae una muestra pequeña de células de la placenta y se analiza.

Nacimiento de un niño muerto: Parto de un bebé que no revela señales de vida.

Obesidad: Afección caracterizada por un exceso de grasa corporal.

Obstetra–ginecólogo: Médico con capacitación, destrezas y educación especiales en la salud de la mujer.

Orgasmo: Clímax de la excitación sexual.

Orina: Líquido que se expulsa del cuerpo y está compuesto por desechos, agua y sal extraídos de la sangre.

Osteoporosis: Enfermedad en que los huesos se vuelven tan frágiles que se fracturan con mayor facilidad.

Ovarios: Dos glándulas ubicadas a ambos lados del útero que contienen los óvulos liberados en la ovulación y que producen hormonas.

Ovulación: Liberación de un óvulo de uno de los ovarios.

Óvulo: Célula reproductiva femenina que se produce en los ovarios y se libera desde allí.

Oxitocina: Hormona que se usa para provocar contracciones en el útero.

Parto por cesárea: Parto de un bebé a través de una incisión en el abdomen y útero de la madre.

Pene: Órgano sexual externo masculino.

Perfil biofísico: Evaluación por ecografía (ultrasonido) de la respiración fetal, los movimientos fetales, el tono muscular fetal y la cantidad de líquido amniótico. Puede incluir la frecuencia cardíaca fetal. A veces el perfil incorpora sólo el examen en reposo y un cálculo de la cantidad de líquido amniótico.

Perineo: Área entre la vagina y el recto.

Pica: Deseos intensos de consumir objetos no comestibles.

Placenta: Tejido que brinda alimento al feto y elimina sus desechos.

Placenta previa: Estado clínico en que la placenta se encuentra bien abajo en el útero de manera que cubre la abertura del útero ya sea parcial o completamente.

Portador: [Genética] persona que no muestra indicio alguno de un trastorno en particular pero puede transmitir el gen a sus hijos.

Portador: [Infecciones] persona infectada con el organismo de una enfermedad que, aunque no presenta síntomas, puede transmitir la enfermedad a otras personas.

Preeclampsia: Afección durante el embarazo en que ocurren niveles elevados de presión arterial y proteína en la orina.

Prematuro: Que nace antes de las 37 semanas de embarazo.

Prepucio: Capa de piel que recubre la punta del pene.

Presentación de nalgas: Situación en que las nalgas o los pies del feto salen primero.

Presentación de vértice: Posición normal que asume el feto, donde la cabeza está orientada hacia abajo y lista para salir primero.

Primeros movimientos fetales: Primera percepción de la madre de los movimientos del feto.

Progesterona: Hormona femenina que se produce en los ovarios y prepara el revestimiento del útero para el embarazo.

Progestina: Forma sintética de progesterona semejante a la hormona que el cuerpo produce naturalmente.

Prostaglandinas: Sustancias químicas que elabora el cuerpo y que producen muchos efectos, como provocar la contracción del músculo del útero, por lo que habitualmente ocasionan cólicos.

Prueba de Papanicolaou: Prueba en la que se toman células del cuello uterino y la vagina para examinarlas bajo un microscopio.

Puntaje Apgar: Medida de la reacción del bebé al parto y a vivir por su cuenta que se toma al cabo de 1 minuto y 5 minutos del parto.

Recto: Segmento final del sistema digestivo.

Recuento de patadas: Registro que se mantiene en las últimas etapas del embarazo y que indica la cantidad de veces que se mueve un feto durante un período determinado.

Riñón: Uno de dos órganos que limpian la sangre y eliminan los productos de desecho.

Ruptura prematura de membranas: Estado clínico en que las membranas que contienen el líquido amniótico se rompen antes del parto.

Saco amniótico: Saco lleno de líquido en el útero de la madre donde se desarrolla el feto.

Sífilis: Enfermedad de transmisión sexual que la produce un organismo denominado Treponema pallidum y puede causar problemas graves de salud o la muerte en sus etapas más avanzadas.

Síndrome de alcoholismo fetal: Patrón de problemas físicos, mentales y conductuales en el bebé que se considera provocado por el abuso de alcohol de la madre durante el embarazo.

Síndrome de dificultad respiratoria: Enfermedad que ocurre en algunos bebés en que los pulmones no han madurado y causa dificultad para respirar.

Síndrome de Down: Trastorno genético en el que ocurren retraso mental, rasgos anormales en la cara y el cuerpo y problemas médicos como defectos cardíacos.

Síndrome de inmunodeficiencia adquirida (SIDA): Grupo de signos y síntomas, por lo general de infecciones graves, que ocurre en una persona cuyo sistema inmunitario se ha visto perjudicado debido a una infección del virus de inmunodeficiencia humana (VIH).

Síndrome de muerte súbita del lactante: Fallecimiento repentino e inesperado de un bebé por una causa desconocida.

Síndrome de ovario poliquístico (SOP): Estado clínico que se caracteriza por dos de los siguientes tres criterios: presencia de múltiples quistes en los ovarios detectados por ecografía, periodos menstruales irregulares y niveles elevados de andrógenos. Este síndrome puede causar infertilidad y aumentar el riesgo de padecer de diabetes y enfermedades del corazón.

Síndrome de transfusión feto fetal (STFF): Estado clínico que implica a fetos gemelos idénticos en que se transfiere sangre de un gemelo al otro a través de la placenta que comparten.

Sistema digestivo: Sistema en el cuerpo integrado por el estómago, los intestinos, el hígado, la vesícula biliar y el páncreas. Este sistema descompone los alimentos y elimina los desechos del cuerpo.

Sistema inmunitario: Sistema natural de defensa del cuerpo contra sustancias extrañas y organismos invasores, como las bacterias que causan enfermedades.

Surfactante: Sustancia que producen las células en el sistema respiratorio que contribuye a la elasticidad de los pulmones e impide que éstos se colapsen.

Tecnologías de reproducción asistida: Procedimientos que implican procesar los óvulos y espermatozoides humanos, o ambos, para facilitar que una pareja infértil conciba un hijo.

Teratógenos: Agentes que pueden causar defectos congénitos cuando una mujer se expone a ellos durante el embarazo.

Testículos: Dos órganos masculinos que producen los espermatozoides y la hormona sexual masculina.

Testosterona: Hormona que regula las características sexuales masculinas, como la gravedad de la voz y la barba. En los hombres, regula también la producción de espermatozoides.

Tocolítico: Medicamento que desacelera las contracciones del útero.

Toxoplasmosis: Infección que provoca el Toxoplasma gondii, un organismo que puede estar presente en la carne cruda, la tierra del jardín y las heces de los gatos, y que puede ser perjudicial para el feto.

Transductor: Dispositivo que emite ondas sonoras y traduce el eco que se produce en señales eléctricas.

Trastorno autoinmunitario: Enfermedad en la que el cuerpo ataca a sus propios tejidos.

Trastorno congénito: Afección que está presente en un bebé cuando nace.

Tricomoniasis: Tipo de infección vaginal que produce un organismo unicelular y que generalmente se transmite con las relaciones sexuales.

Trimestre: Cualquiera de los tres períodos de 3 meses en que se divide el embarazo.

Trisomía 18: Trastorno cromosómico en que una persona tiene un cromosoma 18 adicional.

Trombosis venosa profunda: Afección en que se forma un coágulo de sangre en las venas de las piernas u otras partes del cuerpo.

Trompas de Falopio: Conductos a través de los cuales viaja un óvulo desde el ovario hasta el útero.

Uretra: Conducto corto y estrecho que traslada la orina de la vejiga hacia fuera del cuerpo.

Útero: Órgano muscular ubicado en la pelvis de la mujer que contiene el feto en desarrollo y lo nutre durante el embarazo.

Vagina: Estructura tubular rodeada por músculos y ubicada desde el útero hasta la parte externa del cuerpo.

Vaginosis bacteriana: Tipo de infección vaginal que se produce debido a la proliferación excesiva de ciertos organismos que normalmente se encuentran en la vagina.

Vasectomía: Método de esterilización masculina en que se extrae una porción del conducto deferente.

Vejiga: Órgano muscular donde se almacena la orina.

Vellosidad coriónica: Proyecciones microscópicas semejantes a los dedos de las manos que componen la placenta.

Venas: Vasos sanguíneos que transportan sangre desde varias partes del cuerpo de regreso al corazón.

Versión cefálica externa: Técnica que se realiza en las últimas etapas del embarazo mediante la cual el médico intenta manualmente desplazar a un bebé que se presenta de nalgas para permitir la presentación de cabeza.

Virus de hepatitis B (VHB): Virus que ataca y lesiona el hígado, causando inflamación.

Virus de inmunodeficiencia humana (VIH): Virus que ataca a ciertas células del sistema inmunitario del organismo y produce el síndrome de inmunodeficiencia adquirida (SIDA).

Virus del papiloma humano (VPH): Nombre de un grupo de virus relacionados, algunos de los cuales causan verrugas genitales, que están asociados con alteraciones cervicales y cáncer del cuello uterino.

Vulva: Área genital externa de la mujer.

Recursos informativos

Defectos congénitos

March of Dimes
1275 Mamaroneck Avenue
White Plains, NY 10605-5201
(914) 997-4488
www.marchofdimes.com

Ofrece materiales en inglés y español sobre padecimientos congénitos, defectos congénitos, pruebas de detección recomendadas para recién nacidos y materiales de apoyo para los que lloran la pérdida de un embarazo.

National Center on Birth Defects and Developmental Disabilities
1600 Clifton Road, MS E-86
Atlanta, GA 30333
(800) 232-4636
Correo electrónico: cdcinfo@cdc.gov
www.cdc.gov/ncbddd

Ofrece información sobre defectos congénitos, discapacidades del desarrollo y trastornos sanguíneos hereditarios.

Lactancia

American Academy of Pediatrics (AAP)
141 Northwest Point Boulevard
Elk Grove Village, IL 60007
(847) 434-4000
Fax: (847) 434-8000
Correo electrónico: lactation@aap.org www.aap.org

Ofrece materiales impresos sobre la lactancia.

International Lactation Consultant Association (ILCA)
2501 Aerial Center Parkway, Suite 103
Morrisville, NC 27560
(919) 861-5577 u (888) ILCA-IS-U
Fax: (919) 459-2075
Correo electrónico: info@ilca.org www.ilca.org
Ofrece un directorio de consultoras en lactancia.

Liga de la Leche Internacional (LLLI)
PO Box 4079
Schaumburg, IL 60168-4079
(800) 525-3243 u (847) 519-7730
Fax: (847) 969-0460
Correo electrónico: LLLI@LLLI.org
www.llli.org
Ofrece información y apoyo para la lactancia y referencias a grupos de apoyo locales.

National Women's Health Information Center Breastfeeding Helpline
(800) 994-9662
www.womenshealth.gov/breastfeeding/
Ofrece apoyo por teléfono de especialistas que proporcionan información sobre la lactancia y materiales impresos en inglés, español y chino.

Educación y ayuda para el nacimiento

American Academy of Husband-Coached Childbirth (El método de Bradley)
PO Box 5224
Sherman Oaks, CA 91413-5224
(800) 422-4784 u (818) 788-6662
www.bradleybirth.com
Ofrece información sobre el parto natural y referencias a educadoras de parto.

Association of Labor Assistants & Childbirth Educators (ALACE)
PO Box 390436
Cambridge, MA 02139
(877) 334-4207
Correo electrónico: info@alace.org
www.alace.org
Ofrece referencias a educadoras y doulas de parto.

Doulas of North America (DONA)

PO Box 626
Jasper, IN 47547
(888) 788-3662
Fax: (812) 634-1491
Correo electrónico: doula@dona.org
www.dona.org

Ofrece referencias a doulas para el parto y doulas para después del parto.

Parto bajo hipnosis

5640 E. Bell Road #1073
Scottsdale, AZ 85254
(602) 788-6198
Fax: (602)466-2841
Correo electrónico: hypnobirthing@hypnobirthing.com
www.hypnobirthing.com

Explica el método de parto bajo hipnosis HypnoBirthing®, ofrece información sobre clases, libros, artículos, testimonios y capacitación de profesionales.

International Cesarean Awareness Network (ICAN)

PO Box 98
Savage, MN 55378
(800) 686-4226
Correo electrónico: info@ican-online.org
www.ican-online.org

Ofrece información sobre el parto por cesárea y la recuperación después de dicho parto.

International Childbirth Education Association (ICEA)

1500 Sunday Drive, Suite 102
Raleigh, NC 27607
(800) 624-4934 o (919) 863-9487
Fax: (919) 787-4916
Correo electrónico: info@icea.org www.icea.org

Ofrece listas de educadoras y doulas de parto tituladas.

Lamaze International

2025 M Street, NW, Suite 800
Washington, DC 20036-3309
(800) 368-4404 o (202) 367-1128
Fax: (202) 267-2128
Correo electrónico: info@lamaze.org www.lamaze.org

Ofrece información sobre el embarazo y el parto, y referencias a educadoras del método Lamaze de nacimiento.

Bancos de sangre del cordón umbilical

National Marrow Donor Program
3001 Broadway Street NE, Suite 100
Minneapolis, MN 55413-1753
(800) 627-7692
Correo electrónico: patientinfo@nmdp.org
www.marrow.org

Ofrece información sobre la conservación y donación de sangre del cordón umbilical.

Violencia en el hogar

National Domestic Violence Hotline
PO Box 161810 Austin, TX 78716
(800) 799-7233 (voz) u (800) 787-3224 (TTY)
www.ndvh.org

Ofrece materiales sobre el maltrato y la violencia en el hogar, así como referencias a refugios y otros recursos comunitarios.

Exposición ambiental a toxinas

Motherisk
c/o Hospital for Sick Children
555 University Avenue
Toronto, Ontario, Canada M5G 1X8
(416) 813-1500
Correo electrónico: momrisk@sickkids.ca
www.motherisk.org

Responde a preguntas relacionadas con los posibles riesgos reproductores por la exposición a drogas, sustancias químicas, radiación e infecciones durante el embarazo y la lactancia; responde a preguntas provenientes de Canadá y los Estados Unidos.

Organization of Teratology Information Specialists
University of Arizona
Drachman Hall PO Box 210202
1295 N. Martin, Room B308
Tucson, AZ 85721-0202
(520) 626-3547
Correo electrónico: contatus@otispregnancy.org
www.otispregnancy.org

Ofrece hojas informativas sobre riesgos específicos y enlaces a especialistas que proveen información gratuita a los pacientes y profesionales médicos.

Teratology Society
1821 Michael Faraday Drive, Suite 300
Reston, VA 20190
(703) 438-3104
Fax: (703) 438-3113
Correo electrónico: tshq@teratology.org
www.teratology.org

Apoya los estudios de investigación y ofrece información sobre las sustancias que contribuyen o causan los defectos congénitos.

Seguridad de los alimentos

U.S. Environmental Protection Agency
1200 Pennsylvania Avenue, NW
Washington, DC 20460
(202) 272-0167
www.epa.gov

Agencia federal que realiza estudios de investigación y evaluaciones, y educa al público sobre la salud humana y asuntos relacionados con el medio ambiente.

General
American College of Obstetricians and Gynecologists
PO Box 96920
Washington, DC 20090-6920
(202) 638-5577
Correo electrónico: resources@acog.org
www.acog.org

Sociedad de más de 52,000 miembros que fomenta la excelencia en la atención de la salud para la mujer mediante defensa y educación.

American College of Nurse–Midwives
8403 Colesville Road, Suite 1550
Silver Spring, MD 20910
(240) 485-1800
Fax: (240) 485-1818
Correo electrónico: info@acnm.org
www.acnm.org

Sociedad de enfermeras parteras y comadronas tituladas afiliadas.

American Medical Association
311 S. Wacker Drive, Suite 5800
Chicago, IL 60606
(800) AMA-1150 o (312) 542-9000
Fax: (312) 542-9001
www.ama-assn.org

Asociación de médicos afiliados.

Eunice Kennedy Shriver National Institute of Child Health and Human Development (NICHD)
PO Box 3006
Rockville, MD 20847
(800) 370-2943
Fax: (866) 760-5947
Correo electrónico: NICHDInformationResourceCenter@mail.nih.gov
www.nichd.nih.gov

Ofrece información y educación sobre el embarazo, la infertilidad, el parto prematuro, los defectos congénitos, anticonceptivos y las enfermedades de transmisión sexual.

National Healthy Mothers, Healthy Babies Coalition
200 N. Beauregard Street, 6th Floor
Alexandria, VA 22311
(703) 837-4792 Fax: (703) 684-5968
Correo electrónico: info@hmhb.org
www.hmhb.org

Ofrece recursos y educación sobre cómo tener un embarazo saludable y la atención prenatal.

National Women's Health Information Center
Office on Women's Health
Department of Health and Human Services
200 Independence Avenue, SW, Room 712E
Washington, DC 20201-0004
(800) 994-9662 o (202) 690-7650
Fax: (202) 205-2631
www.4woman.gov

Ofrece información y recursos en inglés y español sobre el embarazo, los anticonceptivos y las enfermedades que afectan a la mujer.

Embarazos de alto riesgo

Confinement Line
c/o Childbirth Education Association
PO Box 1609
Springfield, VA 22151
(703) 941-7183

Ofrece apoyo por teléfono y un boletín informativo para las mujeres que tienen que guardar cama durante el embarazo.

Sidelines National Support Network
PO Box 1808
Laguna Beach, CA 92652
(888) 447-4754 Fax: (949) 497-5598
Correo electrónico: sidelines@sidelines.org
www.sidelines.org

Ofrece apoyo emocional y recursos para las mujeres con embarazos de alto riesgo.

Infertilidad

RESOLVE: The National Infertility Association
1760 Old Meadow Road, Suite 500
McLean, VA 22102
(703) 556-7172
Fax: (703) 506-3266
www.resolve.org

Ofrece información sobre los tratamientos de fertilidad y recursos a parejas infértiles.

La pérdida de un ser querido y la aflicción

CLIMB: Center for Loss in Multiple Birth, Inc.
PO Box 91377
Anchorage, AK 99509
(907) 222-5321
Correo electrónico: climb@pobox.alaska.net
www.climb-support.org

Ofrece apoyo a las familias que han perdido gemelos u otros embarazos múltiples de orden superior durante el embarazo, y en la infancia y niñez.

The Compassionate Friends
PO Box 3696
Oak Brook, IL 60522
(877) 969-0010 o (630) 990-0010
Fax: (630) 990-0246
Correo electrónico: nationaloffice@compassionatefriends.org
www.compassionatefriends.org

Ofrece apoyo a las familias que están afligidas por la muerte de un hijo de cualquier edad.

First Candle/ SIDS Alliance
1314 Bedford Avenue, Suite 210
Baltimore, MD 21208
(800) 221-7437
Correo electrónico: info@firstcandle.org
www.sidsalliance.org

Apoya los estudios de investigación y la educación sobre el síndrome de muerte súbita del lactante; los servicios de asesoramiento están disponibles en todo momento.

International Stillbirth Alliance
1314 Bedford Avenue, Suite 210
Baltimore, MD 21208
(800) 221-7437
Correo electrónico: info@stillbirthalliance.org
www.stillbirthalliance.org

Apoya los estudios de investigación, educación y medidas de toma de conciencia sobre los nacimientos de niños muertos.

SHARE: Pregnancy and Infant Loss Support, Inc.
The National SHARE Office
402 Jackson Street
St. Charles, MO 63301
(636) 947-6164 u (800) 821-6819
Fax: (636) 947-7486
www.nationalshare.org

Ofrece apoyo a las familias que han perdido un bebé debido a un aborto espontáneo, nacimiento de un niño muerto o muerte de un recién nacido.

Embarazos múltiples

Mothers of Supertwins (MOST)
PO Box 306
East Islip, NY 11730-0306
(631) 859-1110
Fax: (631) 859-3580
Correo electrónico: Info@MOSTonline.org
www.mostonline.org

Ofrece educación, recursos y apoyo durante el embarazo, la infancia y la niñez para las familias con trillizos o embarazos múltiples de más de dos bebés.

National Organization of Mothers of Twins Clubs
2000 Mallory Lane, Suite 130-600
Franklin, TN 37067-8231
(248) 231-4880
Correo electrónico: info@nomotc.org
www.nomotc.org

Ofrece apoyo y asesoramiento práctico para las mujeres embarazadas con o que crían a múltiples bebés.

Triplet Connection
PO Box 429
Spring City, UT 84662
(435) 851-1105
Fax: (435) 462-7466
Correo electrónico: tc@tripletconnection.org
www.tripletconnection.org

Ofrece información y asesoramiento para las familias que se preparan para la crianza de múltiples bebés.

Nutrición

American Dietetic Association
120 South Riverside Plaza, Suite 2000
Chicago, IL 60606-6995
(800) 877-1600
Correo electrónico: knowledge@eatright.org
www.eatright.org

Ofrece documentos e información sobre la nutrición durante el embarazo y la lactancia, y referencias a profesionales especialistas en nutrición.

Special Supplemental Nutrition Program for Women, Infants, and Children (Programa WIC)
Supplemental Food Programs Division Food and Nutrition Science
U.S. Department of Agriculture
3101 Park Center Drive, Room 520
Alexandria, VA 22302
(703) 305-2746
Fax: (703) 305-2196
Correo electrónico: wichq-web@fns.usda.gov
www.fns.usda.gov/wic/

Ofrece alimentos suplementarios, educación sobre la nutrición y referencias de atención médica para las mujeres embarazadas de bajos recursos, las que lactan y durante el postparto, y para los bebés y niños hasta los 5 años de edad.

U.S. Department of Agriculture (Plan MiPirámide para las mamás)
USDA Center for Nutrition Policy and Promotion
3101 Park Center Drive, Room 1034
Alexandria, VA 22302-1594
(888) 779-7264
Correo electrónico: support@cnpp.usda.gov
www.mypyramid.gov/mypyramidmoms

Ofrece un programa interactivo para diseñar una dieta personalizada para el embarazo.

Hábito de fumar y abuso de sustancias

Alcoholics Anonymous
PO Box 459
New York, NY 10163
(212) 870-3400
www.aa.org

Grupo internacional sin fines de lucro e independiente que ayuda a los alcohólicos a lograr la sobriedad permanente.

American Cancer Society
2200 Lake Boulevard NE
Atlanta, GA 30319
(800) ACS-2345
www.cancer.org

Ofrece consejos sobre cómo dejar el hábito de fumar y formas para hacerlo permanentemente.

Narcotics Anonymous
PO Box 9999
Van Nuys, CA 91409
(818) 773-9999
Fax: (818) 700-0700
Correo electrónico: customer_service@na.org
www.na.org

Grupo sin fines de lucro que ayuda a los drogadictos a abstenerse de las drogas.

National Clearinghouse for Alcohol and Drug Information
SAMHSA's Health Information Network
PO Box 2345
Rockville, MD 20847-2345
(800) 729-6686
Fax: (301) 443-5447
www.ncadi.samhsa.gov

Ofrece materiales sobre la prevención e intervención en casos de abuso de alcohol y drogas, y un directorio sobre los servicios de tratamiento y prevención de abuso de alcohol y drogas en todo el país.

National Organization on Fetal Alcohol Syndrome
900 17th Street, NW, Suite 910
Washington, DC 20006
(800) 666-6327 o (202) 785-4585
Fax: (202) 466-6456
Correo electrónico: info@nofas.org www.nofas.org

Ofrece educación e información sobre el síndrome de alcoholismo fetal y un directorio de los programas de tratamiento para el abuso de alcohol y drogas en todo el país.

Quitnet
www.quitnet.org

Mantiene un grupo de apoyo en línea para personas que están dejando el hábito de fumar.

Substance Abuse and Mental Health Services Administration
SAMHSA's Health Information Network
PO Box 2345
Rockville, MD 20847-2345
(877) 726-4727
Fax: (240) 221-4292
www.samhsa.gov/shin

Ofrece un servicio de búsqueda de programas y proveedores de salud mental y abuso de sustancias.

Situaciones específicas

DES Action
PO Box 7296
Jupiter, FL 33468
(800) 337-9288
Correo electrónico: info@desaction.org
www.desaction.org

Ofrece materiales en inglés y español y apoyo para las personas expuestas a dietilestilbestrol (DES) en el útero.

Group B Strep Association
PO Box 16515
Chapel Hill, NC 27516
Correo electrónico: bstrep@mindspring.com
www.groupbstrep.org

Ofrece información en inglés y español así como referencias para promover las pruebas y el tratamiento del estreptococo del grupo B.

Motherisk Hotline
c/o Hospital for Sick Children
555 University Avenue
Toronto, Ontario, Canada M5G 1X8
(800) 436-8477
Correo electrónico: momrisk@sickkids.ca
www.motherisk.org

Ofrece una línea directa de ayuda para las preguntas relacionadas con las náuseas y vómitos durante el embarazo.

Créditos tributarios

U.S. Internal Revenue Service
(800) 829-1040
www.irs.gov

Consejos para los viajes

International Travelers Hotline
(Dirigida por los Centros para el Control y la Prevención de Enfermedades)
1600 Clifton Road
Atlanta, GA 30333
(888) 232-3228
www.cdc.gov

Ofrece consejos sobre la seguridad al viajar a distintos países, así como información actualizada sobre diversos requisitos de vacunas de muchos países.

The International Association for Medical Assistance to Travelers
1623 Military Road #279
Niagara Falls, NY 14304-1745
(716) 754-4883
www.iamat.org
Ofrece información relacionada con la salud de los viajeros y mantiene una base de datos mundial de médicos.

Lugar de trabajo

Equal Employment Opportunity Commission (EEOC)
131 M Street NE
Washington, DC 20507
(202) 663-4900 u (800) 669-4000
Correo electrónico: info@eeoc.gov
www.eeoc.gov
Agencia del gobierno de los Estados Unidos que hace cumplir las leyes federales contra la discriminación en el empleo.

National Institute for Occupational Safety and Health (NIOSH)
Centers for Disease Control and Prevention
1600 Clifton Road
Atlanta, GA 30333
Correo electrónico: cdcinfo@cdc.gov
www.cdc.gov/niosh/homepage.html
Identifica los riesgos en el trabajo y recomienda formas para limitar los peligros; inspecciona, a solicitud, las instalaciones de trabajo para detectar riesgos.

Occupational Safety and Health Administration (OSHA)
200 Constitution Avenue NW
Washington, DC 20010
(800) 321-6742
(877) 889-5627 (TTY)
www.osha.gov
Previene las lesiones, enfermedades y muertes relacionadas con el empleo imponiendo leyes diseñadas para proteger la salud y la seguridad de los trabajadores.

U.S. Department of Labor
200 Constitution Avenue NW
Washington, DC 20210
(866) 487-2365
www.dol.gov
(Información sobre la Ley de Ausencia Autorizada por Motivos Familiares y Médicos (Family and Medical Leave Act): www.dol.gov/dol/topic/benefits-leave/fmla.htm)
Administra varias leyes laborales federales.

Para calcular su índice de masa corporal, busque su estatura en pulgadas en la columna de la izquierda. Luego busque en la línea hacia la derecha para encontrar su peso en libras. El número en la parte superior de esa columna es su índice de masa corporal (IMC).

Tabla de índice de masa corporal

	NORMAL						SOBREPESO					OBESIDAD					
IMC	19	20	21	22	23	24	25	26	27	28	29	30	31	32	33	34	35
ESTATURA (PULGADAS)	PESO CORPORAL (LIBRAS)																
58	91	96	100	105	110	115	119	124	129	134	138	143	148	153	158	162	167
59	94	99	104	109	114	119	124	128	133	138	143	148	153	158	163	168	173
60	97	102	107	112	118	123	128	133	138	143	148	153	158	163	168	174	179
61	100	106	111	116	122	127	132	137	143	148	153	158	164	169	174	180	185
62	104	109	115	120	126	131	136	142	147	153	158	164	169	175	180	186	191
63	107	113	118	124	130	135	141	146	152	158	163	169	175	180	186	191	197
64	110	116	122	128	134	140	145	151	157	163	169	174	180	186	192	197	204
65	114	120	126	132	138	144	150	156	162	168	174	180	186	192	198	204	210
66	118	124	130	136	142	148	155	161	167	173	179	186	192	198	204	210	216
67	121	127	134	140	146	153	159	166	172	178	185	191	198	204	211	217	223
68	125	131	138	144	151	158	164	171	177	184	190	197	203	210	216	223	230
69	128	135	142	149	155	162	169	176	182	189	196	203	209	216	223	230	236
70	132	139	146	153	160	167	174	181	188	195	202	209	216	222	229	236	243
71	136	143	150	157	165	172	179	186	193	200	208	215	222	229	236	243	250
72	140	147	154	162	169	177	184	191	199	206	213	221	228	235	242	250	258
73	144	151	159	166	174	182	189	197	204	212	219	227	235	242	250	257	265
74	148	155	163	171	179	186	194	202	210	218	225	233	241	249	256	264	272
75	152	160	168	176	184	192	200	208	216	224	232	240	248	256	264	272	279
76	156	164	172	180	189	197	205	213	221	230	238	246	254	263	271	279	287

Fuente informativa: Instituto Nacional del Corazón, los Pulmones y la Sangre. Clinical guidelines on the identification, evaluation, and treatment of overweight and obesity in adults (Pautas clínicas para la identificación, evaluación y el tratamiento de adultos con sobrepeso y obesidad). Departamento de Salud y Servicios Humanos de EE. UU., junio de 1998: 139.

Tabla de índice de masa corporal

				OBESIDAD EXTREMA														
36	37	38	39	40	41	42	43	44	45	46	47	48	49	50	51	52	53	54
172	177	181	186	191	196	201	205	210	215	220	224	229	234	239	244	248	253	258
178	183	188	193	198	203	208	212	217	222	227	232	237	242	247	252	257	262	267
184	189	194	199	204	209	215	220	225	230	235	240	245	250	255	261	266	271	276
190	195	201	206	211	217	222	227	232	238	243	248	254	259	264	269	275	280	285
196	202	207	213	218	224	229	235	240	246	251	256	262	267	273	278	284	289	295
203	208	214	220	225	231	237	242	248	254	259	265	270	278	282	287	293	299	304
209	215	221	227	232	238	244	250	256	262	267	273	279	285	291	296	302	308	314
216	222	228	234	240	246	252	258	264	270	276	282	288	294	300	306	312	318	324
223	229	235	241	247	253	260	266	272	278	284	291	297	303	309	315	322	328	334
230	236	242	249	255	261	268	274	280	287	293	299	306	312	319	325	331	338	344
236	243	249	256	262	269	276	282	289	295	302	308	315	322	328	335	341	348	354
243	250	257	263	270	277	284	291	297	304	311	318	324	331	338	345	351	358	365
250	257	264	271	278	285	292	299	306	313	320	327	334	341	348	355	362	369	376
257	265	272	279	286	293	301	308	315	322	329	338	343	351	358	365	372	379	386
265	272	279	287	294	302	309	316	324	331	338	346	353	361	368	375	383	390	397
272	280	288	295	302	310	318	325	333	340	348	355	363	371	378	386	393	401	408
280	287	295	303	311	319	326	334	342	350	358	365	373	381	389	396	404	412	420
287	295	303	311	319	327	335	343	351	359	367	375	383	391	399	407	415	423	431
295	304	312	320	328	336	344	353	361	369	377	385	394	402	410	418	426	435	443

Apéndice B
Preguntas médicas para su primera visita de atención prenatal

Antes de acudir a su primera visita de atención prenatal, asegúrese de que sepa cómo responder a las siguientes preguntas. Si así lo desea, puede llenar este formulario, no obstante, tenga en mente que su proveedor de atención médica tal vez tenga uno que usted deberá llenar.

¿Cuál fue la fecha de su último periodo menstrual? _____

¿Fué un periodo normal en términos de duración y cantidad? _____

¿Qué síntomas ha tenido desde su último periodo menstrual? _____

Otros embarazos

Cantidad de embarazos que:

Llegaron a término _____

Fueron prematuros _____

Resultaron en abortos naturales _____

Terminaron en abortos provocados _____

Fueron embarazos ectópicos _____

Fueron embarazos múltiples _____

Cantidad de hijos vivos _____

Llene la información siguiente sobre cada parto previo de hijos vivos:

Fecha de nacimiento	Edad gestacional al nacer	Duración del trabajo de parto (horas)	Peso al nacer	Sexo	Tipo de parto	Anestesia	Lugar del parto	Complicaciones, incluidos partos prematuros

Su historial médico

Marque si tiene o ha tenido cualquiera de las siguientes afecciones:

Diabetes mellitus _____

Presión arterial alta (hipertensión) _____

Enfermedad cardíaca_____

Enfermedad autoinmunitaria (lupus, esclerosis múltiple, enfermedad inflamatoria del colon)_____

Enfermedad de los riñones o infección de las vías urinarias_____

Enfermedad neurológica o epilepsia_____

Trastorno psiquiátrico_____

Depresión, así como depresión después del parto_____

Hepatitis o enfermedad del hígado_____

Várices o coágulos de sangre en las piernas_____

Enfermedad de la tiroides_____

Trauma o violencia_____

Enfermedades de los pulmones, como asma_____

Sensibilización de Rh_____

Alergias de temporada_____

Reacciones o alergias a medicamentos_____

Enfermedad del seno_____

Cirugía_____

Trastornos ginecológicos_____

Resultado anormal de una prueba de Papanicolaou_____

Infertilidad_____

Tratamiento por tecnologías de reproducción asistida_____

Anormalidades uterinas_____

Riesgos relacionados con el estilo de vida

Hábito de fumar

¿Fumaba antes de quedar embarazada? ❑ **Sí** ❑ **No**   Si fumaba, ¿cuánto?_____
¿Fuma actualmente? ❑ **Sí** ❑ **No**   Si fuma, ¿cuánto?_____

Alcohol

¿Bebía alcohol antes de quedar embarazada? ❑ **Sí** ❑ **No**   Si bebía, ¿cuánto?_____
¿Bebe alcohol actualmente? ❑ **Sí** ❑ **No**   Si bebe, ¿cuánto?_____

Drogas ilegales

¿Usaba drogas ilegales antes de quedar embarazada? ❑ **Sí** ❑ **No**   De ser así, ¿qué tipo de droga y cuánto? _____
¿Usa drogas ilegales actualmente? ❑ **Sí** ❑ **No**   De ser así, ¿qué tipo de droga y cuánto?
_____

Su vida en el hogar

¿Se siente segura en su situación familiar actual? ❑ **Sí** ❑ **No**
¿Se siente segura con su pareja actual? ❑ **Sí** ❑ **No**   Si respondió que "no" a cualquiera de estas dos preguntas, tenga cuidado y no deje este formulario en algún lugar donde pueda encontrarlo su pareja. Tanto usted como su bebé pueden estar en peligro en esta situación. Es importante que encuentre un lugar seguro para protegerse y proteger a su bebé.

Antecedentes genéticos

Indique si usted, su bebé, el padre de su bebé o cualquier miembro de sus respectivas familias han tenido cualquiera de las siguientes afecciones:

Afección	Sí	No
Talasemia (ascendencia italiana, griega, mediterránea o asiática)		
Defecto del tubo neural (espina bífida, mielomeningocele, anencefalia)		
Defecto cardíaco congénito		
Síndrome de Down		
Enfermedad de Tay-Sachs (judío asquenazí, cajún, francocanadiense)		
Enfermedad de Canavan, (judío asquenazí)		
Disautonomía familiar (judío asquenazí)		

¿Ha tenido usted o el padre del bebé algún hijo con un defecto congénito no indicado anteriormente? ❑ **Sí** ❑ **No**   If yes, what type? _____

¿Tiene 35 años o más de edad? ❑ **Sí** ❑ **No**

¿Tiene usted algún trastorno metabólico, como diabetes mellitus de tipo 1 o fenilcetonuria? ❑ **Sí** ❑ **No**

Indique todos los medicamentos que ha tomado desde su último periodo menstrual (incluya suplementos, vitaminas, hierbas medicinales y medicamentos de venta sin receta). Incluya la potencia y la dosis.

Medicamento	Potencia (por ejemplo, miligramos)	Dosis

Historial de infecciones

¿Vive con una persona que padece de tuberculosis o ha estado expuesta a la tuberculosis?
❑ **Sí** ❑ **No**

¿Tienen o han tenido usted o su pareja sexual herpes oral o genital? ❑ **Sí** ❑ **No**

¿Ha tenido sarpullido o una enfermedad producida por un virus desde su último periodo menstrual? ❑ **Sí** ❑ **No**

¿Tiene el virus de hepatitis B o el de hepatitis C? ❑ **Sí** ❑ **No**

¿Ha tenido alguna vez las siguientes enfermedades de la niñez o se ha vacunado contra ellas?

Varicela	❑ **Sí**	❑ **No**	❑ Vacuna
Sarampión	❑ **Sí**	❑ **No**	❑ Vacuna
Paperas	❑ **Sí**	❑ **No**	❑ Vacuna
Rubéola	❑ **Sí**	❑ **No**	❑ Vacuna

¿Ha tenido el parvovirus? ❑ **Sí** ❑ **No**

¿Ha tenido alguna vez una enfermedad de transmisión sexual como gonorrea, clamidia, infección por el virus de inmunodeficiencia humana (VIH), sífilis o infección por el virus del papiloma humano? ❑ **Sí** ❑ **No**

Encierre en un círculo todos los que correspondan.

Sus preguntas

Haga una lista de todas las preguntas que desea hacerle a su proveedor de atención médica prenatal.

_____

_____

_____

_____

_____

_____

_____

_____

_____

_____

_____

_____

_____

_____

_____

_____

_____

_____

_____

_____

_____

_____

_____

_____

_____

_____

_____

_____

Adaptado del Colegio Americano de Obstetras y Ginecólogos. ACOG Antepartum Record. Versión 6. ACOG: Washington, DC; 2007.

Índice

La información sobre figuras, tablas y cuadros se indica mediante las letras *f*, *t*, y *c*, respectivamente